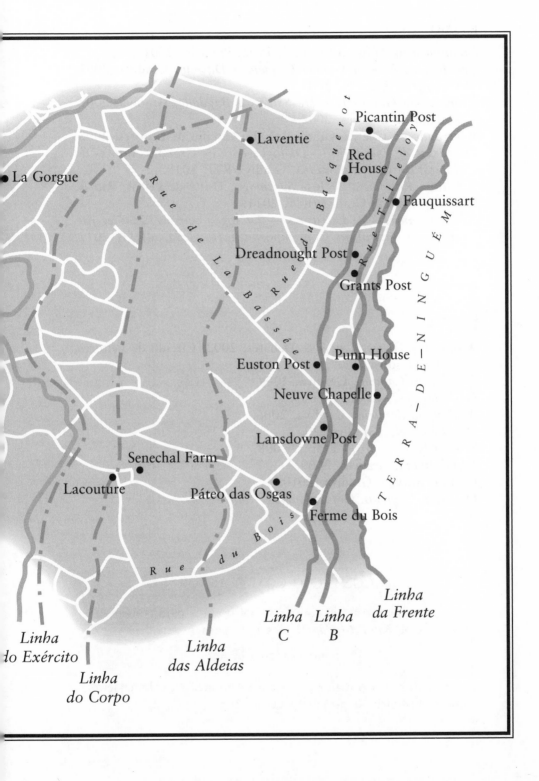

La Gorgue

Laventie

Picantin Post

Red
House

Fauquissart

Rue du Bacquerot

Rue Tilleloy

Dreadnought Post

Grants Post

Rue de La Bassée

T E R R A — D E — N I N G U É M

Euston Post

Punn House

Neuve Chapelle

Lansdowne Post

Senechal Farm

Lacouture

Páteo das Osgas

Ferme du Bois

Rue du Bois

Linha
da Frente

Linha
C

Linha
B

Linha
do Exército

Linha
das Aldeias

Linha
do Corpo

OBRAS DO AUTOR

ENSAIO

Comunicação, Difusão Cultural, 1992; Prefácio, 2001.

Crónicas de Guerra I — Da Crimeia a Dachau, Gradiva, 2001; Círculo de Leitores, 2002.

Crónicas de Guerra II — De Saigão a Bagdade, Gradiva, 2002; Círculo de Leitores, 2002.

A Verdade da Guerra, Gradiva, 2002; Círculo de Leitores, 2003.

Conversas de Escritores — Diálogos com os Grandes Autores da Literatura Contemporânea, Gradiva/RTP, 2010.

A Última Entrevista de José Saramago, Usina de Letras, Rio de Janeiro, 2010; Gradiva/RTP, 2011.

Novas Conversas de Escritores — Diálogos com os Grandes Autores da Literatura Contemporânea II, Gradiva/RTP, 2012.

FICÇÃO

A Ilha das Trevas, Temas & Debates, 2002; Círculo de Leitores, 2003; Gradiva, 2007.

A Filha do Capitão, Gradiva, 2004.

O Codex 632, Gradiva, 2005.

A Fórmula de Deus, Gradiva, 2006.

O Sétimo Selo, Gradiva, 2007.

A Vida Num Sopro, Gradiva, 2008.

Fúria Divina, Gradiva, 2009.

O Anjo Branco, Gradiva, 2010.

O Último Segredo, Gradiva, 2011.

CONTACTO COM O AUTOR

Se desejar entrar em contacto com o autor para comentar o romance *A Filha do Capitão*, escreva para o e-mail

jrsnovels@gmail.com

O autor terá o maior gosto em responder a qualquer leitor que se lhe dirija a propósito desta obra.

JOSÉ RODRIGUES DOS SANTOS

A Filha do Capitão

romance

gradiva

© *José Rodrigues dos Santos/Gradiva Publicações, S. A.*
Revisão de texto: *José Soares de Almeida/Helena Ramos*
Capa: foto: © *Joshua Benoliel*
   design gráfico: *Armando Lopes*
Sobrecapa: foto: *Marion Davies* em *Cecilia of The Pink Roses,* 1918
   design gráfico: *Armando Lopes*
Fotocomposição: *Gradiva*
Impressão e acabamento: *Multitipo — Artes Gráficas, L.ᵈᵃ*
Reservados os direitos para Portugal por: *Gradiva Publicações, S. A.*
Rua Almeida e Sousa, 21 – r/c esq. — 1399-041 Lisboa
Telef. 21 393 37 60 — Fax 21 395 34 71
Dep. comercial: Telefs. 21 397 40 67/8 — Fax 21 397 14 11
geral@gradiva.mail.pt / www.gradiva.pt
1.ª edição: *Novembro de 2004*
28.ª edição: *Maio de 2012*
Depósito legal n.º 304 382/2010
ISBN: 978-972-662-994-8

gradiva
Editor: *Guilherme Valente*

Ao meu bisavô materno,
o cabo Raúl Campos Tetino,
que morreu após ser gaseado na Grande Guerra.

Ao meu avô paterno,
o capitão José Rodrigues dos Santos,
que serviu no conflito de 1914-1918.

"O pensamento mais fugaz
obedece a um desenho invisível."

JORGE LUÍS BORGES, *O Aleph*

"O sentido do mundo emerge fora do mundo.
No mundo, tudo é como é e acontece como acontece."

LUDWIG WITTGENSTEIN, *Tractatus Logico-Philosophicus*

"É muito difícil para os que fizeram a guerra
lutar nos campos das letras
com os paisanos que a descrevem à retaguarda
em livros ou nos grandes jornais.
Para se desenhar em termos um acto heróico
é preciso pelo menos um recuo de duzentos quilómetros.
De perto, a heroicidade confunde-se demasiadamente
com as cousas que de heróico não têm a mínima parcela."

ANDRÉ BRUN, *A Malta das Trincheiras*

PARTE UM

Afonso e Agnès

I

Foi logo em pequeno que Afonso da Silva Brandão percebeu que a vida era uma estrada incerta, repleta de cruzamentos, bifurcações, pontes, túneis e becos, e que cada caminho encerrava um sem-número de mistérios, de segredos por desvendar e de enigmas por decifrar. Animado por uma curiosidade persistente e estimulado por uma inteligência viva e intuitiva, cedo começou a suspeitar que o mundo era um sítio estranho, um enorme palco de ilusões, traiçoeiro e dissimulado, um dúplice jogo de espelhos onde tudo parecia caótico mas se revelava afinal ordenado, onde as coisas tinham certamente um sentido, mas não necessariamente um significado. Pressentiu, aliás, que era precisamente na existência de um significado que principiava o enigma do significado da existência.

Chegaria o tempo em que se interrogaria repetidamente sobre esse grande segredo, talvez um dos maiores e mais velhos mistérios do universo. A questão do significado da existência. O destino. Iria então tentar decifrar o sinuoso percurso da vida, o inefável caminho que os dias percorrem, um após outro, arrastando-o numa direcção obscura, a rota talvez previamente definida, quem sabe se escolhida por si ou forçada pelas circunstâncias, certamente conduzindo-o através de uma labiríntica rede até ao inescapável fim, como se as coisas fossem fruto de uma conspiração na sombra, preparada por agentes sem rosto numa fantástica conjuração secreta. Procuraria aí a resposta para o enigma que o apoquentava.

Quando esse tempo viesse, Afonso suspeitaria de que a vida era afinal uma tragédia, ou talvez apenas uma grandiosa peça imaginada por um dramaturgo sem nome e representada por actores sonambulescos, intérpretes involuntários de um enredo desconhecido, personagens a quem ninguém jamais teve a gentileza de explicar a trama da história; a intriga estava afinal determinada mas permanecia indeterminável. Talvez essa visão fosse fruto das circunstâncias particulares da sua existência, da sucessão de percursos inacabados que se tornara a sua vida. Confrontar-se-ia então com os sonhos adiados e os caminhos que não percorrera, dos dias que vivera guardaria apenas a cruel nostalgia do que poderia ter sido se as coisas se têm tornado diferentes. Nada era justo, tudo se revelava arbitrário, cada um limitava-se a procurar retirar um significado do caos da existência, como se fosse importante criar uma narrativa, estabelecer um sentido, buscar uma razão, encontrar uma explicação para as coisas que simplesmente acontecem.

Na vida, concluiria um dia, todos têm direito a um grande amor. Uns achá-lo-iam num cruzamento perdido e com ele seguiriam até ao fim do caminho, teimosos e abnegados, até que a morte desfizesse o que a vida fizera. Outros estavam destinados a desconhecê-lo, a procurar sem o descobrirem, a cruzar-se numa esquina sem jamais se olharem, a ignorar a sua perda até desaparecerem na neblina que pairava sobre o solitário trilho para onde a vida os conduzira. E havia ainda aqueles fadados para a tragédia, os amores que se encontravam e cedo percebiam que o encontro era afinal efémero, furtivo, um mero sopro na corrente do tempo, um cruel interlúdio antes da dolorosa separação, um beijo de despedida no caminho da solidão, a alma abalada pela sombria angústia de saberem que havia um outro percurso, uma outra existência, uma passagem alternativa que lhes fora para sempre vedada. Esses eram os infelizes, os dilacerados pela revolta até serem abatidos pela resignação, os que percorrem a estrada da vida vergados pela saudade do que poderia ter sido, do futuro que não existiu, do trilho que nunca percorreriam a dois. Eram esses os que estavam indelevelmente marcados pela amarga e profunda nostalgia de um amor por viver.

A vida é realmente um caldeirão de mistérios, a começar pelos mais simples, pelos mais ingénuos e inocentes, por aqueles que estão na génese da nossa existência. Afonso, por exemplo, nunca teve a certeza absoluta sobre a data exacta em que nasceu. Sabia que tinha sido em Março de 1890, embora alimentasse dúvidas quanto ao dia certo. A mãe dizia que o dera à luz à meia-noite e meia hora de 7 de Março, mas seria a meia-noite e meia hora da noite de 6 para 7 ou de 7 para 8? A questão nunca foi devidamente clarificada, apesar de, para todos os efeitos, a data de 7 de Março se ter tornado, nos documentos oficiais, o dia em que Afonso nascera.

O pequeno viu pela primeira vez a luz do dia numa casa humilde da Carrachana, um lugar ermo à entrada da vila ribatejana de Rio Maior. Era o sexto e último filho da senhora Mariana, uma mulher baixa e forte, as faces rechonchudas e rosadas, o cabelo meio-grisalho puxado para trás e preso por um carrapito, e cujo nome, também ele, estava envolto em absurdas incertezas. A mãe dizia que se chamava Mariana André Brandão, mas noutras alturas identificava-se como Mariana Silva André, ou Mariana da Conceição, ou Mariana das Dores. Afonso nunca entendeu este mistério, embora a tivesse questionado inúmeras vezes sobre o assunto, obtendo sempre respostas contraditórias ou evasivas. Os documentos oficiais de Afonso registavam que ele era filho de Mariana André Brandão, mas um dia verificou que os papéis de um irmão atribuíam a filiação a Mariana Silva André. No meio de tudo isto, a única certeza era a de que o nome próprio da mãe era Mariana.

O pai chamava-se Rafael Brandão Laureano, o que suscitava novo mistério. Pois, se o último nome era Laureano, por que razão dera aos filhos o apelido do meio, Brandão? Igualmente aqui nunca houve respostas satisfatórias e o pai limitava-se a encolher os ombros quando interrogado sobre esta opção. Rafael Laureano era um homem alto, com um metro e setenta e cinco, estatura invulgar em Portugal, e profundamente religioso. Tinha um rosto largo, rasgado por longas rugas que lhe nasciam do canto dos olhos miúdos, o abundante e rebelde cabelo grisalho parecia uma mão-cheia de palha branca plantada na cabeça. O senhor Rafael exercia a profissão de jornaleiro, mas, desenganem-se os menos esclarecidos, nada tinha a ver com jornais. Um jornaleiro era um homem que trabalhava no campo e era pago à jornada. Sendo jornaleiro, o pai de Afonso era pobre, mas não miserável. Possuía dois pequenos terrenos onde cultivava vinhas para produzir tinto, que vendia aos armazenistas de Rio Maior. O problema é que a produção não chegava para o sustento da família e, como tinha fama de bom agricultor, Rafael era frequentemente convidado pelos grandes proprietários ribatejanos para trabalhar à jornada nas suas terras.

Rafael e Mariana casaram muito cedo e tiveram o primeiro filho quando ainda eram adolescentes. Ele tinha quinze anos e ela catorze. Mariana deu à luz um belo rapaz, ao qual chamaram Manuel. Depois vieram a Jesuína, o António, o João e o Joaquim. Em 1889, na altura em que estava a cumprir serviço na Marinha de Guerra, António morreu, vítima de tuberculose. Mariana ficou desfeita e a dor encheu o lar. Rafael mergulhou numa depressão, tornou-se amargo, obcecado pela desgraça que se abatera sobre a família. Era normal naquele tempo morrerem muitas crianças, a maior parte das vezes ainda bebés, mas o António já não era um menino, era um homenzinho, tinha sonhos e projectos, era amado e admirado.

O pai deu consigo a sonhar todas as noites com a morte do filho. Sonhava que ele afinal não morrera, ou que ressuscitara, ou que conhecera um outro rapaz igualzinho ao seu António, ou que o chamava mas ele não o ouvia, ou que isto, ou que aquilo. De todas as vezes era um sonho diferente, frequentemente trágico, por vezes desesperado, raramente feliz. Houve um, porém, que o deixou muito impressionado. Numa noite abafada de Verão sonhou Rafael que se ajoelhara junto à campa do seu rapaz quando Deus lhe apareceu em visão e disse que lhe tinha destinado cinco filhos. Se um morrera, outro teria de vir para o substituir. Quando Rafael despertou, a decisão estava tomada e Mariana foi compensada com um novo filho, era uma forma de fazer regressar a alegria a casa e de cumprir os desígnios do Senhor. Foi assim que, no ano seguinte, Mariana, já com quarenta e cinco anos, deu à luz Afonso, o menino que veio para substituir António nas contas de Deus.

O benjamim da família cresceu habituado a um mundo em que todos os irmãos eram muito mais velhos do que ele. Manuel tinha trinta e um anos, já se casara e saíra de casa. Tornara-se ferrador e fizera-se pai de uma menina dois anos mais velha do que o seu irmão mais novo. Depois vinha Jesuína, que casou quando Afonso era ainda pequeno. A sua primeira memória da irmã remonta a um momento doloroso na cozinha, Jesuína lavada em lágrimas de desespero pela morte do primeiro filho, a mãe a consolá-la, a cabeça da filha encostada ao ombro materno. Do terceiro irmão, António, aquele a quem afinal devia a vida, só restava uma grande fotografia pendurada numa parede da sala, o rapaz com a farda de marinheiro orgulhosamente ostentada. Os mais próximos eram João e Joaquim, ambos adolescentes, a trabalharem numa serração. O pequeno Afonso dormia com estes dois irmãos na mesma cama de latão, num quarto sem porta, a entrada protegida por uma cortina muito gasta. À medida que o mais novo ia crescendo, tornou-se evidente que não cabiam os três na mesma cama se continuassem deitados uns ao lado dos outros, e Afonso, que ficava sempre no meio, passou a dormir com a cabeça junto aos pés dos mais velhos.

As memórias de Afonso só começaram a tornar-se nítidas a partir dos seis anos. Foi nessa altura que parou de mamar no pão, à falta de chupeta mais adequada, embora ainda comesse as sopas de cavalo cansado, que se tornaram a sua dieta. Aos dois anos tinha deixado de mamar nos seios da mãe, porque o leite secara, e passara desde então a depender dessa mistura de pão e vinho tinto doméstico. Ao entrar na escola adquiriu maior consciência do mundo que o rodeava. Começou a notar as madeiras escuras e toscas que lhe mobilavam a casa e o permanente cheiro a porcos, estrume e mosto que lhe invadia o quarto. Os suínos eram criados numa pequena pocilga ao lado da casa e o seu odor propagava-se facilmente pelo ar. Não é que se importasse, ele que andava descalço por toda a parte, vestindo uns velhos e fedorentos trapos herdados dos irmãos.

Cedo começou Afonso a ajudar o pai, semeando melão, limpando as vinhas e enxofrando as cepas. As epidemias ameaçavam as vinhas havia mais de dez anos. Iniciava-se então o falatório sobre um novo método para combater aquele mal, a sulfatação, mas, enquanto a novidade não chegava ao Ribatejo, terra remota e de vida árdua, tinha o senhor Rafael de contar unicamente com a protecção da Virgem. Naquele tempo circulava-se de carroça, embora Rafael Laureano se remediasse com uma burra que o auxiliava na lavoura. Afonso aprendeu que a burra não era burra de todo, mostrava-se até esperta e desembaraçada. Era frequente ver o pai dar instruções ao animal.

"Vai para o Cidral!", ordenava-lhe o senhor Rafael, abrindo o portão do quintal. "Anda, vai."

A burra cruzava o portão e desaparecia vagarosamente pela poeirenta estrada de terra batida, seguida pelo cão da casa, o Bobby. Nessas alturas, Afonso acompanhava o pai numa volta pela vila, seguia-o como um rafeiro fiel, achava-o forte e sábio; com ele sentia-se bem, seguro e tranquilo. Quando, horas depois, chegavam os dois ao terreno da família no Cidral, encontravam a burra e o cão à sua espera.

"Bovi! Bovi!", chamava o pai, incapaz de pronunciar correctamente o nome de Bobby. Abria os braços e abraçava o cão, que o recebia com sempre renovado entusiasmo, a cauda a abanar como um leque, saudando o dono como se não o visse havia dez anos. "Ah, Bovi."

A vida do senhor Rafael era dura. De segunda a sábado acordava às cinco da manhã, comia uma sopa ou um naco de pão com chouriço e ia trabalhar a terra. Almoçava às dez horas o farnel que a mulher lhe trazia num cesto e ao meio-dia vinha a merenda. A lavoura só terminava quando o Sol se punha ou quando dobravam os sinos do cemitério, pelas cinco da tarde.

"Olha as ave-marias!", exclamava Rafael Laureano, limpando o suor da testa e erguendo-se para mirar o horizonte e escutar os sinos distantes. "Está na hora."

Deitavam-se todos cedo. Eram oito da noite quando o senhor Rafael mandava Afonso vestir o seu "pijeta", apagava as candeias ateadas com azeite e mergulhava a casa na escuridão, era hora de dormir. Só aos domingos podia esta rotina ser alterada. No dia do Senhor acordavam cedo, como sempre, e vestiam as melhores roupas, melhores porque não estavam esfarrapadas. O banho era quase desconhecido, excepto no Verão, altura em que, uma vez por mês, toda a família ia lavar-se em animadas manhãs dominicais. Afonso não apreciava esses momentos. Encolhia o corpo franzino dentro de uma tina e sentia a água gelada despejada sobre si pela mãe. Depois de se vestirem, o senhor Rafael conduzia a família à missa para uma manhã de virtude, mas à tarde vinha o vício e o pecado. O pai ia com os irmãos para a taberna do Silvestre ou para a taberna do Corneta embebedar-se com tinto. Era considerado um "mau vinho" porque, quando embriagado, ficava de mau humor e não raras foram as vezes em que se envolveu em zaragatas disparatadas. Para controlar o problema, a senhora Mariana mandava Afonso acompanhar o pai com a missão de o trazer de volta tão cedo quanto possível, tarefa que o pequeno temia; o pai tornava-se irascível quando tocado pelo álcool e aquele rochedo de segurança transformava-se nesses momentos numa montanha ameaçadora, as mãos eram pedregulhos instáveis e imprevisíveis, reagia mal às suas súplicas e esbofeteava-o com violência.

O vinho fazia parte das suas vidas, ou não fosse Rafael Laureano um pequeno e dedicado produtor. Afonso habituou-se a colaborar no trabalho de produção de tinto, atirando as uvas para os balseiros instalados num anexo. O pequeno passou a acompanhar os adultos no trabalho de pisar as uvas para fazer o mosto, uma tarefa que lhe produzia tonturas; percebeu mais tarde que era o álcool libertado do mosto que o embriagava. O vinho era depois colocado em tonéis, com gradações que variavam entre os doze e os quinze graus, para serem vendidos aos armazenistas de Rio Maior. Nos balseiros ficava entretanto o engaço, formado pelos pés das uvas. O pai atirava água para cima do engaço e nascia ali um vinho mais fraco, de sete ou oito graus, a que chamavam água-pé.

Quando os filhos atingiam os cinco anos, o senhor Rafael arrebanhava-os para o ajudarem no trabalho. Podiam ser ainda muito pequenos, mas o pai considerava-os aptos a desempenharem pequenas tarefas. Em 1876, porém, abriu a escola primária em Rio Maior. O ensino não vinha a tempo dos filhos mais velhos do casal Laureano, mas a questão colocou-se em relação a João, Joaquim e, mais tarde, Afonso. O pai mostrou-se inicialmente relutante em enviá-los para a primária, argumentando que precisava era de mãos que o ajudassem a trabalhar a terra ou a ganhar sustento para a família noutros trabalhos. Teve de ser o pároco de Rio Maior, o padre Gaspar Costa, a intervir e usar toda a sua divina influência para levar a melhor sobre o casmurro Rafael. O que é facto é que os rapazes lá acabaram por ser autorizados a frequentar a escola.

A vez de Afonso chegou num dia húmido e frio do Outono de 1896. Logo pela manhã, desafiando a nortada gelada que soprava com bravura lá do Alto do Seixal, a senhora Mariana levou o filho mais novo pela mão desde a Travessa do Rosmaninho, onde viviam, até à Rua das Dálias. Atravessaram apressadamente o largo, encolhidos nos seus miseráveis agasalhos, e meteram à direita pela Rua das Flores. A manhã despertara agreste, as gotas do orvalho matinal a brilharem como pérolas reluzentes nas folhas molhadas das azinheiras, as pétalas das flores abrindo-se à luz fria da alvorada e à primeira dança dos insectos, as folhas fendidas dos carvalhos-das-beiras a formarem lágrimas que deslizavam pelos pelos esbranquiçados das suas páginas inferiores; o aromático odor da resina a flutuar no ar era como um perfume exótico que se espalhava pelo caminho de terra rasgado por entre a verdura. Seguiram por ali fora, alheios ao espectáculo da natureza no dealbar do novo dia, até passarem pela Torre dos Bombeiros e chegarem à escola primária de Rio Maior.

"Que bom, Afonso, vais para a escola", dizia-lhe a mãe pelo caminho. "Estás contente, não estás?"

Afonso assentia com a cabeça. A senhora Mariana passara os últimos dias a pintar-lhe um quadro idílico da escola, que era uma coisa maravilhosa, que ia ter muitos amigos, que ia aprender a ser "um grande homem", o tom era de tal modo entusiástico que o pequerrucho deu consigo ansioso por frequentar tal lugar. Ficou por isso ligeiramente surpreendido quando, ao aproximar-se do edifício, viu outras crianças a chorar; as mães arrastavam-nas nos passeios e elas desfaziam-se em lágrimas. Achou estranho, por que razão estariam os outros miúdos tão assustados por irem para a escola?

A verdade é que, ao cruzar o portão, Afonso entrou num mundo especial, onde as leis eram diferentes e as condutas reguladas, um mundo que lhe abriu as portas para horizontes que se estendiam para além da Carrachana. Um letreiro afixado à porta da escola explicava que os pais teriam de entregar uma "declaração do parocho ácerca da edade", uma "declaração do regedor atestando a residência do alumno na freguezia" e uma "declaração do facultativo de não soffrerem as creanças molestias contagiosas e de terem sido vaccinadas". A senhora Mariana não sabia ler, mas tinha-se informado previamente junto do padre Gaspar e levava consigo os três documentos requeridos, que entregou à ajudante da escola, a circunspecta dona Vadeia Figueiredo.

O primeiro mestre de Afonso foi o professor Manoel Ferreira, um dinâmico leiriense que havia mais de vinte anos tinha chegado a Rio Maior e aberto a escola, a única instituição de ensino primário para rapazes existente na vila. O professor Ferreira era adepto intransigente de uma disciplina rígida nas salas de aula e obrigou Afonso, a exemplo dos seus colegas, a usar bibe.

"Aqui não há ricos nem pobres", explicou ele à senhora Mariana quando esta se admirou com a imposição. "Na escola são todos iguais e, por isso, vestem por igual."

À disciplina férrea, Manoel Ferreira juntava métodos pedagógicos inovadores e activos, como a cartilha de João de Deus. O professor era casado com dona Maria Vicência, de quem tinha onze filhos, mas, aos quarenta e quatro anos, encontrava ainda tempo para dirigir os jornais *O Riomaiorense* e, posteriormente, o *Civilisação Popular,* semanários que fundara, para além de uma tipografia. Foi Manoel Ferreira quem ensinou Afonso a ler, associando letras a desenhos e a sons, de acordo com as novas teorias de ensino.

A dureza das tarefas de que o pai incumbia Afonso na lavoura fez com que o pequeno gostasse de ir às aulas. Considerava a escola um local de descanso que lhe dava oportunidade para fugir ao exigente trabalho na terra. Afonso aplicou-se nos estudos, mas sobretudo nas brincadeiras; as correrias do "apanha" e o "aqui-vai-alho" tornaram-se as favoritas. A principal, porém, era o *football,* jogado em geral com uma bola feita de trapos e meias velhas. Ao meio-dia ia a casa comer alguma coisa e levava depois uma cesta com comida para João e Joaquim, que trabalhavam na serração. Os dois irmãos iam ter com ele a meio caminho para recolherem o farnel e Afonso voltava depois para a escola. Quando as aulas acabavam, perdia-se na bola com os amigos no Largo Conselheiro João Franco, a principal praça de Rio Maior, até ao dia em que partiu a vitrina da Pharmácia Barbosa com uma bola reforçada por um revestimento de couro. Como todos na vila se conheciam, o doutor Francisco Barbosa foi queixar-se à mãe e a partir desse dia acabaram-se as sessões de *football* pós-escolar.

A paixão do pequeno Afonso pelo *football* nasceu-lhe da única viagem que fez nos primeiros dez anos de vida. Quando tinha seis anos, meses antes de ir para a escola pela primeira vez, os pais receberam a notícia de que a prima Ermelinda, uma parente afastada da mãe, estava a morrer de tuberculose. A prima Ermelinda vivia em Lisboa e ficou decidido que iriam visitá-la no domingo seguinte. Nunca tinham ido à capital e a viagem suscitou a maior animação na família, em boa verdade as maleitas da prima Ermelinda apenas preocupavam a senhora Mariana; para o senhor Rafael e os filhos aquele não passava, afinal de contas, de um apropriado pretexto para irem visitar a grande cidade. Corria então o ano de 1896, as vendas de tonéis de vinho aos armazéns tinham sido excelentes e havia dinheiro disponível para o ansiado passeio.

Levantaram-se pelas quatro horas da madrugada do domingo de 9 de Agosto, vestiram as melhores roupas e rezaram à mesa de modo a compensarem a missa dominical a que teriam de faltar. Afonso era, nessa altura, um rapaz franzino, de cabelos castanhos lisos e olhos cor de chocolate a sobressaírem na sua tez pálida. Apesar do sono, transbordava de entusiasmo e excitação, mal podia esperar pela grande viagem.

Os Laureanos pegaram em dois sacos de farnel previamente preparados e num garrafão de tinto e apanharam a carreira de *char-à-bancs*. Pagaram quinhentos réis por pessoa, bilhetes de ida e volta, e seguiram pela Estrada Real n.º 65 até às Caldas da Rainha. Na estação das Caldas compraram bilhetes de 2.ª classe para o primeiro rápido, a mil setecentos e vinte réis cada um, e, às sete e meia da manhã, o casal Laureano e os três filhos mais novos apanharam o comboio. Foram parando em sucessivas estações e apeadeiros, primeiro Óbidos, depois outros lugares de que Afonso nunca tinha ouvido falar, Bombarral, Outeiro, Ramalhal, Torres Vedras, perderam a conta, mas na Porcalhota sentiram-se já com um pé na capital; seguiram-se Bemfica, Campolide e Alcântara, e acabaram por entrar no Rocio às dez e meia da manhã.

"Ai que confusão, valha-me Deus", queixou-se Mariana, afoguuada pelo calor estival e atarantada com o nervoso movimento na estação. "Vamos à Ermelinda?"

"Tem calma, mulher, tem calma", devolveu o marido, excitado por conhecer a cidade e nada interessado em desperdiçar o passeio em casa de uma moribunda que mal conhecia. "Temos tempo para a tua prima, fica descansada. Mas primeiro vamos lá dar uma voltinha, anda." Olhou em redor, os edifícios pareciam estranhos, sofisticados, grandiosos, os homens eram uns janotas, mas, sobretudo, havia ali mulheres com ar distinto, sombrinhas na mão e aspecto bem tratado, umas verdadeiras flores, duquesas certamente. Esfregou as mãos, radiante. "Isto promete, olé se promete!"

Tudo aquilo era para eles novidade. O senhor Rafael, compenetrado na sua responsabilidade de chefe de família, mostrava-se particularmente nervoso. Para se sentir mais à vontade, ao interpelar qualquer pessoa procurava sempre colocar Rio Maior na conversa; era um modo de se transportar para um lugar familiar, coisa que começou por fazer logo ali na estação.

"Ó amigo, você já passou por Rio Maior?", perguntou a um funcionário da Companhia Real dos Caminhos-de-Ferro Portuguezes.

O homem mirou-o embasbacado.

"Eu? Não."

"Fez mal", retorquiu o senhor Rafael. "Diga-me lá para onde é que é o Terreiro do Paço."

Afonso era ainda pequeno, mas o bulício agitado da vida citadina não escapou à sua atenção. Apanharam a boleia de uma carroça proveniente de Alverca, o boleeiro era um saloio que viera à cidade levar batatas para o Campo das Cebolas, e atravessaram uma praça de dimensões nunca vistas, um largo tão grande que certamente Rio Maior caberia lá inteirinho.

"Esta é a Praça de D. Pedro IV", anunciou o saloio, fazendo um estalido com a língua para incitar as mulas. "Era a Praça da Inquisição, mas a malta conhece agora isto por Rocio. Chegaram a fazer-se aqui touradas e a queimar-se hereges, vejam lá vossemeceses."

Uma rua rodeava a vasta praça do Rocio, árvores viçosas alinhadas nas extremidades, o chão num tabuleiro de calçada à portuguesa desenhada em ondas, bancos de jardim plantados perante as árvores, uma esguia coluna ao centro com a estátua de D. Pedro IV no topo, a rica fachada do Theatro de D. Maria II ao fundo, casas a cercarem a praça, muitas de comércio, aqui a Tabacaria Mónaco, ali as Confecções Martins, acolá a Pastelaria Cardoso, mais além o Café Gelo.

Depressa a carroça deixou o Rocio para trás e meteu pela Rua Augusta. Percorreram-na admirando o rico e variado comércio que a enchia de vida, de um lado a Casa dos Bordados, do outro a Sapataria Lisbonense, mais à frente a Casa Americana; entraram finalmente na faustosa Praça do Commércio e o saloio parou a carroça para que saíssem. Agradeceram a boleia e o homem foi à sua vida, deixando-os a deambular prazenteiramente pelo Terreiro do Paço. Admiraram o Caes das Columnas e os barcos aí atracados ou a deslizarem pelo rio com as velas ao vento, contornaram a praça de olhos primeiro postos na imponente estátua equestre de D. José, "olha o cavalo preto!", apontou o senhor Rafael às crianças, depois miraram em silêncio respeitoso os majestosos edifícios amarelos que rodeavam geometricamente o largo com as suas profundas arcadas e galerias e os torreões nas alas perpendiculares. Finalmente maravilharam-se com o Arco Triunfal e a estátua em pé no topo, as mãos estendidas sobre as cabeças de duas outras estátuas mais baixas; não podiam saber mas era a *Glória* a coroar o *Génio* e o *Valor,* a misteriosa legenda VIRTVTIBUS MAIORVM por baixo, não a decifraram, não a entendiam, não conheciam latim, não sabiam sequer ler. Satisfeitos, decidiram regressar ao ponto de partida por outro caminho. Cruzaram a Rua do Arsenal e meteram pela Rua Áurea, espantaram-se com os altos armários de vidro colocados à porta da joalharia Cunha & Irmão, abastecedora da Casa Real, a exibir as suas pedras preciosas, "isto é que é uma riqueza!", passaram

25

pela Luvaria Gatos e salivaram diante da vitrina da Maison Parisienne, a *patisserie* que se gabava dos seus sorvetes "de todos os typos".

Desembocaram novamente no Rocio. Um sol quente de Estio, que banhava a praça com violência e empurrava as gentes para as sombras protectoras, fazia realçar as cores garridas das lojas, num agradável contraste com o azul-forte e profundo do céu. Afonso estranhou o facto de andar ali pouca gente descalça; havia muitas pessoas de sapatos a circular pela praça, situação que lhe indiciava serem os lisboetas gente rica e requintada. Em vez dos barretes ribatejanos que se habituara a ver em Rio Maior, constatou que em Lisboa muitos homens usavam refinados chapéus na cabeça, ora cartolas, ora chapéus de coco. Além disso, balouçavam bengalas na mão e aperaltavam-se com gravatas e laços a enfeitar roupas que pareciam limpas, lá na terra apenas o doutor Barbosa, o professor Ferreira e poucos mais tinham o hábito de se apresentar assim tão janotas.

Aqui e ali, a destoar, um rapaz descalço sobre uma mula, era um saloio, outro a carregar um barril azul aos gritos num pregão de "água fresca!", provavelmente um galego. Um monge magro, de sotaina negra e uma corda apertada à cintura a servir de cinto, passava por entre dois homens sentados no passeio, um com a cabeça no regaço do outro, que lhe inspeccionava o cabelo; estava ali aberta a época da caça aos piolhos. No outro lado passava um rapaz a puxar um carrinho de madeira cheio de pão, atrapalhando os perus de dois campinos ribatejanos, as aves em alvoroço em torno do carrinho e os campinos a tentarem controlá-las com os cajados. Pelo Rocio circulavam cavalos, mulas, burros, coches e carroças, viam-se rebanhos de cabras e vacas conduzidos aos cafés e botequins para fornecerem leite, mas o mais estranho era uma pequena carruagem de comboio que assentava sobre carris e era puxada por dois cavalos. As pessoas subiam para a carruagem junto à cooperativa "A Lusitana", pagavam um bilhete e sentavam-se num longo banco central, esperando que o cocheiro iniciasse a marcha.

"É o Americano", disse um saloio junto ao Bebedouro dos Quatro Anjinhos, sentindo-se quase gente fina ao pé daqueles provincianos. "Leva o pessoal pela cidade. Partem todos os quartos de hora, das sete da manhã às sete da tarde. Se quiserem aproveitar para darem uma voltinha..."

Não quiseram, acharam que seria demasiado caro para as suas posses. Mais valia andarem a pé.

"Vamos à Ermelinda?", sugeriu a senhora Mariana.

"Ó filha, tem calma, temos tempo", exclamou Rafael. "Vamos dar mais uma volta, anda, ainda é cedo."

Saíram do Rocio e meteram por uma rua sinuosa, que se inclinava e subia, íngreme, e o ar moderno da cidade foi-se perdendo, começou a aparecer o miserável; de certo modo Lisboa tornava-se quase tão indigente como Rio Maior. Viam-se pedintes, homens deitados no chão a exibirem feridas horrendas para comprarem a piedade dos transeuntes, mais cães, porcos, galinhas e patos a patinharem na lama. E o pior era toda a imundice, uma imundice mais imunda do que a da Carrachana, uma imundice de latrina e odores fétidos que tudo sujava e penetrava. O senhor Rafael e a família saltitavam descalços de pedra em pedra, evitando os excrementos e os rios de urina que deslizavam rua a baixo. Havia canais para esgotos abertos ao lado dos passeios e que desciam para o rio, mas muitos lisboetas tinham demasiada preguiça para irem ali colocar os dejectos, preferindo atirá-los para o meio da rua, sempre dava menos trabalho. Aqui não se via gente aprumada, o chão era demasiado sujo para sapatos de alta sociedade.

"Esta cidade está cheia de merda", resmungou o senhor Rafael, tentando limpar na pedra um pedaço de excrementos humanos que se colara ao calcanhar do seu nu pé direito.

Os excursionistas de Rio Maior ainda porfiaram por aquelas ruelas estreitas e inclinadas, esquadrinhando-as para cima e para baixo, mas um grito de "água vai!", seguido do despejar de porcaria de uma janela para a rua, convenceu-os a darem meia-
-volta.

"Ai Jesus, vamos embora, vamos embora, senão ainda levamos um banho de caca", aconselhou Mariana, com um risinho nervoso e muito atenta às janelas em redor.

Regressaram ao Rocio, sempre era mais seguro e não corriam o risco de apanharem uma chuvada de excrementos. Não é que não estivessem habituados à porcaria. Estavam. Não estavam era habituados àquela intensidade de porcaria. Uma vez de volta à grande praça central, meteram em direcção dos Restauradores. A dada altura, encontravam-se no Largo de Camões, a meio caminho entre as duas praças e ao lado da grandiosa estação de comboios por onde tinham chegado, quando apareceu em frente um estranho e ruidoso coche a circular sem ajuda de animais e largando uma baforada suja e malcheirosa. Ficaram todos paralisados e embasbacados a olhar, menos Afonso, que se assustou e foi enroscar-se nas largas saias da mãe. Em boa verdade, esta não era uma reacção necessariamente provinciana, uma vez que, naquele instante, os próprios lisboetas pararam nos passeios e emergiram das portas e janelas da imponente estação do Rocio, do Café Suisso, do Café Martinho, da seguradora Equitativa de Portugal e Colónias e das residências em redor para admirarem aquela maravilha sem igual, aquela máquina fumarenta a rolar espalhafatosamente sobre o macadame.

"Uma carroça sem cavalos", comentou o senhor Rafael, verdadeiramente surpreendido. "Já tinha ouvido falar nisto no Silvestre, mas pensei que fosse reinação."

O comentário sobre a carroça não era disparatado. Tal como os *Benz,* nos quais se inspirava, aquele *Panhard* de dois cilindros e motor *Phénix,* novinho em folha e acabado de importar de França por um conde abastado, tinha efectivamente o desenho de uma carroça elegante, a roda de trás maior do que a da frente, o assento escarlate almofadado como o dos coches ricos e garbosos. O barulhento *Panhard* desapareceu numa curva do Rocio, deixando um efémero rasto de fumaça preta atrás de si, e a vida pareceu regressar ao normal. Afonso, tal como o resto da família, ainda ficou a matutar sobre aquele mistério da assustadora carroça sem cavalos, mas depressa a novidade que era Lisboa acabou por distraí-lo. Seguiram pela Rua do Príncipe até aos Restauradores, a enorme praça construída poucos anos antes no lugar onde antigamente era o jardim do Passeio Público, subiram pela ampla e arborizada Avenida da Liberdade até à Rotunda, detendo-se amiúde a admirar os surpreendentes postes de iluminação colocados ao longo da avenida, diferentes dos bicos de gás a que estavam habituados.

Já cansados e com fome, abancaram junto ao lago de um terreno baldio e arborizado no topo da Rotunda, ao lado da Quinta da Torrinha. A mãe distribuiu a merenda pelo marido e filhos, era pão caseiro e chouriço, regados com o tinto do garrafão. O senhor Rafael, habituado à informalidade rural, meteu conversa com uma outra família que ali se instalara também em piquenique e, depois de fazer a tradicional pergunta relacionada com uma eventual passagem por Rio Maior, comentou aquele extraordinário fenómeno da carroça sem cavalos.

"Aquilo é que é uma máquina", observou para o estranho, batendo com a palma da mão na coxa.

"É verdade. E reparou que é limpinha?"

"Então não é? Em vez de largar bostas, deita fumo", observou Rafael. Pigarreou, lembrando-se de que isso levantava uma possível dificuldade para a agricultura. "O problema é que a fumarada não serve para estrume." Fez uma careta. "Mas não faz mal, catano. Aquela máquina é mesmo uma maravilha!"

"Ó homem, e vossemecê ainda não viu nada!", retorquiu o outro, sorridente. "Está a ver estes postes na Rotunda e por toda a Avenida?"

"Então não hei-de ver? São diferentes dos do Ribatejo, caramba."

"Pois são", assentiu o homem. "São lâmpadas eléctricas."

"O que é isso?"

"Olhe, é uma iluminação nocturna. Só que, em vez de se usar o azeite, o gás ou o petróleo para alimentar a chama, usa-se electricidade. A lâmpada eléctrica dá muito mais luz, não emite calor, não liberta fumos nem mau cheiro e não provoca incêndios. Uma maravilha."

"Ena!"

"Valha-me Deus, Rafael", afligiu-se a senhora Mariana, que, tal como as crianças, estava atenta à conversa. "A Aurinda já me falou nessa *elatrocidade* e contou-me que ouviu dizer que isso faz muito mal à saúde, é antinatural."

"Disparate, minha senhora", admoestou-a o homem. "A electricidade não tem efeitos adversos e, além do mais, possui até muitas aplicações. Dizem que, no futuro, os Americanos vão ser puxados pela electricidade, e não por cavalos, o mesmo acontecendo com todas as máquinas modernas. Com a energia eléctrica far-se-ão coisas extraordinárias, impensáveis. Por exemplo, no mês passado, ali no Intendente, houve uma grande animação. O Real Colyseu fez uma exibição de fotografias vivas, era uma coisa do arco-da-velha, tudo mexido pela electricidade."

"Homessa!", admirou-se o senhor Rafael. "Fotografias vivas?"

"É mesmo assim como lhe estou a dizer. Foram buscar um electricista estrangeiro a Madrid e ele mostrou fotografias a mexer. Víamos gente a andar, a correr, a pular, um baile em Paris, comboios a circular, uma ponte na cidade, era uma coisa impressionante, impressionante. São fotografias animadas por electricidade e é por isso que lhes chamam animatógrafo." O homem sorriu, o olhar perdido no infinito. "Aaah, aquilo é que foram duas horas bem catitas! Cobraram um balúrdio por sessão, mas pensa que isso fez esmorecer a tusa do pessoal? Nem pó! Foi uma roda-viva, um ver que t'avias a vender bilhetes, era tudo à coca, a malta queria era ver os bonecos."

"E isso já acabou?"

"Infelizmente já", confirmou o homem com um suspiro. "Mas estive a ler no jornal que o Theatro D. Amélia vai em breve começar com sessões diárias de fotografias animadas. O electricista foi para o Porto mas tenciona voltar aqui a Lisboa e dizem que ele agora não terá só coisas lá da França. Vai mostrar fotografias vivas de uma tourada no Campo Pequeno, da praia de

Algés, ali da Avenida da Liberdade, da Boca do Inferno, coisas com a nossa gente, sabe? De modo que anda tudo em pulgas para ver essas maravilhas."

O senhor Rafael e a família reagiram com cepticismo a tão espantoso anúncio; pensaram mesmo que o lisboeta estava a fazer pouco deles. Era lá possível ver fotografias a mexer! Mas o homem não se calava com as novidades e informou os ribatejanos de que, se estivessem interessados em sensações fortes, iria haver nessa tarde um interessante jogo de *football*.

"E o que é isso do *fubôu?*", indagou Rafael Laureano, intrigado com as modernices dos citadinos.

"*Football*", corrigiu o seu interlocutor, divertido por estar a explicar uma palavra inglesa a um paisano das berças. "É um jogo inglês em que se formam duas equipas de *players* e todos dão *kiques* numa bola até fazerem *goal*."

O senhor Rafael não percebeu muito bem, mas ficou cheio de curiosidade. Se calhar, valia a pena ir ver esse tal *fubôu* para depois contar as novidades lá na taberna do Silvestre. A carroça sem cavalos já iria dar pano para mangas, aquela conversa da electricidade e das fotografias a mexer também, o mesmo se podia dizer do fenómeno de muita gente usar sapatos e andar vestida como o doutor Barbosa. Podia ser que esta outra coisa alimentasse mais uma tarde de cavaqueira, que preciosa mina de assuntos para paleio sem fim se estava a revelar este passeio pela capital, que brilharete ele iria fazer com os amigos dos copos.

"Ó amigo, e onde é isso?"

"É ali no Campo Pequeno, daqui a duas horas", disse o homem, apontando para a esquerda. "Está a ver aquela rua? É a Avenida Fontes Pereira de Mello. Meta por ali até ao Saldanha, uma grande praça que está por acolá, e depois siga por uma alameda muito larga, a Avenida Ressano Garcia, até dar com uma grande arena, à direita, uma coisa feita há pouco tempo para as touradas. Chega lá em meia hora."

A senhora Mariana puxou o marido pelo braço.

"Ó Rafael, então e a Ermelinda?"

"Ó filha, tem calma", retorquiu Rafael, agastado. "A tua prima não vai a lado nenhum, não te aflijas. A gente dá o passeio e depois vamos lá ver a moça, não te apoquentes."

Quando terminou a refeição, a família Laureano rumou tranquilamente na direcção indicada. O passeio durou quarenta minutos, até que os cinco deram com um enorme edifício circular cor de tijolo, cheio de arcadas e galerias, decorado a arabescos, cúpulas duplas em azul-celeste a dominar os vários torreões de estilo neomourisco. Era a praça de touros, erguida no centro de um terreno maltratado. Concentrava-se ali uma pequena multidão, incluindo algumas mulheres de alta sociedade com os seus vestidos cheios, os chapéus espampanantes e as sombrinhas parisienses, rodeadas por um séquito de amigas e criados. Indagando se era ali o Campo Pequeno, o senhor Rafael obteve a confirmação. Perante si erguia-se a praça de touros. Aproximou-se da bilheteira e verificou que a tabela de preços indicava que os bilhetes mais baratos eram os da galeria de 2.ª ordem, a duzentos réis cada um, e os mais caros eram os camarotes de 1.ª ordem, a doze mil réis. Sentiu-se confuso e questionou um empregado.

"Ó amigo, tantos réis para ver *fubôu?*"

O funcionário riu-se.

"Aqui é só tourada, homem. A bola é ali."

O empregado apontou para os baldios ao lado da praça. Estendia-se ali um pedaço de terra com dois grandes rectângulos desenhados no chão, que o homem identificou como sendo os campos de jogo. Um dos rectângulos, mesmo colado à praça de touros, mostrava-se vagamente nivelado, mas o outro estava cheio de covas e buracos. Ao que parece, havia sempre ali muitos jogos e as equipas que chegassem primeiro ocupavam o rectângulo mais nivelado. Os atrasados tinham de se contentar com o que se apresentava esburacado.

A família de Rio Maior aproximou-se do rectângulo em melhor estado e não teve de esperar muito para que surgissem novidades. Dois grupos de homens apareceram pouco depois no local, cada grupo transportando pelo baldio umas enormes traves de madeira, duas mais pequenas pregadas em paralelo e unidas por uma grande trave colocada perpendicularmente numa das pontas. Cruzaram o descampado até chegarem ao rectângulo mais liso.

"São os *players* do Real Gymnasio Club", explicou um mirone ao senhor Rafael. "Vêm do Rego e trazem as balizas."

Rafael Laureano não percebeu a explicação, mas manteve-se calado, a observar. Os homens colocaram as traves em cada extremidade do rectângulo e, inesperadamente, começaram a tirar os casacos e as gravatas. Via-se que era gente de classe alta, pelo que o seu comportamento deixou a família de Rio Maior siderada. Depois de ficarem em tronco nu, tiraram os sapatos e, cúmulo dos cúmulos, começaram a baixar as calças. A senhora Mariana reprimiu um grito púdico, tapou os olhos e virou-se de costas, enquanto os filhos e o marido se encontravam paralisados e de boca aberta, tinham dificuldade em acreditar no que viam, até que explodiram em gargalhadas. Aquela gente fina, tão cheia de pruridos e salamaleques, estava a despir-se em plena rua, e as damas que se encontravam na assistência limitavam-se a ocultar os olhos com os seus leques floridos. Os recém-chegados ficaram todos momentaneamente de cuecas até vestirem umas calças apertadas e curtas, como se fossem calças de cavaleiros com a bainha pelos joelhos. Colocaram sobre o tronco umas camisolas coloridas e calçaram umas meias altas e uns tamancos escuros. Um deles tirou uma bola castanha de um saco e foram todos a correr para dentro do rectângulo aos pontapés à bola. Instantes mais tarde apareceram de bicicleta outros homens que repetiram por detrás da segunda baliza o ritual de se despirem e vestirem, amontoando a roupa junto às traves antes de entrarem igualmente no terreno.

"É o Football Club Lisbonense", anunciou o mirone, intimamente divertido com a reacção dos parolos que o escutavam. "Estes gajos são muito bons. Até agora só perderam uma única vez, há três anos, contra uma equipa de ingleses, e, mesmo assim, apenas por um *goal*."

Agarrado às calças do pai, o pequeno Afonso reteve na memória o que se passou a seguir. Os dois grupos tinham camisolas de cores diferentes e desataram todos a correr loucamente pelo campo a dar pontapés na bola, perante o clamor excitado dos espectadores e a vigilância de um homem vestido com um elegante fato e gravata de *tweed* que corria entre eles a dar ordens.

"É o *referee*", esclareceu o mesmo mirone.

As regras eram simples. Tornou-se claro aos visitantes de Rio Maior que só os dois homens que se encontravam nas balizas podiam pegar na bola com as mãos, todos os outros apenas estavam autorizados a dar pontapés. Havia alguns que eram muito loiros ou ruivos, tratava-se de ingleses misturados nas duas equipas. Por vezes zangavam-se todos, gritavam, gesticulavam, empurravam-se, o jogo parava, entravam espectadores no rectângulo para participarem na discussão, o sururu crescia para depois acalmar, os jogadores e o homem engravatado de fato de *tweed* empurravam toda a gente para fora do campo e logo tudo recomeçava. Uma vez por outra, a bola entrava numa baliza, ouvia-se uma grande gritaria e aplausos entre os espectadores e alguns dos jogadores saltavam de alegria e abraçavam-se efusivamente.

"Aquele pequenino é o Barley, um inglês muito bom", indicou o mirone com entusiasmo, apontando para um homem que corria rápido pelas alas e que acabara de meter uma bola na baliza, sendo nesse instante cumprimentado por vários amigos. "Mas do que eu gosto mais é daquele magrinho ali, o Paiva Raposo. Sim senhor, aquilo é que é um *player,* um portento nos *dribblings* e nos *kiques!* O Barley e o Raposo estiveram os dois no *team* do Club Lisbonense, que ganhou a primeira taça de *football* em Portugal, há dois anos, quando foram ao Porto derrotar o Football Club do Porto por 2-0. Até el-rei foi lá ver o *match*."

Nessa tarde soalheira no Campo Pequeno, o Football Club Lisbonense venceu o Real Gymnasio Club Portuguez por 3-1, confirmando mais uma vez tratar-se da melhor equipa de *football* existente em Portugal.

"Bem, vamos lá então à Ermelinda", suspirou o senhor Rafael, voltando as costas ao Campo Pequeno.

"É uma pena que isto vá acabar em breve", comentou o mirone, em jeito de despedida, quando já a multidão dispersava.

"Então?", admirou-se o pai de Afonso, olhando para trás.

"Construíram aqui há quatro anos esta arena de touros e estão a dar ordens para se acabarem estes jogos. A rapaziada vai ficar sem campo."

O homem deu meia volta para se ir embora, mas o senhor Rafael lembrou-se de que tinha ainda uma pergunta para lhe fazer.

"Ó amigo!"

O mirone voltou-se.

"Sim?"

"Você já foi a Rio Maior?"

II

Foi um parto duro, como se espera que sejam todos os partos, mas *madame* Michelle Chevallier tinha umas ancas estreitas e os rins não se cansaram de protestar quando sentiram que chegara a hora de dar à luz a criança. A parteira cortou o cordão umbilical, deu uma palmada no bebé e o choro fraco irrompeu pelo quarto; era quase um miar aflito. A avó limpou a criança em água previamente aquecida numa chaleira, cobriu-a com um xaile macio, saiu do quarto e, com um sorriso feliz mas os olhos cansados após a longa noite, exibiu-a ao pai e ao avô, que aguardavam à porta, excitados com os frágeis berros que tinham escutado havia momentos.

"É uma menina", anunciou.

Foi na manhã de 2 de Outubro de 1891 que Paul Chevallier viu nascer a sua segunda filha. Horas mais tarde, enquanto a criança mamava no seio da mãe e sob os olhares embevecidos do pai, da pequena e excitada irmã Claudette e dos dois avós ainda vivos, ficou decidido que ela se chamaria Agnès, como a avó materna. Nos três anos seguintes nasceriam mais dois filhos, ambos rapazes, Gaston e François, perfazendo um total de quatro irmãos, número que os pais consideraram adequado e final, salvo imprevistos.

A família Chevallier vivia numa casa antiga situada na Rue du Palais Rihour, no meio de uma colorida fila de estreitos e pitorescos domicílios do século XVII e a um passo da imponente Grande Place de Lille. Cedo a pequena Agnès Chevallier começou a frequentar a loja do pai, uma casa de vinhos localizada na faustosa Vieille Bourse e chamada Château du Vin. Só por si, o facto de se ter uma loja na Vieille Bourse constituía indício forte de que se era alguém de posses, descrição que vagamente correspondia ao modo de vida de Paul. O pai de Agnès era um homem alto e magro, muito louro e com os malares salientes nas maçãs do rosto. Tinha terras perto de Reims, onde cultivava uvas para fazer *champagne,* cuja qualidade fez dele um enólogo prestigiado em Lille, embora o seu verdadeiro negócio fosse o comércio de vinhos. Da sua loja, frequentemente transformada num escritório comercial, exportava para a Bélgica, a Holanda, a Grã-Bretanha e a Alemanha.

Tal como muitos habitantes da cidade, os Chevallier eram burgueses de origem flamenga e não esqueciam esse facto. O nome original de família, Van der Elst, tinha sido vitimado pela intolerância francesa para com as tradições flamengas, levando um antepassado que se notabilizara em acções de cavalaria durante as guerras napoleónicas a decidir alterar o apelido para Chevallier. Essa é, de resto, a história de Lille, uma cidade originalmente belga, Rijssel, alvo de onze cercos e arrasada várias vezes em mil anos, colocada sucessivamente sob controlo flamengo, francês, austríaco e espanhol até ser definitivamente anexada pelos franceses, no século XVII, com o tratado de Aix-la-Chapelle. Luís XIV conquistou a povoação em 1667, conferiu-lhe o estatuto de capital da Flandres francesa e chamou-lhe Lille, uma evolução da palavra *l'isle,* a ilha, uma vez que a cidade cresceu em torno de um castelo construído numa das ilhas do rio Deûle. O próprio edifício da Vieille Bourse fazia questão de lembrar o passado flamengo de Lille, mantendo quatro leões da Flandres orgulhosamente esculpidos na fachada. A imponência do edifício da Vieille Bourse era algo que não deixava de impressionar a pequena Agnès sempre que a mãe a levava a visitar o pai à loja de vinhos. A Vieille Bourse erguia-se, majestosa, de um dos lados da praça central da cidade, exibindo fausto e opulência na sua arquitectura grandiosa, com as cariátides a ornarem as pilastras, as janelas ricamente decoradas à maneira do Renascimento flamengo, um sino dentro da vistosa e altiva coluna vermelho-tijolo que se erguia no topo central do telhado escuro. Embora parecesse um único edifício, a Vieille Bourse era, na verdade, constituída por vinte e quatro pequenas casas de comércio, uma das quais albergava o Château du Vin.

Durante a infância, os quatro irmãos foram educados em casa. Todos eles eram bilingues, falavam francês e flamengo. As conversas em família decorriam predominantemente em francês, mas o flamengo intrometia-se amiúde, com frequentes *"goedemorgen"* a serem trocados pela manhã, pedindo-se *"gebak"*, *"melk"* e *"suiker"* à mesa do pequeno-almoço e lançando-se *"tot ziens"* de despedida. As refeições cozinhadas por Michelle tinham a marca da cozinha flamenga, feita de carne de aves e de pratos gordurosos, como *boudin* e morcela com puré de maçã. Mas os favoritos da criançada eram o *waterzoï,* as doces *gaufres* e a marmelada com *maroilles,* o popular queijo da região.

Agnès tinha duas grandes amigas. Uma era a irmã Claudette, um ano mais velha. Claudette era arisca e mandona; Agnès revelava-se mais meiga e conciliadora, embora na hora dos apertos se mostrasse inesperadamente tesa e inflexível. As brincadeiras entre as duas terminavam numa invariável guerra de insultos, beliscões e arranhões. As palavras mais duras eram *"t'es méchante"*, "tu és má", insulto que em geral desencadeava um rápido e doloroso contacto físico. A mãe aparecia a separá-las e obrigava-as a pedir desculpa uma à outra. Como era orgulhosa, Agnès desculpava-se em flamengo, vomitando um cru *"het spijt me echt!"* com tal ferocidade que mais soava a novo insulto. Evitava sempre dar parte de fraca e raramente chorava, apesar de a irmã ser fisicamente mais forte e, consequentemente, fazer prevalecer a sua vontade nestes confrontos.

Quando as brincadeiras com Claudette acabavam mal, Agnès ia ter com a sua segunda amiga, uma boneca de cartão e madeira à qual chamava Mignonne e de quem se tornou inseparável. Mignonne era uma boneca *jumeau*, oca por dentro e fabricada num molde, com olhos de vidro castanhos e uma cabeleira loira encaracolada, a cabeça encaixada num corpo composto e articulado, os membros a dobrarem-se nas junções, o que era uma novidade. Foi com Mignonne ao colo que Agnès aprendeu a tricotar, e era sempre na sua companhia que ouvia a mãe contar histórias, na maior parte contos flamengos, como as lendas da batalha entre Lydéric e Phinaert, os míticos gigantes fundadores de Rijssel, e de Yan den Houtkapper, o lenhador que, segundo a tradição, fabricou um par de botas de madeira para Carlos Magno. Mas foi uma história comprovadamente verdadeira, a de Florence Nightingale, que mais captou a imaginação da pequena, ao ponto de passar a dizer a toda a gente que ela e Mignonne iriam ser enfermeiras quando fossem grandes.

"Florence Nightingale?", admirou-se uma vez *madame* Chenu, uma amiga da mãe, quando a ouviu citar a sua heroína. "Ora, ora, se gosta tanto de ajudar os outros, a menina devia era seguir os passos do grande herói de Lille."

"Lydéric?", interrogou-se Agnès, hesitante.

Madame Chenu riu-se.

"Lydéric? Não, *ma petite,* esse já lá vai. Estou a falar do nosso Pasteur, o grande Pasteur, que Deus o tenha. Esse, sim, é um exemplo, deve ser imitado."

Foi a primeira vez que Agnès ouviu falar no recentemente falecido herói da cidade. Louis Pasteur era oriundo da região e foi em Lille que desenvolveu as investigações que o tornariam célebre. Descobriu o papel dos microorganismos na fermentação e desenvolveu a pasteurização para combater esse processo. Mais importante, inventou as vacinas e demonstrou a importância da higiene nos hospitais como modo de controlar a alta taxa de mortalidade entre os doentes internados. Todo esse trabalho, desenvolvido sobretudo na década anterior, atraiu uma enorme atenção sobre este cientista francês, tornando-o o mais famoso filho de Lille e o orgulho da cidade.

Com a medicina vagamente em mente, Agnès começou aos nove anos a frequentar o liceu católico para raparigas. Magra como um palito, um sorriso luminoso e os traços do rosto bem desenhados, a pequena depressa se fundiu na multidão homogénea de meninas com batas. No primeiro dia levou Mignonne para as aulas, mas a professora, uma freira austera e ríspida, depressa lhe tornou claro que não apreciava a ideia. A meio de uma lição, a irmã Pezard calou-se bruscamente e aproximou-se da carteira de Agnès com ar severo.

"O que é isto?", perguntou a freira, pegando na boneca.

"É Mignonne, *soeur*", informou-a Agnès com timidez. "É a minha amiga."

A professora ignorou a resposta.

"Não se admitem aqui bonecas. A menina já tem idade para se deixar de criancices." Deu meia volta e regressou para a sua secretária com Mignonne na mão. "Venha buscar a boneca quando as aulas terminarem, e, atenção, não a quero voltar a ver por cá".

Agnès ganhou um medo terrível a *soeur* Pezard, mas o incidente serviu para lhe fazer perceber que a infância teria de ficar à porta do liceu. As brincadeiras e conversas com a boneca de cartão e madeira foram assim reservadas para a noite, em particular para os instantes antes de adormecer. Agnès deixou naturalmente de acreditar que Mignonne a ouvia, embora permanecesse afeiçoada à boneca e falasse com ela como quem escreve num diário; era uma maneira de fazer o balanço do dia e estruturar verbalmente o que aprendera e tudo o que vira. A segunda filha do casal Chevallier cresceu viçosa, mais parecida com a avó paterna, já falecida, do que com a mãe, os cabelos aloirados a acastanharem em caracóis vistosos, os olhos de um verde-vivo e intenso, talvez uma mistura do azul do pai com o castanho da mãe.

Foi nesta idade que Agnès guardou a sua mais extraordinária e mágica memória de infância. O pai adorava falar de Paris, e em

particular de uma torre gigantesca que para lá tinha sido construída, tema frequente das conversas no Château du Vin. Os
clientes da loja que tinham assistido à inauguração da torre, dois
anos antes do nascimento de Agnès, dividiam-se quanto à importância daquela obra e expunham os seus argumentos em intensas
e acaloradas discussões. Sentada num canto da loja, Agnès ouvia-
-os em silêncio, mas com atenção. Uns diziam que era um monstro, uma chaminé de ferro, um disparate sem igual, um insulto à
arquitectura de Paris, até uma ameaça à segurança das pessoas;
as leis da gravidade tornavam evidente que tal tumor metálico
iria inevitavelmente tombar. O alfaiate Aubier afirmava mesmo,
sarcástico, que o sítio onde mais gostava de estar quando visitava
Paris era na torre, justamente porque era esse o único local da
cidade onde não teria de a ver. Em boa verdade, este dito espiri-
tuoso não era da sua autoria, Aubier tinha lido uma coisa do
género num jornal, atribuída a Guy de Maupassant, mas nas
conversas com os amigos a frase produzia bom efeito e ele não
se importava de a fazer passar por sua.

Outros clientes, porém, gabavam com entusiasmo a monumen-
talidade e engenhosidade da obra, que consideravam a prova de
que a engenharia francesa era a melhor do mundo. A torre foi apresentada ao público na Exposição Universal de 1889, constituindo
um tributo à industrialização da França e um marco para assinalar
o centenário da Revolução Francesa, ao mesmo tempo que gerava
um aceso debate público nos jornais e suscitava acérrima oposição
de arquitectos e artistas. Em bom rigor, a obra era tão polémica que
todos a queriam ver. Paul Chevallier, como qualquer francês que se
prezasse, acompanhou o debate à distância mas não pôde na altura
visitar a Exposição e ver a célebre torre para julgar por si mesmo.
Só mais tarde teve oportunidade de o fazer, durante as várias viagens a Paris a que os compromissos profissionais o obrigavam para
comercializar a produção vinícola. Ia sempre sozinho e, no regresso,
não se coibia de louvar em casa a grandiosidade da obra.

Por decisão de Luís Napoleão, a França acolhia uma grande
exposição universal todas as décadas, com intervalos que não

podiam exceder os doze anos, de modo que o certame seguinte em Paris ficou marcado para 1900. Numa manhã da Primavera desse ano, ao pequeno-almoço, e por entre dois *croissants*, Paul Chevallier fez perante a família um anúncio solene.

"Está decidido", disse. "Este ano vamos à Exposição Universal de Paris."

Foi uma excitação lá em casa. Muitas das colegas de Agnès no liceu iriam de propósito a Paris com os pais para visitarem a Exposição, e os que não tinham planos para tal mostravam-se desesperados ante a perspectiva de perderem o grande aconteci-mento do ano. Os filhos de Paul passaram semanas a falar do assunto, pedindo, implorando, ameaçando, até chorando, quando finalmente conseguiram naquela manhã arrancar do pai o com-promisso de que iriam à Exposição. Não é que Paul e Michelle fizessem um grande sacrifício, na verdade sentiam-se ambos igual-mente ansiosos por visitar Paris e participar no grande evento, todos os seus amigos lá iriam e era impensável que os Chevallier ficassem para trás.

A família chegou à Gare du Nord num final de manhã. Os seis apanharam um coche com destino ao hotel, no centro da cidade. Mal o coche começou a andar, atingiram uma lomba e viram a silhueta esguia da Torre Eiffel erguer-se no horizonte. Um "oh" excitado e admirativo reverberou entre as crianças; já tinham visto a imagem da polémica torre nos jornais e em postais da Exposição de 1889, mas vê-la assim ao vivo era coisa única e de admirar, que construção tão extraordinária e maravilhosa, tudo ferro e engenho, o verdadeiro triunfo da indústria. Na planície parisiense apenas o vulto branco do Sacré Coeur parecia desafiar aquele gigante de ferro, mas a catedral de Deus perdia na com-paração com a basílica de Eiffel; sem dúvida era esta torre um indício da arrogância do homem no seu crescimento para os do-mínios celestes, o sinal inequívoco da superioridade da ciência sobre a superstição, a prova final do domínio da luz sobre as trevas obscurantistas.

"Tem trezentos metros de altura", comentou orgulhosamente o cocheiro. "É a mais alta construção do mundo, maior do que as pirâmides do Egipto."

Foram instalar-se no Hotel Scribe e, sem perderem tempo, apanharam no Châtelet o *chemin de fer metropolitain* em direcção à Place d'Italie, tudo numa grande excitação, não imaginavam ser possível andar num comboio por baixo da terra, que maravilha, que prodígio. Na Place d'Italie apanharam outro *metropolitain* e foram dar à Place du Trocadéro, a estação da Exposição Universal. Dirigiram-se ali a um dos *guichets* de acesso ao recinto e Paul puxou da carteira.

"Quanto são seis bilhetes?"

"Como já é meio-dia, é um franco por pessoa", indicou o recepcionista.

"Ah é? E se tivéssemos chegado mais cedo?"

"Até às dez da manhã são dois francos por pessoa, *m'sieu*. Depois das dez passa a um franco."

Uma enorme multidão enchia o Trocadéro, tornando difícil a circulação. Os Chevallier entraram no recinto e deram imediatamente de caras com o exótico pavilhão de Madagáscar, um grupo de homens com chapéus de palha e capas às riscas a cantar alegres canções malgaches num palco sobre o passeio, uma multidão em redor a apreciar o espectáculo de som e festa, viam-se *camelots* a venderem postais, elegantes senhoras com vistosas sombrinhas, cavalheiros de bengala e cartola, crianças vestidas como adultos, um mar de gente aqui e ali, vagueando, fluindo, tudo num imenso bulício; era a *belle époque* em todo o seu esplendor.

"Vamos ver, pai, vamos ver", implorou Agnès aos pulos, apontando para os animados músicos malgaches.

Claudette fez coro.

"On y va?"

Mas Paul, previamente aconselhado pelos amigos a não perder a cabeça com a primeira atracção que lhe aparecesse pela frente e preocupado em gerir o tempo, abanou a cabeça.

"Agora não, meninas. Vamos primeiro dar uma volta e só depois é que escolhemos o que iremos assistir."

"Mas eu quero ouvir aquela música", insistiu Agnès. "É divertida."

"Depois, filha, depois."

Os seis penetraram no parque do Trocadéro e deram com a exposição colonial e a sua miscelânea de estilos arquitectónicos, colunas do antigo Egipto, pagodes de Brama, telhados revirados do Japão, cúpulas árabes, casas de bambu, palhotas, tendas, medinas, tudo povoado de povos indígenas que enchiam a praça com um colorido exotismo, eram beduínos, chineses, bosquímanos, índios, bantus, sikhs, mongóis, melanésios. Desceram o parque pelo corredor direito, à esquerda um lago a cair em degraus como uma cascata geométrica, à direita as colónias francesas, Martinica, Guadalupe, Guiana, Reunião, Tonquim, do outro lado do lago as colónias estrangeiras, a Ásia russa, o Transval, as colónias portuguesas, as Índias holandesas; nada disto interessava, eram outros impérios, a não ser talvez aquele estranho edifício na esquina, "c'est quoi ça?", é uma réplica do templo javanês de Tchandi-Sari entalado entre duas casas dos planaltos de Samatra. Mantiveram-se no corredor das colónias francesas e deram, à direita, com a porta de uma casa de Tunes, depois surgiram as construções do oásis de Tozeur, pórticos da mesquita de Sidi-Mahrès, o minarete da mesquita de Barbier, um café de Sidi-bu-Saïd, ruelas de *souks,* é a Tunísia, "c'est pas rigolo?", à direita o palácio da Argélia, um edifício esbranquiçado e ornado com frisos e cantarias de azulejos, ao lado a velha Argel com a sua pitoresca *casbah,* terraços abertos, cúpulas e minaretes coroados com crescentes islâmicos, um restaurante de *couscous* lá dentro, raparigas de Ouled-Naïls a atraírem uma embasbacada multidão com a sua atrevida dança do sabre, "oh la la!", do outro lado encontravam-se as colónias inglesas, não interessava.

Agnès mostrava-se estupefacta com a variedade cultural que se espalhava em redor. Tudo lhe parecia estranho, exótico, quase mágico, exuberante de diversidade, tão diferente do que estava habituada a ver, e olhava para o pai como fonte de respostas para as múltiplas dúvidas que a assaltavam.

"Mas, papá, por que é que eles têm a pele escura?"

"É por causa do sol, filha."

A menina olhou para a brancura marmórea do seu braço; a pele exibia um tom claro de leite, alvo e suave como marfim.

"Mas eu também apanho sol e sou clarinha."

"É que eles, lá na sua terra, apanham muito mais sol do que nós, são meses e meses de sol, sem quase verem nuvens."

Agnès fez um olhar céptico.

"Meses de sol? Então não têm Inverno?"

"Parece que não. O *monsieur* Dongot, aquele gorducho que às vezes vai lá à loja para comprar umas remessas para Hué, o do bigode, sabes? Pois ele anda pelas Indochinas e contou-me que nos trópicos nunca usam casaco e que a água da praia é tão quente que parece que foi aquecida numa chaleira."

Agnès ficou alguns minutos a mirar as figuras exóticas que se moviam em torno de si, imaginando-as num mundo de sol e águas escaldantes, um mundo onde não eram precisos casacos e as pessoas se tornavam escuras com o calor. Era difícil acreditar em tal, mas se o pai o dizia...

A figura dominante da Torre Eiffel impôs-se finalmente sobre o parque do Trocadéro. Os Chevallier admiraram aquele monumento em ferro que os atraía do outro lado do rio como se fosse um íman, um magneto fascinante, imponente, poderoso, gigantesco. Cruzaram a Pont d'Iena, alargada especialmente para a Exposição, e, por entre dois *trinck-hall*, entraram no Champ-de-Mars, o colosso metálico rasgando o céu diante de si, o espaço em redor ocupado por vistosos edifícios de ferro e vidro, à direita o Cinéorama e o Palais de la Femme, atrás destes o Palais de l'Optique, à esquerda o Crédit Lyonnais, o quiosque dos *tabacs étrangers,* o exótico Panorama du Tour du Monde com a sua rica e complexa fachada dominada por um pagode japonês, um minarete turco e uma torre de Angkor, dançarinas cambojanas a atraírem mirones frente à porta principal, ao lado o pequeno

45

chalet de madeira do Club Alpin e a seguir o Palais du Costume. Por baixo da Torre Eiffel estendia-se um jardim geométrico francês, com dois *kiosques à la musique* a executarem ruidosas marchas militares, e de ambos os lados desenhavam-se pequenos lagos sinuosos integrados num harmonioso jardim paisagístico inglês, muita relva entre rochas, lombas e rica vegetação tropical, fetos arborescentes, palmeiras de estipes esguias, arbustos viçosos, caminhos a serpentearem pela verdura, pontes sobre a água, nenúfares a deslizarem suavemente à superfície, serenos, delicados.

Os Chevallier foram almoçar uns *crêpes au fromage et au jambon* ao restaurante entre o Palais du Costume e o edifício dos Postes et Télégraphes, com vista para o lago e para a Torre Eiffel.

"Papá, o que é que *monsieur* Dongot diz das pessoas que ele para lá viu?", quis saber Agnès enquanto saboreava o queijo derretido dentro do crepe.

"Que viu onde? Na Indochina?"

"Sim."

"Ele diz que são uns selvagens, uns primitivos, parecem uns chineses escuros e só comem arroz."

"São simpáticos?"

"O *monsieur* Dongot dá a impressão de não gostar deles". Piscou o olho. "Mas isso não quer dizer nada, eles, provavelmente, também não gostam do *monsieur* Dongot."

Apanharam depois um pequeno e simpático comboio que circulava pelo perímetro da Exposição e, confortavelmente instalados nos bancos das alegres carruagens, admiraram a espantosa torre; de perto era sem dúvida maior e mais imponente do que parecia à distância ou nas ilustrações e postais. Seguiram pelo Quai d'Orsay para apreciarem os palácios e pavilhões ao longo do Sena; estavam ali as representações internacionais, o Reino Unido, a Espanha, os Estados Unidos, a Grécia, Portugal, a Áustria, e ainda as pequenas delícias, coisas *mignonnes* como a Maison du Rire, o Grand Guignol, a Roulotte, a Chanson Française, os Tableaux Vivants, o restaurante romeno, o *bistrôt* checo. Percorreram a Esplanade des Invalides, com os seus palácios consagrados ao mobiliário, à tapeçaria, à faiança, à vidraria, e deram meia volta, novamente o Quai d'Orsay e depois a grande e buliçosa praça do Champ-de-Mars, deixando para trás o monstro de Eiffel e mergulhando na longa alameda de plátanos gigantes, um jardim geométrico feito de relva, arbustos e canteiros floridos, à volta os elegantes edifícios *art nouveau* da Exposição Universal, uma maravilha babilónica ornada de palácios colossais, todos animados por uma multiplicidade de bandeiras tricolores, à esquerda o magnífico Palais des Mines et de la Métallurgie, depois o *chic* Palais des Fils, Tissus et Vêtements; seguiu-se o imponente Palais des Industries Mécaniques, em frente o imperial Palais de l'Electricité e o soberbo Château d'Eau, "esperem pela noite, *mesdames et messieurs,* esperem pela noite para verem como é imperial este palácio e esta cascata, esperem pela noite para verem a fada electricidade a iluminar estas maravilhas, à noite é que é, à noite faz-se dia e o homem triunfa sobre as trevas", clamou o guia, e Agnès sonhou com estas palavras, sonhou com a noite iluminada por aquela fada encantada. Enquanto sonhava o comboio negociou a curva e passou diante do quimérico Palais des Industries Chimiques, os *kiosques à la musique* sempre a entoarem barulhentas marchas militares, depois o movimentado Palais des Moyens du Transport, a seguir o maciço Palais du Génie Civil, finalmente o fino Palais de l'Enseignement, Sciences et Arts, o pitoresco comboio completou o passeio e voltou à Torre Eiffel; ia agora novamente para o Quai d'Orsay com destino aos Invalides, mas os Chevallier já tinham visto tudo, já chegava, queriam agora ficar por aqui, era hora de verem as coisas mais perto.

Apearam-se e esticaram a cabeça para cima, observando a enorme torre de ferro que escalava o céu diante de si.

"*On y va?*", perguntou Paul, desafiando a família a subir ao alto da torre.

"Sim, vamos!", gritou o pequeno Gaston com entusiasmo, dando pulinhos de excitação.

"*Ouuuiiii!*", concordou François.

As raparigas e a mãe entreolharam-se, apreensivas.

"Não será perigoso?", perguntou Agnès, lembrando-se das conversas na loja do pai, sobretudo dos argumentos de que a torre estava condenada a cair por desafiar as leis da gravidade.

"Que disparate, meninas", protestou Paul. "Então viemos a Paris e não subimos à torre? Ainda por cima, podemos andar de ascensor, é uma coisa muito moderna, vocês vão ver."

Agnès ainda hesitou, receando trepar àquelas alturas, mas, movida pela curiosidade, juntou-se ao grupo, afinal de contas era uma aventura para partilhar mais tarde com as colegas no liceu; se não subisse iria ser gozada o ano inteiro. Os Chevallier foram plantar-se na enorme fila para ascenderem ao topo. Quando chegou a sua vez, entraram para uma grande caixa envidraçada. As portas foram encerradas, a caixa deu um solavanco, estremeceu e, para grande sensação de todos, começou a subir lentamente. Michelle ficou nervosa e tapou os olhos, mas o marido e os filhos acharam graça, os pequenos Gaston e François mostravam-se excitadíssimos, o ascensor tinha sido inventado havia poucos anos e a sua instalação na torre provava que estava aqui concentrado todo o progresso. Subiram ao primeiro andar, visitaram a sala de espectáculos, passaram pelos dois restaurantes e pelo bar anglo-americano, foram apreciar a vista e depois juntaram-se novamente à fila do ascensor.

"Esta torre é uma cidade", comentou Paul com admiração. "Uma verdadeira cidade. Já viram que também tem ali uma tabacaria e uma tenda de fotografias?"

Elevaram-se ao segundo andar, espantaram-se por igualmente encontrarem aí lojas, um bar e uma tipografia onde era impressa uma edição especial do *Figaro*, deram um novo passeio para admirarem Paris e colocaram-se mais uma vez na fila do ascensor para subirem ao terceiro e último andar.

"Eu acho que agora não vou", disse Michelle, segurando Gaston e François pelas mãos.

"Então e porquê?", surpreendeu-se Paul.

"É muito alto, tenho medo."

"Eu também tenho medo, papá", adiantou Agnès.

"Mas têm medo de quê, *mon Dieu?*"

"Eles dizem que isto pode cair."

"Mas que mania! Se cair, já cá estamos, tanto faz que estejamos no segundo como no terceiro andar, é o mesmo. Além do mais, vocês não querem ir visitar o sítio mais alto do mundo?"

"Eu quero ir, eu quero ir!", gritaram Gaston e François em coro, sempre aos pulinhos.

Era uma ideia poderosa, essa a de visitar o cume do maior edifício do mundo, e, a custo, Agnès deixou-se convencer. Apesar das hesitações, lá se encheu de coragem e foi para a fila com o pai e a irmã; a mãe ficou no segundo andar com os dois irmãos, eles a chorarem por ficarem para trás, Michelle a dizer-lhes que eram demasiado pequenos para aqueles voos. Paul e as duas filhas entraram no ascensor, Agnès fechou os olhos enquanto a enorme caixa subia, só os abriu lá em cima para ver, receosa e maravilhada, a cidade a estender-se a seus pés para além dos vidros de protecção, o Sena a serpentear languidamente com os seus barcos a vapor ou à vela, o Arco do Triunfo transformado à distância num monumento minúsculo no centro convergente da Place de l'Étoile, o Sacré Coeur lá ao fundo, Notre-Dame e o Louvre do outro lado, o Panthéon mais afastado. Vista ali do alto, Paris assemelhava-se a uma cidade de brincar, um emaranhado de miniaturas que eram verdadeiras réplicas de originais famosos, tudo parecia perto; num único relance via-se o Bois de Boulogne e o jardim das Tulherias, as pessoas não passavam de pontinhos a deslizarem pelos passeios e a aglomerarem-se como um formigueiro por todo o Champ-de-Mars, o Trocadéro, o Quai d'Orsay, os Invalides, a roda gigante da Grande Roue a virar para lá da Avenue de Suffren com os seus vagões a erguerem-se devagar, preguiçosamente, quase até aos cem metros de altura, "que medo deve ser estar lá em cima", comentou Agnès com olhar de espanto, ela também cá em cima, mas em piso firme, não na desconcertante ondulação da roda gigante.

Foram nessa noite jantar ao restaurante Kammerzell, onde estavam anunciados pelas paredes os surpreendentes espectáculos de Ballon Cinéorama. Havia já seis anos que se falava numa importante inovação, a das fotografias animadas, e era essa novidade que constituía um dos pratos fortes da Exposição Universal. Paul leu numa brochura distribuída no Kammerzell que as fotografias animadas tinham sido inventadas em 1894 por um "electricista" americano chamado Thomas Edison, que baptizou o seu sistema de *kinetoscope*. Dizia o folheto que a primeira demonstração em França foi feita por Étienne Marey, que nesse mesmo ano projectou um filme *chronophotographique* na Academia das Ciências. Agnès achou tudo isso estranho e observou que tal era impossível, as fotografias não se podiam mexer, no que todos concordaram, mas os cartazes no restaurante e a brochura garantiam o contrário. Apesar de já ter ido a Paris em anos anteriores, Paul permanecia na ignorância quanto àquela novidade e decidiu informar-se junto do empregado quando este se aproximou com o tabuleiro carregado de *choucroute* e cerveja.

"Sim, as fotografias mexem-se, tornam-se vivas", assegurou o *garçon*, divertido com a admiração dos *provinciaux*. "O primeiro Kinetoscope Parlor abriu há seis anos no Boulevard Poissonnière e paguei vinte e cinco cêntimos para ver."

"E isso chama-se *kinetoscope?*"

"Há muitos nomes e muitos sistemas diferentes", indicou o empregado, visivelmente um entusiástico *connaisseur*. "Há o *kinetoscope*, que foi o primeiro, mas há também o *stroboscopique*, o *praxinoscope*, o *pantoptikon*, o *eidoloscope*, o *photozootrope*, o *cinématographe*, o *phototachygraphe*, o *théatrographe*, o *animatographe*, o *chronophotographe*, enfim, uma série de coisas novas que nos mostram as fotografias a mexer."

"Isso vê-se no Boulevard Poissonnière?"

"Sim, mas há outros sítios e coisas muito melhores do que o Kinetoscope Parlor."

"Melhores?"

"Claro. Por exemplo, o *cinématographe* é fantástico."

"O *cinématographe?* Onde é isso?"

"Oh, em muitos locais. Podem ir ao Café Eldorado, situado no Boulevard de Strasbourg, ao Olympia ou às Galleries Dufayel, no Boulevard Barbès, ou aos vários *cinématographes* Lumière que há por toda a cidade. Mas, já que aqui estão, sempre têm a opção de verem os diversos espectáculos que estão previstos na Exposição."

Depois do jantar, já noite cerrada, foram assistir à exibição de electricidade no Palais de l'Électricité, uma majestosa galeria dedicada à glória da luz e a dominar o Champ-de-Mars em contraponto à Torre Eiffel. Os Chevallier aproximaram-se, encantados, hipnotizados com o surpreendente espectáculo feérico à sua frente, presos no olhar, juntamente com milhares de outras pessoas, ao monumento de luz, o palácio literalmente acendera-se, o edifício brilhava de cor, viam-se cordões de lâmpadas ligadas, explosões de arcos de luz, a estátua do Génio da Electricidade, brandindo a sua tocha no topo, a resplandecer em auréola, raios fulgurantes por toda a fachada, vidros coloridos por entre o ferro, luzes fantásticas a mudarem de cor, a brilharem, a insinuarem movimento, bandeiras francesas orgulhosamente içadas por toda a alameda e presas como *bouquets* de flores nos mastros e balaustradas. Diante do palácio, o Château d'Eau também se acendera, a cascata tombava de trinta metros, a água iluminada por lâmpadas, parecendo flamejante, desenhando no ar esculturas de fogo líquido, lava ardente a mergulhar com furor na massa escura do lago, a fonte luminosa a encantar a fascinada multidão.

Os Chevallier foram dormir nessa noite no Hotel Scribe, mas Paul teve o cuidado de comprar um guia da Exposição, não queria ser surpreendido com mais novidades nem correr o risco de as perder por ignorar que elas existiam. O guia explicava que havia diversas experiências cinematográficas em exibição no Champ-de-Mars, com um total de dezassete locais de projecção e doze pavilhões. Havia o Panorama, o Phonorama, o Photorama, o Théatroscope, o Phono-Cinéma-Théatre, o Cinématographe Algérien, o Cinéorama e o Cinématographe Lumière.

"Então o que querem ver?", perguntou Paul, sentado num canapé junto à recepção do hotel, a família em torno de si.

"Queremos ver tudo", exclamou Claudette, no que foi ruidosamente apoiada pelos irmãos.

"Isso não pode ser, não podemos ver tudo", devolveu o pai, abanando a cabeça. "Só temos mais um dia e temos de escolher bem."

"Ooohhh!"

"Por que não perguntar ao *concierge?*", sugeriu Michelle.

Paul dirigiu-se ao balcão do hotel e inquiriu junto do rapaz sobre qual o melhor espectáculo de imagens animadas. O empregado nem hesitou.

"São diferentes uns dos outros", disse. "Mas temos vários clientes que foram ver o Cinématographe Lumière e vieram de lá maravilhados."

"O Cinématographe Lumière, é? Onde está isso?"

"Na Exposição, *m'sieur*. No Pavilhão Machines."

Decidiram aceitar a sugestão e subiram aos quartos. Antes de se deitar, Agnès foi à janela do quarto e ficou a admirar a silhueta colorida da Torre Eiffel, a sua estrutura de ferro inteiramente coberta por um emaranhado de lâmpadas. A electricidade tinha chegado e cobria o Champ-de-Mars de luz, a torre brilhando em toda a altura e a emitir três poderosos focos do topo em direcção a vários pontos da cidade.

"Qualquer dia teremos electricidade dentro de casa, vais ver", suspirou Claudette, sentada diante da janela ao lado da irmã.

Na manhã seguinte voltaram de *metropolitain* ao Trocadéro, pagaram os bilhetes de dois francos e entraram no recinto. Tinham decidido ir ao Palais de l'Optique, dizia-se que ali se conseguia ver *la lune à un metre,* que era uma coisa fantástica, única, que se viajava de telescópio. Agnès queria secretamente certificar--se de que se conseguiam observar fadas no céu, aquele era decididamente o pavilhão a não perder. Depois de atravessarem a Pont d'Iena, viraram à direita, passaram pelo Cinéorama e estacaram frente ao Palais de l'Optique, um edifício orientado de norte a sul seguindo rigorosamente o meridiano, uma grande meia-cúpula no centro da fachada, os doze signos do zodíaco incrustados no topo, colunas persas a defenderem a entrada, as paredes exte-

riores decoradas com medidores de tempo; viam-se relógios solares, ampulhetas e clepsidras, duas outras meias-cúpulas nas pontas, mais pequenas, ornadas com baixos-relevos mostrando sím-
bolos astronómicos. Os Chevallier galgaram a escadaria da
entrada principal e acederam à grande galeria central do edifício,
banhada pela luz difusa dos vidros coloridos da meia-cúpula principal. Entraram na Galérie du Télescope e maravilharam-se com
o longo tubo da luneta gigante, eram sessenta metros de telescópio suportados por sucessivas colunas assentes no chão.

"É o maior do mundo", sussurrou Paul para as crianças após
ler o *placard* com a informação.

Subiram ao balcão e olharam-no respeitosamente. O longo
telescópio estava disposto na horizontal e apontado para um
sideróstato de Foucault, um grande espelho, com dois metros de
diâmetro, ligeiramente inclinado para cima, de modo a reflectir
os astros para a lente do telescópio.

Saíram alegres do Palais de l'Optique a falar em Júlio Verne,
Paul a relatar a iniciativa do Gun-Club descrita em *De la terre à
la lune* e *Autour de la lune,* os livros já tinham uns bons trinta
anos mas, *mon Dieu!,* como permaneciam actuais.

"Mas, papá, é mesmo possível ir à Lua?", perguntou Agnès.

"*Monsieur* Verne diz que sim, e a verdade é que a artilharia se
está a desenvolver de tal modo que um dia talvez haja um canhão
capaz de lançar uma bala até à Lua. Porque não?"

"Com gente lá dentro?"

"Sim, mas será complicado. O principal problema é o de amor-
tecer o tiro, fazer com que o impacto inicial não seja muito
sentido dentro da bala. Isso talvez seja possível através de um
sistema de molas. Depois, é preciso fazer bem a pontaria, não se
pode apontar directamente para a Lua, serão necessários muitos
cálculos matemáticos para fazer com que a bala e a Lua se encon-
trem no mesmo sítio ao mesmo tempo."

"E o que é que eles comem dentro da bala?", intrometeu-se
Michelle, curiosa por perceber qual a forma de impedir que a
comida se estragasse durante a viagem.

"Oh, isso é simples. Seria necessário levar galinhas e perus, que se matariam consoante as necessidades."

"Então, se isso pode ser feito, por que é que não vamos?", quis saber Agnès.

"Porque não existe ainda um canhão com essa potência nem uma bala concebida para tal propósito", explicou Paul, afagando-lhe o cabelo encaracolado. "Além do mais, minha querida, há outros problemas a considerar. Sabem, ir à Lua ainda vá que não vá, mas voltar é que é o diabo, não há por lá canhões capazes de atirarem a bala para cá."

Embrenharam-se assim os seis a conversar, a divagar, sonhadores, circundaram distraidamente o Touring Club e o lago e, quase roçando um pilar da Torre Eiffel, entraram na grande alameda do Champ-de-Mars, evitaram os *kiosques à la musique*, admiraram superficialmente as rosas, as tulipas, as magnólias, as violetas e as margaridas que coloriam os jardins e só se calaram quando desembocaram no Palais de l'Électricité, uma magnífica estrutura de aço contorcido e arqueado, a armadura coberta de vidros, expondo entranhas de ferro, espelhos, colunas, arcos, curvas, arabescos, tudo concentrado numa arquitectura que se transformara num festim de metal, numa orgia de ferros, de cúpulas envidraçadas, de fachadas vistosas, embrulhadas em garridas bandeiras tricolores. Subiram ao primeiro andar e espantaram-se com os tubos de Geissler a iluminarem-se, os radiadores a emitirem calor sem lenha, as campainhas a soarem sem corda, as lâmpadas incandescentes a jorrarem luz sem velas, os *théâtrophones,* os *télégraphones,* os telefones *incripteurs* a registarem mensagens, os comboios em miniatura a circularem em carris minúsculos; na verdade tudo aquilo se revelava um estranho e desconcertante concerto eléctrico caoticamente conduzido por um invisível e confuso maestro.

O espectáculo do Cinématographe Lumière estava prestes a começar e os seis dirigiram-se apressadamente para a Salle des Fêtes, uma enorme estrutura metálica construída circularmente no centro da monumental Galérie des Machines, um pavilhão de ferro erguido para a Exposição de 1889 com o intuito de celebrar o triunfo da indústria e da técnica e agora considerado *demodé*. Quando chegaram ao local, comprimido entre o Palais de l'Électricité e a Avenue de la Motte-Picquet, os Chevallier depararam--se com uma enorme multidão a convergir para o mesmo espectáculo, de modo que tiveram de fazer fila para entrarem na galeria. A Machines era uma gigantesca estrutura de ferro e vidro com mais de quatrocentos metros de comprimento, o portão e a abóboda em arco, um espaço colossal no interior. Um cartaz anunciava a estreia do primeiro Cinématographe Lumière gigante e milhares de pessoas dirigiam-se à galeria para assistirem ao evento.

Os Chevallier entraram na Salle des Fêtes da Machines pelos dois lanços descendentes da enorme escadaria e foram sentar-se nas cadeiras colocadas ao longo de todo o perímetro do edifício circular; havia ali vinte e cinco mil lugares disponíveis e claramente não seriam de mais perante o extraordinário interesse que o espectáculo estava a suscitar. Agnès acomodou-se entre Claudette e a mãe e ficou a mirar o imenso pano branco erguido verticalmente no centro da gigantesca galeria, mesmo por baixo da cúpula envidraçada, ela não o sabia mas aquilo era um ecrã de quatrocentos metros quadrados, de longe o maior do mundo. O enorme pano estava molhado, encontrava-se preso à cúpula de vidro por um gancho e pairava sobre um largo tanque de água, donde tinha sido içado. Agnès interrogou-se quanto ao seu propósito, nada daquilo tinha o ar tecnologicamente avançado das estruturas de ferro que o circundavam.

Quando já não cabiam mais pessoas na galeria, os portões ovais foram fechados e, após uma breve pausa expectante, um feixe de luz cortou a sombra e incidiu sobre o pano gigante. Soltou-se um entusiástico "ah" da multidão e Agnès observou, pasmada, pessoas a mexerem-se no pano molhado, a água embebida no tecido a absorver a luz, as formas a preto e branco a evoluírem com gestos bruscos na tela. Durante vinte e cinco minutos passaram quinze filmes, os suficientes para deixarem a multidão hipnotizada e Agnès fascinada com o mundo do cinema.

A visita à Exposição Universal de Paris produziu uma profunda impressão na rapariga; foram, na verdade, os dois dias mais felizes da sua infância. Uma vez regressada a Lille, todas aquelas maravilhas, formadas por torres de ferro, fotografias que se mexiam em panos molhados e telescópios que mostravam a Lua a um metro de distância, foram sucessivamente revistas na memória, objecto de conversas, de especulações, de fantasias sonhadoras, como seria magnífico o século XX que agora começava, como era belo o futuro que aquelas máquinas deixavam adivinhar, como é grande o engenho do homem, como é gloriosa a ciência francesa.

III

A senhora Mariana era uma mulher religiosa e de princípios. Todas as segundas-feiras ia ao baú onde o marido guardava o trigo e tirava uma mão-cheia de cereal, levando-o depois ao moinho do Silvestre, o mesmo que tinha a taberna. O trigo era aí moído e transformado em farinha. Quando regressava a casa, acendia o forno com lenha trazida do Cidral pela burra e cozia o pão, que durava até domingo sempre fresco.

Um dia, ao acompanhar a mãe ao moinho, Afonso ficou fascinado com um peso de ferro usado na balança decimal e meteu-o inocentemente ao bolso. Mariana descobriu o peso roubado já em casa e arrastou o filho por uma orelha durante todo o caminho até ao moinho, onde devolveu o objecto, e obrigou Afonso a pedir desculpas. O pequeno descobriu duas coisas de uma assentada. Percebeu o que era o roubo e compreendeu que a mãe ficava muito zangada se ele roubasse.

A senhora Mariana fazia também a panela de misturadas, uma sopa muito rica que juntava todos os alimentos, desde hortaliças, feijões e batatas até à carne e aos chouriços, numa versão ribatejana da sopa de pedra e que veio substituir as sopas de cavalo cansado da infância. Tal como o pão, as misturadas dura-

vam toda a semana sem se estragarem. Muitas vezes adicionava-
-se farinha ou pão de milho esfarelado às misturadas, juntamente
com azeite e alho cortado, para fazer suculentos magustos. Outras opções eram voltadas para o mar. Afonso acompanhava frequentemente a mãe até à praça e saltava de excitação quando ela
trazia peixe. Em casa, cada sardinha ou cada chicharro, que o
pequeno apreciava mais do que os outros, alimentava duas pessoas. Afonso dividia sempre o seu peixe com Joaquim, ficando
com a cabeça e o irmão com o resto. No caso das sardinhas,
devorava a cabeça toda, espinhas incluídas, mas com os
chicharros era diferente. Dissecava-os como numa autópsia, limpando com a língua a cartilagem da cabeça e saboreando os olhos
como se fossem uma iguaria sem igual. O problema é que uma
única cabeça de peixe como refeição deixava-o esfomeado e não
raras vezes subia sub-repticiamente às árvores de fruta em quin-
tais alheios para surripiar peças que completavam a refeição.
   A higiene revelava-se descontraída, para utilizar um eufemismo
simpático. O banho dominical, que, de resto, só existia no Verão,
constituía a única verdadeira limpeza pessoal da família, tomado
à pressa e sem rigor, ou não fosse a água gelada um elemento
fortemente dissuasor da higiene cuidada. As necessidades eram
feitas de cócoras no quintal, junto à pocilga, ou entre as árvores
do pinhal que se estendia por detrás da casa. À noite era diferente, Afonso e os dois irmãos tinham um pequeno bacio de louça
guardado debaixo da cama e para onde se aliviavam caso houvesse necessidade a meio do sono, sendo o conteúdo despejado na
pocilga logo pela manhã. Limpar o rabo foi um conceito desconhecido nos primeiros anos, até que João começou a comprar por
dez réis O Século para sondar as propostas de emprego e conhecer a evolução dos jogos do Football Club Lisbonense com os
rivais do Real Casa Pia, do Club de Campo de Ourique e dos
ingleses do Carcavellos Club. Quando a leitura estava completa,
os três irmãos passaram a usar as folhas gigantes do jornal para
se limparem depois de defecarem, mas os pais não foram em
modernices. O senhor Rafael era analfabeto e considerava que

não tinha nenhum uso para o jornal, nem sequer para a limpeza, e a senhora Mariana partilhava o mesmo ponto de vista. Afonso via por vezes a mãe ir para o quintal, abrir as pernas de pé e aliviar-se sem sequer levantar a saia. Não usava cuecas e as necessidades eram feitas assim, livres de complicações de maior.

Afonso completou dez anos em 1900 e deixou a escola. Achava-se já um homenzinho, pelo que decidiu ir trabalhar para a serração com os irmãos. Era um armazém grande e, como o rapaz mostrava uma compleição franzina devido à sua tenra idade, foi poupado inicialmente aos trabalhos mais pesados. O senhor Guerreiro, que chefiava o armazém, colocou-o inicialmente nas limpezas e como moço de recados. Ao contrário do que se passava com os irmãos, o trabalho de Afonso não era pago em dinheiro, mas em géneros. Davam-lhe almoço e lanche, aliviando as magras despesas lá em casa. Ao fim de um ano, contudo, começou a envolver-se em trabalhos mais pesados, cortando troncos e operando serrotes de modo a preparar a madeira para confecção de mobiliário. Admirava-se com a habilidade dos carpinteiros em darem forma aos troncos toscamente cortados a machado, mas esse era o único atractivo que descobriu na serração. O trabalho revelou-se pesado e Afonso não tinha jeito de mãos, não lhe restando assim espaço de progressão naquele emprego.

Um anúncio na vitrina da Casa Pereira, em pleno centro de Rio Maior, despertou a atenção de Afonso quando um dia por ali passou a caminho da Feira dos Passos. A Casa Pereira era um estabelecimento comercial onde se vendiam tecidos, fazendas, botões, linhas e quejandos e procurava um rapaz para pequenos trabalhos. Afonso aprumou-se, mandou os irmãos dizer ao senhor Guerreiro que nesse dia não podia ir trabalhar porque tinha febre e apresentou-se na loja.

"Quero trabalhar", anunciou.

A dona da Casa Pereira levantou os olhos das facturas que contabilizava e mirou aquele rapaz magro e compenetrado que se perfilava diante da sua secretária.

"Sabes ler?"

"Sei, sim senhora. O professor Ferreira ensinou-me."

"E fazer contas?"

"Também, minha senhora."

Ela estudou-o com o olhar e descobriu-lhe os joelhos arranhados, fios de crostas a rasgarem a pele. Seria um arruaceiro?

"Olha lá, rapaz", disse, apontando-lhe para os joelhos esfolados. "Onde arranjaste isso?"

"A jogar à bola."

"Jogas à bola?"

"Às vezes. Gosto de dar uns *quiques* e fazer *goal*."

A proprietária, dona Isilda Pereira, achou-lhe graça e contratou-o. Corria o ano de 1902 quando Afonso, com doze anos, entrou na Casa Pereira e foi acolhido debaixo da asa protectora de dona Isilda, que lhe passou a dar almoço, lanche e roupas novas, e ainda um punhado de réis para levar para casa. Foi aqui que o pequeno pela primeira vez saboreou coscorões, verdadeiras delícias fritas que a proprietária confeccionava segundo uma velha receita de família, entoando o tradicional "Deus t'alevede, Deus t'acrescente em honra de São Vicente" sempre que acabava de bater a massa, o que o divertia imenso. Foi também aí que experimentou usar sapatos, uma exigência da patroa, que considerava desaconselhável a loja funcionar com um empregado descalço.

Dona Isilda tinha enviuvado cedo e ficara sozinha a educar uma filha. Carolina, menina ruiva com a cara pintada de sardas, tinha onze anos e era atrevida e arisca. Não foi preciso esperar muito tempo para que a catraia começasse a brincar com Afonso, afinal apenas um ano os separava. O rapaz reagiu inicialmente com reserva, não estava habituado a relacionar-se com raparigas, elas não frequentavam a sua escola e nunca falara com uma da sua idade; limitava-se a mirá-las à distância na missa de domingo. Afonso começou, por isso, por se retrair, tímido e desconcertado, mas ela insistiu e ele, ardendo de curiosidade, foi-se deixando aproximar, devagar, como quem não quer a coisa. Carolina ajudava-o nas suas tarefas na loja e Afonso correspondia nos tempos livres, prestando-se a fazer o papel de marido ou de médico, consoante as brincadeiras. Os jogos aos papás e às mamãs substituíram temporariamente os jogos de *football* e conduziram-nos a um namorico ainda inocente, ambos trocando olhares e bilhetes cúmplices por detrás do balcão ou no armazém da Casa Pereira. Beijaram-se uma vez às escuras, num canto esconso da loja, por baixo das escadas, mas quando saíram cá para fora sentiram-se envergonhados, mal se conseguiram encarar, aquilo era pecado mortal. Daí para a frente preferiam jogar na ambiguidade das suas brincadeiras; eram casados a fingir, mas intimamente fantasiavam que era tudo a sério.

Dona Isilda era uma senhora educada, até falava francês e entendia algum do latim das missas, mas revelava-se igualmente atenta às coisas da vida e, mulher experiente, apercebeu-se da aproximação entre a filha e o jovem empregado. Simpatizava com Afonso, não havia dúvida, mas achou pouca graça às brincadeiras entre os dois e decidiu tomar medidas, não fosse o diabo tecê-las e Carolina, criatura comprovadamente teimosa como o falecido pai, insistir naquele catraio. Não eram raros naquela época os casamentos na adolescência, a história dos pais de Afonso o comprovava, e dona Isilda não queria um genro pobretanas e muito menos ver-se tão cedo com um neto nos braços.

A opção mais simples seria a de despedir sumariamente o rapaz, mas dona Isilda conhecia a filha e o seu irritante gosto pelo fruto proibido e, mulher avisada e conhecedora destas coisas da natureza humana, suspeitou que, numa terra pequena como Rio Maior, não seria difícil os dois continuarem a encontrar-se às escondidas; havia abundantes histórias de namoros interditos que acabavam no enlace indesejado. Eram, portanto, necessárias medidas mais drásticas, embora a subtileza fosse igualmente essencial.

Depois de muito pensar, a mãe de Carolina pôs os pés ao caminho e foi falar com os pais de Afonso. Apresentou-se na Carrachana perante uma embaraçada senhora Mariana, nunca na vida entrara naquela humilde casa uma senhora tão distinta. A anfitriã desfez-se em gentilezas, correndo para aqui, fugindo para ali, indo buscar isto e aquilo, saltando até às traseiras para gritar pelo marido, entre aquelas quatro paredes foi um rebuliço que só visto.

"Ai, minha senhora, estou tão nervosa", gemeu Mariana, esfregando as mãos molhadas no avental imundo, os dedos gordos nervosamente irrequietos. "Valha-me Deus, podia ao menos ter avisado." Olhou em redor, assustada com o que dona Isilda poderia pensar sobre o aspecto da sala. "Uma senhora tão fina, Jesus, a vir aqui à nossa casinha... a gente até fica assim a modos que sem jeito, não é?"

"Oh, não se preocupe, não se preocupe, isto está muito bem."

Isilda esforçou-se por ignorar o cheiro a estrume que empestava aquele miserável pardieiro e procurou manter um semblante tranquilo, sereno, plácido. Mas, ao ver o buraco donde era Afonso oriundo, mais cimentou a sua determinação em afastar o rapaz da filha, estava totalmente fora de questão que o namorico prosseguisse; desejava para Carolina bem mais do que aquilo. Ao mesmo tempo, tinha a consciência de que teria de jogar bem as suas cartas, a diplomacia inteligente seria bem mais produtiva do que a força bruta.

A senhora Mariana indicou um cadeirão a dona Isilda, era o melhor lugar da casa, propriedade exclusiva do senhor Rafael.

"Sente-se, minha senhora, faça como se estivesse em casa."

Isilda olhou de relance para o cadeirão e sentiu um vómito assomar-lhe à boca quando observou as nódoas de gordura que o salpicavam, mas reprimiu o nojo e forçou-se a sentar-se.

"Ai que casa mais simpática que a senhora tem, senhora Mariana. É mesmo um encanto."

A mãe de Afonso corou, ela que já habitualmente apresentava sempre as faces muito rosadinhas.

"Oh, minha senhora, não é nada de especial, é uma coisa muito humilde, muito modesta, uma casinha remediada. Sabe, nós somos gente pobre." Ergueu a sobrancelha e abriu-se num sorriso. "Pobre, mas honrada."

"Certamente, senhora Mariana. Certamente."

O senhor Rafael entrou na sala com lama malcheirosa nos braços, tinha estado na pocilga a pregar umas madeiras da cerca. Não gostou de ver a visitante sentada no seu cadeirão predilecto, mas ocultou a irritação. Cumprimentou secamente dona Isilda e sentou-se num banco.

"Então a que devemos a honra da sua visita, minha senhora?", perguntou, indo direito ao assunto.

Isilda respirou fundo. Teria de ser manhosa para vender a ideia que trazia na mente.

"Bem, como sabem, o Afonso trabalha lá na minha loja."

"Ele fez alguma coisa, o malandro?", cortou Rafael, desconfiado e de semblante carregado.

"Não, não", exclamou Isilda. "Pelo contrário, ele é uma jóia de moço, todos gostamos muito dele. Na verdade, aprecio-o tanto que acho uma pena ele perder-se como empregado na minha loja."

Rafael e Mariana miraram-na sem entenderem.

"Mas, minha senhora, temos muita honra em que ele esteja na sua loja", assegurou o senhor Rafael.

"E eu tenho muita honra em que ele lá trabalhe", devolveu Isilda, ajeitando o cabelo. "Penso, porém, que ele devia continuar os seus estudos para alargar os horizontes, ir mais longe na vida."

"Ah, minha senhora, isso também nós gostaríamos", replicou Mariana. "Mas, sabe como é, não temos posses, somos gente pobre e precisamos de toda a ajuda que pudermos arranjar. E o Afonso na sua loja é uma bênção para esta casa, uma bênção!"

"E é uma bênção para mim, creia-me", insistiu Isilda. "Mas seria realmente bom para ele prosseguir os estudos. Compreendo a questão que está a levantar, a de não terem posses para tais projectos, e é por isso mesmo que vos trago uma proposta."

"Uma proposta?", admirou-se o senhor Rafael.

"Sim", assentiu Isilda. "Sabem, um dos meus irmãos é padre no Minho e amigo do reitor de um seminário da arquidiocese de Braga. É o Álvaro, não é para me gabar, mas ele é um encanto de homem, até dá gosto. Ora bem, se me derem autorização, eu poderia falar com ele para conseguir ao Afonso um lugar no seminário."

Os pais de Afonso entreolharam-se, surpreendidos com a sugestão.

"Mas, minha senhora, o problema não é esse", atalhou Rafael, confuso. "O problema é que nós não temos como pagar o seminário, isso é..."

"Eu pago", cortou Isilda, a voz sobrepondo-se à do anfitrião. "É uma promessa que eu fiz a Nossa Senhora, a de ajudar um rapaz sem meios a ir para o seminário. Escolhi o Afonso, parece-me bom moço, atinado e respeitador. Além disso, com certeza que não se vai opor ao cumprimento de uma promessa a Nossa Senhora, pois não?"

"Não, não", adiantou-se Mariana, aflita por ela e o marido poderem estar a ofender a mãe de Jesus, eram ambos tementes a Deus e não queriam conflitos com o Todo-Poderoso. "Valha-me Deus, minha senhora, isso não. Nunca."

"Presumo também que não tenham qualquer objecção a que o vosso filho se torne padre?", quis saber dona Isilda, de pernas cruzadas com pudor no cadeirão, um sorriso evangélico desenhado nos lábios no momento em que formulou a pergunta que ali a trouxe.

O senhor Rafael deixou-se ficar alguns instantes calado, meditativo, mergulhado nos seus pensamentos, reflectindo naquela inesperada proposta. Iria perder os rendimentos que o filho trazia para casa, é verdade, mas, por outro lado, ficava com menos uma boca para alimentar. Além disso, ter um padre na família não era coisa de menosprezar; traria prestígio social, atrairia o respeito dos vizinhos, seria um salto que jamais pensara estar ao alcance da família. Para mais, havia ainda a dimensão religiosa a considerar. Lembrou-se do sonho em que o anjo o aconselhou a ter mais um filho e achou que isso era uma premonição. No seu raciocínio de homem crente e religioso, concluiu que a sugestão de dona Isilda só podia ser um novo sinal de Deus.

"Muito bem, minha senhora", concordou finalmente. "O Afonso vai ser padre."

O pequeno deixou a família numa manhã fresca do Outono de 1903. Agarrou-se teimosamente às saias da mãe, choroso, até o padre Álvaro, irmão de dona Isilda, o arrastar para o coche. Gritou em desespero pela janela da carruagem, era a primeira vez que se separava da família, e só se calou depois de a casa da Carrachana desaparecer lá atrás numa curva, por entre a nuvem de poeira levantada pelo coche sobre o macadame da Estrada Real n.º 65. Caiu então no assento, de cabeça tombada, as lágrimas a escorrerem-lhe pela cara e a soluçar em silêncio ao lado daquele estranho de sotaina. Sentia-se um pouco envergonhado pela figura que fizera, mas ao mesmo tempo tinha desejado manifestar de modo claro e inequívoco a sua revolta por o mandarem embora, a verdade é que tinha medo do desconhecido e permanecia agarrado ao berço da Carrachana. Agora, que deixara a família, achava-se só e aterrorizado, imaginava com horror que o tinham abandonado e interrogava-se repetidamente sobre o que seria de si, se alguma vez veria de novo os pais e os irmãos.

O padre Álvaro revelou-se, porém, uma pessoa gentil e bem-disposta, acabando por conquistar gradualmente a confiança de Afonso durante a viagem. Tratava-se de um homem baixo e compacto, de rosto largo e com o maxilar inferior saliente, o cabelo meio-grisalho espetado para o ar e cortado curto. Poderia muito bem ser um agricultor ribatejano, mas era um homem de Deus. Apanharam o comboio na estação de Sant'Anna pelas nove e quarenta e o percurso até ao Porto durou quase dez horas. O que vale é que o padre Álvaro era homem de posses e confortos, não fosse ele irmão de quem era, e não se importara de pagar mais de seis mil réis por cada bilhete para ir bem acomodado em 1.ª classe. Era já noite escura quando chegou o momento de passarem na Dona Maria Pia, a temível ponte de ferro sobre o Douro. Afonso viu, horrorizado, a mancha sombria do rio a correr por baixo da frágil estrutura metálica e, fechando os olhos, encostou-se ao pároco em busca de protecção, pondo assim definitiva-mente termo à resistência.

Como não havia ligação ao Minho durante a noite, foram dormir ao Grande Hotel do Porto, na Rua de Santa Catharina, um edifício construído especificamente para ser uma unidade hoteleira e que oferecia aos hóspedes um sofisticado anexo para banhos e duches. Cedo no dia seguinte, depois de um apressado pequeno-almoço, saíram do hotel e foram para a estação. O padre comprou mais dois bilhetes de 1.ª classe, a mil réis cada um, e apanharam o comboio pelas oito da manhã. Foram precisas duas horas e meia para fazerem a ligação de Campanhã até Braga, tempo mais do que suficiente para finalmente entabularem uma conversa normal, apenas interrompida quando a carruagem deu entrada na estação da cidade minhota. O pequeno desceu em silêncio do comboio, agarrado à mão do padre, os olhos a enche-rem-se da novidade que era aquela urbe estranha e desconhecida.

O padre Álvaro Pereira era o responsável pela paróquia de São Vicente, que incluía o vasto cemitério do Monte de Arcos. Também ele oriundo de Rio Maior, como toda a família de dona Isilda, o pároco encarregou-se pessoalmente dos primeiros passos da edu-cação de Afonso. O menino tinha apenas frequência da escola primária, mas isso estava longe de ser o suficiente para poder ingressar no seminário. Braga não tinha seminários menores, onde crianças daquela idade eram preparadas em estudos de humanida-des para o seminário maior, pelo que teria de ser o padre Álvaro a ministrar-lhe os ensinamentos necessários de modo a conseguir um lugar no seminário da arquidiocese. Durante um ano, Afonso passou os dias a aprender latim e gramática, conhecimentos con-siderados imprescindíveis para quem queria seguir para o seminá-rio maior. Aos fins-de-semana ajudava o pároco a preparar as missas, varrendo o soalho da igreja e acendendo as velas, para além de exercer as funções de acólito na liturgia.

Nas tardes de domingo, o padre Álvaro levava-o em passeio. Iam admirar a Torre de Menagem, a imponente construção me-

dieval que assinalava um dos pontos-chave das antigas fortifica-
ções da cidade, ou então faziam uma volta pelos edifícios religiosos da cidade, subiam pela Rua de São Marcos e davam um salto
à Capela dos Coimbras, ou metiam pela Rua Nova de Sousa até
ao antigo Paço Episcopal e depois, à esquerda, inevitavelmente,
iam dar à Sé. Apesar do seu austero aspecto medieval, Afonso
gostava de estar dentro da grande catedral do século XII. Sentava-
-se cá atrás, mesmo por baixo do grandioso órgão, cuja riqueza
da talha barroca contrastava com a rudeza simples do resto do
santuário, e enchia a alma com as sublimes melodias que pareciam descer directamente do céu. Outras vezes iam ao mercado,
frente à Câmara Municipal, na praça central da cidade, onde o
pároco oferecia umas castanhas assadas ao seu protegido.

As visitas de terça-feira ao mercado tornaram-se especialmente
apreciadas pelo rapaz, que se maravilhava com toda a vida que
enchia as barracas e com a fauna humana a afadigar-se de um
lado para o outro, as camponesas de casacos curtos com saiotes
azuis, botas até ao joelho e lenços listados na cabeça; algumas
eram ceifeiras que apareciam descalças, um enorme chapéu negro
na cabeça e uma foice reluzente à cintura. Os homens deambulavam por ali com os seus chapéus de aba larga e casacos escuros,
quase todos de bigode, alguns miseráveis de trapos rotos e esfarrapados.

A mesma fauna, a que se juntavam os janotas, encontravam
ambos quando iam passear para o Jardim Público, em frente à
Arcada. Era ali antigamente o Campo de Sancta Anna, mas o
descampado dera lugar a um muro de pedra e grades de ferro
para proteger o rico jardim por onde os bracarenses faziam os
seus passeios ociosos. Nos dias de sol e calor, Afonso gostava de
se sentar com o pároco à sombra do gigantesco pinheiro americano situado junto aos portões de entrada, mas nos dias mais
cinzentos passeavam os dois pelo jardim e iam ali ao lado à Igreja
dos Congregados, donde Afonso espreitava os vizinhos Lyceu e
Bibliotheca Pública, instalados lado a lado no antigo Convento
dos Congregados do Oratório.

A única interrupção desta rotina ocorreu no Natal, quando o padre Álvaro foi passar a consoada com a irmã, em Rio Maior, levando o seu jovem protegido consigo. Afonso ficou duas semanas com a família e, quando chegou a hora de regressar a Braga, a separação revelou-se menos difícil do que da primeira vez; o rapaz já não temia o desconhecido e aprendera a confiar no pároco que o acolhera.

O latim e a gramática eram matérias complexas, que provocavam os maiores bocejos e ofereciam momentos de profundo tédio a Afonso, mas não havia alternativa e ele concluiu que, se tinha mesmo de decorar aquilo tudo, decorar sem compreender, então que decorasse rápido, que aprendesse depressa o que tinha de aprender para mais cedo se ver livre daqueles densos e impenetráveis assuntos. Com estes estudos, os instantes mais interessantes do dia acabavam por ser aqueles que envolviam as refeições e a catequese, e o momento alto da semana eram sem dúvida as escapadelas aos sábados até à Cruz & Companhia, a papelaria da Rua Nova de Sousa, onde consultava com avidez a página desportiva do *Commércio do Porto,* com as suas raras notícias sobre os *matches* do Football Club do Porto, do Boavista Football Club e do Real Vela Club no terreno do Oporto Cricket and Lawn-Tennis Club, e alguns exemplares que por lá apareciam de edições muito atrasadas da revista *Tiro Civil,* que não falhava com as façanhas do seu querido Club Lisbonense, embora as informações actualizadas escasseassem.

O Inverno foi duro, com Afonso a descobrir que o frio minhoto era bem mais rigoroso do que o ribatejano. Depois de noites limpas e geladas, encontrava de manhã o chão e as plantas a brilharem com gotas de água condensada, era o orvalho que se formava ao nível do solo. Nas madrugadas em que os termómetros desciam abaixo de zero, ao nascer do dia via as pedras, ervas e folhas pintadas de branco. Pensou inicialmente que era a famosa neve de que tanto lhe falara o padre Álvaro, mas, quando interrogou o pároco sobre o assunto, este abanou a cabeça.

"Não é neve, meu filho", disse. "É escarcha."

A escarcha era visível por toda a parte. Formavam-se cristais de gelo em rendilhados na parte exterior dos vidros das janelas, ou a sobressaírem, alvos e brilhantes, dos ramos e das pontas das folhas e ervas, em delicadas e formosas estruturas geométricas. A calçada coberta pelo manto de cristais brancos e reluzentes tornava-se perigosamente escorregadia e muitas plantas morriam quando eram tocadas por esta humidade congelada. Mais tarde, Afonso soube que a escarcha era também conhecida por geada, muito comum em todo o Minho durante o Inverno.

O frio convidava Afonso a permanecer em casa, junto à lareira. Como não tinha nada para fazer, além das três horas diárias de aulas e catequese que lhe ministrava o padre Álvaro, dedicou-se à leitura. A maior parte dos livros que se encontravam em casa do pároco eram de natureza religiosa, e o jovem embrenhou-se a ler um exemplar ricamente ilustrado da Bíblia. Afonso mostrou-se vivamente impressionado com o tema da ajuda de Jesus aos pobres, com os quais ele naturalmente se identificava, e pouco a pouco deixou de considerar os versos das orações uma mera sucessão de palavras ritmadas de sentido incompreensível e pôs-se a meditar sobre o que elas queriam realmente dizer. A sua aprendizagem da catequese deixou de ser meramente passiva, colocando ao padre dúvidas que o assaltavam, questões que reflectiam a sua crescente e genuína curiosidade sobre o assunto. Começou até a apresentar problemas que, para um garoto de treze anos, revelavam já alguma inesperada profundidade filosófica, resultantes da sua perplexidade em torno da questão da omnipotência de Deus. Pois se Deus era omnipotente, raciocinava Afonso, como poderia Ele deixar que existisse mal no mundo? E, se o homem tinha sido feito à imagem de Deus, isso não significaria que Deus continha maldade, uma vez que o homem era capaz dela? O padre Álvaro ia encontrando respostas para estas perguntas, sublinhando que Deus queria que o homem construísse o seu próprio caminho de rejeição da maldade e que só o podia fazer se o mal existisse. Afinal de contas, qual é o mérito de se ser bondoso se não há alternativas? A bondade só tem valor se significar a rejeição da maldade, argumentou o pároco. Se Deus eliminar o mal, então o homem será bondoso por vontade alheia, não por vontade própria. Afonso meditava nestas respostas e colocava novos problemas. A leitura dos trechos do Novo Testamento em que Jesus é retratado a curar os enfermos levou-o a interrogar-se sobre se isso seria realmente um bem. Pois, se Jesus curava uns enfermos, porque não havia Ele de curar todos? E, se Jesus ressuscitava Lázaro, por que não havia Ele de ressuscitar todos os mortos? Porquê discriminá-los? E, se ninguém tivesse doenças, ninguém morreria. Seria isso realmente bom? Não seria a morte de uns uma condição necessária para a vida de outros?

Ao chegar o Verão de 1904, o padre Álvaro percebeu que lhe começavam a faltar respostas e considerou que o seu pupilo, com catorze anos acabados de completar, já se encontrava apto para entrar no seminário maior. Numa amena manhã de Julho, depois de passar pela Rua Nova de Sousa para tomar um café na recém-inaugurada A Brazileira, o pároco levou-o ao seu amigo D. João Basílio Crisóstomo, vice-reitor do Seminário Conciliar de São Pedro e São Paulo. Era o único seminário de Braga e estava situado num pacato largo junto à Porta de São Thiago, no sector sul das antigas muralhas da cidade. Ao chegar ao largo, Afonso deteve-se perante o seminário, um edifício branco e comprido, e olhou para o monumento à esquerda, quase encostado ao seminário; tratava-se de Nossa Senhora da Torre, a alta torre medieval que vigiava a Porta de São Thiago. O largo encontrava-se abundantemente arborizado e era ornamentado por um chafariz com uma cruz arcebispal no topo, símbolo que marcava todos os monumentos mandados erguer pelo arcebispo. Havia ainda um quiosque e uma outra pequena construção cilíndrica na esquina.

"É um urinol público", esclareceu o padre, respondendo ao olhar inquisitivo do seu protegido. "Estás aflito?"

O rapaz abanou a cabeça e prosseguiram em direcção à porta. Subiram os dois a curta escadaria empedrada da entrada, as paredes decoradas com azulejos azuis reproduzindo vasos com flores e desenhos geométricos azuis, brancos e amarelos, e cruzaram os claustros internos, o olhar atraído pelas austeras colunas de pedra que cercavam um pequeno jardim interior. Os passos ecoavam ruidosamente no soalho de pedra, quebrando a placidez que enchia os corredores, e o ar revelava-se impregnado de um aroma indefinido, límpido e suave. Ascenderam ao primeiro piso e foram até ao gabinete do vice-reitor. D. Crisóstomo recebeu-os com um sorriso beatífico.

"Então, meu filho, queres ser padre?", perguntou o anfitrião a Afonso em tom paternal, depois das cortesias habituais.

"Sim, senhor vice-reitor."

"Mas ainda és um bocado novo para isto."

Afonso ficou mudo. Estava ali porque o tinham mandado. O padre Álvaro respondeu em seu lugar.

"D. Crisóstomo, o rapaz é dotado."

"Como assim?"

"Eu tinha planeado tê-lo como acólito mais um ano ou dois, mas ele mostrou grande interesse e vocação e não vejo necessidade de o manter afastado do seminário só porque ainda é novo."

O vice-reitor mirou Afonso, pensativo.

"Porque queres ser padre?"

"Não sei, senhor vice-reitor", murmurou o rapaz, baixando a cabeça.

"Não sabes?"

Afonso hesitou. Sentia-se intimidado, estava habituado a discutir aquelas coisas só com o padre Álvaro e o vice-reitor deixava-o pouco à vontade. Olhou furtivamente para o pároco e reparou que ele, com um subtil gesto com a cabeça, o encorajava a falar. Afonso encheu-se de coragem, levantou a cabeça e fitou o vice-reitor com ar de desafio.

"Quero descobrir a verdade."

"A verdade? A verdade de quê?"

"A verdade de tudo. Do mundo, das coisas, dos homens, da vida."

71

D. Basílio Crisóstomo recostou-se na cadeira e sorriu, agradado.

"Muito bem, vieste ao sítio certo", exclamou, balouçando afirmativamente a cabeça, em sinal de aprovação. Voltou-se para o padre Álvaro. "Vou ordenar que se iniciem quanto antes as inquirições *de genere* ao teu pupilo."

Os serviços do seminário começaram dias depois o inquérito a Afonso, averiguando a sua família, o passado, os hábitos de vida, o perfil e os interesses do candidato. Os estatutos do seminário, redigidos em 1620 e previamente consultados pelo padre Álvaro, previam como condição que se garantisse que os candidatos eram "christãos velhos inteiros, sem raça de judeus, mouros, nem outros infiéis", único requisito que agora era negligenciado, por anacrónico. O padre Álvaro serviu de testemunha e o seu protegido, apesar de ser considerado um pouco novo de mais para frequentar o seminário maior, acabou por ser aceite. Havia precedentes de crianças que entravam no seminário maior com doze e treze anos, os próprios estatutos estabeleciam que os seminaristas "seram ao menos de doze annos", pelo que a inscrição daquele rapaz de catorze anos, embora menos usual, nada tinha de extraordinário.

Afonso entrou no Seminário dos Apóstolos São Pedro e São Paulo no Outono de 1904. Tudo possuía aspecto antigo, austero e solene, uma impressão adequada à história do seminário. A instituição remontava a 1572, quando, na sequência do Concílio de Trento, foi aberto o Seminário de São Pedro, a funcionar no Campo da Vinha, em pleno centro de Braga. Parte das aulas, no entanto, era ministrada num vasto edifício junto à Porta de São Thiago, o Colégio de São Paulo, gerido pelos jesuítas. Os jesuítas foram, todavia, expulsos em 1759, e o edifício ficou nas mãos de freiras, até que, em 1881, o seminário foi para aí transferido, incorporando-se São Paulo no nome da instituição.

O novo seminarista foi instalado na sua cela, um pequeno quarto espartanamente decorado e com um certo cheiro a bafio.

Tinha uma cama encostada à parede, uma mesa com gavetas para a roupa, uma vela, um candeeiro alimentado a petróleo, um banco, uma vassoura, um bacio, um sabão, uma toalha branca e um balde com água. A janelinha dava para um pátio ajardinado, os ramos e as folhas de um vigoroso carvalho adulto a ocuparem parte da vista, viam-se os galhos a serem remexidos pelo inquieto adejar de asas dos pardais, o melódico pipilar dos pássaros enchia então o pátio e inundava o quarto de deliciosas sonoridades musicais. Colocou a mala sobre a cama, abriu-a e arrumou a roupa nas poeirentas gavetas da mesa. Só eram autorizadas roupas escuras, de modo que Afonso levou dois fatos, um preto e outro cinzento, ambos oferecidos pelo padre Álvaro. Tinha também cuecas, meias pretas e ceroulas, peças de vestuário que jamais conhecera em Rio Maior e de que agora não prescindia e que arrumou com o resto. Quanto a sapatos, só possuía o par que trazia calçado, adquirido na Sapataria Celestino Vidal, na Rua do Souto.

A rotina da vida no seminário ficou logo estabelecida na manhã seguinte. Afonso foi acordado pelo som estridente de uma campainha tocada a cordel e levada pelos corredores. Eram seis e meia da manhã. A tremer de frio, saltou da cama, urinou para o bacio e lavou furtivamente as mãos e a cara com a água gelada do balde. Vestiu o fato preto, fez a cama e varreu a cela. Perto das sete saiu para o corredor com o bacio, foi deitar a urina na zona das latrinas, regressou à cela para guardar o bacio e voltou a sair, acompanhando os restantes seminaristas em direcção à capela para as orações da manhã. A missa foi celebrada pelo vice-reitor nos termos normais em qualquer igreja, isto é, em latim e de costas voltadas para os fiéis. O altar estava virado para oriente, como é habitual nas igrejas, e os celebrantes rezavam sempre em direcção a levante porque se acreditava que era daí que se devia esperar a salvação, afinal de contas foi Ezequiel quem escreveu que "a glória do Senhor vem do oriente", do sítio onde o Sol nasce, pelo que é para aí que se dirigem as orações. A missa durou meia hora, finda a qual seguiram para o refeitório, alguns seminaristas conversando em sussurros pelos corredores, o que impressionou Afonso. O refeitório era um grande salão com muitas mesas de madeira, quatro cadeiras por mesa. Os seminaristas espalharam-se pelas mesas e o vice-reitor foi ocupar o seu lugar. O pão, a broa e as papas de milho foram colocados nas mesas, João Basílio Crisóstomo ergueu-se e todos o imitaram.

"Benedic Domine nos, et haec tua dona quae de tua largitate sumus sumpturi, per Christhum Dominum nostrum", proclamou em latim, implorando a Deus a bênção para os alimentos que estavam na mesa.

"Jube Domine benedicere", entoou um diácono, prosseguindo o ritual.

"In nomine Patri et Filio et Spiritui Sancto", concluiu o vice-reitor, benzendo os presentes e os alimentos e fazendo sinal aos seminaristas para começarem a comer.

O pequeno-almoço foi tomado em absoluto silêncio, Afonso rapidamente iria perceber que era essa a regra em todas as refeições. Às oito recolheram aos aposentos; chegara a hora de reverem as lições. O padre Álvaro tinha avisado Afonso de que deveria aproveitar esta pausa para passar os olhos pelo latim, uma vez que era provável que fossem testar os seus conhecimentos na língua romana. Por esta altura já o jovem percebera que o latim podia ser uma língua morta em todo o mundo, mas naquele seminário estava talvez mais viva do que o português. Encheu-se de coragem e, fechado na sua cela, pôs-se a recitar declinações em voz baixa. Meia hora mais tarde, a campainha assinalou a chamada à portaria. Afonso seguiu para o local, onde o vice-reitor aguardava os seminaristas para os questionar sobre as matérias de estudo. O novo estudante não foi poupado, com o vice-reitor a testar minuciosamente os seus conhecimentos de latim, queria saber o que valia a mais recente aquisição do seminário. Tomado pela ansiedade e com a voz trémula e submissa, Afonso foi gaguejando as respostas. As aulas do padre Álvaro eram uma boa base, mas o latim que aprendera na paróquia de São Vicente revelou-se claramente insuficiente para as necessidades curriculares e D. Basílio Crisóstomo tornou-lhe claro que esperava que ele aprendesse

muito mais. Afonso concluiu a sessão da portaria exausto e acabrunhado, imaginando que todos se riam dele.

As aulas começaram às nove da manhã. A sua primeira disciplina foi Casuística, ministrada por um mestre gordo e
bonacheirão, na verdade um padre da diocese de Braga que ia
leccionar ao seminário. O primeiro ano do seminário maior era
dominado pelos estudos filosóficos, com Filosofia, Casuística e
Retórica à cabeça, complementados por Gramática e Latim.
Havia ainda um bónus fornecido pelo padre Ettori Fachetti, um
napolitano de falas suaves que viera para Braga aprender português. O padre Fachetti era um poliglota notável e pôs os seus
talentos ao serviço dos seminaristas, ensinando italiano, inglês,
francês e alemão a quem o interpelasse. Vários estudantes inscre-
veram-se nas suas disciplinas, e Afonso, talvez mais pelo desejo
de se sentir aceite e integrado, seguiu-lhes o exemplo e decidiu
aprender tudo. Já o segundo e terceiro anos do seminário concentravam-se sobretudo em teologia, os estudos a dividirem-se entre
a História Eclesiástica, a Teologia Dogmática, a Teologia Moral,
a Teologia Sacramental, o Direito Canónico, a Liturgia, a Herme-
nêutica e o Canto, para além, claro, das disciplinas de línguas
estrangeiras do padre Fachetti e dos inevitáveis Latim e Gramática.

O almoço foi servido ao meio-dia. Tal como ao pequeno-
-almoço, a comida foi colocada imediatamente na mesa, mas ninguém tocou nela antes de o vice-reitor proferir em latim o pedido
de bênção para a refeição. Quando terminou a oração, todos se
sentaram e começaram a servir-se. Havia pão de trigo, broa, sopa
de legumes, carne de vaca cozida, ovos cozidos e castanhas. Para
beber tinham água. Comiam em silêncio, fazendo gestos para
passarem uns para os outros o pão, a carne ou a água. A meio
da refeição surgiu uma novidade em relação ao pequeno-almoço.
Um seminarista com uns dezasseis anos levantou-se da mesa e
dirigiu-se ao púlpito do refeitório com um pequeno livro na mão.
Abriu o livro numa página marcada e começou a ler uma passagem da vida de São Francisco Xavier numa voz monocórdica.

Afonso sentiu que o rapaz não entendia o que lia, a entoação era ritmada e inexpressiva, o que dificultava a compreensão do texto. Nessas condições, a voz tornou-se mero ruído de fundo. O orador terminou a leitura quando chegaram as maçãs para a sobremesa e, pouco depois, o vice-reitor ergueu-se, obrigando todos a levantarem-se, conduziu uma oração final e deu o almoço por terminado.

Foram para o recreio. Afonso verificou que a maior parte dos seminaristas já se conhecia, formando grupos que se juntavam aqui e ali. O ambiente era amigável, mas o recém-chegado mostrava-se tímido e metido consigo mesmo. Eram quase todos mais velhos, havia mesmo uns que já tinham uma barba macia a crescer, de modo que Afonso sentiu-se deslocado. Para não ficar sem nada para fazer, resolveu dar discretamente uns pontapés numa pequena pedra, fantasiando estar a jogar *football* no Campo Pequeno com a gloriosa camisola do Club Lisbonense. Imaginou que um dos carvalhos era uma baliza defendida por um *player* do Carcavellos Club, clube particularmente detestado por ser exclusivamente de estrangeiros e por ter sido o único que ganhou ao Club Lisbonense. Afonso mirou o carvalho e pontapeou suavemente a pedra, enganando o imaginário *goal-keeper* inglês. Noutros instantes cruzou o pátio a transportar a pedra com toques curtos, fingindo que efectuava *dribblings* que deixavam os adversários por terra. Fazia-o como se estivesse a passear, procurando não dar nas vistas, percebia que andar ostensivamente aos pontapés a uma pedra durante o recreio poderia ser mal interpretado.

O som da campainha avisou-os de que estava terminado o recreio. Eram duas da tarde quando recolheram às celas para regressarem às matérias das aulas da manhã. Afonso passou parte da tarde a estudar Casuística e a outra parte às voltas com o malfadado Latim, que tanto o envergonhara durante a sessão na portaria. Às cinco e meia, a campainha chamou-os para a capela e às seis e meia voltaram ao refeitório para a ceia silenciosa. A refeição terminou às sete e meia, altura em que seguiram para o recreio, e uma hora depois a campainha mandou-os novamente para as celas. Às nove da noite, e depois de preparar as coisas para o dia seguinte, Afonso fez uma derradeira visita às latrinas, voltou para a cela, meteu-se na cama, apagou o candeeiro a petróleo e adormeceu.

Os dias seguiram-se uns atrás dos outros nesta rotina, com poucas variações, monótonos e repetitivos. As principais novidades relacionavam-se com os almoços e as ceias, onde os pratos iam variando. Umas vezes aparecia carne de vaca, outras carne de porco, outras carne de carneiro. Jamais foi servido peixe, o que deixou Afonso com saudades de fazer com a língua uma limpeza às cabeças dos chicharros. Comiam-se galinhas, castanhas, batatas, açordas e sopas de legumes ou farinha de pão. Aos domingos era apresentada uma iguaria requintada, o arroz, e em dias de festa surgiam os doces, alguns de receitas conventuais. O vinho ficava igualmente reservado para ocasiões especiais, embora Afonso estranhasse o sabor do tinto. Em vez do macio vinho maduro a que estava habituado em Rio Maior, este revelava-se muito áspero. Explicaram-lhe que se tratava de tinto verde, um néctar que ele não conhecia e que era proveniente de várias zonas do Minho, como Ponte da Barca, Ponte de Lima e Melgaço, e ainda do vale do Sousa, na região do Douro.

Às quintas-feiras e domingos, os estudantes abandonavam o seminário e eram levados em passeio. Seguiam sisudos e compenetrados, aos pares em fila indiana, para périplos com o vice-reitor, que os conduzia a Montariol e ao Fraião. Quando o dia despontava especialmente bonito, iam até ao pórtico entre a Capela da Agonia de Cristo no Jardim e a Capela da Última Ceia e subiam o espectacular escadório do Bom Jesus, primeiro pela Via Sacra, com as capelas a representarem as catorze estações da Cruz, depois pelo íngreme escadório dos Cinco Sentidos e, finalmente, já com a língua de fora e as pernas a pesarem como chumbo, arrastavam-se pelo escadório das Três Virtudes. Uma vez lá em cima, ofegantes e a transpirar, encostavam-se às paredes caiadas, sentavam-se no duro chão de granito e refrescavam-se na

Fonte do Pelicano. Já mais recompostos, iam finalmente visitar a imponente Igreja do Bom Jesus, Braga a estender-se aos pés do santuário. Outras vezes, em vez de subirem o monte, desciam até desembocarem no rio Cávado, onde ficavam a brincar na água gelada. Uma vez por outra iam até à Capela de São Frutuoso de Montélios, uma relíquia do século VII, ou apanhavam a estrada para Barcelos e davam um salto ao Mosteiro de Tibães, um belo complexo com claustros e jardins erguido no século XI. O objectivo declarado era o de os levar a apanharem ar puro e desentorpecerem as pernas, mas alguns mestres riam-se e sugeriam sub-repticiamente que aquela era antes uma artimanha para os estafar.

O ponto alto da semana tornaram-se as visitas do padre Álvaro, sempre aos domingos de manhã. O pároco levava ao seu protegido uma mão-cheia de doces adquiridos na Pastelaria Suissa e ainda, atento aos interesses do rapaz, alguns exemplares do *Tiro Civil*, que arranjava na papelaria Cruz & Companhia, na Livraria Central ou que lhe eram especialmente remetidos de Lisboa. Foi desse modo que Afonso percebeu que o seu querido Football Club Lisbonense deixara de existir. Sentiu-se inexplicavelmente órfão e infeliz; as vitórias do clube alimentavam-lhe os sonhos e não podia conceber que aquelas cores que um dia vira brilhar alto no Campo Pequeno jamais voltariam a encher um campo.

Passou uma semana de luto pelo desaparecimento do Club Lisbonense e só revelou os seus sentimentos a Américo, um seminarista gorducho, de quinze anos, com quem fizera amizade. Afonso ainda tentou ensinar-lhe a jogar *football,* mas os pontapés nas pedras não convenceram o redondo amigo, mais vocacionado para o ócio e para a gula. Américo era oriundo de Vinhais, em Trás-os-Montes, filho de comerciantes abastados que achavam que ter um padre na família era um sinal de distinção. Afonso divertia-se a olhar para Américo durante as refeições. O pequeno de Rio Maior, habituado aos manjares frugais da sua casa da Carrachana, onde uma simples cabeça de peixe servia de refeição, achava que os almoços e ceias no refeitório eram lautos banquetes, mas Américo, mimado pelos melhores pratos transmontanos servidos em abundância na sua abastada casa de Vinhais, sofria horrivelmente com aquela dieta, que considerava mais adequada para tuberculosos e raquíticos, e passava os dias a suspirar pela sua terra.

O ano escolar terminou depressa e Afonso, agora com quinze anos, foi premiado com um *suficit* a Gramática, três *cum laude*, designadamente a Latim, Casuística e Retórica, e um *suma cum laude* a Filosofia, para além de ser corrido a *aprovatus* nas disciplinas de línguas estrangeiras do padre Fachetti. Já Américo, que se sentia tremendamente infeliz no seminário, foi varrido a *suficit* e teve mesmo dois *non aprovatus* a Retórica e a Casuística. Afonso foi passar o Verão a Rio Maior e apresentou-se em casa impante de orgulho, nunca ninguém da família tinha ido tão longe nos estudos. Nos primeiros dias estranhou a casa da Carrachana, pareceu-lhe demasiado pobre e imunda. Ficou espantado por nunca antes se ter sentido incomodado com aquela miserável penúria, em boa verdade nem sequer alguma vez reparara nela, tinha nascido ali e a privação afigurava-se-lhe natural, aceitou-a sempre como um facto da vida.

Cumpridor dos seus deveres de protegido, o jovem seminarista foi à Casa Pereira visitar dona Isilda, que lhe tinha dado esta oportunidade de estudar em Braga, mas, compenetrado no seu papel de futuro padre celibatário, não fez questão de ver Carolina, pormenor que encheu a viúva de satisfação. Dona Isilda concluiu que a estratégia de afastar o moço da filha estava a resultar e festejou essa vitória em privado com um cálice de vinho do Porto.

Afonso impressionou os pais pelo empenho que revelava nas orações e pelas maneiras recatadas com que se comportava. Além disso, por vezes brindava-os com surpreendentes tiradas em italiano, mas também em alemão, francês ou inglês, frases pomposas e verborreicas que serviam apenas para pavonear os conhecimentos que adquirira e estabelecer uma subtil superioridade sobre a família. Já o contrário, como seria de esperar, não se passava. O jovem sentia-se ligeiramente incomodado com a postura da família, eram talvez os hábitos de higiene e as conversas que considerava pouco elevadas, só se falava nas colheitas, nos preços do mercado, na diarreia da vizinha, na forretice do senhor Ferreira e num problema na perna da burra. Mas o pior eram as bebedeiras do pai aos domingos à tarde, o senhor Rafael vinha da taberna do Silvestre a cantar aos altos berros e a caminhar de forma incerta, o que enchia Afonso de vergonha.

Foi por isso com alívio que o jovem seminarista regressou a Braga para prosseguir os estudos. A sua cela cheirava a mofo, é certo, mas era asseada e a vida no seminário revelava o que, para os padrões da Carrachana, se poderia considerar um ambiente de abundância e requinte. Afonso reencontrou Américo, que veio das férias ainda mais gorducho, e ambos se tornaram agora inseparáveis. No segundo ano, as aulas deixaram a filosofia e concentraram-se em matérias teológicas. Afonso embrenhou-se no estudo do divino ao ponto de, cheio de piedosa compaixão, lamentar a sorte dos que, por circunstâncias da vida que não controlavam, não tinham nascido num ambiente católico. Pois se o catolicismo era a verdadeira fé, então os hereges dos países do Norte estavam condenados às eternas chamas do inferno. Tudo, meditou o jovem, porque tinham lamentavelmente nascido no sítio errado. Não pôde deixar de sentir uma certa perplexidade por os protestantes teimarem em não ver a verdade. Não era óbvio que, pela sua grandeza e história, só em Roma estava o caminho da salvação? Não se tornava evidente que, pela sua bondade e majestade, era o Santo Padre o verdadeiro vigário do Senhor? Como poderiam aqueles povos, na sua cegueira e arrogante ambição, fechar os olhos à evidência? Isto para já não falar nos judeus, que não reconheciam o Novo Testamento e a palavra de Jesus, ou nos maometanos, que acrescentaram falsos profetas aos verdadeiros. E o que dizer daqueles outros povos que nem o Antigo Testamento reconheciam, como os hindus e os budistas? Que muro de ignorância os mantinha cruelmente afastados da salvação? Afonso sentiu-se orgulhoso quando aprendeu o papel que a Igreja portuguesa desempenhou na propagação da fé no

Brasil, em África, na Índia, na China, no Japão e nas ilhas Molucas e sentiu ganas de vir a ser um desses missionários que se tornaram confidentes do imperador em Pequim ou que acompanharam os bandeirantes na conversão dos selvagens no Brasil. A Índia portuguesa estava catolicizada e havia agora muito trabalho a fazer em África. O jovem seminarista começou a alimentar o secreto sonho de se tornar missionário e espalhar a verdadeira fé em locais remotos das Guinés, de Angola e de Moçambique, tendo confidenciado estes projectos apenas ao padre Fachetti e a Américo.

As aulas de Teologia Dogmática permitiram-lhe penetrar mais satisfatoriamente nos insondáveis mistérios de Deus e da vida. A disciplina era leccionada pelo padre Francisco Nunes, um inesperadamente liberal e pouco ortodoxo teólogo beirão que estudara Teologia em Roma e fizera uma pós-graduação em Filosofia na Universidade de Heidelberga, na Alemanha. Afonso ainda não o sabia, mas, como resultado da sua curiosidade natural e da forma aberta e desempoeirada como o mestre abordava os problemas filosóficos, essas aulas abrir-lhe-iam surpreendentes janelas sobre o mundo. O padre Nunes era um homem magro e curvado, de olhos pequenos, barba rala e falinhas mansas, com duas características dominantes. A primeira é que ciciava a falar, os esses saíam-lhe em assobios sibilantes, e a outra vinha-lhe da paixão pelo latim, o que o levava a usar profusamente expressões proverbiais latinas em conversa. Ao mestre, Afonso remeteu as mesmas perguntas que formulara antes ao padre Álvaro, incluindo o problema do bem e do mal, que está na base da moralidade judaico-cristã. Seria o bem a antítese do mal ou não passariam ambos das duas faces da mesma moeda?

"É verdade que, *a fortiori,* o que é bem para uns pode ser mal para outros", concordou o padre Francisco Nunes, os esses de "uns", "ser" e "outros" a saírem assobiados. "Se eu te ganhar num jogo de xadrez, isso é bom para mim e mau para ti. *Dura lex sed lex*. Muitas coisas na vida são também assim."

81

"Mas, se Deus é bom, por que razão existe mal? Se Deus é omnipotente, por que motivo não arranjou um sistema diferente, um sistema em que o resultado do jogo de xadrez fosse bom para os dois jogadores?", insistiu Afonso, já habituado aos esses assobiados.

"A resposta a essa pergunta, meu caro Afonso, foi dada há duzentos anos por um filósofo alemão", retorquiu o professor. Voltou-se para o quadro e escreveu a giz "Gottfried Leibniz". "Leibniz observou *ad litteram* que o bem e o mal são inseparáveis porque cada um deles não tem sentido sem o outro", disse ele, pronunciando "Laibnitsss". "O bem só tem valor se o mal for uma opção, se nos dedicarmos a ele porque o desejamos, não porque não temos alternativa. E esta dualidade bem-mal só é possível porque estamos a lidar com conceitos relacionados entre si e cuja adopção resulta de um acto de livre vontade. De alguma forma poderemos definir o bem como sendo um conjunto de regras e comportamentos que produzem bons resultados para cada pessoa e para a comunidade em geral e o mal como sendo regras e comportamentos que apresentam resultados negativos para o mesmo universo. É claro que, *a priori,* cada sociedade, ou religião, pode estabelecer regras e comportamentos diferentes e até antagónicos. *Id est,* acontece por vezes que uma coisa que é considerada boa por umas culturas é encarada como maligna por outras, e é por isso que temos de nos guiar pela palavra de Deus tal como ela foi imortalizada nas Sagradas Escrituras. São elas a *alma mater* da nossa moralidade, são elas o nosso guia para definirmos o bem e o mal, para estabelecermos quais os comportamentos e regras que deveremos adoptar e quais os que deveremos rejeitar. No *Genesis,* a distinção do bem e do mal constitui o terceiro passo dado pelo homem, e é precisamente aí que começa a definição da nossa moralidade."

"E qual é o principal comportamento ou regra que temos de adoptar para fazermos o bem?", perguntou o aluno.

"O amor", disse sem hesitar o padre Nunes. "Os judeus acreditavam no princípio de que o bem era praticado quando amávamos o próximo, e isso está consagrado no Antigo Testamento. O problema é que os judeus achavam que eram o povo eleito, que Deus só os amava a eles. Cristo foi para além desta ideia, defendendo que Deus amava os judeus, sim, mas, *magister dixit*, também amava todos os outros povos, todos eram filhos de Deus, o amor divino era universal. De resto, já os gregos defendiam que os homens são todos irmãos, um conceito que Jesus incorporou no cristianismo."

À noite, deitado na sua cela, Afonso matutava sobre estas ideias, inquieto, lendo a Bíblia com redobrada atenção. Por vezes dava um salto à biblioteca do seminário e consultava textos de teologia, regressando às aulas do padre Nunes com novas dúvidas.

"O senhor padre mencionou na última aula que o bem e o mal só têm valor porque podemos optar entre eles", observou o aluno quando voltou a Teologia Dogmática. "Mas estive a ler a *Carta aos Romanos,* de São Paulo, e ele escreveu aí que todos os homens são pecadores e que Deus escolhe quais são aqueles a quem vai conceder a Sua graça e salvar. Essa escolha foi previamente efectuada por Deus, antes de o tempo ter começado, antes de o mundo ter sido feito."

"E o que concluis dessas palavras, meu filho?"

"Concluo que Deus concede a Sua graça independentemente dos méritos dos que a recebem. Todos somos pecadores, cabe a Deus escolher arbitrariamente quem vai ser salvo. E, como essa escolha foi efectuada antes ainda de o mundo ter sido feito, o que nós fizermos é irrelevante, Deus já fez as suas opções antes mesmo de praticarmos o bem ou o mal. Ou seja, o que quer que façamos não conta para nada, as coisas estão decididas antes mesmo de acontecerem."

"Esse é precisamente, *ab ovo,* um ponto de divergência entre o catolicismo e o protestantismo", comentou o padre Nunes, afagando a barba rala. "É possível que, ao avançar com essa ideia da graça de Deus, São Paulo tenha levado o cristianismo para áreas onde talvez Jesus não tivesse ido. Outros santos contestaram o conceito, insistindo no princípio fundamental de que uma fé que não é consolidada por actos não tem valor. Sabes, o que se passa é que a Bíblia resulta de um conjunto de textos diferentes, que nós consideramos como sendo produto da palavra de Deus, mas a verdade é que eles foram redigidos por homens. Isso significa que, até certo ponto, esses textos são interpretações humanas da vontade divina e, como tal, podem por vezes conter contradições, até mesmo um ou outro *lapsus calami*."

"Mas qual é a resposta para este problema?"

"Não sei, teria de consultar Deus", riu-se o professor. "Eu diria que talvez exista uma maneira de conciliar os dois pontos de vista. Uns têm certamente razão quando defendem que é preciso praticar o bem para merecer um lugar no céu. Mas São Paulo preconiza outra verdade, a de que a bondade de Deus é ilimitada, *mirabile dictu*, e isso significa que todos podem ser perdoados, mesmo os que só fizeram o mal. Admito que haja aqui uma contradição, mas, à falta de melhor resposta, eu diria que, *hic et nunc*, os caminhos do Senhor são insondáveis."

Afonso não ficou satisfeito com a forma como o padre Nunes não respondeu à sua dúvida, mas percebeu que isso acontecia porque o professor não tinha realmente resposta. Tal não o impediu de problematizar alguns aspectos do problema, como se tornara agora seu timbre.

"Mas como é possível que as coisas estejam decididas antes ainda de terem acontecido?"

"Tudo está predestinado."

"Mas, se está predestinado, então é porque não há livre vontade. Ou seja, a opção pelo mal não é do homem, é de Deus."

O padre Nunes suspirou. Que aluno difícil, pensou, a curva nas costas acentuando-se à medida que ganhava coragem para atacar mais aquele problema.

"Santo Agostinho responde a essa tua dúvida", ciciou. "Imagina que o tempo é como o espaço. Quando viajamos, vamos de um ponto ao outro. Eu estou em Braga e vou ali a Viana do Castelo. Evidentemente que eu aqui de Braga não vejo Viana, mas Viana está lá. Se subir para o céu num desses aeroplanos ou dirigíveis de que falam agora os jornais, lá de cima já poderei ver as duas cidades ao mesmo tempo, Braga de um lado e Viana do outro. *Mutatis mutandis,* com o tempo é a mesma coisa. Eu viajo do passado para o futuro. Do ponto onde me encontro não consigo ver o futuro, embora ele exista. Mas Deus está lá em cima e, *ipso facto,* vê os dois pontos ao mesmo tempo, o passado e o futuro. Entendeste?"

"Sim", indicou Afonso, hesitante. "Mas em que é que isso responde à minha pergunta?"

"Com este exemplo, adaptado de Santo Agostinho, eu expliquei-te a predestinação", devolveu o professor com um sorriso triunfal. "Não foi Deus que fez as acções humanas que vão ocorrer no futuro, foi o homem. A vantagem de Deus é que Ele está lá em cima, a ver simultaneamente o passado e o futuro, e consegue perceber o que o homem irá fazer antes mesmo de ele o ter feito. *Ab initio,* Deus viu no passado as escolhas que iremos livremente fazer um dia no futuro, pelo que não precisa de esperar pelo futuro para enunciar o seu *veredictum,* para decidir quem irá salvar."

"Portanto", concluiu o aluno, "o futuro já está determinado."

"Já."

"Mas, apesar disso, temos livre vontade."

"Concordo que, *grosso modo,* parece uma contradição", admitiu o padre Nunes, esforçando-se por ocultar a sua atrapalhação. "No entanto, assim é. O futuro está determinado desde que o mundo foi criado, mas o homem mantém o livre arbítrio."

"Não percebo", comentou Afonso. "Só posso ter livre arbítrio se puder mudar o futuro, se for dono das minhas acções. Ora, se o futuro já está determinado, isso significa que não o posso alterar. Se não o posso alterar, a minha vontade não é livre, apenas parece livre."

"Não é bem assim", desesperou o professor. "Somos nós que fazemos o futuro. *Nihil obstat.* Deus limita-se a tomar conhecimento antecipado das nossas acções."

Afonso não ficou convencido e voltou aos livros. Consultou a biblioteca do seminário e conseguiu até autorização para dar um salto à Bibliotheca Pública, ao lado da Igreja dos Congregados, junto ao Jardim Público. Dias depois, no início da aula do padre Nunes, levantou a mão.

"O que é, Afonso?"

"Senhor padre, encontrei uma resposta para o problema do livre arbítrio."

"O livre arbítrio? Do que é que estás a falar?"

"Lembra-se de na última aula termos falado sobre a predestinação e de o senhor padre ter dito que o facto de Deus tomar conhecimento antecipado das nossas acções não nos retira a liberdade de decidirmos por nós mesmos?"

"Sim, a conversa de Santo Agostinho."

"Pois eu descobri que Espinosa contraria Santo Agostinho."

O padre Nunes arregalou os olhos.

"Espinosa?"

"Sim, senhor padre", disse Afonso com entusiasmo, folheando o caderno onde tomara as suas notas. "O Espinosa disse que a nossa convicção de sermos agentes livres não passa de uma ilusão baseada no facto de que nunca estamos conscientes das verdadeiras causas dos nossos actos." Afonso levantou os olhos do caderno e mirou o professor com ar vitorioso. "Ou seja, não somos livres, pensamos é que somos livres."

"É verdade que Espinosa escreveu isso", admitiu o padre com um suspiro. "Mas, se leres bem Espinosa, verás que ele também disse que há uma liberdade que temos, que é a de tomarmos consciência das causas dos nossos actos. Tornamo-nos livres quando compreendemos as coisas."

"Isso não impede que se mantenha o problema inicial, o de que o livre arbítrio é uma ilusão."

"É o que diz Espinosa", assentiu o mestre. "Mas deixa-me avisar-te, Afonso, de que Espinosa não era católico. Ele era judeu e mesmo entre os judeus foi excomungado por causa das suas ideias heréticas. Portanto, tens de lê-lo *quantum satis*. Se eu tiver de escolher entre Espinosa e Santo Agostinho, não tenho dúvidas em dar razão a Santo Agostinho."

Os debates teológicos e filosóficos fascinavam e estimulavam Afonso, não admirando que o jovem fizesse de Teologia Dogmática a sua disciplina favorita. Nas aulas do padre Francisco Nunes compreendeu algo em que nunca tinha pensado, a ideia de que os textos divinos foram escritos por homens e não passavam de interpretações imperfeitas da vontade de Deus. A compreensão de que os textos sagrados poderiam ser falíveis e abertos a diferentes leituras deixou-o horrorizado; essa era uma ideia monstruosa, significava que os autores dos textos se podiam ter enganado e estar a difundir princípios que não emanavam de Deus. Passou a ler a Bíblia com redobrada atenção, tentando descortinar o que era realmente a palavra do Senhor e o que não passava de interpretação subjectiva do autor do texto, mas depressa percebeu que essa era uma tarefa impossível, a própria tradução revelava-se, ela mesma, uma interpretação. Consoante as traduções, o texto mudava subtilmente.

Apesar destas dúvidas, Afonso tornara-se um rapaz devoto e dedicado, imensamente interessado pelo mundo. À medida que evoluía das questões mais simples e ingénuas para os problemas teológicos e filosóficos mais complexos e aprofundados, crescia a sua admiração pelos conhecimentos do padre Nunes. Certa vez, no final de uma aula, encetou a única conversa que teve versando matérias não exclusivamente religiosas numa lição de Teologia Dogmática, ao interrogar o mestre sobre onde adquirira o seu saber.

"Estive em Roma, meu filho", riu-se o padre, divertido com a pergunta, enquanto arrumava os papéis para se ir embora. "Frequentei a biblioteca do Vaticano. Foi lá que tive o meu *fiat lux*."

"Aprendeu tudo lá?"

"Nem tudo. Houve coisas que aprendi quando estudei na Alemanha."

"Mas esse não é um país protestante?"

"De facto", assentiu o padre Nunes, levantando os olhos dos papéis. "Mas é muito bom na filosofia."

"E os filósofos alemães acreditam em Deus?"

"Alguns sim, outros não."

"Quem são os que não acreditam?"

"Sei lá, vários."

"Mas quem?"

"Olha, o Schopenhauer, o Fichte..."

"Esses não acreditam em Deus?"

"Não."

"Então, para eles, quem é que criou o mundo?"

O padre Francisco Nunes olhou fixamente para Afonso, suspirou e sentou-se pesadamente na cadeira.

"O Schopenhauer foi o primeiro filósofo explicitamente ateu", explicou o mestre, já resignado à ideia de que não iria sair imediatamente da sala, ou não conhecesse ele o aluno que tinha pela frente. "Ele achava que não foi Deus quem criou o homem à Sua imagem, mas foi o homem quem criou Deus à sua imagem. *Sic*. Deus não passava assim de uma criação antropomórfica, de uma projecção do homem..."

"Assim à maneira dos gregos?"

"Quais gregos?"

Afonso consultou as suas notas.

"Protágoras", exclamou. "Protágoras disse que o homem é a medida de todas as coisas."

"Pois, isso", assentiu o padre, com um gesto vago. "Mas há mais. Schopenhauer rejeitou a própria ideia de alma, dizendo que todo o conhecimento está no cérebro, não no espírito. Ele considerava que o mundo não tem significado, não tem propósito, existe por si mesmo, *et caetera*. Ou seja, o mundo não tem sentido, nós é que lhe atribuímos um sentido, nós é que lhe inventamos um sentido para nos reconfortarmos."

"E o senhor acredita nisso?"

"Credo, Afonso, claro que não. Se acreditasse, não seria padre, valha-me Deus."

"Não há nada que ele tenha dito que considere verdadeiro?"

"Bem, isso é outra coisa. Sabes, o Schopenhauer via o mundo como uma coisa cruel, um local de sofrimento em que para viver é preciso matar. Por exemplo, a todo o momento os animais estão a matar outros animais, são milhares e milhares de mortes por segundo em todo o mundo. *Vae victis.* Para que um único animal carnívoro viva durante um ano, uma centena de animais terá de morrer de modo a alimentar esse único sobrevivente. E para que um único animal herbívoro viva durante esse mesmo ano, muita vegetação tem de morrer para lhe dar de comer. Por outro lado, as próprias plantas vivem à custa do apodrecimento da carne dos animais e dos restos das outras plantas. Ou seja, a vida alimenta--se de muita morte. *Dura lex sed lex.* Schopenhauer achava que o mundo dos homens obedece à mesma lei, os seres humanos vivem uma vida de sofrimento em que os homens são escravos das suas necessidades e desejos. É uma vida feita de violência, de frustrações, de dor, de doenças, de medo, de escravidão, de luta, de vitórias efémeras e derrotas permanentes, é um processo de perdas constantes e sucessivas, e o pior é que tudo isso acaba sempre mal, a vida termina invariavelmente com a perda final, a morte, na nossa existência não há fins felizes."

"Isso parece assustador."

"É deprimente."

"Considera isso verdadeiro?"

"De certo modo", disse o mestre. "Viver é sofrer. E o que é mais curioso é que, apesar de ser um constante sofrimento, nós agarramo-nos à vida com todas as nossas forças, como se fosse o maior tesouro, a coisa mais preciosa. Mas a vida está sempre *in articulo mortis.* Ela foge-nos, escapa-se-nos como água entre os dedos, morremos em cada respiração, a cada palavra, a cada olhar, momento a momento encurta-se a distância que nos separa do nosso fim, nascemos e já estamos condenados à morte. A vida é breve, não passa de um instante fugaz, de um brilho efémero nas trevas da eternidade."

"Acha?"

"Tu ainda não tens noção, Afonso, és muito novo", sorriu o mestre com tristeza. "Quando somos novos, tudo parece lento, vagaroso, quase eterno. Mas olha que isso vai mudando com a idade. Ainda noutro dia eu tinha quinze anos e agora, quase *pari passu,* já estou a chegar aos quarenta. Parece que a vida se vai acelerando, os anos ganhando velocidade, e isso assusta-me. Repara no D. Crisóstomo, que tem sessenta. Sessenta anos ainda é uma idade de trabalho, de actividade. Mas, se formos a ver bem, daqui a dez anos, provavelmente, ele já não estará vivo. Dez anos, meu filho, não é nada. Dez anos são um mero sopro na poeira do tempo."

Afonso não se impressionou, para ele dez anos eram muito tempo, eram dois terços da sua existência, eram um dia longínquo que se perdia na eternidade do futuro. Acreditava que a vida era longa; tinha ainda uma grande marcha pela frente e achava aquela conversa inconsequente. A sua preocupação era compreender a vida para a conquistar, não para que ela o esmagasse.

"Se os filósofos ateus não encontram sentido na vida, então eles vivem para quê?"

"Boa pergunta", riu-se o padre Nunes, sentindo-se confortável neste terreno. "O problema de Schopenhauer é justamente que, sem Deus, o mundo fica uma coisa vazia, absurda, sem razão de ser. Então, para substituir Deus, ele apareceu com o conceito de arte. Schopenhauer dizia que, com a arte, o homem se liberta momentaneamente da escravidão do desejo e da tortura da existência, é arrancado dos grilhões do espaço e do tempo e transportado para uma realidade paralela, sublime, celestial. O que nos leva, meu caro Afonso, a concluir que Deus é um artista."

"Ou que a arte é divina."

"Ou que a arte é divina", concordou o padre com uma gargalhada.

Afonso fitou-o com intensidade e ainda hesitou, mas decidiu-se e, pesando as palavras, formulou a pergunta que naquela conversa mais o atormentava.

"Será possível, senhor padre, que tenhamos inventado Deus para darmos sentido ao mundo?"

O largo sorriso do padre Nunes desfez-se e ele suspirou, interrogando-se sobre onde é que aquele miúdo ia buscar tais ideias tão próximas da heresia.

"Essa é a pergunta mais terrível de todas", declarou pesadamente. "Talvez por isso, nem devia ser uma *vexata quaestio*. Em vez de falar *ex cathedra* sobre este assunto, temos de ter fé e acreditar que Deus existe independentemente da nossa vontade, a crença na Sua existência não depende da lógica nem da prova científica, depende unicamente da nossa fé. Mas, se me pedirem um raciocínio lógico, eu responderia com outra pergunta: seria possível estarmos aqui se não fosse pela vontade de alguém?"

"Mas pode provar-se que Deus existe?"

"Provar, provar, não direi, pelo menos não segundo os chamados critérios científicos de que tanto se fala agora", retorquiu. "Houve um filósofo escocês, Hume, que defendeu que a existência de Deus é uma questão de facto, ou Ele existe ou não existe. Segundo Hume, as questões de facto só podem ser resolvidas pela observação. Repara que Hume era um empirista, acreditava na observação. Ora, como é evidente, nós não conseguimos observar Deus, a Sua existência não é demonstrável *in vitro,* mas isso não significa, digo eu, que Ele não exista. Na verdade, procurar provas não passa de *lana caprina.* Eu nunca vi Bragança, mas sei que Bragança existe. Hume constatou que as provas da existência de Deus não são directas, mas inferenciais. *Verbi gratia,* a ordem existente no universo indicia que o universo foi organizado por uma inteligência superior. Isso é um indício, mas não é, admito, uma prova final. Se quiseres, talvez tenha sido Descartes quem apresentou o melhor indício da existência de Deus. Descartes expôs esse indício de um modo lógico, chamando a atenção para o facto de o homem ser imperfeito mas ter em mente o conceito de um ser perfeito. Ora, como ninguém é capaz de imaginar algo maior do que si mesmo só com base nos seus recursos, então é porque esse conceito emana da realidade. Se eu sou incapaz de imaginar por mim mesmo um ser perfeito, e todavia imagino, só pode ser porque esse ser perfeito efectivamente existe."

"Então, se Deus existe, onde está Ele?"

"Está em tudo", afirmou o mestre, abrindo os braços e mostrando o que o rodeava. "O teu amigo Espinosa até pode ter sido um judeu herege, mas deu uma boa resposta a essa tua pergunta. Newton disse que Deus criou o universo e depois ficou de fora e deixou-o funcionar segundo as regras que Ele próprio tinha estabelecido. Mas Espinosa achou que esta ideia estava mal formulada. Pois, se Deus é infinito, então é porque Ele está em tudo. Se Ele estivesse separado do mundo e dos homens, como uma espécie de entidade exterior, então o mundo e os homens seriam o Seu limite. Não pode ser. Uma coisa infinita, por definição, não tem limites. Sendo infinito, não pode Deus ser uma coisa e o mundo e os homens serem coisas diferentes. Não pode haver nada que Deus não seja. Logo, se Deus é infinito, *a fortiori* Deus é tudo."

"Isso contraria o que os filósofos alemães dizem", considerou Afonso, um mar de dúvidas a encher-lhe a cabeça. "Segundo percebi, para eles é como se o homem estivesse em luta com o mundo."

"De certo modo, sim. No seu *quid pro quo,* os filósofos ateus tiram Deus da equação e tendem a estabelecer uma divisão entre o mundo e o homem. Fichte era um deles, ele afirmava que o universo da matéria inerte está separado do universo da vida. Mas, atenção, é preciso dizer que outros filósofos alemães tinham uma opinião diferente, consideravam que é tudo a mesma coisa, um pouco como Espinosa. Schelling, por exemplo, defendia, *inter alia,* que a natureza é uma realidade total e que a vida faz parte dessa realidade como uma evolução natural das coisas. Para ele, a natureza é um processo e os homens integram esse processo. A vida não é separada da matéria inerte, mas uma continuação dela. O que é realmente curioso nestas ideias de Schelling é que elas colocam o homem como fazendo parte integrante da natureza. Schelling observou que a natureza não é autoconsciente no seu processo criativo, mas o homem é. Ora, se o homem faz parte da natureza, então ele trouxe consciência à natureza, foi esse o seu grande contributo para o processo natural. Com o homem, a natureza tornou-se autoconsciente."

"O senhor também acredita nisso?"

"Claro que não. Foi Deus quem criou a natureza e o homem *ex nihilo,* foi Deus quem decidiu que a natureza não teria consciência e que o homem teria. A consciência é o instrumento que Deus deu ao homem para que ele reprima a sua natureza animal e procure a perfeição espiritual. Sem consciência, o homem não passaria de uma besta como as outras. A consciência é o toque divino na natureza humana."

"Mas, senhor padre, isso não contraria o princípio de que Deus é infinito? O senhor padre disse há pouco que não há separação entre Deus, o mundo e o homem, Deus está em tudo. Se Deus está em tudo, porque é infinito, então voltamos à velha questão de que Ele também está no pecado. Ora, como é que pode..."

"Eu não disse isso, Afonso", cortou o mestre, franzindo o sobrolho e erguendo o dedo; o liberalismo de pensamento do padre tinha limites e ele queria evitar aquele terreno pantanoso. "Foi Espinosa que disse. E Espinosa era um judeu herético, não te esqueças. Na dúvida, meu filho, guia-te por Santo Agostinho, é ele o vade-mécum."

Os problemas da natureza humana começaram por essa altura a afligir profundamente Afonso. Essa preocupação não derivava apenas de meras considerações filosóficas induzidas pelas conversas com o padre Nunes, mas também do facto de o seu próprio corpo estar a evoluir de um modo que o espírito parecia incapaz de acompanhar. Os pelos apareceram-lhe nos cantos da boca e no queixo quadrado, e ele passou a cortá-los semanalmente com uma navalha. Começou também a sentir ardores por entre as pernas, desejos que tinha combatido com manipulações dos órgãos genitais ainda na sua pequena cela antes de dormir, pecados mortais que procurava depois absolver com intensas e fervorosas orações na capela.

Aos quinze anos passou a ejacular periodicamente durante a noite, o que o deixava terrivelmente envergonhado e lhe alimentava um insuportável sentimento de culpa. Não sabia como controlar o problema e achava que o diabo lhe entrava no corpo para o obrigar a pecar nos momentos em que o apanhava despreve- nido, nomeadamente quando estava mergulhado no sono. Pen- sava que isso não acontecia a mais ninguém e suplicava diaria- mente à Virgem Maria que o livrasse da tentação e afastasse os demónios que se aproveitavam da sua inconsciência enquanto dormia. Atormentou-se a pensar que Deus já antevira isso no passado e antecipadamente o excluíra da salvação. Não fora Santo Agostinho que considerara que o desejo sexual é uma ten- tação do diabo? Afonso aprendera em Teologia Dogmática que o sexo é animal, algo impuro, e que é a resistência a esse instinto que faz de nós seres humanos. Segundo Santo Agostinho, a tenta- ção sexual é uma violação da nossa livre vontade. Deus quer-nos livres, pelo que não pode ser Ele o responsável pelo desejo carnal. Se assim é, a tentação sexual é algo que só pode vir do demónio. Consequentemente, o celibato constitui o triunfo do homem sobre o animal, de Deus sobre Satanás, ou, se quisermos, o celibato representa a vitória da livre vontade humana sobre os grilhões das bestas. Se a minha vontade não consegue vencer esta tenta- ção, pensou Afonso, então é porque o diabo está a tomar conta de mim. Para retomar a questão nos termos originalmente apre- sentados por Schelling, embora pervertendo o sentido do raciocí- nio do filósofo alemão, Satanás está na nossa natureza, na nossa animalidade, e só a nossa vontade consciente nos permite combatê-lo. O problema perturbou-o tanto que nem sequer nas confissões se atreveu a revelar o que se passava; tudo aquilo pertencia ao domínio do inconfessável, do vergonhoso. Além do mais, receava ser excomungado se alguém percebesse que o demónio por vezes tomava conta de si. Quem sabe, reflectiu, se aquele não era um sinal de que Deus considerava que aqueles pecados nocturnos o tornavam indigno de ser ordenado, afinal de contas talvez nunca pudesse ser um homem imaculado como D. João Basílio Crisóstomo, o padre Álvaro, o padre Nunes e o padre Fachetti, eles sim castos e verdadeiros celibatários que viviam livres da tentação.

Os males do corpo principiaram a contagiar-lhe a alma. Para agravar as coisas, e para grande tristeza sua, Américo não o conseguia acompanhar. Não que o seu amigo transmontano não fosse suficientemente empenhado na fé. O problema é que ele não era amante dos estudos e não vivia com agrado na clausura do seminário, o que acabou por precipitar vários *non aprovatus* no final do ano, classificações que convenceram o pai a chamá-lo a Vinhais para não mais voltar.

Afonso iniciou por isso o terceiro ano do seminário com um grande sentimento de solidão. Tinha agora dezasseis anos, a mesma idade de outros estudantes que nesse ano tinham entrado na instituição, mas os seus colegas do terceiro ano eram todos mais velhos, andavam pelos dezanove. Mostravam-se afáveis e corteses, o que não impedia que a diferença de idades se notasse, apesar da irrequieta e estimulante curiosidade manifestada por Afonso sobre os mistérios do universo. Alguns interessavam-se, oh pecadores!, pelas "moçoilas". O jovem de Rio Maior viu mesmo um deles, o Abílio, a lançar um piropo da sua cela a uma rapariga que passava pelo Largo de São Thiago e sentiu-se desconcertado com tão incauto comportamento. Quando o interpelou sobre o que fizera, mostrando-se soberbo de virtude moral, o seminarista marialva encolheu os ombros.
"O pecado consiste, não em desejar uma mulher, mas em consentir no desejo", retorquiu Abílio com altivez.
"Quem é que disse isso?"
"Abelardo."
"Quem?"
"Pedro Abelardo, um filósofo e teólogo do século XII."
"Isso é uma heresia", sentenciou Afonso, muito convicto. "Santo Agostinho não disse nada disso."
"Eu quero qu'o Santo Agostinho vá prò raio qu'o parta!", exclamou Abílio perante o olhar escandalizado do colega.
Mas isso não foi tudo. Numa aula de latim, o mestre apanhou outro dos seus colegas, o Rudolfo, com um exemplar do *Decame-*

ron escondido por baixo de Tito Lívio, e o rapaz foi expulso do seminário pelo vice-reitor. Desiludido e solitário, Afonso começou a sentir-se desmotivado e fechou-se em si mesmo. Voltou aos jogos imaginários no pátio, passando os recreios a dar pontapés em pedras, fintando *players* invisíveis, batendo *goal-keepers* fingidos, marcando *goals* espectaculares, fantasiando o regresso em glória do Club Lisbonense sob o comando dos seus estonteantes *dribblings*.

Os jogos imaginários tornaram-se selvagens. Afonso corria furiosamente pelo pátio a dar toques em pedras e a pontapeá-las com inusitado vigor. Certo dia uma das pedras atingiu na cabeça um colega que estudava encostado ao tronco de um carvalho, e o profuso sangrar que lhe brotou do couro cabeludo levou o vice-reitor a convocar o jovem ao seu gabinete para lhe passar uma reprimenda. O eclesiasta disse-lhe que aquele comportamento era indigno de um seminarista, quem desejava servir Deus com devoção não se podia portar daquela maneira, parecia um lunático aos pontapés no pátio. Afonso ouviu-o cabisbaixo, os olhos fixados no soalho encerado. Durante algumas semanas inibiu-se de jogar *football* imaginário, mas a tentação acabou por ser mais forte do que a prudência e, passado algum tempo, lá estava ele a dar toques em pedrinhas, primeiro de forma discreta, de mansinho, como quem não quer a coisa, depois mais empolgadamente, esquecendo-se momentaneamente do decoro, força na bola para os ingleses do Carcavellos Club verem de que têmpera era feito um *player* do glorioso Club Lisbonense.

O frio, cruel e penetrante, abateu-se sobre Braga durante o mês de Dezembro. Cada um se protegia do gelo à sua maneira. Uns não largavam as lareiras, outros envolviam-se em espessos casacos; Afonso preferia esfalfar-se a correr, a saltar, a rematar. Mas com os músculos enregelados o controlo dos movimentos era mais brusco, e o inevitável aconteceu. Um pontapé mais forte que o invisível *goal-keeper* do Carcavellos Club não conseguiu defender acabou com o vidro da casinha da jardinagem feito em bocados.

O vice-reitor achou que era de mais. Afonso foi classificado de "pagodeiro", o termo utilizado para os brincalhões e indisciplinados que por vezes apareciam no seminário. No dia seguinte, D. Basílio Crisóstomo chamou logo pela manhã o padre Álvaro e entregou-lhe um sobrescrito lacrado.

"O que é isto?", perguntou o padre, olhando para o envelope.

"Lê", disse-lhe o reitor.

Intrigado, o pároco obedeceu e quebrou o lacre. Desdobrou a carta e começou a ler. O documento era assinado por João Basílio Crisóstomo e nele o vice-reitor explicava ter o seminário concluído que Afonso da Silva Brandão, embora aluno aplicado e talentoso, não tinha na verdade vocação para a vida sacerdotal. Consequentemente, não seria ordenado. O padre Álvaro empalideceu, jamais imaginara que aquela convocatória tivesse sido feita para lhe entregar a carta de prego. Afinal de contas, D. Basílio Crisóstomo sempre tecera os mais rasgados elogios ao seu protegido, o que era confirmado pelas boas notas no final do ano, pelo que aquela decisão se revelava totalmente inesperada. O vice-reitor explicou ao amigo as circunstâncias que o tinham levado a tomar aquela decisão, mas ficou combinado que Afonso seria autorizado a concluir o terceiro ano no seminário de modo a completar a sua educação. A condição era que ele teria de terminar definitivamente o seu bizarro comportamento no pátio, era a única forma de pôr fim ao falatório sobre o seu equilíbrio mental, onde é que já se vira um seminarista andar assim aos pontapés às pedras?

Afonso sentiu-se profundamente triste e magoado quando o padre Álvaro lhe explicou que tinha recebido a carta de prego e que ele afinal não iria ser ordenado. O jovem transformara-se num católico moderadamente devoto e, apesar dos tormentos nocturnos da carne, já se habituara à ideia de que iria ser padre. Agora os sonhos de se tornar um missionário em África desvaneciam-se como uma nuvem. Pior do que isso, começou a sentir-se inseguro quanto ao futuro. Se já não iria ser ordenado, o que faria da sua vida? O regresso a Rio Maior parecia-lhe inevitável, mas não encarava a perspectiva com grande entusiasmo. As breves passagens pela Carrachana nos três verões anteriores deixaram-no com a convicção de que aquele já não era o seu mundo; não estava ali o futuro, apenas o passado. O problema atormentou-o durante algum tempo, antes de o sacudir da mente como se não passasse de uma incomodidade passageira. O que quer que venha a acontecer é porque estava já predestinado, concluiu por fim, com fatalismo. Entregou-se então placidamente ao destino.

Quando Maio de 1907 chegou, despediu-se do padre Fachetti, do padre Nunes, do vice-reitor, do padre Álvaro e da cidade de Braga e regressou à casa da família. Voltava, não com o sentimento de derrota, mas de resignação; se não vinha como padre era porque tal não lhe estava reservado, era outro o seu destino. Quatro anos antes abandonara a Carrachana com uns trapos andrajosos no corpo, a chorar baba e ranho e cheio de dúvidas sobre o que o esperava no Minho. Agora, aos dezassete anos, regressava taciturno, vestido com roupas escuras e limpas e com uma gravata ao pescoço, ainda carregado de dúvidas, algumas de origem metafísica, a maior parte bem mais prosaicas. Destas, a maior era a de determinar o seu verdadeiro papel nos desígnios do Senhor, ou seja, e no imediato, o que seria a sua vida em Rio Maior.

IV

"Papá, porque gostas tanto de vinho?"

Paul Chevallier desviou os olhos da garrafa de *Chablis* e observou, espantado, a filha. O dono do Château du Vin descera à adega da loja, uma vela na mão para iluminar o caminho, as paredes cobertas de garrafas e de densas teias de aranha. Agnès aguardava atrás dele, na sombra, remexendo os dedinhos, ardendo de curiosidade, tentando perceber aquela estranha paixão do pai. Como poderia Paul explicar-lhe os prazeres de Baco?

"Sabes o que é teres um doce aveludado a deslizar-te pela boca?", perguntou Paul num tom misterioso. Agnès abanou a cabeça. O pai acocorou-se junto dela e abriu o rosto num sorriso. "Imagina esta coisa maravilhosa. A chuva penetra na terra, as raízes absorvem a água, as uvas amadurecem em sumo, nós transformamos o açúcar em álcool, o vinho inebria-nos os sentidos." Inspirou fundo. "Sentimos-lhe o aroma, a fruta, a textura, o sabor, ele é açafrão e é poesia, é o néctar de uma flor, as lágrimas de Deus, o grinfar de uma andorinha, um perfume, uma melodia, a curva de uma mulher e uma brisa de Primavera. O vinho, *ma petite,* é a vida." Apertou-lhe carinhosamente o nariz. "Percebeste?"

Agnès mirava-o de olhos arregalados, vidrados, nunca vira o pai falar assim. Fez que sim com a cabeça, em silêncio, dando a entender que percebera, mas a verdade é que tinha ficado agora mais intrigada do que nunca. Afinal, por que razão o pai gostava assim tanto de vinho? Aquela misteriosa resposta na adega do Château du Vin despertou nela uma curiosidade incontrolável, obsessiva, não percebeu as palavras mas estava determinada a entendê-las, não compreendeu o sentido mas sentira a sua força, o seu poder. O pai vivia fascinado pelo vinho e ela fazia questão de perceber porquê.

Crescentemente atenta a tudo o que a rodeava, Agnès abriu-se ao mundo e passou a ter novos interesses. A Exposição Universal de Paris constituíra uma inolvidável viagem ao futuro e um catalisador para a crescente curiosidade da rapariga pelas coisas da ciência. Mas a ciência mais à mão na sua vida em Lille era a do pai, exposta diariamente no Château du Vin. Graças à influência paterna, motivada por aquela fascinante e enigmática resposta, mas também estimulada pelo espírito artístico e científico que orientava tudo o que vira em Paris, tornou-se no início da adolescência uma verdadeira perita na arte do vinho. Queria perceber tudo e deitou mãos à obra com desconcertante entusiasmo. Achava fascinante a delicadeza quase religiosa com que o pai tratava uma garrafa e girava o líquido no copo para libertar o aroma ou saboreava o néctar. Longas horas de observação e de insistentes perguntas permitiram-lhe aceder ao enigmático mundo da enologia, a ciência que iria dominar as suas atenções imediatas.

Aos onze anos, o vinho já não lhe ocultava mistérios. Sabia que a cortiça era a cobertura ideal para as garrafas de vinho devido à sua leveza, limpeza, impermeabilidade e elasticidade. A rapariga acompanhava o pai nos passeios para comprar rolhas de cortiça que deslizavam macias, mas firmes, até à sua posição no gargalo das garrafas. Via-o a cobrir a rolha com cápsulas feitas de folha de chumbo e gravadas em relevo, ou mergulhando o gargalo em lacre, à moda antiga. O mais espectacular era quando o pai, durante um jantar em casa com amigos, em que se bebia vinho velho guardado com rolhas já fragilizadas e quebradiças, vestia a sua farda de hussardo e, à maneira de Champagne, usava o sabre contra o gargalo, partindo-o de um só golpe e libertando o vinho sem tirar a rolha. Era sempre um momento muito aplaudido, de grande intensidade dramática, embora em situações rotineiras com vinhos novos preferisse usar o saca-rolhas hipodérmico, que rebentava a rolha das garrafas.

Agnès sabia que era importante guardar as garrafas sempre deitadas, de forma a manter a rolha húmida através do contacto permanente com o vinho, e em locais escuros, para o vinho não ser estragado pela luz. Aprendeu a decantar os vinhos velhos, observando o pai a usar *decanters* de três anéis, de modo a evitar a parte turva, mas era a apreciação dos vinhos em si que se revelava o lado mais fascinante de todo o ofício. Quando pequena, ficava muito admirada por ver o pai a observar a cor e a textura do vinho dançando no vidro e a cheirá-lo com o nariz literalmente dentro do copo, mas o mais desconcertante era o modo como ele saboreava o líquido, com a língua a soltar pequenos estalidos. Agnès descobriu que os tintos *Cabernet* eram de um vermelho mais denso e escuro do que os *Pinot Noir,* que os bons *Bordeaux* desenhavam uma elipse nos copos e que os *Chardonnay* só adquiriam aroma quando eram mantidos em barricas de carvalho.

Da observação e do cheiro passou, aos doze anos, para a degustação do vinho. Não compreendeu de imediato todo o valor que era dado àquela bebida quando o pai a autorizou pela primeira vez a saborear o néctar, tão azedo, ácido ou envinagrado lhe pareceu, nada ali era consonante com as palavras misteriosas que ele usara para a enfeitiçar na adega da loja, mas com o tempo foi aprendendo a distinguir e a apreciar os sabores. A primeira coisa que lhe foi explicada é que não havia dois vinhos iguais; o paladar de um vinho dependia do enólogo que o criava, da casta da uva, do clima e das características do solo. Depois aprendeu a distinguir um *Trebbiano* branco seco, um *Gewurztraminer* branco leve, um *Sauternes* branco doce, um *Marsannay rosé*, um *Chianti* frutado, um *Bordeaux* tinto encorpado e um *Châteauneuf-du-*

-*Pape* tinto escuro, mais as respectivas combinações com carne, peixe, queijo e fruta. Por exemplo, o *Chablis* combinava bem com mariscos, o *Sancerre* com *Roquefort,* o *Médoc* com borrego, o *Sauternes* com *foie gras* e o *Sauvignon Blanc* com salmão. Os seus conhecimentos na adolescência eram tais que o pai começou a considerar seriamente a possibilidade de um dia passar o negócio, não a um dos dois rapazes, como à primeira vista seria mais natural, mas àquela sua filha dedicada e conhecedora.

Paul Chevallier lidava com clientes de toda a espécie. Entre eles estavam alguns que um dia iriam tornar-se notáveis na cidade, como era o caso de *monsieur* De Gaulle, que por vezes aparecia na loja com o seu filho Charles, um rapaz narigudo, alto e desengonçado, um ano mais velho do que Agnès e que viria mais tarde a tornar-se o mais célebre filho de Lille, a par, claro, do recentemente falecido Pasteur. Afinal de contas, a cidade era pequena e todos se conheciam. Outros clientes vinham da classe alta, incluindo donos de castelos e casarões que gostavam de ver as suas adegas ricamente apetrechadas, e Paul tornou-se por isso visita frequente dos seus palacetes e solares.

O enólogo ficou particularmente amigo do barão Jacques Redier, um cliente apreciador do método de abrir garrafas à hussardo e com quem ia a cavalo caçar coelhos para a floresta de Compiègne durante o Verão. A baronesa Solange Redier era uma mulher frágil e adoentada, a quem a mãe de Agnès por vezes ficava a fazer companhia, ajudando-a a enfrentar os ataques de tosse provocados por uma tuberculose lenta e aparentemente crónica e que produzia expectorações com traços de sangue. As duas filhas permaneciam nessa altura no Château Redier com a mãe, enquanto Gaston e François acompanhavam as caçadas em Compiègne. Nessas ocasiões, Agnès imaginava-se Florence Nightingale e não poupava esforços para ajudar a baronesa; foi afinal ela a sua primeira paciente.

"A sua filha é uma santa", comentou a baronesa após um ataque de tosse particularmente violento que lhe valeu inúmeras carícias da sua pequena e esforçada enfermeira.

"Sim, é muito carinhosa", concordou Michelle, ela própria secretamente surpreendida com as atenções de que a filha rodeava a anfitriã. "Sempre foi diferente dos irmãos."

"A menina devia ir brincar, em vez de estar aqui a aborrecer-se connosco", considerou a baronesa Redier, abanando o leque. "Nesta idade é um desperdício ela perder tempo com uma doente como eu, não acha?"

"Oh, não se preocupe, baronesa, a minha Agnès adora estar entre os adultos. Por vezes, veja lá, fica horas sentada num canto, calada, a ouvir as nossas conversas, nem se dá por ela. Faz-me um pouco de confusão, é um facto, mas é essa a sua natureza, o que quer? Dá-lhe imenso prazer estar entre os mais velhos."

"Mas ela não tem amigas?"

"Tem a irmã e a Mignonne."

"É uma vizinha?"

"Não", sorriu Michelle. "É a boneca."

Quando os homens vinham da caçada, a sua alegria incontida e entusiasmo contagiante suscitavam grande curiosidade às duas irmãs. Contavam façanhas de caça, relatavam perseguições mirabolantes, a lebre que custou apanhar, o faisão que se escapou, o javali que cercaram a cavalo, tudo aquilo parecia um excitante mundo de aventuras, um inesgotável manancial de histórias, um universo de emoções vibrantes que lhes estava injustamente vedado. Claudette aborrecia-se mortalmente no Château Redier e convenceu a irmã a juntar-se-lhe numa vigorosa campanha para persuadir o pai a deixá-las ir com eles. O recurso a Agnès não era inocente, Claudette sabia que Paul nutria um fraquinho especial pela irmã e mostrava-se determinada a usar isso em seu proveito.

"Nem pensar, Claudette, a caça não é coisa para meninas", exclamou o pai quando a filha mais velha o interpelou com o pedido.

"Oh, papá, deixa-nos lá ir."

"Não pode ser, filha. Temos de andar a cavalo, temos de galopar atrás das raposas, andamos aos tiros, é perigoso."

"Mas o Gaston e o François vão."

"É diferente, são rapazes."

"Mas são muito mais pequenos do que nós, não é justo."

"Oh, está bem, mas eles não andam nas cavalgadas connosco, isso não."

"Ah não? Então onde é que eles andam?"

"Ficam nos Étangs de Saint-Pierre com o Marcel."

Marcel era o mordomo do Château Redier, um homem sisudo que as crianças não apreciavam.

"Ah é? E nós não podemos ficar com eles?"

"Não, filha, isto não é para meninas."

Claudette sentiu que era chegado o momento de atacar com trunfo. Fez sinal a Agnès e a irmã encostou-se ao pai, mostrando beicinho, os olhos doces e pedinchões, o tom de voz irresistivelmente meloso.

"Oh, papá, sê *mignon*, deixa-nos lá..."

Paul fitou Agnès e engoliu em seco.

"Bem... eu...", gaguejou. "Enfim... uh... porque não?" Suspirou, vencido. "Está bem, está bem. Amanhã vão comigo."

Abraçaram-no, efusivas.

"*Merci,* papá!"

"Pronto, pronto", disse Paul, derretendo-se no abraço. "Mas têm de se se portar bem, ouviram?"

Foi a única vez que o pai consentiu em levar as duas raparigas consigo. Na manhã seguinte, um domingo cinzento e húmido, meteu os quatro filhos num coche, com Marcel a conduzir, e partiram todos estrada fora, coche, cavalos e cães a seguirem com grande alarido até à floresta. Cruzaram o rio Aisne e entraram no Bois de Compiègne, passando por entre os grandes carvalhos até aos Beaux Monts, donde viraram para os Étangs de Saint--Pierre. Agnès e Claudette ficaram aí sentadas junto a um lago rodeado de faias enquanto os irmãos brincavam às guerras por entre os arbustos, sob o olhar enfastiado de Marcel, e o pai galopava com o barão Redier atrás dos cães e das lebres. As irmãs acharam a experiência enfadonha, não havia ali aventuras nem excitação, apenas um tédio sem fim. Decepcionadas, nunca mais quiseram ouvir falar de caçadas; mil vezes os bocejos no Château Redier.

Paul era um homem avançado para a época e, quando Claudette terminou o liceu, decidiu pagar-lhe os estudos universitários. A filha mais velha, apaixonada por arqueologia e estimulada pelas recentes descobertas no Egipto e na Mesopotâmia, foi tirar História para a Sorbonne.

No ano seguinte, em 1911, foi a vez de ser dada a mesma oportunidade a Agnès. Sem surpresas, a segunda filha do casal Chevallier decidiu aos vinte anos seguir os passos da sua heroína Florence Nightingale e matriculou-se em Medicina, também na Sorbonne. Não era enfermagem, mas estava no mesmo ramo. Foi para Paris dividir com Mignonne e a irmã um apartamentozinho simpático em Saint-Germain-des-Prés. O apartamento situava-se num primeiro andar da Rue de Montfaucon, junto ao mercado, e foi aí que viveu os melhores anos da sua vida.

Claudette e Agnès frequentavam faculdades diferentes, pelo que só se juntavam à noite e aos fins-de-semana. Uma vez por mês iam a Lille passar um fim-de-semana com os pais e receber a mesada. O dinheiro chegava-lhes para a comida, que iam buscar ao Marché Saint-Germain, mesmo ali ao pé, e para pagarem o aluguer do pequeno apartamento, constituído por cozinha e uma sala grande, onde tinham duas camas, um sofá, um armário, uma escrivaninha e uma banheira. O quarto de banho localizava-se no rés-do-chão; era um pequeno cubículo ocupado por uma retrete branca decorada com motivos azuis, como se fossem tatuagens sobre a porcelana, e servia todos os inquilinos do edifício.

O curso de Medicina revelou-se absorvente, mas o que se tornou verdadeiramente inesquecível foi a estreia em Anatomia. Agnès era das poucas mulheres a frequentarem o curso e foi muito a medo que, pela primeira vez, entrou na sala de dissecações para a primeira aula dessa temida disciplina. A meio da sala estava uma mesa e sobre ela encontrava-se estendido o cadáver de um homem nu. Os alunos rodearam a mesa num silêncio respeitoso, fascinados com a visão do morto. Apenas o professor parecia descontraído, talvez até um pouco divertido; sabia bem como os alunos fantasiavam as sinistras experiências daquela cadeira, sobretudo antes de a frequentarem. O professor Bridoux tinha fama na Sorbonne, entre os estudantes de Medicina, de ser extravagante com os cadáveres. Ao contrário da maior parte dos professores de Anatomia, que dispunham de cirurgiões para as aulas de dissecação, Bridoux gostava de ser ele próprio a retalhar os corpos e a revelar-lhes as entranhas. Agnès conhecia-lhe a lendária fama de homem mórbido, uma reputação entre os estudantes que, em boa verdade, lhe atraía uma clientela fiel, afinal de contas o responsável pela cadeira de Anatomia era geralmente considerado a bizarria mais fascinante da faculdade.

"Muito bem, meus senhores", começou o professor Bridoux por dizer enquanto esfregava as mãos. "A palavra 'anatomia' deriva do grego *anatemnein,* ou seja, cortar e abrir." Ergueu um dedo. "Vocês vão ser agora iniciados na mais velha disciplina da Medicina e, se me permitem, vale a pena recordar aqui a importância histórica deste trabalho." Os estudantes bebiam cada palavra, presos à exposição da lenda viva da Faculdade de Medicina. "As primeiras autópsias foram efectuadas por Herophilus de Chalcedon e por Erasistratus de Kos, trezentos anos antes de Cristo, mas esta prática foi proibida no século II por motivos religiosos." Bridoux mirou os rostos em redor com ar de desafio. "A religião, meus caros, é a fonte do obscurantismo. Se ela vos tentar, resisti. Se ela já vos tentou, desisti. Ciência e superstição não combinam, acreditem. Olhem o exemplo desta nossa nobre disciplina, tão importante para o conhecimento do homem. Pois, apesar da sua importância, o obscurantismo religioso revelou-se tão forte e durou tanto tempo que foi preciso esperar pelo século XIV para voltar a ser feita uma autópsia na Europa." Bridoux pegou num bisturi. "Durante todo esse tempo, tudo o que a medicina sabia sobre a anatomia humana devia-o ao trabalho do grego Galen de Pergamon, o médico de Marcus Aurelius, que publicou uma centena de trabalhos destinados, dizia ele, a trazer luz às trevas. E só no século XVI, meus senhores, é que alguém retomou os estudos de anatomia e foi mais longe do que Galen." Mirou os estudantes. "Sabem quem foi esse génio?"

Um rapaz muito magrinho, que Agnès sabia ser oriundo de Bordéus, levantou timidamente o dedo e o professor fez-lhe sinal para falar.

"Morgagni?"

"Esse veio depois", atalhou o professor Bridoux, brandindo o bisturi. "O médico que foi para além de Galen, chegando mesmo a questionar as suas conclusões, foi o belga Andreas Vesalius. Vesalius era conhecido por 'o louco', vejam lá, tinha essa triste fama só porque possuía a paixão pelo conhecimento. Começou por dissecar muitos animais e passou depois aos cadáveres das pessoas executadas em Bruxelas. Chegou até a fazer autópsias em público, uma coisa então nunca vista. As suas descobertas foram descritas em *Tabulae anatomicae sex* e, sobretudo, em *De humani corporis fabrica libri septem,* o mais fundamental trabalho de desenvolvimento da anatomia, disponível aqui na biblioteca da faculdade para os que gostam de exercitar o seu latim." Ergueu a mão direita, num tom dramático. "Mas, *hélas!,* ninguém é profeta na sua terra. Vesalius foi tão enxovalhado pelos seus colegas por ter questionado Galen, por ter desafiado alguns dos velhos ensinamentos, que se viu forçado a emigrar para Espanha, onde se tornou médico da corte." Bridoux olhou para o aluno magricelas que falara havia instantes. "Do mero estudo da anatomia, as autópsias passaram no século XVII ao estudo da causa da morte das pessoas como forma de ajudar os vivos. Entrou aqui um novo cientista. Quem?"

"Morgagni", sorriu o estudante, corando e sentindo-se lisonjeado pela cortesia do professor.

Bridoux abriu os braços.

"*Voilà.* Giovanni Battista Morgagni", disse, pronunciando o nome com um afectado sotaque italiano. "Sabem, a palavra 'patologia' também vem do grego. Associa *pathos,* ou sofrimento, a *logos,* ou ensinamento. *Pathos logos.* Patologia. O ensino do sofrimento. Depois dos trabalhos pioneiros de Galen de Pergamon, foi o médico italiano Giovanni Morgagni, de Pádua, quem estabeleceu os modernos fundamentos do estudo das patologias. Morgagni efectuou quase setecentas autópsias e publicou as suas conclusões numa obra em cinco volumes, *De sedibus et causis morborum*. Foram aqui efectuadas as ligações entre sintomas clínicos e os resultados das autópsias. Morgagni tentou assim demonstrar que era possível descobrir no *post mortem* as causas da morte de uma pessoa, estabelecendo correlações entre as doenças e as alterações encontradas nos órgãos dissecados." Fez uma pausa. "Algumas dúvidas?"

Ninguém disse uma palavra.

"Muito bem", exclamou Bridoux, satisfeito. "Vejo que já sabem tudo." Aproximou o bisturi do abdómen do cadáver. "Meus senhores, chegou a hora de vos revelar a vida pelo estudo dos mortos", anunciou com pompa. Olhou para o corpo nu e alterou o tom de voz, duas notas abaixo, como se acrescentasse um aparte. "Sei que vocês estão um pouco nervosos, é sempre assim da primeira vez, mas imaginem que estamos no talho e que isto é apenas um pedaço de carne. Aliás, não é preciso imaginar. Isto é realmente apenas um pedaço de carne."

O professor Bridoux cortou a pele do homem morto e Agnès manteve com grande esforço o olhar fixo no acto. Estava horrorizada e fascinada, queria fechar os olhos e ver, fugir e ficar. Surpreendeu-se por observar tão pouco sangue em toda a autópsia, mostrava-se perplexa com a falta de dignidade daquele corpo, uma marioneta quebrada e deitada na mesa, uma massa inerte e despojada, mas, paradoxalmente, foi-se acalmando à medida que o cadáver se transformava. Cada vez se via menos o homem e mais um monte de carne; era uma visão assustadora e tranquilizadora, parecia realmente que estavam no talho, a carne humana, retalhada e cortada, em nada diferia da carne de vaca.

Após essa primeira aula de Anatomia, Agnès foi desanuviar para a Place de l'Opéra. Sentou-se no Café de la Paix e pediu uma tisana. O *garçon* trouxe-lhe a chávena e o bule cheio, Agnès perguntou quanto era e pegou na bolsa para tirar o dinheiro. Abriu a malinha e viu uma coisa estranha junto ao porta-moedas. Tocou e sentiu-a macia. Pegou no insólito objecto, tirou-o da mala e, horrorizada, o *garçon* lívido a olhá-la, constatou que era uma orelha decepada. Ergueu-se sem dizer palavra e abandonou o café perante o olhar boquiaberto do empregado, ia furiosa com os colegas, gostaria de saber quem tinha sido o engraçadinho, havia brincadeiras que não se faziam.

Agnès suportava com dificuldade as pavorosas aulas de Anatomia, com as suas repugnantes dissecações de cadáveres esqueléticos e aquele permanente odor a formol, mas a parte científica compensava largamente estes macabros inconvenientes, deixando-a apaixonada pela medicina. Os últimos trinta anos tinham sido ricos em importantes descobertas, com Pasteur a revelar o papel das bactérias na proliferação das doenças e a desenvolver vacinas para as prevenir, Ivanowsky e Beijerinck a descobrirem os vírus, Starling e Bayliss a detectarem a função das hormonas, Eijkman e Hopkins a determinarem a importância das vitaminas e Bateson a compreender o funcionamento da hereditariedade estabelecida pelas leis de Mendel.

Mas o que mais a intrigou foi o trabalho de Freud, que poucos anos antes tinha revelado o estranho mundo do subconsciente, da sexualidade, dos sonhos e da psicanálise. Agnès ouviu pela primeira vez falar de Freud durante uma palestra do professor Maillet num simpósio médico sobre doenças da mente. Maillet era um discípulo do célebre neurologista Jean Charcot. Na pausa para o café, a jovem estudante encheu-se de coragem e foi ter com o palestrante.

"Professor Maillet", disse Agnès. "Desculpe incomodá-lo, mas estive a ouvi-lo e achei curiosa a sua referência àquele médico austríaco que usa a hipnose para curar os loucos. Isso funciona mesmo?"

Maillet olhou-a com ar sobranceiro. Notando, porém, que a mulher que o interpelava era jovem, e bonita por sinal, tornou-se imediatamente solícito.

"Claro, minha cara *mademoiselle*."

"Mas como é que descobriram isso?"

"Oh, não foi fácil, asseguro-lhe. Sabe, as doenças da mente sempre foram um mistério para a medicina. Os doentes apareciam com comportamentos estranhos e nós não sabíamos o que lhes fazer. Como poderíamos diagnosticar-lhes um mal e curá-los se tinham o corpo perfeitamente saudável? Era um verdadeiro mistério."

"Foi então que apareceu esse austríaco..."

"Bem, já havia estudos sobre psicologia e a neuroanatomia constituiu um passo importante para percebermos o que se passa aqui nas nossas cabecinhas", disse, batendo com o indicador na testa. "Mas não há dúvida nenhuma de que o doutor Freud nos deu uma grande ajuda. Ele veio cá a Paris e encontrou-se com o doutor Charcot, que foi meu mestre e tutor. O doutor Freud sentia-se muito frustrado porque não conseguia tratar os medos, as neuroses e as obsessões dos seus pacientes usando os conhecimentos e os instrumentos habituais da medicina. Foi o doutor Charcot quem o ajudou a estudar os sintomas da histeria. O doutor Freud inscreveu-se no curso do doutor Charcot, aqui em Paris, e aprendeu a técnica da hipnose, que aprofundou em Nancy com o doutor Bernheim."

"É isso que me deixa perplexa, professor Maillet", atalhou Agnès. "A hipnose funciona mesmo?"

"Claro que funciona."

"Mas isso parece coisa de bruxaria ou número de circo."

"Pelo contrário, minha cara *mademoiselle*, é um método perfeitamente legítimo para explorar os males da mente. Aliás, é muito usado aqui em França e a sua eficácia foi atestada pelo doutor Freud. Usando a sugestão e a hipnose, o nosso amigo austríaco procura trazer à superfície as experiências traumáticas que a mente reprime. Sabe, o doutor Freud acredita que esses traumas são uma espécie de pecado original, são a fonte de muitas doenças que não têm origem orgânica. O que ele fazia era usar a hipnose para revelar os traumas e trabalhar a mente no subconsciente dos doentes."

"Fazia?"

"Sim, parece que ele já abandonou o método da hipnose."

"E porquê, se é assim tão eficaz?"

"Oh, isso não sei, terá de lhe perguntar a ele."

Quando abandonou a palestra, Agnès foi direita a uma das livrarias de Saint-Germain-des-Prés e perguntou por Freud. O empregado estendeu-lhe um exemplar de *Le rêve et son interprétation,* que Agnès levou para casa. A jovem não descansou enquanto não devorou o livro, percebendo então por que motivo Sigmund Freud abandonara a hipnose. Tinha descoberto um método melhor.

No ano seguinte, e nas pausas das deambulações pelas mentes e corpos humanos, Agnès descobriu o seu próprio corpo. Ou melhor, descobriu que era vaidosa. Até aos vinte anos quem a vestia era a mãe, e sempre com tal primor que a jovem se habituou a estar bem arranjada sem nada fazer por isso. Mas Michelle não se encontrava em Paris, uma cidade onde, para agravar as coisas, se exigia que as mulheres acompanhassem as novidades da moda, ou não fosse aquela a capital mundial do estilo. Agnès percebeu que teria de fazer pela vida e guardou parte do dinheiro da mesada para comprar tecidos com os quais costurava vestidos copiados da *Vogue.* Quando chegou de Lille usava um espartilho para lhe apertar o corpo debaixo das suas melhores roupas. Estes coletes com lâminas metálicas, que os franceses designavam de *corset,* estreitavam-lhe violentamente a cintura e projectavam os seios, desenhando uma silhueta sensual, embora dolorosa.

Mas em Paris percebeu, com alívio, que os espartilhos tinham caído em desuso. Havia já dois anos que a *Vogue* apontava para o orientalismo, e a grande novidade de 1911 foi o aparecimento de calças para as senhoras. Os *pantalons* femininos constituíram um verdadeiro escândalo, que os estilistas atenuaram ao colocá-los por baixo de saias. Agnès não se atreveu a comprar calças logo ao chegar a Paris, mas em 1912, quando entrou no segundo ano da faculdade, encheu-se de coragem e copiou um arrojado modelo da *Vogue*. Era um vestido oriental, branco e decorado com cornucópias douradas, a saia estreita com uma racha lateral a revelar subtilmente umas calças largas que apertavam no tornozelo, como as calças de um turco. Munida dos modelos tirados da *Vogue*, Agnès tornou-se uma sensação na faculdade e depressa começaram a chover convites masculinos para sair.

A flor tinha desabrochado, revelando uma mulher atraente, de traços finos e elegantes, olhar doce e sorriso delicado. Não era de uma beleza espampanante, daquelas que faziam os homens virar a cabeça, quando viam a fêmea opulenta entrar no café e a contemplavam com gula, salivando grotescamente, o desejo em escaldante erupção. Os seus atractivos eram antes outros, mais discretos e graciosos; tornava-se necessário fixar-lhe o rosto para lhe descobrir os sedutores olhos hipnóticos, verdes e penetrantes, a que se juntavam as linhas perfeitas e os lábios carnudos. Tratava-se de uma daquelas mulheres que não despertavam uma imediata e animalesca volúpia sexual, mas uma terna e incurável paixão platónica.

A maior parte dos convites destinavam-se a ir comer uns *croissants* ao Stohrer, tomar um café no Tortini ou dar um passeio pelas Tulherias e pelas margens do Sena, o que lhe valeu alguns breves namoricos e várias decepções sem sequelas.

V

Não havia na Carrachana rapaz mais alto do que Afonso. Quando regressou de Braga, no Verão de 1907, o filho mais novo dos Laureanos tinha apenas dezassete anos, mas era já um rapagão. A ementa do refeitório do seminário, rica para os padrões habituais naquele lugar de gente pobre e despojada, contribuiu crucialmente para o desenvolvimento do seu corpo, tornando-o tão alto como o pai. Ao pé do seu extraordinário metro e setenta e sete, raro naquele tempo, muitas das pessoas com quem se cruzava na rua pareciam uns anões mirrados, com as cabeças a darem-lhe pelo pescoço.

Em casa pouco tinha mudado, mas já havia mais espaço no quarto. O João tinha-se casado, saíra de casa dos pais e fora viver com a mulher para um anexo em Rio Maior. Abandonara a serração e ganhava agora a vida como empregado num armazém de vinho. Afonso passou a dividir a cama do quarto da Carrachana com Joaquim, que o recebeu com um agreste mau humor.

"Olha-me esta! Vens agora para aqui azucrinar-me o juízo!", protestou Joaquim com acidez quando viu o irmão mais novo arrumar roupas numa gaveta que considerava sua.

"Ó Joaquim, peço imensa desculpa, mas onde é que queres que eu coloque as minhas coisas?"

"Peço imensa desculpa?", riu-se o irmão com um esgar de desprezo. "Estás mesmo armado em finório, com essa conversa cheia de salamaleques! Daqui a um bocado até dizes credo e valha-me Deus..."

"Pois, mas onde é que eu ponho as minhas coisas?"

"Sei lá! Olha, põe-nas debaixo da cama."

"Debaixo da cama? Desculpa lá, mas eu tenho necessidade de uma gaveta."

"Tenho necessidade? Mas tu só me vens com palavras de cinco mil réis, caraças! Vê lá se falas como gente, hã? Não me apetece estar a dormir com um padre, ouviste?" Apontou-lhe para os sapatos. "Olha-me só para esses ares de grande senhor, nem descalço és já capaz de andar. Até pareces rabicho!"

Joaquim era já um homem feito e foi com contrariedade que passou a partilhar a velha cama de latão com o irmão mais novo. Os modos polidos de Afonso contrastavam profundamente com os hábitos rudes da casa. Além do mais, Joaquim ressentia-se por não ter tido a mesma oportunidade de educação. Aprendera a ler, é um facto, mas não passara da primária e gastava agora a sua juventude na serração. Era por isso com ressentimento que via o irmão mais novo gozar de oportunidades que nunca lhe foram oferecidas e seria preciso passar muito tempo para que ele aceitasse este novo Afonso que inopinadamente lhe invadira o quarto.

Uma semana depois de se ter instalado na Carrachana, Afonso foi à Casa Pereira falar com dona Isilda. Queria agradecer-lhe a ajuda e explicar-lhe por que razão não fora bem sucedido no seminário, mas precisava também de trabalho e alimentava a secreta esperança de que a sua protectora o contratasse de novo para trabalhar na loja. Ao entrar no estabelecimento deu de caras com Carolina e ficou atrapalhado.

"Olá, Afonso", saudou-o ela, com ar surpreendido por o ver ali.

"Bom dia", retorquiu ele desajeitadamente.

Carolina estava diferente. Crescera, tornara-se alta, os seios firmes, o cabelo ruivo acastanhara ligeiramente e as sardas tornaram-se menos protuberantes, mas não havia dúvidas de que, embora não fosse de arrasar, era uma rapariga atraente.

"Já és padre?"

"Não", engasgou-se. "Desisti, não tenho vocação."

Procurou detectar-lhe nos olhos uma reacção a esta notícia, mas Carolina dissimulou bem e Afonso não conseguiu perceber se a novidade lhe agradara ou se a tinha realmente deixado indiferente.

"Então o que te traz por cá?"

"Vim falar com a tua mãe. Ela está?"

Carolina levou-o à mãe, que conferia contas no seu gabinete. Dona Isilda já tinha sido informada pelo irmão de que Afonso recebera a carta de prego, mas não se sentia especialmente desapontada. Tinha patrocinado a ida do rapaz para Braga como mero subterfúgio para o afastar da filha. O objectivo foi alcançado e só lhe restava agora mantê-lo longe de Carolina. Quando Afonso indagou se haveria ainda lugar para ele na loja, dona Isilda fez um ar apropriadamente triste e disse que o negócio não ia lá muito bem e não podia meter mais nenhum empregado, pelo que lamentava não o poder ajudar desta vez.

"Um comerciante não tem coração", explicou-lhe ela. "A prioridade é defender o negócio. As coisas andam mal e, se eu te puser aqui, apenas vou agravar o prejuízo. Lamento, rapaz, desta vez não te posso ajudar."

Afonso ficou desapontado, mas ocultou a desilusão. Resignado, agradeceu novamente toda a ajuda que dona Isilda lhe prestara e saiu do gabinete.

"Já te vais embora?", lançou-lhe Carolina quando o viu dirigir-se à porta.

Afonso fixou-lhe os olhos e apercebeu-se de que havia ali uma perturbação, sentiu que ele ainda não lhe era indiferente.

"Vou dar um passeio. Queres vir?"

"Para onde?"

"Vamos ali ao rio, há muito tempo que não vou lá."

Carolina olhou em redor, indecisa. A empregada que estava ao balcão parecia desatenta, mais preocupada em limar as unhas, e a mãe permanecia no gabinete. Decidiu-se num impulso.

"Anda."

Caminharam distraidamente pelas ruas até Rio da Ponte, ficaram a ouvir o agitado marulhar das águas frias e cristalinas do rio Maior e subiram, naquela manhã soalheira, até ao Moinho do Canto. O passeio revelou-se cansativo e o calor apertava, mas Afonso sentia-se feliz. Apesar de ter saído do seminário contrariado e das incertezas quanto ao futuro, no fundo não lhe desagradava estar livre dos monótonos rituais que durante três anos marcaram a sua vida. Por outro lado, a presença de uma rapariga ao seu lado deixava-o inebriado. As mulheres eram para ele um mistério, fontes de pecado e tentação, mas também de um bem-estar inexplicável. Agradavam-lhe a tagarelice sem rumo e os silêncios embaraçados, vivia a troca de olhares como um jogo, procurava adivinhar intenções nos menores gestos e nas palavras mais simples e descobria-se a dar e a dissimular sinais.

Nenhum dos dois era, porém, muito bom na arte da dissimulação, ou talvez nenhum verdadeiramente o desejasse ser. Caminhando pela estrada, Carolina encostou o ombro esquerdo a Afonso, como quem não quer a coisa, os braços roçando-se repetidamente. Se fosse um ou dois toques, seriam acidentais. Mas o roçar permanente conferia intencionalidade ao gesto. O rapaz perdeu o controlo de si mesmo a partir desse ponto, entrando num transe de excitação, primeiro devagar, depois mais rápido. Começou por sentir o sangue a ferver, o coração a bombar, uma erecção a formar-se nas calças. Ela caminhava encostada, sem dizer palavra, e ele não desencostava. Ofegante, atreveu-se a procurar-lhe a mão com os dedos, sem olhar. Tocou-lhe na mão e aguardou um instante, esperando para ver se ela a retirava, mas a verdade é que não retirou. As mãos enlaçaram-se e assim caminharam, sempre em silêncio, um turbilhão de sentimentos a revolver-lhes a cabeça, o desejo a acumular-se como uma tempestade que cresce no céu, a conter-se num volume imenso antes de desabar em fúria sobre a terra. Fizeram todo o passeio de regresso de mãos dadas. Ao aproximarem-se da Casa Pereira, Carolina desprendeu-se finalmente.

"Amanhã espera-me aqui na esquina, às dez da manhã", disse.

Deu-lhe um beijo furtivo e correu para a loja. O namorico fora reatado, mas não no ponto onde ficara quatro anos antes. É certo que Afonso, apesar dos apelos da carne, tinha ainda de vencer as inibições herdadas dos anos do seminário. Passou essa noite a rezar, implorando à Virgem que o protegesse do desejo, da luxúria e do pecado. Quando adormeceu, porém, não foi na Virgem que pensou, mas na virgem que queria, tinha o corpo maduro e fantasiou mil pecados nos quentes braços de Carolina.

Despertou ansioso e logo pela manhã, muito antes da hora combinada, foi a correr para a Casa Pereira. Aguardou pelas dez horas com impaciência, nervoso, cheio de dúvidas e hesitações, a alma aconselhando prudência, a carne a tentá-lo, a acicatá-lo. Quando Carolina apareceu finalmente, foram os dois pela estrada fora, novamente de mão dada, desta feita no caminho das salinas. Ao pé do pinhal, Afonso puxou-a para lá da estrada, o coração em pulgas, a excitação a dominá-lo, as mãos a tremer. Atiraram-se os dois para trás de um arbusto. Afonso procurou por baixo das saias, puxou atabalhoadamente as calcinhas, foi tão desastrado que até as rasgou ligeiramente. Encaixou-se entre as pernas de Carolina, tirou apressadamente as suas próprias calças e penetrou-a com ardor, ambos ofegantes, tremendo de desejo, de volúpia, de gemidos e suspiros. O corpo tomou conta dele, como um animal incontrolável, desencadeando movimentos rápidos e ritmados, copulou até os olhos se encherem de estrelas e a carne explodir de prazer.

Foi dona Alzira, vizinha de dona Isilda, quem deu a notícia à mãe da rapariga.

"Então a sua Carolina já arranjou moço?", perguntou Alzira da varanda de casa enquanto estendia roupa ao sol. "Para quando é o casório?"

Dona Isilda foi apanhada desprevenida e assustou-se. Ficou pálida e virou a cara para esconder a surpresa, mas não foi suficientemente lesta. Alzira percebeu que tinha dado uma novidade à vizinha e sorriu, maliciosa.

O que é facto é que, a partir daí, a proprietária da Casa Pereira manteve a filha debaixo de olho e bastaram dois dias para perceber quem era o pretendente. Ficou surpreendida, não por descobrir que se tratava de Afonso, mas por verificar que tinha sido ingénua, por ter pensado que o caso estava arrumado, que os quatro anos de separação tinham sido mais do que suficientes para enterrar o assunto. Que parva fora! Não conhecia ela porventura a filha? Que disparate lhe teria passado pela cabeça para ignorar a natureza teimosa da moça, natureza que ela, feitas as contas, tão bem conhecia?

Mas dona Isilda era uma mulher prática e sabia que não valia a pena perder tempo a recriminar-se; não era isso que iria resolver o problema, do que ela precisava agora era de um bom plano. Pôs-se a matutar no assunto e concluiu, após longa ponderação, que de nada serviria tentar impedir o inevitável, ela própria tivera oposição dos pais quando começou a namorar o marido e não foi essa oposição que mais tarde inviabilizou o casamento. Pois se gostavam um do outro, como poderia ela resolver o assunto? Claro que tinha a opção de mandar a filha para casa dos primos em Lisboa, mas isso só serviria para ter aquela estouvada livre que nem um passarinho e sabe Deus o que ela faria, longe da sua vigilância, naquela terra de marialvas e doidivanas. Não, a solução teria de ser outra. Reflectiu um pouco mais. Afonso era sem dúvida bom rapaz, pensou, o problema era ser pobre. Mas a verdade, considerou ainda, é que recebera já alguma educação em Braga, até sabia latim e falava línguas estrangeiras, e isso fazia dele um candidato mais interessante. Para poder casar com Carolina, contudo, era necessário que completasse a sua educação, precisava de atingir um estatuto de cavalheiro e ter um ganha-pão seguro. Chegada a este ponto no seu raciocínio, dona Isilda começou a formular novo plano. O rosto do primo Augusto, major de artilharia no Exército, veio-lhe à mente. Decidiu escrever-lhe, perguntando-lhe como poderia um moço de dezassete anos tornar-se um oficial. A resposta veio na volta do correio:

Lisboa, 2 de Junho de 1907

Cara Isilda,

Agradeço-te a carta com as novidades de Rio Maior. Nós por cá todos bem. A Odete anda com uma tosse aborrecida, mas o doutor diz que não há problemas e vai-me passando umas fórmulas que eu vou buscar à pharmácia. Parece que os allemãis têm uns medicamentos novos muito bons para os pulmões. Os rapazes têm-lhe dado cabo da cabeça e o que vale é que o André já vai para o Lyceu do Reyno.

Tomo a liberdade de presumir que a dúvida que me colocas sobre o Exército significa que tens alguém em mente. Para se ser official é necessário frequentar a Escola do Exército aqui em Lisboa. Para serem admittidos, os candidatos têm de ter approvação em algumas disciplinas da Universidade ou da Escola Polytechnica, mas nada de muito complicado. Têm de ter um attestado de bom comportamento, uma certidão de registo criminal da comarca e menos de 24 annos. Se fôrem menores, é necessária uma licença do pae ou tutor. A propina de matrícula anda entre os cinco mil e os seis mil réis. Existe também um número limitado de vagas e os candidatos têm de ter qualidades physicas adequadas para servirem como officiaes, mas eu consigo resolver-te isso com uma palavra junto do comandante da Escola, o general Sousa Telles, visita frequente em casa do senhor meu pae.

Cá aguardo notícias tuas e manda um beijo à Carolina.

Saudades do

Augusto.

119

Dona Isilda tomou uma decisão logo que acabou de ler a carta. Foi ter com Carolina, contou-lhe que sabia de tudo e mandou a filha chamar o rapaz. Queria conversar com ele.

Afonso apareceu na Casa Pereira ao final da tarde e Carolina introduziu-o nervosamente no gabinete da mãe. Informado de que dona Isilda estava a par do namoro, teve dificuldade em olhá-la nos olhos e sentou-se acabrunhado na cadeira, torcendo os dedos no regaço. Não sabia o que dizer e ela manteve um silêncio pesado. Só o quebrou quando ficaram a sós.

"Que rico padre me saíste", comentou dona Isilda com secura.

Afonso nada disse. Olhava para o chão, embaraçado, com vontade de se sumir dali. Sentia-se um traidor, alguém que abusara da confiança de quem o ajudara.

"Se bem entendi, estás a namorar a minha filha."

Sentindo que era uma pergunta, o rapaz emitiu um grunhido de assentimento.

"E queres casar com ela."

Afonso jamais pensara nisso, ficou até surpreendido por dona Isilda levar a coisa tão rápido e tão longe, mas presumiu naquele instante que seria de mau tom negar que tivesse propósitos honestos e voltou a assentir, desta vez com um silencioso movimento de cabeça.

"E pode saber-se como é que tencionas sustentá-la?"

Afonso encolheu-se ainda mais na cadeira. Não tinha resposta para esta pergunta, nunca lhe ocorrera tal questão. Permaneceu calado e de olhos baixos, algumas gotas de suor aflito a brotarem-lhe da fronte. Fez-se uma nova pausa pesada.

"Portanto, se bem entendi, não tens meios de a sustentar e queres casar com ela", concluiu dona Isilda com um suspiro, como quem diz que já calculava. Mais uma pausa. "Eu podia, é claro, colocar-te na loja como empregado, sempre ganhavas alguma coisa, mas isso não chega. Como quero o melhor para a minha filha, decidi ajudar-te a completar os estudos de modo a teres meios para a sustentares."

O rapaz ergueu a cabeça, de olhos arregalados.

"Obrigado, dona Isilda", balbuciou.

"Não me agradeças ainda", cortou a viúva de forma ríspida. "Falei com um primo meu e há a possibilidade de preencheres uma vaga na Escola do Exército. Para eu concordar com o namoro, quero em troca que te inscrevas nessa escola e te formes oficial."

"Mas isso é caro, dona Isilda."

"Não te preocupes com os custos, isso é um problema meu. O que eu quero é que se acabem os namoricos com a Carolina enquanto não fores oficial, não vá acontecer uma desgraça. Quando saíres de lá alferes, então já estarás em condições de namorar a minha filha. De acordo?"

Afonso olhou-a, indeciso.

"De acordo?", insistiu a viúva, pressionando-o.

"Quanto tempo dura o curso?"

"Ora deixa cá ver." Puxou de um folheto que o primo lhe tinha mandado e consultou a tabela. "São dois anos para infantaria e três anos para artilharia."

"Dois para infantaria?"

"Sim."

"É para aí que vou."

O acordo ficou fechado e dona Isilda, apressada, mandou imediatamente Afonso para casa do primo Augusto, a pretexto de que o jovem precisava de se preparar para a admissão na Escola do Exército. Em bom rigor, o pretexto era verdadeiro. Afonso não tinha feito o liceu nem o politécnico e necessitava de obter aprovação em algumas disciplinas, como Trigonometria Esférica, Álgebra Superior, Desenho, Geometria Analytica e Geometria Descritiva, de modo a preencher os requisitos curriculares necessários para se matricular em infantaria ou cavalaria.

O major Augusto Casimiro, o primo de dona Isilda, vivia num apartamento em Belém com a mulher e dois filhos. Quando desembarcou no Rossio, Afonso seguiu as indicações manuscritas pela mãe de Carolina e pediu ao cocheiro que o levasse até à Rua Direita de Belém. Foi acolhido com simpatia pela família Casimiro, que logo lhe arranjou explicadores para as disciplinas em questão. O rapaz tinha menos de dois meses para se preparar para os exames do politécnico, de maneira a conseguir os certificados que lhe permitiriam ingressar na Escola do Exército, e empenhou-se com afinco nos estudos. Sabia que não tinha mais opções e que esta era uma inesperada e preciosa segunda oportunidade. Se falhasse, regressaria à Carrachana e não lhe restaria alternativa que não fosse seguir os passos do pai e ir trabalhar a terra lá para o Cidral ou então voltar para a serração onde o Joaquim gastava a juventude.

A mulher do major, dona Odete, devia ser tuberculosa porque tossia horrivelmente. Afonso, imbuído de um espírito cristão que ganhara no seminário, desdobrava-se em esforços no sentido de a ajudar. Ia muitas vezes à farmácia situada numa esquina da rua, o letreiro por cima das elegantes cantarias das portas e janelas da fachada a anunciar "Laboratório Franco — Especialidades farmacêuticas", para recolher os remédios que o médico receitava. Numa das visitas à farmácia reparou numa fotografia de uma equipa de *football* colada à parede.

"Quem são?", indagou junto do empregado enquanto esperava que lhe aviassem a receita.

O homem sorriu.

"É o Grupo Sport Lisboa", disse com orgulho. "É o *team* onde eu jogo."

"Você joga *football?*"

"Todos os domingos", exclamou, apontando de seguida para o outro funcionário da farmácia. "Eu, aqui o Daniel e até o senhor conde."

O conde era Pedro Franco, conde do Restelo e o dono do Laboratório Franco.

"Como é que se chama mesmo a equipa?"

"Ó homem, é o Sport Lisboa, nunca ouviu falar?"

"Não."

"Já vi que não gosta de *football*."

"Pelo contrário, gosto muito."

"Gosta de *football* e nunca ouviu falar no Sport Lisboa?"

"Eu não."

"Caramba, homem, vossemecê anda distraído."

"Sabe, eu não sou de Lisboa, cheguei há pouco tempo."

"Ah, bom", exclamou o empregado. "O Grupo Sport Lisboa nasceu nesta farmácia há uns três anos. É um *club* formado por rapaziada aqui da rua, os manos Catatuas, os Carrilhos e os Monteiros, tudo pessoal que vive aqui e que se juntou à malta que era da Casa Pia."

"E jogam bem?"

"Se jogamos bem?", riu-se o empregado. "Ó homem, vossemecê anda mesmo no mundo da Lua! Nós no ano passado ficámos em segundo lugar no primeiro Campeonato de Lisboa. Segundo lugar, ouviu? À nossa frente só o Carcavellos Club e atrás ficaram o Lisbon Cricket e o CIF dos irmãos Pinto Basto."

"Ah é? Vocês jogam com o Carcavellos Club?", perguntou Afonso, agora genuinamente impressionado.

Já no tempo do Club Lisbonense o Carcavellos Club era a equipa mais temível que havia, formada por ingleses do cabo submarino. Se o *team* do empregado da farmácia jogava com o Carcavellos Club, raciocinou Afonso, é porque devia ser realmente muito bom.

"Somos vice-campeões de Lisboa", repetiu o homem com incontido orgulho.

"Posso ver os vossos jogos?"

"Este domingo, se quiser. Vamos defrontar o Cruz Negra em *match* amigável. O Campeonato só começa no Outono."

"E onde é isso?"

"Aqui ao lado, nas Salésias, aquele campo ao lado do quartel. Às três e meia da tarde."

Afonso não faltou ao encontro. Eram três da tarde de domingo e já abancara nas Salésias, um descampado rodeado de casas e que pertencia a um quartel de cavalaria, de resto as cavalariças estavam alinhadas ao fundo, do outro lado via-se o Tejo a deslizar preguiçosamente para o mar. Havia já uma pequena multidão a aglomerar-se em torno do campo de terra batida, observando alguns jogadores que treinavam junto a balizas improvisadas. Uns vestiam camisas verdes com uma cruz negra bordada ao peito, outros apresentavam-se de camisolas vermelhas e calções brancos, entre eles os dois empregados do Laboratório Franco. Afonso não teve dificuldade em perceber que os primeiros pertenciam ao Cruz Negra e os segundos ao Grupo Sport Lisboa. Ao fim de meia hora, um homem de calças, gravata e colete chamou os *captains* das duas equipas e os três fizeram a escolha do campo e da bola. Era o *referee*.

O *match* começou instantes mais tarde, empolgante. A multidão animou-se, soltando "aaaaah" sempre que havia um remate à baliza. Pela diferença de intensidade dos clamores quando o perigo ocorria numa baliza ou noutra, Afonso percebeu que o Sport Lisboa colhia a maior parte da simpatia dos espectadores domingueiros. A certa altura, um jogador do Cruz Negra caiu perto da baliza do Sport Lisboa e o *referee* assinalou *penalty*. Alguns espectadores não se conformaram e entraram no campo a correr para pedirem satisfações ao juiz, tudo com tal exaltação que tiveram de ser os jogadores a proteger o homem. Quando a calma foi restabelecida, um atleta do Cruz Negra apontou o *penalty* e marcou *goal*. Os espectadores reagiram com frieza, em vez do "aaaaah" excitado ouviu-se um "oooooh" desapontado. O jogo recomeçou e, a dada altura, a bola saiu do campo. Um dos espectadores agarrou na bola e fugiu por ali fora. Dois jogadores de vermelho foram a correr atrás dele e conseguiram recuperar o esférico. A partida foi reatada e, pouco depois, uma explosão de alegria assinalou a igualdade restabelecida pelo Sport Lisboa. Os vermelhos acabaram por ganhar o *match* por 3-1 e a multidão dispersou, satisfeita.

Afonso ficou ainda a ver os jogadores a despirem-se num canto do campo e a lavarem-se em alguidares. Um rapazinho ia com um balde buscar água a um poço e despejava-a sobre os atletas. O jovem espectador sorriu perante o espectáculo e abandonou calmamente as Salésias, voltando a casa e aos exercícios de álgebra superior.

Durante dois meses foi esta a vida de Afonso. Ao longo da semana estudava com os explicadores pagos por dona Isilda e ao domingo ia ver o Grupo Sport Lisboa brilhar nas Salésias, em Alcântara ou no Lisbon Cricket Club. Chegou até a participar em alguns treinos, quando faltavam jogadores para completar duas equipas, mas escasseava-lhe o talento e a preparação física para acompanhar o ritmo dos titulares. Esta vida durou até princípios de Agosto, altura em que chegou a hora de ir à Academia Politécnica prestar provas.

Os exames correram bem e, em alguns dias, Afonso tinha na mão os cinco certificados de que precisava. O major Augusto Casimiro levou-o à Escola do Exército, situada no sítio da Bemposta, ou Paço da Rainha, onde entregou todos os documentos e certificados exigidos e pagou os mais de cinco mil réis de propina de matrícula para infantaria. Afonso teve ainda de fazer exercícios físicos de modo a determinar a sua aptidão para enfrentar os rigores dos treinos militares, um teste que superou com espantosa facilidade. O seu porte atlético impôs-se, mais ainda porque a sua frequente participação nos treinos do Sport Lisboa o colocou em apuro de forma. O major Casimiro ainda chegou a dar uma palavra ao general Sousa Telles para facilitar discretamente as coisas, uma vez que havia mais candidatos do que vagas, mas a cunha veio a revelar-se desnecessária. A 31 de Agosto, a lista dos candidatos seleccionados foi afixada no átrio da escola e Afonso viu o seu nome incluído. Sentiu um peso sair-lhe de cima dos ombros e uma lufada de ar puro encher-lhe os pulmões. Sabia que um fracasso teria consequências penosas na sua vida, pelo que foi com grande alívio que se viu matriculado na Escola do Exército.

As aulas só começavam no Outono e Afonso foi gozar Setembro à Carrachana. Avisada da presença do rapaz, dona Isilda manteve Carolina fechada a sete chaves em casa. A viúva argumentava que os acordos eram para cumprir e não queria cá namoricos enquanto o pretendente não tirasse o curso de guerra que lhe abriria as portas do oficialato, não fosse o diabo tecê-las e a rapariga aparecer prenha. Mas dona Isilda não fugiu às suas responsabilidades de protectora e financiou a confecção, na alfaiataria do Ulpio Brazão, da farda de primeiro-sargento cadete para Afonso, um uniforme obrigatório para todos os jovens que frequentavam a Escola do Exército.

Afonso regressou a Lisboa na quinta-feira, 24 de Outubro. Apresentou-se na secretaria da escola e fez, dias depois, o juramento de fidelidade, requisito imprescindível para poder prestar serviço nos corpos do Exército. A partir desse instante estava integrado na Escola do Exército e, pormenor estranho para quem tinha sido forçado a pagar uma propina de matrícula, passou a ganhar um soldo de trezentos réis por dia.

Um sargento conduziu-o, a ele e a mais uns quantos que se tinham igualmente apresentado nesse dia, até à parada do internato da escola, um grande largo em terra batida rodeado de edifícios cor-de-rosa-claro de dois pisos, grandes olmos a erguerem-se ao fundo para lá do muro, a bandeira azul e branca de Portugal hasteada num mastro, no outro o estandarte da Escola do Exército, as armas portuguesas em cada canto cercadas por dois ramos de loureiro. Levaram-nos até ao edifício central do lado esquerdo e, quando Afonso entrou, percebeu que, mais do que num dormitório, estava num verdadeiro armazém de cadetes. Havia beliches à esquerda e à direita num espaço amplo e sem compartimentos, contados eram cinquenta beliches de cada lado, cem ao todo, lençóis brancos assentes em madeira ordinária, nada que ofendesse o rapaz da Carrachana, habituado a pior na cama de latão que durante anos partilhou com os irmãos. O sargento indicou-lhes as suas camas, deu-lhes as chaves dos cacifos e ordenou que tirassem as roupas civis e passassem, a partir daí, a usar apenas a farda regulamentar.

Afonso despiu-se junto ao cacifo, os pés assentes no soalho frio de azulejos, e colocou a farda que apenas experimentara no alfaiate de Rio Maior. Vestiu as calças cinzentas e a camisa interior, calçou os sapatos e meteu-se dentro da jóia do uniforme, o dólman. Era um vistoso casaco azul, abotoado verticalmente a meio do peito com seis botões de metal amarelo, as abas ligeiramente arredondadas na frente, a gola de vermelho-vivo com o emblema dourado da Escola, as divisas de primeiro-sargento bordadas a encarnado nas mangas e uma bandoleira branca a cruzar-lhe o peito e a segurar uma cartucheira à anca. Na cabeça, o barrete azul. Quando todos acabaram de se fardar, o sargento conduziu-os para fora do dormitório até à parada e ensinou-lhes os movimentos que teriam de seguir diariamente durante a cerimónia de formatura do almoço. Depois os cadetes entregaram ao sargento os seus pratos e talheres, devidamente numerados, para serem levados para o refeitório. O prato e os talheres de Afonso estavam marcados com o número 190, e os cadetes foram informados do lugar que teriam de ocupar no refeitório.

A cerimónia começou às onze e meia. O sargento apareceu pouco antes na parada e mandou os cadetes formarem em sentido. Afonso e os restantes novatos ficaram numa das pontas. Ao meio-dia em ponto, o comandante do corpo de alunos saiu do seu gabinete e entrou na parada. Era o coronel Leitão de Barros, um sexagenário barrigudo, o cabelo grisalho puxado para trás, um bigode espesso e pontiagudo e fortes arcadas supraciliares. O comandante pôs-se frente aos cadetes em sentido e fez sinal ao sargento.

"Direita, volver!", gritou o sargento.

Os cadetes giraram para a direita e Afonso, atento ao movimento, acompanhou-os. Ficaram em sentido, voltados para as bandeiras e os olmos que se erguiam para lá do muro.

"Ordinário, marche!", voltou a gritar o sargento, o vozeirão a encher a parada.

Um punhado de homens da fanfarra do Exército começou a tocar enquanto os cadetes marchavam em passo militar, circulando em redor da parada até voltarem ao ponto de partida. Tudo aquilo era novidade para Afonso, que se divertia por se ver naquela figura. O sargento deu ordem de que a cerimónia terminasse e os cadetes destroçaram e correram rapidamente para o edifício atrás de si, exactamente no lado da parada oposto aos dormitórios. Afonso entrou no grande salão e viu duas enormes mesas em fila de cada lado, era o refeitório. Os cadetes dirigiram-se às mesas e aguardaram em pé atrás das cadeiras. O coronel Leitão de Barros entrou no refeitório e nesse instante o sargento voltou a gritar uma ordem.

"Atenção, sentido!"

Ficaram todos muito hirtos.

"Meu coronel, dá licença que mande sentar?", perguntou o sargento em voz baixa.

"Sim senhor, mande sentar."

O sargento deu a ordem e os cadetes tomaram os seus lugares. Afonso reconheceu o número 190 marcado no prato e nos talheres à sua frente e não pôde deixar de admirar aquele pormenor da organização militar. O rancho foi servido de imediato. Os empregados trouxeram carneiro guisado com batatas, água e vinho tinto. Não estava mal confeccionado, o que Afonso achou surpreendente. Para sobremesa, café com leite e pão.

Durou poucos dias esta fase de adaptação. O ano lectivo começava a 30 de Outubro e adivinhava-se um grande acontecimento. Sua Majestade, El-Rei D. Carlos, vinha presidir à sessão pública da abertura solene e a Escola do Exército esmerou-se para a importante ocasião. Afonso nunca tinha visto Sua Alteza Real em carne e osso e ardia de curiosidade de observar pela primeira vez o monarca, o homem mais importante do país, aquele que tinha poder de vida e de morte sobre todos e cada um.

Na manhã do grande dia, os cadetes formaram em quatro companhias perante o portão de entrada da escola, no Paço da Rainha, dando a direita ao muro da parada. A banda de música de infantaria encontrava-se agregada ao batalhão, enquanto uma companhia de Infantaria 16 formava a guarda de honra, também com uma banda de música. Uma bateria de seis peças de Artilharia 1 tinha sido instalada no campo de exercícios da escola, preparada para as salvas do estilo. A espera foi demorada, com o coronel Leitão de Barros e os sargentos a inspeccionarem inúmeras vezes os cadetes, o nervosismo patente em cada um.

Pelas dez da manhã, a cavalaria irrompeu com grande espalhafato pela Rua Gomes Freire e invadiu o Paço da Rainha, anunciando a chegada do rei, e um automóvel negro apareceu de seguida e foi imobilizar-se diante do Palácio da Bemposta. Estavam todos em sentido e Afonso nunca vira carro tão grande, dava certamente para cinco pessoas. As duas bandas começaram a tocar com estrondo, um tapete vermelho foi imediatamente estendido pelo passeio, o general Sousa Telles emergiu da escola e fez continência para o automóvel, o coronel Leitão de Barros ao lado, todos de uniforme de gala. As peças de artilharia dispararam as salvas do estilo. A porta do automóvel abriu-se e saiu de lá um vulto, os oficiais curvaram-se numa vénia, D. Carlos pisou o passeio, era um homem gordo por baixo do uniforme engalanado, um bigode loiro a ornar-lhe a face bolachuda. Ouviram-se palmas e o rei acenou para o passeio contrário com um sorriso forçado, saudando as mulheres dos oficiais que se aglomeravam na rua e nas varandas a exibirem os seus melhores vestidos domingueiros e de guarda-sóis de estilo parisiense nas mãos, meros adornos naquele dia cinzento. Abriram-se alas por entre a guarda de honra e D. Carlos entrou na Escola do Exército, o general Sousa Telles sempre ao seu lado a indicar-lhe o caminho e o resto do séquito no encalço.

"Será verdade o que dizem dele?", perguntou Afonso, num sussurro, ao Mascarenhas, o cadete que aguardava ao seu lado e com quem já travara amizade.

"Que é impotente?"

"Não, que é cornudo."

"Sei lá", devolveu Mascarenhas com uma careta. "Já ouvi tanta coisa. Impotente, cornudo, fornicador, louco. Não sei se é verdade, mas olha que não há fumo sem fogo."

"Pelo menos comilão é ele", concluiu o de Rio Maior. "Viste--lhe a pança?"

Afonso e os cadetes permaneceram duas horas na rua, aguardando impacientemente o fim da cerimónia solene que se desenrolava no salão nobre do primeiro andar. Por volta do meio-dia, o rebuliço regressou ao Paço da Rainha, as bandas recomeçaram a tocar, el-rei reapareceu no passeio, despediu-se dos oficiais, acenou às damas e donzelas, meteu-se no carro, as peças de artilharia foram dispensadas das habituais salvas do estilo e o automóvel arrancou no meio de um pandemónio infernal de cascos de cavalo a ecoarem pelo largo, levando consigo o ruidoso séquito da cavalaria.

Com esta cerimónia começou o ano lectivo. Afonso habituou--se à rotina de acordar às seis da manhã, ir tomar um pequeno--almoço de café e bolachas e comparecer nas salas para as aulas. Começava às segundas-feiras, pelas sete da manhã, com Esgrima, seguindo-se às oito e meia a classe de Escrituração e depois, pelas onze, Topographia. Ao meio-dia e meia era o almoço e à uma da tarde vinha a aula de Fortificação Passageira, onde aprendia os trabalhos de bivaque e acampamento, mais as comunicações militares e as aplicações da fotografia na guerra. Não eram matérias tão estimulantes como as suas conversas com o padre Nunes em Teologia Dogmática, mas Afonso esforçou-se por encontrar interesse nos novos assuntos que tinha de estudar. Após as aulas, o resto da tarde ficava livre e, depois do jantar, os cadetes seguiam para o dormitório, onde às nove da noite, terminada uma rápida e frugal ceia, já estava tudo ferrado a dormir.

As aulas do primeiro ano de infantaria eram comuns às de cavalaria. Ao longo da semana, de segunda a sábado, os cadetes passavam o tempo em várias disciplinas, como Instrucção de Tiro, Gymnástica, Administração e Contabilidade, Táctica de Infantaria e Cavallaria, Equitação, Balística Elementar e Organização dos Exércitos. Na carreira de tiro adquirira particular destreza com a *Mauser Vergueiro,* a carabina que tinha uma culatra tipo *Mauser* que o coronel Vergueiro modificara três anos antes, adaptando-a aos braços curtos do soldado português. Os braços de Afonso eram, na verdade, longos, mas revelava-se capaz de fazer maravilhas com aquela arma. Outra disciplina considerada importante pelos oficiais era Hygiene Militar, ministrada por um médico que defendia a estranha tese de que se devia tomar banho uma vez por mês e até, quando chegava o calor, uma vez por semana. Os cadetes riram-se com o exagero, tanto banho fazia mal à pele e era pouco saudável, mas o riso transformou-se em irritação quando se viram obrigados a sujeitar-se periodicamente a tão radical experiência.

As aulas e os exercícios abriam aos cadetes um apetite voraz. O problema é que os pratos dos almoços eram repetitivos. Variavam entre a fressura de porco com arroz, o bife com batatas fritas e o bacalhau guisado com batatas. Os jantares eram mais diversificados, com peixe cozido, vitela assada, cabeça de porco com feijão branco e hortaliça e peixe frito com batatas, enriquecidos pelas sopas variadas, como a sopa de arroz com grão, a sopa de feijão branco e a sopa de massa, mais as saladas de brócolos ou de feijão verde e o pão. Já a ceia limitava-se a chá e pão com manteiga para confortar o estômago durante a noite.

Os domingos eram dias livres. Afonso começava-os na capela da escola, assistindo à missa dominical, e à tarde procurava outras distracções. Por vezes visitava o Animatógrafo do Rossio ou o Chiado Terrasse para ver uma película, brilhavam então nas telas lisboetas as fitas de Méliès e as produções Pathé, embora as principais atracções fossem as mirabolantes representações de Max Linder. Outras vezes ia à Rua da Palma assistir às comédias que passavam no Theatro do Príncipe Real ou procurava a Rua Nova da Trindade para se divertir com os festivais de gargalhada no Theatro do Gymnasio ou no Theatro da Trindade. Passava noites com os amigos nos cafés-concertos da Cervejaria Jansen, na Rua do Alecrim, ou então ia para a Avenida da Liberdade ver os nobres de charuto e cartola a entrarem no Grande Casino de Paris para esbanjarem vários contos de réis. Quando desejava outro tipo de emoções, apanhava um *tramway* até Sete Rios e seguia de eléctrico por Bemfica para ir cirandar pela Quinta das Laranjeiras, onde por cem réis se deleitava com as sensações produzidas pela visão das feras expostas no jardim zoológico.

Na maior parte dos casos, porém, preferia ir assistir aos jogos do Grupo Sport Lisboa. O Campeonato começou nesse Outono e as partidas eram muito disputadas, com a equipa de vermelho e branco a medir forças com o sempre poderoso Carcavellos Club, mais o Lisbon Cricket, o CIF, o Cruz Negra e o recém--inscrito Sporting Club de Portugal. Nas conversas com os empregados do Laboratório Franco, Afonso apercebeu-se de um grande ressentimento dos jogadores do Sport Lisboa em relação a este Sporting Club, uma antipatia que tinha origem numa operação de sedução efectuada recentemente pelo novo *club* aos melhores *players* vermelhos. Ao contrário do Grupo Sport Lisboa, um *club* de Belém em que os jogadores andavam com o balneário às costas e se lavavam na rua, o Sporting Club tinha o apoio de gente endinheirada, incluindo o abastado visconde de Alvalade, que ergueu um moderno campo com balneários e vestiários na antiga Quinta das Mouras, coisa de luxo só vista nos *stadiums* ingleses. Cansados das más condições em que jogavam e treinavam, os grandes *players* do Sport Lisboa, talvez os melhores do país, aceitaram um convite para irem para o Sporting Club. Eram, ao todo, oito *players,* incluindo dois dos irmãos Catatáus, e esta sangria de talento quase deu cabo do Sport Lisboa. Foi por isso com imensa dificuldade que o *club* da águia se inscreveu no segundo Campeonato de Lisboa, numa altura em que todos o davam como acabado.

O *football* começou gradualmente a entrar na vida dos cadetes, que adoravam tudo o que era jogo. O ambiente entre eles era divertido, animado por outros jogos que, por vezes, roçavam uma infantilidade boçal. À noite, Afonso ficava a ver os companheiros a disputarem o chamado "campeonato dos peidos", competindo por entre gargalhadas no concurso da aerofagia mais ruidosa ou, em alternativa, quando era servido feijão ao jantar, na mais malcheirosa. Antes de libertarem uma explosão de gás intestinal, alguns imitavam a voz dos instrutores de artilharia e gritavam "fogo à peça!", seguindo-se a inevitável descarga aerofágica. Este foi um jogo no qual nunca Afonso participou, a sua educação no seminário permanecia presente nestes pormenores, ao ponto de o terem alcunhado de Aprumadinho.

"Ó Aprumadinho!", chamavam-no por vezes. "Já viste que és o único gajo que aqui está que não dá peidos nem diz palavrões, caraças?"

Embora não participasse nestes jogos, seguia as competições com muita atenção e depressa percebeu que tudo servia aos cadetes para se disputarem. Comparavam o ruído dos arrotos e até o tamanho dos pénis, mas aqui os mais fracos depressa aprenderam a ter tento na língua porque não convinha competirem com os cadetes mais encorpados, os matulões nem sempre eram os mais avantajados e mostravam-se hipersensíveis quando alguém menos avisado lhes chamava a atenção para esse pequeno pormenor, sobretudo quando comparados com alguns lingrinhas que se revelavam mais bem equipados.

Um tema permanente de conversa eram "as gajas". O quartel tinha um ambiente integralmente masculino e, como era normal, as saídas de domingo destinavam-se sobretudo a irem mirar as raparigas. Alguns cadetes evitavam a missa na capela da escola e preferiam visitar as igrejas civis. O seu único fito era, claro, o de irem ver as moças, a quem faziam sinais discretos durante a liturgia. Muitas raparigas ficavam encantadas com as fardas e acediam a passear com os cadetes após obterem a devida autorização dos pais, alguns dos quais, pobres ingénuos, acreditavam sinceramente que aqueles vistosos uniformes eram, por si sós, garantia suficiente de que quem os vestia só podia ser um verdadeiro cavalheiro.

Como é natural, Afonso arranjou o seu grupo de amigos, entre os quais se destacava Cesário Trindade, um lisboeta desajeitado, filho de um general reformado antecipadamente por causa das suas ideias republicanas. Trindade tornara-se famoso desde que despejara com um espirro uma virulenta carga verdejante de corrimento nasal sobre o professor de Balística Elementar. Os colegas gracejaram com o incidente, considerando aquele espirro uma verdadeira lição elementar de balística, e desde essa altura o Trindade passou a ser conhecido por Ranhoso.

O que aproximou os dois rapazes foi o prazer intelectual, uma vez que eram os únicos cadetes apaixonados pela filosofia. Mas o Ranhoso era um radical, defendendo ideias que chocavam com os valores que Afonso adquirira no seminário.

"Hegel e Nietzsche são os meus filósofos favoritos", anunciou Trindade certo dia, estavam ambos a saborear no pátio o sol do Outono.

"Ah é? Porquê?"

"Porque não confundem realidade com desejo e são os únicos cujos ensinamentos são úteis para a nossa carreira militar."

"Ah sim?", admirou-se Afonso. "Úteis em que sentido?"

"Homessa, então não os leste?"

"Ler, li, mas não li tudo, não é? Não faltava mais nada..."

"Olha, o Hegel constatou que a guerra nos ajuda a compreender que as coisas triviais, como os bens materiais e a vida das pessoas, valem pouco. Ele escreveu que é através da guerra que se preserva a saúde dos povos. Fascinante, não?"

"Estás parvo? A guerra vai contra os ensinamentos divinos, contra um dos principais mandamentos, não matarás. O que é que isso tem de fascinante?"

"Ó Aprumadinho, estás a reinar comigo ou quê? Quais ensinamentos divinos? Então as cruzadas obedeceram a que ensinamentos?"

"Deus disse: Não matarás!"

"Arre! Até pareces um padreco a falar na catequese. A guerra, para tua informação, é o principal catalisador da disciplina humana. Platão e Aristóteles, por exemplo, fartavam-se de elogiar Esparta, admiravam a sua austeridade, a rigorosa disciplina e aquela cultura de combate ao egoísmo. E donde é que pensas que esses valores do rigor vieram, hã? Da permanente prontidão dos espartanos para a guerra, claro. A guerra, quer queiras, quer não, tem efeitos benéficos para quem se envolve nela, os valores marciais podem ser positivos para a sociedade..."

"E podem destruí-la", atalhou Afonso. "Deixa-te de parvoíces, ó Ranhoso. Embora Hegel tenha realmente enumerado algumas vantagens da guerra, nunca fez a sua apologia, nunca disse que é bom estar em guerra."

"Desculpa, mas isso está implícito no que ele escreveu. Vai ler. Aliás, o próprio Moltke criticou a paz, denunciando as suas falsas virtudes."

"Moltke? Olha, é boa, nunca ouvi falar desse. É um discípulo de Hegel, é?"

Trindade riu-se.

"Ó Aprumadinho, então não sabes quem é o Moltke?" Abanou a cabeça. "Não admira que digas esses disparates todos. Podes ter muita cultura filosófica, isso não contesto, mas a tua bagagem de história militar, desculpa que te diga, deixa muito a desejar. O Moltke, meu caro, foi o general prussiano que invadiu a França em 1870. Um grande general, se queres a minha opinião."

"Pois fica sabendo que é a primeira vez que ouço falar nesse gajo."

"Já percebi. Pois o Moltke não era um tipo de meias-tintas, dizia o que muitos pensavam mas não se atreviam a enunciar. Vai daí, denunciou a paz, dizendo que a paz duradoura não passa de um sonho, para mais um sonho desagradável. Foi ele quem notou uma evidência de que ninguém quer falar, a de que a guerra é uma parte necessária da ordem de Deus."

"Ó Ranhoso, e tu acreditas nisso?"

"Então não hei-de acreditar? Olha para a história, Afonso, olha para o nosso passado. O que vês? Guerras, sempre guerras. Isso só pode significar uma coisa, que as guerras fazem parte da nossa humanidade, da nossa natureza, são um mal necessário e vão sempre existir. O Moltke e o Hegel é que têm razão, podes crer."

"Podia citar-te outros autores que dizem exactamente o contrário."

"Por exemplo?"

"Por exemplo, o general Fortunato José Barreiros." Era um antigo comandante da Escola do Exército, autor do *Ensaio sobre os Principios Geraes da Strategia e de Grande Tactica*. "Ele considera a guerra o maior flagelo que uma nação pode sofrer, sendo conveniente abreviá-la o mais possível."

"O Barreiros está ultrapassado."

"Há ainda o Voltaire e o Adam Smith, que dizem que a guerra é o resultado de leis erradas, falsas percepções e interesses ocultos."

"Líricos."

Afonso suspirou, resignado.

"Olha, Ranhoso, só espero que não haja nenhuma guerra que te faça engolir essas tuas ideias."

"E eu, Aprumadinho, espero que haja uma guerra para tu veres se tenho ou não razão." Ergueu o indicador direito e adoptou um tom professoral, pomposo. "São as guerras que fazem os grandes homens. Olha para o duque de Wellington, olha para Napoleão, olha para Afonso Henriques. Todos eles grandes homens, todos eles homens de guerra. Mata um homem por dinheiro e és um criminoso. Mata mil homens por uma ideia e és um grande génio. São assim as coisas. O próprio Nietzsche admitiu que o colapso da nossa civilização é um pequeno preço a pagar para que tenhamos génios como Napoleão. Nietzsche, meu caro Aprumadinho, observou que a infelicidade das pessoas insignificantes de nada vale a não ser nos sentimentos dos poderosos, a crueldade espiritualizada e intensificada é a mais elevada forma de cultura."

"O Nietzsche é parvo."

"Não, Afonso. O Nietzsche é um génio."

Os choques intelectuais com Trindade criavam em Afonso um sentimento ambivalente. Por um lado, adorava o duelo de ideias, o prazer da discussão filosófica, a descoberta de novos caminhos, a exploração de conceitos diferentes, a revelação de novidades.

Mas, por outro, debatia-se com um contraditório sentimento de fascínio horrorizado, descobria-se seduzido por aquelas ideias tão radicais e agressivas e, ao mesmo tempo, atemorizado por alimentar essa atracção. Experimentava uma repulsa moral em relação a valores tão antagónicos daqueles que adquirira no seminário, intuía que o amigo despertava em si uma racionalidade animal que só a força da vontade moral podia reprimir. Por isso mesmo, apenas procurava Trindade quando desejava uma conversa estimulante, combativa.

Por estas razões, o seu amigo mais próximo não era o Ranhoso, mas Gustavo Mascarenhas, um irrequieto rapaz de Vila Real que conhecera logo nos primeiros dias. Afonso achou curiosa a coincidência de os seus melhores amigos serem transmontanos; já no seminário o seu grande companheiro tinha sido Américo, o gorducho de Vinhais. Mascarenhas não era gorducho, mas encorpado e musculoso, tinha até um certo aspecto de troglodita, embora fosse inteligente e divertido. Provinha também de uma família de militares; o pai era coronel de cavalaria e Mascarenhas pretendia seguir-lhe os passos. Para não o acusarem de seguidismo e falta de imaginação, optou por infantaria, até porque em Vila Real estava instalada Infantaria 13 e convinha-lhe ficar perto de casa, sempre era mais confortável.

Como se encontravam ambos longe da família, aos domingos Afonso levava Mascarenhas com frequência ao *football,* mas divergiram nas simpatias. O rapaz de Rio Maior era um *supporter* do Sport Lisboa, mas o de Vila Real preferia o Sporting Club e ambos discutiam frequentemente a importante questão de determinar quem eram os melhores *players*. Afonso atirava-lhe à cara a ideia de que, sem os oito atletas que fora buscar ao Sport Lisboa, o Sporting Club não seria nada nem ganharia a ninguém, mas Mascarenhas defendia-se com Francisco Stromp, o craque do emblema do leão que não viera do *club* da águia, e insistia em que o Sporting era um *club* a sério, tinha campo e instalações adequadas, enquanto o Sport Lisboa não passava de um bando de maltrapilhos.

O *football* e as suas rivalidades preenchiam assim as suas conversas, a par das "gajas", claro, mas Afonso tinha igualmente outros interesses. Passava tardes fechado na biblioteca da escola. Apreciava o cheiro adocicado a papel velho que ali enchia o ar e deliciava-se com o aspecto distinto dos armários carregados de livros e encostados às paredes, a sua madeira de mogno trabalhado a contrastar com o soalho de cerejeira clara envernizada. Havia escadas em caracol em duas esquinas da biblioteca, permitindo aceder a um varandim de mogno que se estendia por todo o perímetro da sala, a uns três metros de altura e onde se encontravam mais livros, local por onde o cadete gostava de deambular a examinar as lombadas à procura de exemplares com títulos que achava pitorescos, como *Instrucções para o campeonato do cavallo de guerra, Architectura sanitária, Nomenclatura de machinas de vapor* e *O combate de infanteria contra cavallaria.* A grande maioria das obras ali guardadas eram textos militares, mas Afonso descobriu exemplares de *Les voyages extraordinaires* de Júlio Verne, editadas pela *Collection Hetzel.* Como lia bem francês, cortesia do padre Fachetti, devorou a *Voyage au centre de la Terre* e *Michel Strogoff* e acompanhou com divertida atenção os absurdos problemas balísticos propostos em *De la Terre à la Lune.*

Verne fazia-o sonhar, mas a biblioteca dispunha de poucos livros de ficção e Afonso viu-se forçado a levar frequentemente romances para o local, obras que lia absorvido, as páginas iluminadas pela luz natural que penetrava difusamente pelas duas grandes claraboias abertas no tecto. Foi ali que conheceu Machado de Assis e agonizou com a dúvida de saber se Capitu tinha ou não traído Bentinho em *Dom Casmurro,* foi ali que devorou Eça de Queiroz e se escandalizou com *O Crime do Padre Amaro,* ele que imaginava que os tormentos da carne só o atacavam a si e a mais uns poucos no seminário. Primeiro recusou-se a aceitar aquilo; bem que o tinham avisado de que era um livro de pecado, de luxúria, de volúpia, onde é que já se vira descreverem os padres daquela maneira?, como se atrevera o escritor a pô-los naquela figura?, que falta de respeito, devia ser proibido.

Mas à noite, meditando sobre o que lia, ia pensando que talvez aquilo não fosse um disparate. Lembrou-se de que Santo Agostinho abordara o problema da sexualidade e foi consultar as suas *Confissões*. No meio do texto, por entre as assombrosas revelações da promiscuidade sexual do santo quando jovem, sobressaiu a súplica de Santo Agostinho a Deus, a quem implorava "Senhor, faz-me casto, mas não ainda". Mas não ainda? Pouco a pouco Afonso acabou por ir concluindo que, feitas as contas, aquela era afinal uma tentação universal. "Todos são do mesmo barro", esta curta frase de Eça, simples mas poderosa, ficou-lhe cravada na mente; sim, é evidente, todos são do mesmo barro, bem vistas as coisas é mesmo isso, que afirmação tão reveladora e verdadeira, se até Santo Agostinho cedera à pecaminosa tentação, o que dizer dos outros, o que dizer do padre Álvaro? Pois, o padre Álvaro. Afinal de contas, até o padre Álvaro, o bom padre Álvaro que o acolhera e o ajudara em Braga, era feito daquele barro. Mesmo o austero vice-reitor, casto e castigador, justiceiro e vingador, tinha certamente as suas tentaçõezinhas. Se calhar, quem sabe, se lhe vasculhassem os podres, também ele mereceria a sua cartita de prego, a cartita que por muito menos ele passou a Afonso, mas que jamais endereçaria a si próprio por pecados quiçá bem piores. Ah, os fariseus!

A entrada de 1908 foi agitada. No dia 28 de Janeiro começaram a correr no dormitório da Escola do Exército notícias de que estava em marcha uma revolta para derrubar a monarquia. O governo reprimiu a rebelião, deteve os chefes dos revoltosos e conseguiu do rei a assinatura de um decreto que permitia enviar qualquer suspeito para o degredo sem julgamento prévio. Trindade mostrava-se assustado, possivelmente o seu pai republicano não estaria em segurança, e Afonso confortou-o, abstendo-se temporariamente de o interpelar pela sua alcunha de Ranhoso. Mas os acontecimentos precipitaram-se alguns dias depois, a 1 de Fevereiro. Os cadetes estavam na aula de Escrituração quando um oficial entrou bruscamente na sala, parou junto ao professor e se voltou para a classe.

"O rei morreu", exclamou. "Viva o rei!"

As aulas foram interrompidas, as bandeiras azuis e brancas de Portugal postas a meia haste. Havia oficiais que pareciam desnorteados, corria-se de um lado para o outro, semblante carregado, medo, esperança, fúria, alegria, lágrimas, sorrisos, pesar. O que foi?, morreu mesmo?, não estará antes ferido?, o gordo finou-se finalmente!, quem governa?, vão pagá-las!, a monarquia caiu?, cabrões dos republicanos!, terá sido a Carbonária? As informações circulavam de boca em boca, contraditórias, a verdade misturava-se com os boatos, estava instalada a confusão, o diz-que--disse, a desorientação.

Incapaz de permanecer mais tempo naquela incerteza e excitado com a magnitude dos acontecimentos, Afonso saiu com Gustavo Mascarenhas e apanhou dois eléctricos até à Praça do Commércio. Diziam que tinha sido ali o regicídio e assim era de facto, as lojas encontravam-se fechadas e a praça estava guardada pela polícia municipal. Aproximaram-se da zona do Kioske; era ali que tinha sido efectuada a matança, ainda se viam vestígios de sangue no piso. Os guardas que vigiavam o local, inicialmente relutantes, depois com voluntarismo, contaram tudo aos cadetes. El-rei D. Carlos fora abatido a tiro quando vinha de Vila Viçosa num coche aberto, o príncipe herdeiro, D. Luiz Filippe, também tinha sido morto ao desembainhar a espada, o outro príncipe, D. Manuel, ficara ferido num braço, a rainha D. Amélia estava em estado de choque, ela que fora uma heroína, uma verdadeira heroína, "vejam lá, coitadinha, tentou travar as balas com um ramo de flores", pormenor muito comentado esse, "com um ramo de flores". Os dois assassinos acabaram mortos a golpe de espada pelos polícias municipais, bravos homens que agora guardavam, com um zelo e aprumo que orgulhariam os defuntos, a desolada Praça do Commércio.

Foram tempos agitados os que se seguiram. Os lisboetas deixaram as ruas insultuosamente desertas à passagem do coche funerário com os restos mortais do rei e encheram o cemitério do Alto de São João durante o enterro dos regicidas. Ostentavam-se gravatas vermelhas para ofender o luto dos monárquicos, as revoltas populares eclodiram com as eleições de Abril, os teatros encheram-se de versos antimonárquicos, os militares conspiravam em surdina, contavam-se as espingardas, este é nosso, aquele é deles, Afonso ainda não era de ninguém, não passava afinal de um cadete interessado em *football,* um jovem que antes procurara dedicar-se ao domínio da palavra do Senhor e aos mistérios do universo e da vida e agora se preocupava sobretudo com o manejo da *Mauser Vergueiro* e com o controlo dos segredos da balística e da morte.

Julho trouxe consigo a época de exames. Afonso passou a tudo, excepto a Topographia, o forçou a voltar para a segunda época, em Outubro. A primeira época terminou a 31 de Julho e o rapaz só ficou mais uns dias para conhecer a Feira de Agosto, um acontecimento comentado pelos cadetes de Lisboa com tanto entusiasmo antecipado que suscitou a maior curiosidade aos que vinham de fora da cidade.

Afonso foi visitá-la logo no dia da abertura e não ficou decepcionado. Erguida em plena Rotunda, a feira logo se revelou um local de grande animação, havia ali um circo de pulgas amestradas, demonstrações de audiofone e dos cilindros *Edison* com música a pedido, teatros de fantoches, jogos de pim-pam-pum para derrubar bonecas com bolas de trapo, casas de diversões como o Metropolitan Scenic Railway e outras empolgantes atracções. Os vendedores ambulantes apregoavam aos sete ventos os seus produtos, "bailarinas! bailarinas!", anunciavam os que vendiam sardinhas, "pencudos! pencudos!", respondiam os dos carapaus, "olh'ós refilões! olh'ós refilões!", gritavam os vendedores de pimentos. Via-se ainda gente a vender burrié cozido, fava torrada, tremoços, pão e, inevitavelmente, as bebidas, como o capilé, a limonada e, sobretudo, a boa pinga, eram vários os que exibiam uma grande garrafa de tinto rodeada de copos pequenos e aos berros de "quem quer a viúva e os filhos?", não deixava de ser surpreendente este espectáculo de folia e festa num país mergulhado em profunda agitação política.

Afonso regressou finalmente a Rio Maior para usufruir de dois ansiosamente aguardados meses de férias. Estava desejoso de se afastar do clima conspirativo da Escola do Exército, dos protestos que enchiam as ruas de Lisboa e sobretudo de Gustavo, que não parava de o gozar pelo facto de o estreante Sporting Club ter ficado em segundo lugar no Campeonato, à frente do Sport Lisboa e apenas atrás do inevitável Carcavellos Club. Por outro lado, levava saudades de Carolina e alimentava a esperança de que, com as boas notas que levava agora para casa, a mãe da rapariga talvez não se importasse de autorizar o reatamento do namorico, afinal de contas já era praticamente oficial, sabia esgrimir, usava as *Mausers* com destreza e os cavalos não tinham segredos para ele.

Quando entrou na Casa Pereira para cumprimentar dona Isilda e tentar ver Carolina, aguardava-o uma rude decepção. Dona Isilda recebeu-o com simpatia e felicitou-o pelas notas obtidas, mas, no momento em que Afonso indagou sobre Carolina, a resposta deixou-o pregado ao chão.

"A Carolina está noiva."

"Como?"

"A Carolina está noiva, Afonso. Vai casar no Outono."

O rapaz ficou especado a olhar para a viúva, pálido, tentando digerir aquelas palavras.

"A senhora está a brincar, dona Isilda."

"Não estou, não. Vai casar com um engenheiro da Real Companhia de Caminhos de Ferro Portuguezes, um moço muito jeitoso, de boas famílias, gente distinta de Santarém."

Afonso achou a situação extraordinária e inusitada, humilhante até, e não soube o que dizer. Ficou lívido, desconcertado, indeciso quanto ao que deveria fazer. Agradeceu e saiu apressadamente da loja, procurando com ânsia o ar puro da rua para arrumar as ideias. Lá fora começou a duvidar das palavras de dona Isilda. Estaria ela a tentar enganá-lo? Ficou a matutar no assunto, repetindo a conversa vezes sem conta, procurando inflexões reveladoras na voz da viúva. Não havia dúvida de que ali havia gato. Nessa noite mal pregou olho, preocupado com o assunto, murmurando frases soltas, "e se fosse verdade?", deu voltas na cama, "não pode ser", mais algumas voltas, "disparate, a velha está-me a enfiar o barrete". As horas prolongaram-se e adormeceu sem dar por isso. Pela manhã seguinte instalou-se bem cedo perto da Casa Pereira, vigiando a loja e o apartamento do primeiro andar onde vivia a proprietária e a filha. Quando viu Carolina sair de casa, interceptou-a e pediu-lhe explicações.

"Desculpa, Afonso, mas não posso falar contigo", disse ela com ar comprometido, os olhos colados ao chão.

"Mas diz-me ao menos o que se passa."

"O que se passa?", fitou-o com uma expressão de fúria ressentida. "O que se passa é que fiquei quase um ano à espera de uma carta tua e não veio nada."

"É que não pude escrever-te. Sabes, os estudos..."

"Quais estudos qual carapuça! Não quiseste saber de mim para nada, é o que é. Andas lá por Lisboa armado em marialva, se calhar metido com as varinas e as fadistas, e eu aqui à tua espera, sem receber uma palavra tua, uma palavra que fosse, nem água vai, nem água vem. Grande parva que fui. Pois fica sabendo que não me mereces. Além do mais, o que uns desprezam, outros anseiam. Adeus."

Havia verdade nestas queixas, bem no íntimo Afonso sabia-o. Gostava de Carolina, não havia dúvidas, mas nunca se sentira profundamente apaixonado, pelo menos nunca sentira por ela aquela paixão arrebatadora sobre a qual lera ao longo dos últimos meses nos belos romances de Eça de Queiroz e de Machado de Assis, as paixões trágicas de Amaro e Amelinha, de Bentinho e Capitu. Mesmo assim, o sentimento de rejeição fê-lo sofrer. Agora, mais do que nunca, desejava Carolina, ansiava pela sua presença, e surpreendeu-se com esse sentimento, com essa perda, com esse desejo. Quando ela era sua, isso agradava-lhe mas não lhe dava grande importância, encarava a situação como uma circunstância da vida, uma coisa natural. Agora, que não a podia ter, porém, ela revelava-se extraordinariamente importante. Afonso achou curiosa essa contradição e pôs-se a dissecar os seus sentimentos, comparando a situação ao pecado original que lera na Bíblia, a história de que Adão só se interessou pelo fruto porque ele era proibido. Havia muita verdade nesse raciocínio, considerou, mas a descoberta só vagamente lhe atenuou o sofrimento, pouco o consolava saber que mais amava o que menos podia ter.

Sentiu ciúmes, odiou Carolina, rogou pragas, fantasiou vinganças, arranjaria uma namorada e passear-se-ia com ela à frente daquela que agora o rejeitava; ela haveria de ver, iria sofrer, iria arrepender-se. Mas esta fúria de retribuição depressa lhe passou e quem se arrependeu foi ele. A culpa é minha, concluiu com amargura. À noite, deitado na cama de latão, decidiu ir no dia seguinte ajoelhar-se aos pés de Carolina e implorar-lhe perdão, prometer que lhe escreveria uma carta por dia, faria dela uma rainha, convencê-la-ia a dar-lhe mais uma oportunidade. Mas logo pela manhã, sentado à porta de casa, foi-se-lhe o ânimo, o que à noite era uma decisão firme não passava agora de uma fantasia tola, deixou-se estar, "para o diabo com ela!".

Em termos práticos, contudo, a sua vida em nada se alterara. O noivado de Carolina significava que não podia contar com a protecção de dona Isilda, mas a verdade é que já não precisava desse apoio. A propina de matrícula era válida pelos dois anos do curso de guerra e a principal despesa dos cadetes, o uniforme, já estava feita. Continuaria a receber os trezentos réis diários de soldo, pelo que o seu modo de vida iria manter-se. Não havia o perigo de, por falta de meios financeiros, ter de abandonar tudo e voltar para a Carrachana. Aquela era a sua origem, mas não seria o seu destino.

O Verão passou com vagar, quente e modorrento, os dias na província arrastavam-se numa pasmaceira insuportável. Afonso distraiu-se a ajudar o pai na produção do vinho, mas foi com alívio que, em princípios de Outubro, regressou a Lisboa, o rapaz achava que já não tinha vida para aquilo. Fazer vinho é chão que já deu uvas, pensou, rindo-se do trocadilho durante a viagem de comboio.

Fez o exame de Topographia pouco depois de chegar a Lisboa e ficou à espera dos resultados. No domingo, dia 11, as classificações dos alunos aprovados foram afixadas no átrio. Afonso fazia parte da lista e dirigiu-se à secretaria para declarar qual a arma que pretendia seguir. O primeiro ano era comum a todas as armas, mas o segundo ano requeria a especialização e o cadete escolheu infantaria. O recomeço das aulas foi marcado para o final do mês, após uma cerimónia de início de ano lectivo aguardada com enorme expectativa. O caso não era para menos, o novo rei iria comparecer à cerimónia inaugural e ninguém queria perder o momento de ver a trágica figura.

No grande dia, Afonso formou com os restantes cadetes no Paço da Rainha e, quando a comitiva do monarca chegou, manteve-se à espreita. Como um outro cadete lhe tapava o ângulo de visão, no momento em que D. Manuel II se apeou do carro, por entre a estrondosa barulheira das salvas regulamentares e o fragor cacofónico das bandas militares, Afonso esticou o pescoço e mirou o monarca. O olhar vidrou-se-lhe ao descobrir, surpreendido, que o rei não passava de um rapazote da sua idade, as feições miúdas num rosto claro e quase infantil, tão imberbe que do bigode apenas se adivinhavam uns pelinhos loiros no canto da boca, as pernas ligeiramente arqueadas para fora. Chegava a ser chocante ver aquele adolescente metido num grandioso uniforme de gala, a fita das Ordens de Cristo, de Sant'Iago de Espada e de São Bento de Avis a cruzar o peito a partir do ombro direito, na cabeça um enorme e pomposo capacete emplumado e reluzente, um rapaz acabado de sair da Escola Naval e rodeado de velhos em continência, no meio da enorme algazarra libertada pelas bandas.

"Um copinho de leite", comentou Mascarenhas com um sorriso velhaco.

O ar imberbe do monarca alimentou a conversa entre os cadetes durante alguns dias, mas depressa a azáfama das aulas lhes ocupou as atenções. O segundo ano envolvia novas disciplinas. Os cadetes de infantaria frequentaram as classes de Direito Internacional, História e Geographia Militar, Táctica e Serviços de Infantaria, Táctica Applicada, Campanhas Coloniaes, Princípios de Estratégia e Fortificação Permanente, para além dos exercícios habituais de Esgrima, Instrucção de Tiro de Revólver, Gymnástica e visitas a fábricas e depósitos de material de guerra.

Nos tempos livres voltaram as tardes de *football,* mas aqui tinha havido uma novidade que não foi do inteiro agrado de Afonso. O Grupo Sport Lisboa, *club* que no seu coração tinha substituído o extinto Club Lisbonense, fundira-se no Verão com um outro *club,* o Sport Club de Bemfica, e passara a chamar-se Sport Lisboa e Bemfica. Descontente, Afonso foi pedir explicações aos empregados do Laboratório Franco. Os rapazes alegaram que a fusão era a única maneira de impedir a extinção do Grupo Sport Lisboa. Segundo eles, o Sport Club de Bemfica tinha um campo próprio mas nenhuma vocação para o *football,* não passava na verdade de um *club* de ciclismo, enquanto o Grupo Sport Lisboa era um *club* de *football* mas não tinha campo, o que estava a minar o moral da rapaziada. A solução foi juntar os dois *clubs.* Afonso não gostou da ideia, antipatizava com a palavra Bemfica, era o nome de uma estrada que ia dar à Porcalhota, facto que, suspeitava, iria sujar irreversivelmente o nome do Sport Lisboa. Mas o Campeonato já tinha começado e a 25 de Outubro, justamente na véspera do primeiro dia de aulas, o novo *club* iria defrontar o Sporting. Mascarenhas queria ver o seu Sporting "dar uma cabazada àqueles tansos", e Afonso, algo contrariado, acompanhou-o até ao campo do Sport Lisboa e Bemfica, situado na Quinta da Feiteira, junto à igreja de Bemfica.

A primeira grande surpresa de Afonso, ao chegar ao campo e ao ver as equipas no aquecimento, foi a de que nada parecia ter mudado. O Sport Lisboa e Benfica alinhava com o antigo equipamento do Grupo Sport Lisboa, camisolas vermelhas e calções brancos, e o próprio emblema da águia se mantinha ao peito, acrescentando-se-lhe agora uma roda de bicicleta, o símbolo do Bemfica. A segunda surpresa foi a de que os jogadores da equipa eram quase todos os mesmos do Sport Lisboa, era como se tudo tivesse ficado na mesma. E a terceira surpresa foi a inesperada vitória do Bemfica sobre o Sporting, que contava com os oito artistas roubados no ano anterior ao Sport Lisboa. Mascarenhas regressou desanimado com o resultado, mas Afonso veio eufórico; afinal o seu *club* continuava a existir.

O ano escolar decorreu com uma lentidão que o deixou impaciente. Afonso tinha dezoito anos e o tempo parecia parado, ansiava pela maioridade dos vinte e um e parecia-lhe que os três anos que lhe faltavam eram uma eternidade. As aulas consumiam a semana e, para se distrair, o *football* preenchia os domingos. Para grande desânimo de Mascarenhas, o Sporting voltou a ser derrotado pelo Bemfica, desta vez no Lumiar, e, surpresa das surpresas, os vermelhos empataram com o temível Carcavellos Club, que voltou a ganhar o Campeonato, mas sofreu um forte assédio do *club* da águia, o segundo classificado.

A época de *football* e o ano escolar terminaram quase em simultâneo e, quando deu por ela, Afonso viu-se no átrio a mirar a lista dos "alumnos com approvações". O seu nome constava naturalmente da lista. A pauta assinalava "Affonso da Silva Brandão" com a classificação global de 13,2 valores. Só a partir dos 15 é que se considerava que era classificação com distinção, um elemento importante para determinar o regimento para onde iria. Uma vez terminado o curso de guerra, cabia aos cadetes solicitarem o seu destino, mas só aqueles que obtinham melhores notas é que seguiam para os regimentos que pediam, os restantes teriam de se contentar com as sobras. Afonso viu-se perante um dilema. O seu desejo era permanecer em Lisboa, mas isso queriam todos. Era uma multidão atrás do mesmo e havia cadetes com melhores classificações. Se escolhesse Lisboa, Afonso não iria certamente conseguir lugar aí, seria inevitavelmente chutado para uma terriola de província, por exemplo, Bragança ou Abrantes. A alternativa era escolher directamente um regimento de uma cidade pouco procurada. A opção óbvia era Santarém, sempre ficava perto de Rio Maior, mas havia um inconveniente. Afonso não desejava, de maneira nenhuma, ser colocado próximo de

Carolina, ela estava-lhe longe da vista e do pensamento, mas não tinha a certeza de qual seria a sua reacção quando a visse, essa era uma ferida que ele não tencionava reabrir, para mais com um marido nas redondezas. Foi assim com naturalidade que Afonso se candidatou a um lugar num regimento de Braga, afinal a cidade onde passara quatro anos e que se tornara uma espécie de segunda terra natal.

VI

A tarde fez-se invernosa e desagradável, o que não era de admirar. Outubro trouxe consigo os primeiros sinais do que viria a ser o Inverno desse final de 1913, com o vento a percorrer o Sena num sopro gelado, as árvores a agitarem-se com um farfalhar intranquilo, nervoso e barulhento. Soltavam-se folhas secas dos ramos e esvoaçavam sem rumo nem destino, quebradas e perdidas, ao sabor da brisa. As nuvens deslizavam baixas e carregadas, pairando silenciosamente sobre os telhados escuros como vultos fantasmagóricos, espectros esfumados a vigiarem desconfiadamente a cidade, abafando-a e oprimindo-a sob um manto branco-sujo que tudo cobria. Eram sombras taciturnas, uma vasta cobertura de vapor que ameaçava a grande urbe, sufocava-a até. A atmosfera tornara-se pesada, o ar húmido, pingos caíam aqui e ali, em breve choveria.

Agnès tinha matéria para estudar mas não quis ficar fechada em casa, preferiu sair. Como o tempo se revelava inóspito e inclemente, foi procurar refúgio na Brasserie Lipp. A cervejaria encontrava-se apinhada de gente e ela foi sentar-se a uma mesa de esquina, encostada aos azulejos que decoravam as paredes do estabelecimento. Pediu uma cerveja alsaciana e uma *choucroute* e embrenhou-se na leitura do trabalho que tinha em mãos, um tratado sobre o problema da obstipação.

"Posso?", perguntou alguém que colocou uma mão na cadeira vazia em frente.

Agnès levantou os olhos do texto, pensando que era o *garçon* com a cerveja e a *choucroute*. Mas, em vez do empregado, viu um homem jovem, de bigode aparado, olhos castanhos e ar bem--disposto.

"*Oui*", assentiu ela, fazendo menção de regressar à leitura.

"Peço desculpa, mas está tudo ocupado e não há outro lugar."

"Esteja à vontade."

Agnès tentou concentrar-se na leitura. O terceiro ano de Medicina acabava de começar e ela tentava adiantar matéria, mas o homem era falador.

"Aqui a Lipp é fantástica, não acha?"

"Sim", disse Agnès com um sorriso educado. "É uma *brasserie* muito simpática."

O homem estendeu-lhe a mão.

"Chamo-me Serge", apresentou-se. "Serge Marchand."

"Muito prazer. Eu sou Agnès Chevallier."

Apertaram as mãos e ela ainda tentou voltar ao tratado, mas Serge não deixou.

"É parisiense?"

"Não, sou de Lille."

"Ah, quem diria!"

"O quê?"

"Que você não é de cá. Sabe, parece mesmo parisiense."

"Eu? Parisiense?" Ser confundida com uma parisiense tinha o seu quê de *chic*. Lisonjeada, pousou o tratado. "Ora diga-me lá o que faz de mim uma parisiense."

"Oh, muita coisa, muita coisa."

"O quê?", riu-se ela.

"Para começar, o seu ar."

"O que tem o meu ar?"

"É um *je ne sais quoi*... não sei. Talvez o aspecto fino, o vestido elegante, muito *façonnable,* os seus traços delicados..."

O *garçon* apareceu com a cerveja e a *choucroute,* que colocou sobre a mesinha. Serge pediu também uma cerveja. Agnès bebericou a sua e olhou para o companheiro de mesa.

"Agradeço-lhe o elogio, mas olhe que na província há muitas pessoas assim como eu, o que pensa? Vê-se logo que você é que é parisiense, com essas ideias de que só em Paris é que há *glamour* e tudo o resto são rústicos *provinciaux.*"

"Mas, precisamente, eu não sou parisiense."

Agnès hesitou, surpreendida.

"Ah não?"

"Está a ver como é parecida comigo? Está a ver? Tal como eu, também você avalia os outros pelo aspecto."

"Grande novidade, todos o fazemos. Mas então diga lá donde é."

"Sou da região mais atrasada da França, veja só."

"Você é da Córsega?"

"Bem, sou atrasado mas não é preciso exagerar", riu-se Serge. "Não, eu venho da Bretanha."

"Ah sim? E o que está a fazer um bretão em Paris?"

"O mesmo que você, presumo. Estou a estudar."

"Estuda o quê?"

Serge rolou os olhos e suspirou.

"Estou a terminar Direito no Collège de France."

"Quem o ouvir vai pensar que não gosta do curso."

"*Bof!*"

"Não gosta do seu curso?"

"Nada."

"Mas então por que o está a tirar?"

"Oh, é muito complicado", disse ele com um gesto enfastiado. "Em primeiro lugar, porque venho de uma família de advogados, o Direito é uma tradição que vem de longe. Causava um desgosto lá em casa se não seguisse a carreira. Depois, porque o que eu gostava de fazer não dá para alimentar ninguém. Além do mais, nem tenho talento para me dedicar àquilo que realmente me apaixona."

"E o que é que o apaixona?"

"A arte."

Agnès fez um ar de admiração, mostrando-se agradavelmente surpreendida.

"Ah, você é um artista? É músico?"

"Não", sorriu Serge. "Não sou artista nem músico. Mas interesso-me muito pela pintura, adorava saber pintar."

"Como Cézanne..."

"Sim, Cézanne agrada-me, mas há agora outros artistas mais interessantes, artistas verdadeiramente revolucionários."

"Quem?"

"Picasso, Braque, Derain..."

"Nunca ouvi falar."

"É natural, eles só são conhecidos no meio, e, mesmo aí, nem sempre pelos melhores motivos."

"Porquê?"

"Porque a sua pintura viola as regras clássicas. E, quando se violam as regras clássicas... *oh la la*... há quem não goste!"

"E que regras foram essas que eles violaram?"

"Em primeiro lugar, a perspectiva." Pegou num lápis e fez um desenho sobre uma folha. "Está a ver? Quando desenhamos qualquer coisa, fazemo-lo sempre a partir de um ponto. É um pouco como as fotografias, são tiradas de um ponto para outro. Nós vemos o outro ponto pela perspectiva do ponto onde a fotografia é tirada ou a pintura é feita. É isso a perspectiva. Mas estes novos pintores decidiram fazer quadros simultaneamente de várias perspectivas."

"Isso não é possível."

"Não só é possível, como eles o fizeram. Picasso começou a pintar objectos com a preocupação de exibir as suas três dimensões, colocando múltiplas perspectivas no mesmo quadro. Faz de conta que são fotografias sobrepostas do mesmo objecto, em que vemos o objecto simultaneamente de vários ângulos, de várias perspectivas. Foi isso o que ele fez, mas não se ficou por aí. Em vez de exibir os objectos como unidades, cortou-os aos pedacinhos e passou a pintá-los de forma fragmentada."

"Mas consegue-se assim perceber a pintura?"

"Não se percebe nada", exclamou Serge com uma gargalhada contagiante. Abriu os braços e fez um gesto largo com as mãos. "O título do quadro dá-nos uma indicação e nós, a partir daí, conseguimos descortinar o objecto, ele está lá insinuado. Mas, se não soubermos o título, aquilo é apenas um conjunto de figuras geométricas indecifráveis. É como se o pintor partisse de uma imagem concreta e depois removesse os traços da realidade, criando uma amálgama de formas e cores."

"E fica bonito?"

"Não sei se fica bonito, é uma questão de gosto, mas olhe que é uma ideia fascinante."

O que Agnès achou realmente interessante em Serge é que a sua conversa era diferente da dos outros rapazes que conhecera. Em vez de tentar projectar uma imagem de homem forte, viril e protector, Serge parecia mais empenhado em falar sobre arte. Tinha alma de artista, olhar sonhador, falas melosas e muitos conhecimentos no meio, graças sobretudo às suas amizades com o pessoal da École des Beaux-Arts. Uma outra característica era a de que se mostrava frágil e Agnès espantou-se a si mesma por se sentir atraída por essa qualidade. Descobriu que gostava de homens frágeis, não sabia porquê, mas a vulnerabilidade tocava-a, mexia com ela, despertava-lhe talvez um meigo sentimento maternal.

Escolheram para segundo encontro o Le Procope, supostamente o mais antigo café do mundo, com fama de ter sido frequentado por Voltaire e Napoleão. Depois de beberem duas chávenas de chocolate quente e de combinarem passar a tratar-se por tu, Serge convidou Agnès a visitar a galeria Kahnweiler, onde, segundo ele, se revolucionava o mundo da pintura. Caminharam os dois debaixo de um guarda-chuva até à Rue Vignon e, ao cruzar a porta da galeria nessa tarde chuvosa, Agnès entrou no universo do cubismo.

Kahnweiler expunha nessa altura vários importantes trabalhos terminados recentemente, todos da autoria de pintores ainda pouco conhecidos, viam-se ali *L'Oiseau bleu,* de Metzinger, *La femme et l'ombrelle,* de Delaunay, e *Compotier et verre,* de Braque. Mas foram os tons laranja e amarelo-torrado de *Femme dans un fauteuil,* de Picasso, que mais a surpreenderam. Ficou espantada a mirar o desconcertante quadro, interrogou-se até sobre se aquilo seria realmente pintura e hesitou longamente antes de opinar, receava parecer uma parola.

"Esta mulher não tem rosto", exclamou finalmente, mal contendo a decepção.

Era o mínimo que conseguia dizer da grotesca imagem exposta diante de si. Sentia-se quase defraudada, como um gastrónomo de gosto requintado a quem alguém prometeu *gratin de queues d'écrevisses* mas acabou por se ver forçado a comer caracóis fritos.

"Não, ela tem rosto", argumentou Serge. "O que se passa é que o rosto é reconstruído, tal como todo o corpo." Apontou para um pormenor do quadro. "Estás a ver isto? São os seios, vêem-se aqui os mamilos. No fundo, a ideia é apresentar um corpo fragmentado onde o todo se reconhece pelas partes."

"Mas, para além do cadeirão, dos seios e do jornal, eu quase só vejo geometrias..."

Serge sorriu.

"É aí que está o truque. O pintor inseriu figuras sintéticas cubistas, as geometrias, num espaço clássico, tradicional. O efeito é surpreendente, não achas?"

Agnès fez uma careta resignada.

"Lá surpreendente é ele, isso não há dúvida. Mas será mesmo arte?"

"A mais pura", garantiu Serge entusiasticamente. "Eu sei que, para toda a gente que vê isto pela primeira vez, há sempre um choque. Estes quadros violam todas as convenções, abalam as nossas mais profundas convicções sobre o que é a pintura. Eu próprio, quando comecei a ver as pinturas cubistas, confesso que não fiquei lá muito convencido. Mas, sabes, isto é como a cerveja. Odiamos de início, mas depois não podemos passar sem ela."

Ao anoitecer, quando abandonaram a galeria, Agnès deixou Serge pôr-lhe a mão no ombro, enlaçando-se ambos debaixo do guarda-chuva. Começou o namoro nessa tarde e uma semana depois, rendida aos encantos daquela alma de artista, acabou-se-lhe a virgindade.

Os projectos a dois precipitaram-se a uma velocidade espantosa. Ainda o Inverno não tinha terminado e já Serge a convidava para jantar no Pharamond, o famoso restaurante de Les Halles, onde pediram *boeuf en daube* regado com sidra da Normandia. Depois da sobremesa, ele deu-lhe as mãos e, à luz das velas e ao som de um violino previamente contratado, propôs-lhe casamento.

"Casa comigo, doce princesa."

O *oui* emocionado de Agnès foi brindado com um frutado *Beaujolais Villages* que ela cuidadosamente provou e sancionou.

Passearam depois pelo Sena de mão dada, até ele a deixar à porta do seu prédio, em Saint-Germain-des-Prés. Quando entrou no apartamento, Agnès ouviu a voz do noivo lá fora. Surpreendida, foi à janela, olhou para a rua e viu-o no passeio, junto ao candeeiro, a fazer-lhe uma desafinada serenata, cantando a plenos pulmões *Bébé d'amour,* uma adaptação francesa da canção inglesa *Some of these days,* então na moda em Paris:

> *Je veux mourir*
> *O ma déesse!*
> *En ce beau soir*
> *Sous ta caresse.*

Quando Serge terminou, Agnès bateu palmas e soprou-lhe um beijo da janela.

"Foi magnífico", disse-lhe. "Mas agora vai-te embora, anda, vai-te antes que te prendam."

As bodas realizaram-se a 3 de Junho de 1914 na Basilique Saint-Sauveur, em Dinan, a terra natal do noivo, na costa norte da Bretanha. Era uma terra aprazível, de ruelas tranquilas, os aromas frescos da verdura a perfumarem a brisa suave. A família Chevallier tinha acabado de chegar de Lille e vinha ainda atordoada com a rapidez dos acontecimentos.

"Minha pequena Agnès", murmurou-lhe o pai à entrada da basílica, dando-lhe o braço e falando como se lhe estivesse a oferecer a derradeira oportunidade para se salvar. "Tens a certeza do que estás a fazer?"

"Absoluta."

Paul Chevallier suspirou e enfrentou o corredor que se estendia diante de si, o altar lá ao fundo com o noivo à espera. Aquele rapaz não passava de um estranho a quem ia entregar a sua filha predilecta.

"Muito bem", exclamou finalmente, esforçando-se por ocultar o peso que lhe ia na alma. "Vamos a isto."

Como estava um dia de sol esplendoroso, o copo-d'água foi organizado nos Jardins Anglais, mesmo por detrás da basílica, com uma vista privilegiada sobre o rio Rance e o vale verdejante por onde o vasto curso de água serpenteava, as margens destacando-se como fiordes naquele plácido mar fluvial.

Serge terminou o curso de Direito nesse Verão e a mulher, agora Agnès Marchand, matriculou-se no quarto ano de Medicina. As suas vidas permaneciam centradas em Paris, onde alugaram um apartamento na movimentada Rue de Tubirgo, em Les Halles.

Ele foi trabalhar no escritório de advogados do tio, localizado ali perto, na Rue Saint-Denis, ao lado da Maison du Sphinx, onde um letreiro na janela anunciava estar-se perante uma *droguerie, pharmacie, herboristerie,* e ela não se importou de ficar um pouco mais longe do Quartier Latin do que estava habituada no seu antigo apartamento de Saint-Germain-des-Prés. Claudette já tinha concluído o curso de História e regressara a Lille, onde foi ocupar uma vaga de professora num colégio local, e o apartamento encontrava-se agora entregue aos outros dois irmãos, entretanto chegados a Paris para também prosseguirem os estudos.

A vida parecia assentar e o par recém-casado já planeava ter filhos quando, apenas vinte e cinco dias depois da cerimónia de Dinan, uma parangona no *Le Petit Journal* assinalou a novidade que iria produzir uma profunda transformação das suas vidas. O casal estava a tomar o pequeno-almoço e Agnès pôs-se a folhear o jornal. Os seus olhos fixaram-se inevitavelmente no fatídico título. A notícia referia a morte de um arquiduque austríaco, nas ruas de Sarajevo, assassinado por um sérvio.

"Que horror!", comentou antes de virar a página à procura de cabeçalhos mais felizes. Trincou uma torrada e olhou pela janela. "Hoje em dia ninguém anda seguro nas ruas."

O que ela ainda não sabia é que aqueles tiros, disparados numa obscura ruela no outro lado da Europa, iriam pôr o mundo de pernas para o ar em menos de um mês.

A guerra entrou na vida de Agnès com a força de um furacão enraivecido. Na sequência de uma complexa sucessão de acontecimentos envolvendo primeiro a Áustria e a Sérvia e depois os respectivos aliados, a França decretou a mobilização geral a 1 de Agosto. Agnès viu Paris transfigurar-se perante os seus olhos, com a multidão tomada pela febre da guerra a sair às ruas em grandes números, enchendo as principais artérias com inúmeras bandeiras francesas, mas também russas e britânicas, e cantando entusiasticamente *La Marseillaise* e marchas patrióticas. Cartazes com ordens de mobilização foram afixados por toda a parte, atraindo grupos alvoraçados de homens, enquanto se sucediam acalorados gritos de *"vive la France!"* e os estabelecimentos com nomes alemães eram atacados e saqueados, em particular as *brasseries* com nomes germânicos.

Serge não ficou indiferente à onda de comoção que se apoderou dos franceses e nessa mesma tarde correu a um posto de recrutamento para se alistar no Exército. Chegou de noite a casa com o cabelo cortado à escovinha e os papéis para se apresentar na madrugada seguinte num quartel da *Armée*, enquanto lá fora era desligada a iluminação pública e os holofotes da Torre Eiffel e dos campos de aeronáutica patrulhavam diligentemente o céu.

"É o meu dever patriótico", explicou Serge nessa noite a uma estupefacta Agnès. "Para além do mais, isto vai ser rápido e estou em casa antes de o Verão acabar."

Dois dias depois, a 3 de Agosto, a Alemanha declarou guerra à França. Por essa altura já os franceses tinham a sua máquina militar em movimento, e Agnès foi nesse mesmo dia à Gare du Nord despedir-se do marido. A estação de caminhos-de-ferro estava mergulhada na maior confusão, Paris inteira parecia ter-se dirigido à gare para saudar os seus bravos. Agnès teve enorme dificuldade em furar por entre a compacta massa humana para chegar perto do comboio destinado ao regimento de Serge. Depois de uma espera atormentada no meio de uma algazarra incrível, viu as alas abrirem-se e os soldados marcharem disciplinadamente até às composições, as espingardas erguidas com a coronha ao peito, os canos estendidos por cima do ombro.

Pôs-se em bicos de pés e esticou desesperadamente a cabeça, procurando o marido naquele mar de bonés encarnados, mas só o viu minutos antes de a locomotiva apitar para partir, elegantemente vestido como um soldado dos exércitos napoleónicos, um majestoso casaco azul e calças de vermelho-vivo, *képi* garrido na cabeça, uma espingarda *Lebel* a tiracolo, como era estranho vê--lo assim, parecia um soldadinho de chumbo. Acenaram, ela lançou-lhe beijos pelo ar, ele devolveu sorrisos. Milhares de pessoas cantavam *La Marseillaise* em coro quando as composições começaram a mexer-se, os soldados despediram-se como se fossem para um piquenique. Serge, a dizer adeus da janela do comboio que o levava para a frente, agitava alegremente o *képi* na mão esquerda, parecia quase feliz aquele *petit soldat*.

A Alemanha atacou a Bélgica no dia seguinte, 4 de Agosto, levando a Grã-Bretanha a entrar na guerra. Os irmãos Chevallier foram entretanto recrutados e também eles seguiram imediatamente para a frente. Agnès foi despedir-se de Gaston à Gare du Nord no dia 5 e de François à Gare de Lyon a 6, sempre no meio de grandes manifestações populares, plenas de fervor patriótico. As tropas francesas avançaram no dia 7 pela Alsácia até chegarem ao Reno e conquistarem Mulhouse. Foi uma explosão de alegria em Paris; as pessoas choravam de alegria e cumprimentavam-se nas ruas, havia sorrisos por toda a parte, *"vive la France!"*, a euforia era generalizada. Mas os acontecimentos precipitaram-se inesperadamente a meio do mês. Os alemães irromperam em França através da Bélgica e, após dois dias de combate, as tropas francesas começaram a retirar na noite de 23, no que foram acompanhadas pelo BEF, o *British Expeditionary Force*. Os alemães avançaram no seu encalço em direcção a Paris, cidade defendida por uma única brigada de infantaria naval.

Nessa altura, Agnès lia na imprensa parisiense sensacionais notícias de grandes vitórias das forças francesas, numa operação de propaganda que ficaria conhecida por *bourrage de crâne*. Foi por isso com surpresa que, no princípio de Setembro, os até aí eufóricos parisienses receberam a informação de que as tropas alemãs tinham atingido o rio Marne, a uns meros cinquenta quilómetros a leste da capital. Instalou-se o pânico em Paris. O governo abandonou apressadamente a cidade e transferiu-se para Bordéus na noite de 2 de Setembro, cimentando a convicção de que Paris estava prestes a cair.

Angustiada e só, Agnès decidiu seguir o exemplo do governo, mas estava fora de questão ir para Lille, uma vez que a sua cidade natal, localizada perto da fronteira belga, se encontrava no olho do furacão, o que a deixava mortalmente preocupada. Vivia em sobressalto, pensava permanentemente no marido, na mãe, nos irmãos e na irmã, no pai, o que estarão a fazer neste momento?, tentava distrair-se, pensar noutras coisas, mas tudo lhe lembrava a família, estarão bem?, todos os pensamentos a conduziam à frente de batalha e a Lille. Era ali que se concentrava a sua vida, toda a sua vida; a solidão em Paris tornou-se-lhe opressiva, pesada, insuportável. Sentiu-se deprimida, percebeu que não podia continuar assim, *"ça ne va pas!"*, tinha de fazer alguma coisa, tinha de sair dali. Optou, por isso, por procurar refúgio em casa dos pais de Serge, em Dinan. Preparou uma mala, arrumou lá dentro umas roupas e Mignonne e na manhã seguinte foi até à Gare Montparnasse para apanhar um comboio com destino à Bretanha.

O problema é que meio milhão de parisienses tiveram exactamente a mesma ideia. Agnès encontrou a estação de comboios apinhada de gente, eram famílias inteiras de trouxas às costas, inquietas com a aproximação dos alemães. Multiplicavam-se os boatos sobre a situação no terreno, dizia-se que o inimigo entraria em Paris no prazo de quarenta e oito horas; a febre do medo sucedera à febre da guerra. Milhares de pessoas acotovelavam-se na Gare Montparnasse carregadas de sacos, maletas, caixotes, embrulhos com farnéis, crianças a chorar, a ansiedade estampada nos olhos. Agnès foi para a fila do *guichet* e levou seis horas para comprar bilhete para Rennes.

A odisseia seguinte foi a de conseguir entrar no comboio. Um mar de gente enchia os terminais da estação e só ao fim da tarde, encharcada em suor e cheia de fome, é que logrou subir a uma carruagem. O comboio transbordava de gente, algumas portas nem sequer se conseguiram fechar e estava fora de questão obter um lugar sentado. Agnès passou doze horas de pé, no corredor, encostada a outros passageiros, exausta e a cambalear com sono, suportando os sucessivos pára-arranca da composição em todas as estações e apeadeiros, até finalmente chegar a Rennes, já o Sol nascera. Um coche alugado na estação levou-a, lentamente e aos solavancos, até Dinan, numa viagem que durou mais oito horas, e foi num estado de total esgotamento que se arrastou até à porta da casa dos sogros, um apartamento na Rue de la Lainerie, no coração de um velho bairro de charme medieval.

A situação no teatro de operações sofreu um novo *volte-face*. O VI Exército francês e uma divisão argelina juntaram-se à brigada de infantaria naval na defesa de Paris, sob o comando do general Galliéni. O comandante-chefe francês, general Joffre, deu a capital como perdida e prosseguiu a retirada do V Exército, planeando uma contra-ofensiva para mais tarde. A vanguarda das tropas alemãs imobilizou-se no Marne e, hesitando, começou até a afastar-se para leste, esperando um realinhamento de forças. Galliéni viu a oportunidade e atacou a 4 de Setembro. Confrontado com o facto consumado da decisão unilateral do comandante da defesa de Paris, Joffre suspendeu a retirada e optou por também atacar. O VI Exército, proveniente da capital, atingiu de surpresa o I Exército alemão na manhã de 6 de Setembro e derrotou-o após três dias de combate. Os alemães ordenaram uma retirada geral no dia 9 e realinharam as suas forças ao longo do rio Aisne, onde cavaram posições defensivas. Paris estava salva, mas começava a guerra das trincheiras.

A vitória na Batalha do Marne restituiu a confiança dos franceses no seu exército, e muitos parisienses que se tinham refugiado na província começaram a voltar para casa. Agnès empreendeu o longo caminho de regresso e entrou no seu apartamento de Les Halles em meados de Setembro. As ruas de Paris apresentavam-se ainda semidesertas, com muitas lojas fechadas e algumas vitrinas partidas, produto dos saques ocorridos no auge da confusão. *Madame* Jolinon, a governanta do edifício onde morava e que permanecera na capital nos dias de incerteza, contou-lhe que os táxis de Paris se tinham mobilizado nos momentos mais difíceis da Batalha do Marne, transportando seis mil soldados de reserva para a frente de combate. Segundo ela, foi isso que salvou o VI Exército e, em última instância, a própria cidade. Era um exagero, claro, mas a mulher limitava-se a repetir o que ouvira, o facto é que os propagandistas não resistiram a difundir o mito de que os civis tinham desempenhado um papel preponderante naquela acção desesperada; podia não ser verdade mas era óptimo para o moral.

Agnès esforçava-se por atear o fósforo e acender o lume, mas não havia meio de a chama aparecer. Vezes sem conta riscou o fósforo na caixa e nada aconteceu, riscou com tanta força que o pauzinho acabou por se quebrar. Foi buscar outro e outro ainda, mas nada sucedia, por mais que raspasse os fósforos o lume teimava em não dar sinal de si.

"Malditos fósforos", comentou para Mignonne, irritada. "Será que estão molhados?"

Apalpou a cabeça negra do último em que pegara e verificou que estava de facto húmido. Praguejou e foi procurar uma segunda caixa ao armário. Conseguiu finalmente acender o fogo e colocou a panela sobre a chama. Havia muito tempo que lhe apetecia um *gras-double* e nesse dia enchera-se de paciência para cozinhar o prato. Deixou momentaneamente a panela ao lume e foi à janela espreitar o céu. O sol desaparecera com o Verão, Setembro aproximava-se do fim e o Outono instalara-se bruscamente em Paris, cobrindo a cidade com um sombrio manto cinzento.

Toc. Toc. Toc.

Agnès sentiu baterem à porta. Ainda de avental foi ver quem era. Abriu a porta e deu de caras com um correio da *Armée de Terre*, de boné na mão e um saco a tiracolo.

"Madame Marchand?"

"Oui?"

O homem estendeu-lhe um envelope. Intrigada, ela limpou ao avental as mãos ainda molhadas, pegou na carta e rasgou a faixa lateral do envelope. Era um postal do *Ministère de la Guerre* a lamentar ter de a informar de que o marido, o soldado Serge Marchand, morrera como um herói no cumprimento do dever e na defesa da pátria.

Agnès releu o texto, incrédula, boquiaberta, olhou para o homem do correio à procura de um sinal de que aquilo não passava de uma brincadeira, o homem baixou os olhos, embaraçado, ela voltou a mirar o postal e, apreendendo finalmente o pleno significado daquela tremenda notícia, sentiu o mundo girar e desmoronar-se debaixo dos pés, o chão a rodopiar como um pião descontrolado, a memória da voz de Serge cantarolando *"je veux mourir, o ma déesse, en ce beau soir, sous ta caresse"* a ecoar-lhe na mente como um presságio que ignorara, a melodia afastando-

-se devagar, como se fugisse, como se se afastasse num túnel longínquo, a voz a desaparecer, a esfumar-se até se perder num profundo e doloroso silêncio.

Aos vinte e três anos, e apenas três meses depois do casamento, Agnès estava viúva. O postal não dava pormenores sobre a morte de Serge nem dizia onde se encontrava o corpo, algo que tornou o luto ainda mais difícil. Os dias que se seguiram à recepção da notícia foram de grande desorientação. Agnès recusou-se a sair de casa e foi *madame* Jolinon quem lhe deu apoio, preparando-lhe as refeições, fazendo-lhe alguma companhia, tentando consolá-la.

"*Courage, ma petite,* você ainda é nova, é duro mas tem de resistir, *c'est la vie!* Também eu já perdi o meu Honoré, sei o que custa, mas aqui estou pronta para outra."

Os familiares de Serge visitaram-na com decrescente frequência. Sem o marido, nada a ligava àquela gente. Foram-se gradualmente afastando até deixarem de se ver. Mignonne foi guardada numa mala para não mais ser tocada; era uma forma de enterrar a infância, cujo fim a notícia da morte de Serge tinha terminalmente precipitado. Deixou de ser uma mulher feliz e despreocupada, o peso do mundo desabou-lhe sobre os ombros.

Para Agnès começou a tornar-se evidente que não podia continuar em Paris. Não tinha o marido para a sustentar, a ela e aos estudos no último ano de Medicina, e o apartamento de Les Halles tornara-se insuportavelmente vazio. O problema é que a ligação à sua família se mantinha cortada. Os alemães ocupavam parte da Flandres e Lille ficava agora por detrás das linhas inimigas. Isso significava que nem ela podia regressar a casa nem os pais lhe podiam enviar ajuda. De resto, não era possível sequer saber o que se passava em Lille, não tinha notícias dos pais e de Claudette e, após o que acontecera a Serge, alimentava os piores pressentimentos em relação a Gaston e François.

Deixou de estudar e começou a encarar seriamente a possibilidade de arranjar trabalho. Com a ida dos homens para a guerra, milhões de francesas estavam já a substituí-los nos empregos, até porque os salários eram melhores do que aquilo a que estavam habituadas. Havia cada vez mais mulheres a conduzirem eléctricos e ambulâncias, embora a maior parte estivesse a convergir para as fábricas de armamento. Agnès admitiu tornar-se uma *munitionette,* como eram conhecidas essas operárias, mas o destino reservava-lhe outros planos.

À entrada do Inverno, Agnès foi comer uma *choucroute* à Brasserie Bofinger, na Place de la Bastille. Sentou-se num banco de couro da cervejaria a observar distraidamente os ricos vitrais do estabelecimento, a mente a vaguear pela sua vida, pelas opções que lhe restavam, pelas difíceis decisões que teria de tomar. A cervejaria encontrava-se quase deserta, não havia muitos jovens para a frequentarem; estavam quase todos na guerra. Foi talvez por isso que os seus olhos pousaram num homem de meia-idade que acabara de entrar e fechava o guarda-chuva junto à porta. Reconheceu o barão Jacques Redier, o velho amigo do pai.

"Senhor barão!", chamou.

O barão Redier virou a cara e os seus olhos encontraram-se, mas ele manteve uma expressão interrogativa, não a identificara. Agnès fez-lhe sinal para se aproximar. Ele hesitou, mas obedeceu.

"Minha senhora", cumprimentou. "A que devo a honra?"

"Senhor barão, não se lembra de mim? Sou a Agnès, estive em sua casa..."

"*Pardon?*"

"Sou Agnès Chevallier, a filha de Paul Chevallier, de Lille. Lembra-se de mim?"

O rosto do barão abriu-se num sorriso caloroso, efusivo até.

"Agnès! Meu Deus, como estás mudada! Estás uma mulher, rapariga, nem te reconhecia!"

"Sente-se, sente-se."

O barão acomodou-se.

"Ah, mas que surpresa!", exclamou. "Não esperava encontrar-te por aqui, palavra de honra. Estás bonita, hã? Uma verdadeira flor." Ficou a mirá-la um instante. "Então a tua família?"

O sorriso de Agnès desfez-se.

"Os meus pais e a minha irmã estão em Lille e não tenho notícias deles desde que a guerra começou."

"Oh diabo! Isto é um aborrecimento, a guerra". Suspirou. "Felizmente que vai acabar depressa."

"O senhor acha?"

"É o que dizem os jornais. Além do mais, já impedimos os boches de chegarem aqui a Paris. Agora é tudo uma questão de tempo até que os políticos se entendam. Portanto, não estejas preocupada que vai correr tudo bem, tenho a certeza disso."

"Quanto tempo?"

"Não sei, talvez cinco ou seis meses..."

"É muito...", desabafou Agnès com desânimo.

"Não te rales, rapariga. Seis meses passam depressa", observou o barão. "O que estás a fazer em Paris?"

"Oh, estou a estudar Medicina."

"E com os teus pais lá em Lille, como é que arranjas dinheiro para financiar o curso?"

Agnès baixou os olhos.

"É esse o problema", disse. "Vou ter de suspender o curso e ir trabalhar."

"Trabalhar? Era o que mais faltava!"

"Porquê?", admirou-se Agnès. "Tenho de viver, não é?"

"Sim, claro, mas nem pensar em trabalhar."

"Como assim? Há muitas mulheres que estão a ir para as fábricas de armamento para..."

"Nem penses nisso!", cortou o barão. "Eu não me chame Jacques Redier se não te ajudar."

"Mas..."

"Olha, porque não vens para Armentières comigo? Desde que a minha mulher faleceu que me tenho sentido muito só naquele palacete imenso."

"A senhora baronesa faleceu? Oh, lamento muito."

"Obrigado. Ela morreu há dois anos, coitadinha, vítima daquela tuberculose crónica de que padecia há muito tempo. De modo que só tenho o Marcel para me fazer companhia. Ora, se

há uma coisa que aprendi é que os mordomos são uns companheiros entediantes. Preciso por isso de alguém que encha o
château de alegria. Por que não vens para Armentières?"

"Mas, senhor barão, eu não posso ir para Armentières..."

"Ah não? E ficas aqui a fazer o quê? A passar fome? Vais para
as fábricas meter pólvora nos cartuchos? O que é que te prende
a Paris, valha-me Deus? Não és casada, pois não?"

"Sou viúva."

O barão abriu a boca de espanto.

"Como?"

"Casei-me há pouco tempo, mas depois veio a guerra e o meu
marido alistou-se..."

O barão passou a mão pelo cabelo.

"Compreendo", murmurou, constrangido. "Pobrezinha, deves
estar a passar tempos difíceis". Fez uma pausa. "Mais uma razão
para vires para Armentières comigo, não estás aqui a fazer nada.
Diz lá, há alguma coisa que te prenda a Paris?"

Agnès ficou parada a olhar para ele.

"Bem... eu...", gaguejou. "Em bom rigor, nada. Mas não me
parece de bom tom ir para o seu *château*."

"Que disparate!", exclamou o barão. "Conheço-te desde pequena. Precisas de ajuda, estás sozinha, a mim também me dá
jeito arranjar companhia, o que mais queres? Tenho obrigação de
te ajudar, sobre isso não resta a menor dúvida. Além do mais, é
apenas uma solução temporária, até a guerra acabar. Quando a
paz regressar, vais a Lille ter com a tua família e voltas aqui a
Paris para concluir o curso."

"Mas, senhor barão, não posso aceitar isso."

"Não digas palermices. Na situação inversa, tenho a certeza de
que o teu pai ajudaria um filho meu." Fez um gesto enfático com
a mão. "Está decidido, rapariga. Vens para Armentières comigo
e não se fala mais nisso."

Foi assim que Agnès se viu, no princípio de 1915, instalada no
Château Redier, o enorme casarão onde passara tantos fins-de-

-semana na sua meninice. O palacete dava-lhe conforto e segurança, mas, por outro lado, tinha o enervante inconveniente de estar relativamente próximo das primeiras linhas. O permanente marulhar da artilharia, feito de um furioso mar de ondas que teimosamente fustigava rochedos invisíveis, deixava-a algo inquieta. Com o tempo, porém, foi-se habituando aos sons daquela longínqua mas incansável tempestade, o trovoar constante transformou-se numa rotina, num barulho de fundo que se vai aprendendo a ignorar.

O barão tratava-a como uma filha, o que, dada a diferença de idades e a proximidade de Redier ao seu pai, parecia natural. A relação entre os dois foi, todavia, evoluindo gradualmente, um sorriso aqui, um toque ali, uma palavra acolá, até se tornar inevitável a conversa que tiveram no salão, numa tarde cinzenta e ociosa, depois de terem tomado o chá das cinco e trincado umas *madeleines* de fabrico caseiro.

"Tenho uma proposta a fazer-te", anunciou ele com ar solene, recostado no canapé.

Agnès balouçava suavemente na sua cadeira de balanço, olhando com melancolia para lá da janela, para as árvores do jardim que farfalhavam debaixo do vento fresco do anoitecer.

"Sim?"

O barão pigarreou e endireitou-se. Agnès sentiu-o subitamente perturbado e desviou para ele a atenção, observando-o com curiosidade. Redier enrubescera, tinha o rosto tenso e os olhos inquietos, parecia nervoso.

"Sabes, Agnès, desde a morte da minha Solange que me tenho sentido muito só. Este palacete é enorme, mas não tão grande como a solidão que me atormenta. A vida parece-me vazia, sem sentido, os dias passam uns atrás dos outros e eu tenho esta terrível sensação de vegetar, sem direcção nem rumo, à mercê do tempo e do que o destino me quiser oferecer." Fixou-lhe os olhos. "A tua vinda mudou um pouco tudo isso, trouxe-me alegria e uma certa *raison de vivre*. Afeiçoei-me a ti e não sei se suportaria viver nesta casa sem a tua presença. Tenho, por isso, uma proposta a fazer-te."

O barão calou-se e ficou a observá-la, como se estivesse mergulhado num debate interior, tentando decidir se avançava ou não com a ideia que lhe fervilhava na mente. Agnès agitou-se, inquieta, na sua cadeira de balanço, desconfortável com o enervante silêncio que se seguira àquelas intrigantes palavras.

"Sim?"

Redier suspirou pesadamente, ganhando coragem para avançar com a sua arrojada proposta, sabia que, depois de a formular, não haveria caminho de retorno, tudo seria diferente.

"Sou um homem de meia-idade e não tenho ilusões sobre o que sentes em relação a mim." Piscou os olhos com um tique nervoso. "Mas, mesmo assim, gostaria de pedir a tua mão em casamento."

Agnès abriu a boca, surpreendida com a ideia. Encarava o barão como uma figura paternal, protectora e amiga, e não sentia a menor atracção por ele. A sua primeira reacção foi dizer que o casamento estava totalmente fora de questão. Ainda esboçou um gesto para rejeitar logo ali o pedido, mas hesitou, de certa forma afeiçoara-se a ele e não o queria magoar nem ofender, percebeu que teria de recorrer ao seu melhor tacto para lidar com a situação. Considerou a maneira mais apropriada de abordar o assunto e optou pela prudência.

"Bem, senhor barão, essa é... é uma proposta inesperada, estou surpreendida", gaguejou, ganhando tempo para pensar. "A bem dizer, nem sei o que responder."

"Responde que sim", implorou ele fervorosamente. Agora que formulara a proposta mostrava-se decidido a ir até ao fim. "Por favor, diz que sim."

"Mas temos uma grande diferença de idade, o senhor podia ser meu pai."

"Escuta, Agnès. Como eu te disse, não tenho quaisquer ilusões. Sei que não me amas, isso é evidente e natural, és muito mais nova do que eu. Mas suplico-te que pelo menos consideres seriamente o meu pedido. Deixa-me que te diga que os melhores casamentos não são os que partem de uma paixão que depressa se extingue, mas aqueles cujo amor vai nascendo com o tempo e amadurecendo como o vinho. Não tenho dúvidas de que irás aprender a gostar de mim, esse sentimento irá crescer naturalmente e estou certo de que poderemos ser muito felizes."

"E se não crescer?"

"Crescerá, tenho a certeza."

"É possível, não digo que não. Mas, e se não crescer?"

O barão voltou a suspirar, considerando essa hipótese.

"Bem, parece-me evidente que essa é uma possibilidade que temos de admitir." Coçou o queixo, pensativo. "Olha, podemos perfeitamente começar devagar, deixar que as coisas aconteçam naturalmente. Por exemplo, em vez de irmos logo viver para o mesmo quarto, cada um pode manter-se inicialmente nos seus aposentos, aguardando o curso normal dos acontecimentos, sem nada forçar. Eu acho é que temos de fazer o caminho caminhando."

Agnès disse que tinha de pensar. Era um mero estratagema para ganhar tempo e procurar uma forma de rejeitar delicadamente a proposta. Ao longo da semana que se seguiu considerou a ideia de vários ângulos, até admitiu o casamento como hipótese académica, imaginou como seria a sua vida unida àquele homem. A verdade, surpreendeu-se, é que talvez nem fosse assim tão má como isso. Ali estava ela perdida num mundo hostil, desenraizada, separada da família, fragilizada e vulnerável, e quem a ajudara, quem lhe tinha estendido a mão sem hesitar na sua hora difícil tinha sido o barão, aquele mesmo homem que ela se mostrava tão pronta a desdenhar. É verdade que Redier era mais velho do que ela e que não a atraía, mas, observando-o agora com outros olhos, não os olhos de uma rapariga sonhadora, mas os de uma mulher madura, verificava que o barão até se revelava um homem interessante, bem conservado para a idade, enérgico e seguro de si. Não se tratava, evidentemente, de um Matt Moore; longe disso, do ponto de vista físico não se podia comparar à famosa estrela de cinema, mas, *quand même*, o barão distinguia-se pelo ar *charmant* e mostrava ser uma pessoa sensível e culta. Além do mais, concluiu, era sensata a ideia de não forçar as coisas, de deixar que o casamento seguisse o seu rumo natural. Agnès deu consigo a imaginar-se realmente a viver com aquela figura distinta.

Casaram-se num sábado chuvoso de Outubro de 1916 na Conservatória de Armentières, numa cerimónia civil em que o único membro da família que a acompanhou foi Gaston, o irmão que desempenhava funções administrativas no sector de Champagne e que se encontrava de licença. No momento da verdade, Agnès fechou os olhos, despediu-se em segredo de Serge, sentiu-se invadida por uma plácida serenidade e, num sopro furtivo, disse *"oui"*.

VII

O quartel do Pópulo dominava a grande praça com a sua larga fachada branca, à esquerda a igreja, a meio a porta de armas. O alferes Afonso Brandão saudou a sentinela e entrou no edifício onde estava aquartelado o Regimento de Infantaria 8. Atravessou o pátio de entrada e galgou a pedra das vastas escadarias interiores que cruzavam o centro das instalações. Afonso subiu os degraus sempre a admirar os vistosos azulejos azuis que embelezavam as paredes caiadas, eram reproduções de bucólicas cenas de monges em jardins, reminiscências da origem religiosa do vasto edifício. Na sua anterior passagem por Braga, nos tempos do seminário, soubera que aquele quartel era o antigo convento dos eremitas de Santo Agostinho, pelo que a decoração não lhe passou despercebida. Calcorreou o soalho de madeira no primeiro andar e foi apresentar-se aos seus superiores hierárquicos.

A vida de um oficial no quartel de Braga era tão aventurosa como o retiro de uma freira num convento. Sem nada para fazer, a não ser talvez entediar-se até à morte, Afonso passou os primeiros dias a reconhecer o edifício e a inteirar-se da sua história. Descobriu que o Estado havia tomado conta do convento em

1834, quando da guerra civil entre D. Pedro e D. Miguel, passando as instalações a servir de boleto das várias forças militares que iam para Braga enfrentar a guerrilha miguelista e pacificar a região. Infantaria 8, originalmente um regimento de Castelo de Vide, foi uma dessas forças, tendo sido destacado para o Minho com a missão de combater os miguelistas e Maria da Fonte, e acabando por se fixar no quartel do Pópulo em 1848, a pedido do município bracarense.

Quadros rústicos no topo das paredes das escadarias centrais do quartel mencionavam "combates em que tomámos parte nas alturas de", seguindo-se uma longa lista de locais e datas, Buçaco em 1810, Fuentes de Onoro em 1811, Salamanca em 1811, Pyreneos em 1813, Nive em 1813, Barcelona em 1814, Orthez em 1814, Toulouse em 1814, e outros registos do género. Afonso estranhou alguns dos nomes e foi ter com o alferes Pinto, um minhoto magro e ruivo, chamavam-lhe o Cenoura, rapaz arrebatado e nervoso, simpatizante da monarquia e com quem tinha travado amizade. O alferes Pinto estava havia dois anos no regimento e Afonso perguntou-lhe o que significavam aquelas referências.

"São as batalhas em que o nosso regimento participou", esclareceu prontamente o Cenoura.

"Infantaria 8?"

"Sim, claro, quem querias que fosse?"

"Mas ali são mencionadas cidades francesas, como Orthez e Toulouse..."

"E então?"

"Mas nós estivemos a combater em França?"

"Sim."

"Em França?"

"Sim, claro. Foi durante as invasões napoleónicas. Fomos atrás dos gajos pela Espanha e pela França, com o Wellington a comandar-nos, dizia ele que nós éramos os galos de guerra do seu exército."

"Arre!"

Para matar o tempo, Afonso tornou-se visita regular do padre Álvaro e foi duas vezes ao Largo de São Thiago visitar o seminário e rever rostos conhecidos. Os seminaristas eram outros, mas D. Basílio Crisóstomo permanecia ainda como vice-reitor e os professores mantinham-se, à excepção do padre Fachetti, entretanto regressado a Nápoles, e do padre Nunes, que se transferira para o Porto. Vê-lo de uniforme deixou os padres surpreendidos, Afonso passara de soldado de Cristo a soldado de el-rei, ironia que suscitou comentários espirituosos.

"Ainda dás pontapés nas pedras?", perguntou-lhe o padre Francisco, o bonacheirão mestre de Retórica.

Todos se riram e Afonso corou.

"Às vezes."

"Mas que grande pagodeiro!", troçavam os padres, divertidos a recordarem as bizarras cenas no pátio do seminário.

Até o vice-reitor, que na altura não achara piada nenhuma às brincadeiras, parecia agora encontrar nelas uma graça inesperada, como se aquele comportamento que suscitara a expulsão do seminarista se tivesse transformado numa mera excentricidade digna de figurar na mitologia da instituição.

"Então como é que deste em oficial, Afonso, tu que não fazes mal a uma mosca?", quis saber D. Basílio Crisóstomo.

"Oh, é uma longa história", suspirou Afonso. "Digamos que andei à procura de uma profissão em que não se faça nada. Como vocês não me deixaram ir para padre, lá fui eu para a tropa."

"Estás a ser injusto", comentou o padre Francisco com ar trocista. "Nós dedicamo-nos a Deus, e nada existe de maior responsabilidade. Além do mais, temos de aturar os alunos do seminário, e isso dá uma trabalheira dos diabos, acredita."

"Oh, se dá", concordou D. Basílio com bonomia.

"Mas olhem que nós na tropa também nos fartamos de trabalhar", atalhou Afonso.

"A fazer o quê, pode saber-se?"

"Muita coisa. Para além das formaturas, jogamos às cartas, bebemos umas cervejolas, andamos a ver as catraias, fatigamo--nos a dormir, é uma canseira, um labor que só visto."

Apesar de cultivar um discreto sentido de humor, o alferes Afonso não era homem de fazer muitos amigos. Tratava-se de uma pessoa de trato fácil e tornara-se relativamente culto e interessado no mundo, mas nas relações pessoais preferia a qualidade à quantidade. À excepção do alferes Pinto Cenoura, o seu rol de amigos era formado sobretudo por aqueles que tinha conhecido ao longo da vida. Convivia com o padre Álvaro em Braga e ia visitar Gustavo Mascarenhas a Vila Real. O amigo sempre conseguira lugar em Infantaria 13, o que não era surpresa para ninguém, Vila Real não era um sítio muito procurado pelos cadetes que se formavam na Escola do Exército. Chegou até a ir a Vinhais para ver Américo. O antigo companheiro do seminário estava diferente, casara, tinha filhos e envolvera-se no negócio do pai. Recebeu Afonso com efusão, encheu-o de comida e rodeou-o de atenções, mas Vinhais era longe e aquela foi a única viagem que o oficial fez até à remota povoação transmontana. O alferes mantinha igualmente correspondência com Trindade Ranhoso, que seguira o curso de estado-maior e ainda permanecia na Escola do Exército. Era através destas cartas que Afonso ia recebendo notícias do Campeonato de Lisboa de *football,* sendo informado pelo Ranhoso de que o Bemfica pusera fim ao reinado do Carcavellos Club e se sagrara finalmente campeão. O Sporting ficou em quinto lugar. O alferes celebrou a notícia com vinho do Porto e mandou uma carta ao sportinguista Mascarenhas a dar-lhe a notícia e a apresentar-lhe os pêsames.

Afonso nunca prestara especial atenção à política, esse era um assunto que não fazia parte do seu universo de interesses. Nisso tornou-se uma excepção. Quase todos os seus colegas discutiam com ar conspirativo o conturbado estado do país, e Afonso foi reparando que, apesar do ambiente predominantemente conservador de Braga, alguns oficiais eram republicanos. A cedência da Coroa ao ultimato britânico de 1890, que desfizera os sonhos imperiais do mapa cor-de-rosa, minara profundamente a credibilidade da monarquia no meio militar, e não só. O descontentamento grassava por toda a parte e o próprio Afonso tendia a concordar com a ideia de que a monarquia era coisa do passado. A imagem do rosto lácteo de D. Manuel II na abertura do ano escolar de 1908 ficara-lhe indelevelmente marcada na memória, era para ele um choque pensar que o rei não passava de um rapazote da sua idade. Como era possível acreditar que um miúdo ainda imberbe seria capaz de governar um império?

Foi ao pequeno-almoço, no quartel de Infantaria 8, que Afonso ouviu pela primeira vez a notícia de que algo muito grave estava a acontecer em Lisboa. Corria a manhã de 4 de Outubro de 1910.

"Já sabes da novidade?", perguntou-lhe o alferes Pinto com um tom sigiloso mal o viu.

"Sei, o Bemfica é campeão."

"Não sejas parvo. Andam aos tiros em Lisboa."

"O quê?"

"Disse-me o telegrafista."

"Andam aos tiros?"

"É como te digo. Parece que saiu à rua o movimento republicano e houve algumas unidades que aderiram."

"Quem?"

"Não sei bem. O telegrafista falou-me na Marinha e na Artilharia 1, mas a situação permanece confusa."

"E nós?"

"E nós? E nós nada, estamos longe das coisas. O coronel reuniu-se com o seu estado-maior, os majores e os oficiais da sua confiança. Dizem eles que foram conferenciar, mas eu acho que estão mas é cagados de medo e preferem ficar a ver o que é que isto dá para depois apoiarem o vencedor."

"Tu quem é que apoias?"

"Eu? Que pergunta, Afonso. Eu sou pelo rei, já sabes."

O dia prolongou-se, tenso e enervante, e os oficiais do regimento de Braga passaram as horas em redor do telegrafista e a conspirar em voz baixa nos corredores, uns pela monarquia, outros pela república, a maioria na expectativa e sem se comprometer. Pedaços soltos de informação eram despejados pelo telégrafo. Segundo as notícias que vinham a conta-gotas, elementos de Artilharia 1 e Infantaria 16 tinham ocupado a Rotunda, onde também se encontravam alguns cadetes da Escola do Exército e civis armados; falava-se na Carbonária. As forças leais ao rei ocupavam o Rossio e defendiam pontos estratégicos, como os bancos, o Arsenal do Exército e o Palácio das Necessidades, onde se refugiava o monarca. A certa altura veio a notícia de que um dos chefes dos revoltosos, o almirante Cândido dos Reis, se suicidara após ter tido a informação de que o golpe fracassara.

Pouco depois de se conhecer esta notícia, o comandante do regimento de Braga abandonou a sua reunião de estado-maior para se pôr ao lado do rei. Sentira que os monárquicos iam ganhar e apressara-se a posicionar-se no lado vencedor. Foi um erro. Os navios da Marinha desataram a bombardear o Rossio e o Palácio das Necessidades, e uma bandeira branca empunhada por um diplomata alemão para obter uma trégua destinada a retirar os cidadãos estrangeiros foi erradamente interpretada como um sinal de que os monárquicos se rendiam. Os populares saíram em massa à rua para festejarem a vitória da República. O regime ficou desconcertado e, num acesso de pânico, o rei fugiu. Na manhã do dia 5, os líderes do movimento republicano subiram à varanda da Câmara Municipal de Lisboa e, perante uma vasta e eufórica multidão que se concentrara na Praça do Município, José Relvas proclamou a República em Portugal.

A vida mudou imenso em Braga. O novo poder em Lisboa contou as espingardas monárquicas nos regimentos e procedeu à limpeza. O coronel que comandava Infantaria 8 passou à reforma antecipada e o mesmo aconteceu aos majores e capitães da sua confiança que tinham cometido a imprudência de apoiar a monarquia no momento em que esta se desmoronava. Pinto Cenoura, apesar de monárquico, escapou à varridela geral, lá devem ter pensado que não valia a pena preocuparem-se com a arraia-miúda, e o que era um alferes senão arraia-miúda? Seja como for, a limpeza provocou um movimento ascendente no quartel.

Como vagaram vários postos de oficiais, sucedeu-se uma catadupa de promoções e Afonso deu consigo em tenente apenas um ano depois de ter abandonado a Escola do Exército. Mas as vagas continuavam por preencher, pelo que, logo a seguir, foi a vez de o alferes Pinto ser igualmente promovido; talvez a sua costela monárquica fosse considerada uma mera bizarria da juventude.

A República trouxe consigo um acirrado clima anticlerical, o que se traduziu num rápido cerco à Igreja, fruto da promessa do novo governo de acabar com o catolicismo no país em duas gerações. Os jesuítas foram expulsos, o ensino do catolicismo proibido nas escolas públicas, vários bispos acabaram destituídos ou desterrados e foi aprovada a lei do divórcio. Em 1911 chegou a vez de ser publicada a lei da separação das igrejas do Estado, que pôs fim aos subsídios à Igreja e lhe expropriou bens, incluindo propriedades. Um édito mandou encerrar todos os seminários do país e o Seminário Conciliar de São Pedro e São Paulo não constituiu excepção. Professores e alunos foram mandados para casa e o edifício do Largo de São Thiago entregue a Infantaria 29.

"Este país está um caos", queixou-se amargamente o vice-reitor, D. João Basílio Crisóstomo, quando Afonso o visitou nas vésperas de o edifício ser abandonado. "Valha-me Deus, o poder caiu à rua! Onde é que já se viu perseguir assim a Igreja? Parece que voltámos à Roma antiga!"

"Tenha calma, D. Crisóstomo, que tudo se há-de compor."

"Calma? Calma? Valha-me Deus, Afonso!", agastou-se o vice-reitor, deambulando amargurado por entre os caixotes de tralha que arrumava antes que chegassem os homens do 29. "É uma vergonha para a civilização o que nos estão a fazer. Uma vergonha, ouviu bem? E uma vergonha para o uniforme que você enverga! Onde é que já se viu entregar um seminário à tropa? Onde é que já se viu mandar encerrar os seminários? Mas que país é este, Virgem Santíssima, que país é este que assim persegue a fé?"

As mudanças eram generalizadas e atingiram quase todas as instituições. Até a Escola do Exército teve de mudar de nome, passando em 1911 a Escola de Guerra. O governo republicano reorganizou o Exército, abandonando o modelo profissional e adoptando a forma miliciana, e a escola viu suprimido o curso de Engenharia Civil, ficando exclusivamente dedicada ao estudo das ciências bélicas. Rolaram cabeças monárquicas por toda a parte e os postos cruciais foram entregues a republicanos, mas a maior parte dos oficiais que ocupavam os cargos intermédios permaneciam leais à coroa exilada e manifestavam má vontade para com o novo regime.

O aparecimento da República não pôs fim à conturbada instabilidade política em que o país estava mergulhado, até porque havia uma enorme expectativa popular em relação aos republicanos, expectativa de que as suas políticas conduziriam rapidamente à estabilidade e à prosperidade e que eles, naturalmente, não conseguiram satisfazer. Em boa verdade, só se podiam recriminar a si mesmos, tão alta tinha sido a fasquia que colocaram quando se encontravam na oposição à monarquia. Para conter os preços dos produtos alimentares básicos, o novo governo criou uma tabela independente da lei da oferta e da procura. Como resultado, e apesar de a tabela nem sempre ser respeitada, a produção agrícola baixou em qualidade e quantidade. Nos mercados começaram a escassear os cereais, o feijão, a batata e a carne, e até o pão se tornou escuro e malcheiroso.

O descontentamento grassava, em particular no Norte, liderado pelo clero. Os próprios republicanos estavam divididos, com Afonso Costa a chefiar os radicais, António José de Almeida a liderar os moderados e Brito Camacho à frente dos conservadores. As medidas radicais, tanto no combate à Igreja como na política económica e social, eram invariavelmente levadas a cabo por Afonso Costa, com Teixeira e Camacho horrorizados com o que consideravam serem excessos reformistas. Como se toda esta confusão não bastasse, também os monárquicos se encontravam divididos, com os fiéis do rei no exílio a mostrarem-se mais moderados na sua oposição à República do que um outro grupo, chefiado por Paiva Couceiro, que se refugiara na Galiza e se preparava para pegar em armas. No meio deste clima efervescente multiplicavam-se os boatos e falava-se em golpes de Estado, em novas revoluções, em guerra civil.

Embora não estivesse alheado dos problemas que o rodeavam, Afonso viveu com indisfarçável prazer a sua condição de tenente. O soldo de tenente era melhor do que o de alferes, as refeições na messe dos oficiais não se revelavam más apesar da crise, ia à missa na Sé, sentando-se sempre por baixo do magnífico órgão, como nos seus tempos de seminário, e usufruía da cumplicidade de novos amigos, sobretudo do tenente Pinto.

Na companhia do Cenoura, Afonso ganhou gosto às coisas doces da vida. Passavam o dia a jogar *bridge* no café A Brazileira, onde um cartaz na esquina da Rua Nova de Sousa, rebaptizada Rua D. Diogo de Sousa em 1912, anunciava que "o melhor café é o d'A Brazileira", ou a ver as garotas a bambolearem-se no Jardim Público. Iam comprar maís e regueifas de pão podre à Padaria Central ou comer sameirinhos e fidalguinhos à Marinho & Filho, a velha pastelaria que todas as tardes lhes adoçava a boca e temperava a alma. Por vezes almoçavam na Pensão Aliança, que servia boas sarrabulhadas, ou no Hotel Central, mesmo junto ao quartel, onde a opção variava sobretudo entre o sarapatel e o empadão de peixe.

Às quintas e domingos à noite, Afonso e os restantes oficiais juntavam-se às famílias em torno do coreto do Jardim Público, pomposamente designado Pavilhão Musical, e escutavam os concertos da banda militar de Infantaria 8. Nas outras noites, os tenentes Afonso e Pinto iam encher-se de cerveja na Cervejaria Cruz & Sousa ou davam um salto ao Café Vianna, por baixo da Arcada, e ficavam a jogar à roleta, à batota e à banca francesa até às duas da manhã. O ambiente fumarento era animado pela melodia alegre dos concertos de piano e pelos bailados das roliças dançarinas contratadas para entreterem os fregueses. Uma vez por outra, enquanto mirava as carnudas bailarinas do Vianna, Pinto desafiava o amigo.

"Ó Afonso, vamos às meninas das Travessas."

Primeiro envergonhadamente, depois mais à vontade, Afonso seguia o Cenoura e iam ambos ao Bairro das Travessas, por detrás da Sé, visitar as prostitutas da Rua de Santo António das Travessas. Era um bairro proibido, só frequentado por mulheres de má fama e por homens que as procuravam. Nenhuma mulher honrada se atrevia a pôr o pé naquelas paragens de ruelas estreitas e intenções suspeitas, quem fosse por ali encontrada perderia certamente a honra e dir-se-ia que tinha sido "vista nas Travessas", referência humilhante e vergonhosa que marcaria para sempre qualquer mulher como rifeira, trapalho, buxote, e mesmo, se os comentários se tornavam verdadeiramente cruéis, buscate. Atormentado pela velha consciência de seminarista, mil vezes jurou Afonso a si mesmo que não voltaria lá e mil vezes quebrou a promessa.

A rotina apenas foi alterada numa manhã de 1913, quando a cidade se encheu de um grande burburinho porque o enorme pinheiro americano veio abaixo. A versão oficial era a de que a grande árvore fora derrubada pelo temporal da noite anterior, mas um empregado do Café Vianna confidenciou a Afonso, com ar conspirativo e misterioso, que, na verdade, isso era desculpa, ela tinha era sido cortada. O que é facto é que o município aproveitou para derrubar os muros do Jardim Público do Campo de Sant'Anna e abrir uma grande avenida desde o ponto onde anteriormente se encontrava o pinheiro americano até lá ao fundo, em direcção ao Sameiro. Com a nova Avenida Central a rasgar o jardim ao meio, abriu-se um passeio público em ambas as alas da avenida, instalando-se ali uma curiosa segregação social que muito divertia o jovem tenente. Os soldados e o pessoal mais despojado subiam o passeio pelo lado direito da grande avenida, frequentando amiúde o Café Avenida, que as boas gentes de Braga apelidavam desdenhosamente de "café do reviralho". Quanto às boas gentes, essas preferiam o lado esquerdo do passeio público, com os papás e as mamãs a concentrarem-se junto ao coreto, que sobrevivera à devastação do Jardim Público, enquanto os casais de namorados seguiam em par avenida a cima, avenida a baixo, separando-se perto do coreto para que os pais não os vissem juntos, um para um lado e outro para outro, e reencontrando-se mais à frente.

Quando saía de Braga, Afonso dividia as suas licenças com passeios pelo Minho e visitas ao Porto e a Lisboa. Evitava, no entanto, Rio Maior, onde, desde que Carolina casara com o seu engenheiro dos caminhos-de-ferro, se limitava a rápidas excursões à Carrachana para ver a família. Mas, sempre que lá ia, fazia questão de passar propositadamente perto da Casa Pereira a exibir o seu belo uniforme, certo de que a sua aparição seria comunicada à antiga namorada com pormenores apimentados. Há-de roer-se de remorsos, pensava Afonso enquanto acariciava o punho do sabre durante esses penosos passeios pelo centro da povoação, périplos que culminavam com uma volta pela recém-baptizada Praça da República, onde visitava o velho chafariz para matar a sede antes de ir comer uma cachola com arroz ou um delicioso magusto à casa de pasto da viúva Maria das Dores.

Mas eram as idas a Lisboa e ao Porto que verdadeiramente lhe davam prazer; sentia-se atraído pela civilização, pelas mulheres elegantes, pela modernidade. Nessas deslocações continuava a acompanhar o *football* e a visitar os animatógrafos. Em Braga lia o semanário local, o *Pátria Nova,* mas também o *Commércio do Porto* e, sempre que calhava, os jornais da capital e a *Ilustração Portugueza.* Não era uma pessoa politicamente madura, mas, apesar de manter uma atenuada costela religiosa, mais por força do hábito do que por convicção arreigada, ia-se inclinando para os republicanos. Considerava-se um democrata e intimamente apoiava o radical Partido Democrático, no governo, e o audacioso primeiro-ministro Afonso Costa; afinal de contas os Afonsos tinham de ser uns para os outros.

O regimento foi diversas vezes colocado em alerta devido às incursões monárquicas. Na de 1911, quando a força invasora

liderada por Paiva Couceiro entrou em Trás-os-Montes com setecentos homens e ocupou Vinhais, Afonso ficou encarregado de
controlar o acesso a Braga pelo Arco da Porta Nova. E na de
1912, quando a mesma força veio da Galiza e tentou assaltar
Chaves, coube-lhe a missão de defender a estrada para Trás-os-
Montes. O tenente Pinto acompanhou-o em ambas as ocasiões,
mas a sua presença deixou-o inquieto e desestabilizado. Enquanto
vigiavam as suas posições, o Cenoura passou o tempo a dizer que,
se os homens do Paiva Couceiro lhe aparecessem pela frente, se
juntaria a eles; afinal era esse o seu dever de patriota. Afonso
praguejava e, em silêncio, suplicava a Deus que não deixasse
Paiva Couceiro chegar ali a Braga. Seria a maior confusão naquela terra de conservadores e monárquicos. Por outro lado, tornou-
-se evidente que os padres colaboravam activamente com os
monárquicos, mas fez-se distraído, afinal de contas a sua unidade
não chegou a entrar em combate e não valia a pena meter-se em
trabalhos. Já o seu amigo Mascarenhas, mais a sua Infantaria 13,
viu acção de sobra, ossos de ofício para quem se encontrava
aquartelado em Vila Real.

O jovem tenente sentou-se numa manhã de Agosto de 1914 à
janela do Café Bracarense e abriu uma edição atrasada do
Cinematógrafo, o semanário humorístico da cidade. Vilela, o
apressado director do *Echos do Minho,* passou pelo balcão para
pedir um rápido café e saudou-o à distância.
   "Olá, tenente", disse Vilela. "Então já sabe das últimas?"
   "Hã?"
   "Começou a guerra. A Alemanha declarou guerra à França e
dizem que vai haver chatice nas colónias."
   A novidade deixou-o pensativo e preocupado. Já sem vontade
de se rir com as graçolas do *Cinematógrafo,* pagou o café e saiu.
Como se fizera uma tarde quente de Verão, foi sentar-se num
banco em frente ao coreto, à sombra de uma árvore, a meditar
naquela tremenda notícia. De olhos perdidos nas ameias da Torre
de Menagem, perfeitamente visível do coreto, Afonso logo pres-

sentiu que dificilmente o país sairia incólume, em particular por causa das colónias portuguesas em África, ambicionadas pela Alemanha.

Dois dias depois de se encetarem as hostilidades, Londres pediu a Lisboa que não se declarasse neutral nem beligerante e os jornais encheram-se de notícias de uma declaração aclamada no Parlamento a unir o destino de Portugal ao de Inglaterra, com juras de apoio militar. Dois meses depois, na sequência de um pedido de peças de artilharia para o exército francês, os aliados aceitaram a entrada de Portugal na guerra e começou a ser estudado o envio de uma divisão para França, designada Divisão Auxiliar. No entanto, a situação nas colónias portuguesas obrigou a repensar as prioridades. Os alemães atacaram Angola pelo Sul e entraram em confronto com as forças portuguesas no sector de Naulila, sucedendo-se outros incidentes em Moçambique com unidades alemãs vindas do Norte. As próprias populações locais aproveitaram o clima de instabilidade e algumas revoltaram-se contra os portugueses. Foram enviados reforços para África, Braga contribuiu com Cavalaria 11 para Angola, e todo o processo para se criar a Divisão Auxiliar, destinada a combater no teatro europeu, sofreu um atraso. O processo foi mesmo interrompido no ano seguinte, durante a efémera ditadura do general Pimenta de Castro, sendo reactivado logo que este foi derrubado, em Maio de 1915, após uma acção militar levada a cabo por elementos essencialmente afectos ao Partido Democrático e que restabeleceu a democracia.

A Divisão Auxiliar passou a ser designada Divisão de Instrução. Em Abril de 1916, o Ministério da Guerra publicou a lista de trinta e dois regimentos que deveriam ser mobilizados, e Infantaria 8, que pertencia à 8.ª Divisão, era um deles. A primeira opção foi, porém, a de colocar apenas quatro divisões a prepararem-se para as hostilidades, com a 8.ª de reserva. Apesar disso, um grupo de oficiais do 8, incluindo Afonso, foi destacado em finais de Maio para Tancos, onde se envolveu no colossal esforço de preparar a tropa para a guerra europeia.

Um mar de soldados encheu toda a área entre Mafra, Tancos e Vendas Novas, eram ao todo vinte mil homens instalados num gigantesco acampamento de barracas de madeira e de lona que tinha sido montado numa charneca acabada de desmatar.

Logo no primeiro dia, quando se apressava a cumprir uma ordem que lhe tinha sido dada pelo major Montalvão, viu o entusiasmo refreado por outros oficiais.

"Onde é que vais com tanta pressa, ó Afonsinho?", perguntou-lhe o capitão Cabral, um republicano conservador, displicentemente encostado a um pinheiro manso.

"O major Montalvão mandou-me chamar os homens para a ginástica, meu capitão."

"O major Montalvão?", riu-se o capitão. "Esse gajo quer é subir na vida e julga que vai para a guerra."

Afonso olhou-o, atrapalhado.

"Meu capitão, é para isso que nos estamos a preparar..."

"Estás parvo, ó Afonsinho? Alguma vez nós vamos para a guerra com esta tropa fandanga? Achas que os ingleses nos querem lá?"

"Isso não sei, meu capitão. Mas as ordens são para..."

"Quais ordens qual carapuça! Então se te mandarem atirar a um poço, tu atiras-te? Esta malta quer usar-nos para os seus fins, as suas negociatas, as suas ambições. Tem mas é juízo e abre os olhos!"

"Peço licença, meu capitão", disse Afonso, percebendo a inutilidade de alimentar a conversa e com pressa de ir chamar os homens.

"Vai lá, vai lá, mas não te deixes comer por esses vivaços."

Tornou-se imediatamente claro que o quadro de oficiais de Tancos estava dividido quanto aos preparativos para a guerra. Apenas os republicanos afectos ao Partido Democrático de Afonso Costa pareciam verdadeiramente empenhados no processo de instrução, transbordando de entusiasmo e de desejo de fazer coisas. Os outros, monárquicos ou republicanos opositores ao partido do governo, mostravam-se cépticos, a sua postura era negativa e a atitude transbordava de cinismo; para eles era tudo impossível, a falta de equipamento revelava-se um obstáculo intransponível, os soldados não passavam de uns bandalhos e maltrapilhos, as chefias eram formadas por incompetentes e oportunistas.

O clima tornou-se muito politizado e, por mais que se tentasse manter afastado daquele debate, Afonso viu-se irresistivelmente atraído para a polémica, era impossível manter-se distante, o assunto emergia em qualquer conversa, não havia modo de o evitar; até o seu melhor amigo dentro do regimento o puxava para a discussão. O tenente Pinto, o Cenoura, alinhava pelos anti-intervencionistas, e, embora sem surpresa, Afonso depressa o descobriu na primeira manhã em Tancos, quando saíram da tenda à procura das latrinas.

"Mas o que é que nós estamos aqui a fazer?", interrogou-se o Cenoura, insatisfeito, de passo rápido no encalço do amigo, olhando para o desconchavado acampamento de barracas e tendas que se prolongava em redor até perder de vista. "A cidade de Pau-Lona. Diz-me lá se isto tem algum jeito?"

Afonso passou a mão pelo cabelo revolto, tentando penteá-lo com os dedos.

"Estamos a fazer o que nos mandam."

"Mas eu não sei se quero fazer o que nos mandam estes parvos."

"Tens bom remédio, Pinto", devolveu-lhe. "Sais do Exército."

"Era o que mais faltava, sair do Exército por causa dos cabrões dos republicanos."

"Então, se ficas, sujeitas-te, o que é que queres que eu te diga?"

"O que eu quero é estar a empregar bem o meu tempo, em vez de andar metido em cavalgadas idiotas. Estes gajos estão a encher-se de dinheiro e a conduzir o país à ruína e nós estamos a colaborar nesta estupidez."

"Ó Pinto, nós estamos aqui para fazermos o nosso trabalho", impacientou-se Afonso. "O resto é conversa."

"Não é bem assim, Afonso", retorquiu o Cenoura, agastado. "Nós estamos a ser cúmplices nesta loucura. Tu achas mesmo que faz algum sentido Portugal envolver-se nesta guerra? Então vamos meter-nos naquele matadouro que não nos diz respeito só porque os senhores republicanos estão à rasca com a contestação que cresce no país?"

"Não tem uma coisa a ver com a outra."

"Ah não, não tem! Então por que é que achas que aqueles parvos querem meter Portugal na guerra?"

"Bem...", atrapalhou-se Afonso, parando para se concentrar na resposta. Lá ao fundo já se viam as latrinas e a fila de homens à espera da sua vez para defecarem naquele descampado imundo, o fedor a fezes sentia-se à distância. "Em primeiro lugar, para defender as colónias e o império. E, além disso, é importante que o país se afirme no concerto das nações..."

"Concerto das nações?"

"... e marque a diferença em relação à Espanha."

"Essa do concerto das nações é boa! Andas a ler muito a imprensa republicana."

"Porquê? Não é verdade?"

"Claro que não", exaltou-se Pinto, gesticulando profusamente. "Não vês que tudo isto só tem a ver com as miúfas que esta malta tem de que o regime mude?"

"Não, não vejo."

"Ó Afonso, mete-me isto bem na cabeça", disse, de dedo em riste e o bigode ruivo a tremer. "O governo está aflito com a contestação às suas políticas ruinosas e espera fazer da guerra uma causa comum, quer criar uma união sagrada que cale as dissensões e consolide o regime. Tudo à custa do nosso sangue e tudo para que aquele bando de chupistas mantenha os seus tachos."

"Estás parvo."

"Não tenhas dúvidas de que é como te digo. Enquanto andamos todos a apoiar os soldadinhos que vão para a guerra, coitadinhos, ninguém contesta o governo. Os republicanos estão a tentar fazer da sua causa uma causa nacional, uma *union sacrée* como os franceses, e com isso tencionam manter-se no poleiro, o verdadeiro objectivo de todo este exercício."

"Que exagero!"

"Podes crer que é verdade. Isto não tem nada a ver com esse tal concerto das nações."

"Claro que tem, ou não sabes que a Alemanha quer abocanhar o nosso império? Além disso, não te esqueças da Espanha."

"A Espanha?", riu-se Pinto. "Não me vais agora dizer que queremos entrar na guerra por causa dos espanhóis."

"Ri-te, ri-te. Mas não te esqueças de que os ingleses andam chateados com o derrube da monarquia e começaram a fazer olhinhos aos espanhóis. Não leste no jornal que os gajos nos disseram que a aliança militar não envolve a defesa das nossas fronteiras terrestres, apenas a defesa da costa e das colónias? O que é que pensas que isso quer dizer, hã? Os bifes estão a tramar alguma. E não te esqueças também de que já andam em Espanha a falar na necessidade de anexar Portugal e de esmagar o bichinho da República antes que ele lá chegue. Além disso, lembra-te de que foi de lá que vieram as incursões militares do Paiva Couceiro nos últimos anos. Junta os ingleses aos espanhóis e estamos todos arrumados, o que é que pensas?"

"Tudo basófias, moinhos de vento, espantalhos para assustar a malta. Mas, não te preocupes, essa treta de irmos para a guerra não vai passar de conversa."

"Isso já não sei."

"Mas sei eu. Só vamos para a guerra se a Inglaterra nos pedir. E a Inglaterra, que não é parva e nos conhece de ginjeira, nunca o vai pedir. Por isso, cá vamos ficar nós a brincar às guerras aqui em Tancos."

"Olha que há dois anos, quando a guerra começou, eles pediram para a malta entrar."

"Isso já lá vai. Não fomos e agora já não vamos. Os bifes já nos toparam. Para que é que querem eles um bando de maltrapilhos a combater lá em França? Dávamos-lhes mais trabalho do que uma divisão de boches."

Afonso fixou os olhos na fila de homens à sua frente, à espera de vez para entrar nas latrinas, e decidiu pôr termo à discussão. "Olha lá, vamos ou não aliviar-nos?"

Os prós e os contras dos preparativos para a guerra eram calorosamente discutidos na messe de Tancos, transformada num verdadeiro caldeirão de intrigas e conspirações, os oficiais a digladiarem-se sobre os méritos e deméritos de um eventual envolvimento de Portugal na guerra, um envolvimento em que poucos, na verdade, acreditavam. Mas os acontecimentos precipitaram-se em 1916.

A Grã-Bretanha precisava de reforçar a sua frota de navios para compensar as perdas que a campanha levada a cabo pelos submarinos alemães estava a infligir no contingente da marinha mercante. No início do ano, os aliados descobriram que trinta e seis navios alemães se tinham refugiado em portos portugueses e, após uma troca de mensagens, Londres invocou a aliança militar e pediu a Lisboa que apreendesse os barcos. Os navios foram tomados de assalto a 23 de Fevereiro e a Alemanha declarou guerra a Portugal a 9 de Março.

O clima conspirativo atingiu por toda a parte o seu clímax. Apenas o Partido Democrático, no poder, e o Partido Evolucionista apoiavam a entrada de Portugal na guerra. Tudo o resto era oposição. Os unionistas, os monárquicos, os católicos, os socialistas, os sindicalistas, os republicanos moderados, os republicanos conservadores, a maior parte do Exército, todos se mostravam anti-intervencionistas. Conspirava-se nos corredores do Parlamento e nos quartéis, nos cafés e nos botequins.

Ainda em Tancos, e em pleno ambiente de surda contestação, o capitão Cabral voltou a acercar-se de Afonso para exprimir o seu descontentamento com o estado de coisas. Repetiu os argumentos do costume sobre o despropósito da intervenção portuguesa e a irresponsabilidade criminosa do governo, e o tenente, sem querer entrar em discussões que lhe pareciam estéreis, a tudo foi dizendo que sim, pois claro, é uma vergonha, o que é que se pode fazer?, isto não tem remédio. Encorajado com a aparente receptividade de Afonso, e sem a perspicácia de perceber que se tratava de mera cortesia destinada a evitar um confronto verbal com um superior hierárquico, o capitão deixou cair o verdadeiro propósito da conversa.

"Ó tenente, diga-me lá sinceramente", atalhou, como quem não quer a coisa, ao mesmo tempo que o sondava intensamente com os olhos. "Você estava disposto a tomar uma atitude?"

"Uma atitude, meu capitão? Mas que atitude posso eu tomar?"

"Uma atitude, homem, uma coisa a sério. Sei lá, ajudar a impor a voz da razão."

Afonso pensou no que aquelas palavras não diziam, mas sinuosamente insinuavam.

"Pegar em armas, quer o meu capitão dizer?"

"Eh lá, rapaz, essa é uma maneira forte de pôr as coisas", atalhou Cabral com uma gargalhada nervosa e os olhos perscrutadores à procura de sinais de cumplicidade. O rosto recuperou depois a seriedade e a voz manteve-se serena, embora um tudo-nada excitada. "Temos de pensar no que vamos fazer. Mas é verdade que somos militares e temos uma responsabilidade para com a pátria. Se essa responsabilidade nos obrigar a pegar em armas..."

O capitão Cabral deixou a frase a pairar sibilinamente no ar, aguardando com expectativa a reacção do tenente. Afonso olhou para as unhas como se estivesse preocupado com a porcaria lá entranhada e levou um bom momento a pegar na palavra.

"Às ordens de quem, meu capitão?"

Cabral sorriu.

"Digamos que há uma importante figura da República que quer pôr fim à bagunça, pôr as coisas em ordem e salvar o país de uma catástrofe..."

Afonso endureceu o rosto.

"Meu capitão, eu fiz um juramento de bandeira e tenciono respeitá-lo. Actuar..."

"Eu também, Afonso, eu também respeito a bandeira."

"Deixe-me acabar."

"Diga lá."

"Eu respeito o meu juramento de bandeira. Isso significa que cumpro as ordens que são legitimamente dadas pela minha hierarquia. Actuar de modo a violar a lei é algo que eu não farei."

"Mas asseguro-lhe, Afonso, que nós também..."

"Meu capitão", cortou Afonso. "Não participarei em nenhum acto ilegal ou sedicioso e aconselho-o a que não me dê mais informações sobre o que tenciona fazer, o senhor e a importante figura da República que mencionou, porque senão ver-me-ei na obrigação de relatar esta conversa aos nossos superiores."

O capitão Cabral suspirou, agastado.

"Muito bem, Afonso, faça como entender. Se quer colaborar com esta política irresponsável e ruinosa para a pátria, colabore. Mas não se arme em moralista e em fiel defensor da legalidade, a história dirá quem são os verdadeiros traidores."

Afonso passou a evitar os grupos, a conversa era sempre a mesma e enfastiava-o. Além disso, não queria ver-se permanentemente no dilema de ter de escolher entre passar a vida a discordar dos seus camaradas ou, em alternativa, de ter de concordar com eles para evitar discussões, mas correndo o risco de tal ser interpretado como um envolvimento tácito naquela epidemia de conspirações e má língua.

Mau-grado este clima, os preparativos militares prosseguiram e os elementos da Divisão de Instrução, uma vez completados os exercícios em Tancos, regressaram em Agosto aos quartéis. Foi com alívio que Afonso voltou a Braga e foi no quartel, em pleno exercício de esgrima, que ouviu pela primeira vez falar no Corpo Expedicionário Português. Inicialmente dizia-se que seria formado por uma única divisão, em Dezembro começaram a ser mencionadas duas divisões, e depois três. A partida das tropas foi marcada para o início de 1917; os primeiros regimentos a entrarem nos barcos seriam Infantaria 7, 15 e 28.

A apenas três semanas do embarque, as forças de Infantaria 34, aquarteladas em Tomar, iniciaram uma revolta. Corria o dia

13 de Dezembro e um dos heróis da República, o prestigiado general Machado Santos, o mesmo que no 5 de Outubro tinha liderado o audacioso avanço dos revoltosos republicanos da Rotunda até ao Rossio, fez publicar um *Diário do Governo* a demitir todos os ministros e a nomear substitutos. O jornal era falso, mas o envolvimento de Machado Santos verdadeiro, o herói da revolução republicana queria impedir o embarque das tropas para França. As unidades fiéis ao governo reagiram a tempo e a intentona falhou. Nos dias seguintes descobriu-se que a maior parte dos oficiais envolvidos na sublevação estavam escalados para seguirem para França. O executivo teve de os substituir à pressa, uma situação que atrasou em algumas semanas a partida do CEP. Pior do que isso, abalou profundamente o moral dos soldados. Se nem os seus oficiais os queriam conduzir na guerra, o que iam eles para lá fazer? Alguns capitães e majores de Infantaria 8, incluindo o capitão Cabral, foram detidos por causa do papel que desempenharam na revolta e tornou-se necessário preencher estas vagas. Afonso deu consigo promovido a capitão.

Os primeiros soldados portugueses embarcaram em Lisboa com destino a Brest nos finais de Janeiro de 1917, num ambiente de secretismo e alguma confusão.

O recém-promovido capitão soube da notícia quando estava sentado na messe com um copo de aguardente de cana na mão. O major Montalvão contou-lhe os pormenores durante uma partida de *bridge,* por entre duas baforadas de cachimbo e uma chávena de café. Quando a partida acabou e o major se foi embora, Afonso ficou a matutar no assunto, não sabia se deveria estar contente ou preocupado.

Viu-se perante um dilema. Por um lado, Portugal envolvia-se num conflito de dimensão europeia e respeitava os seus compromissos de aliança com a Inglaterra. Além disso, o Exército cumpria os seus deveres. Mas, por outro, tudo aquilo seria engraçado se não o envolvesse directamente, se não houvesse a possibilidade de também ele ser levado para aqueles palcos de morte.

Enquanto abstracção, a partida das tropas enchia-o de satisfação. Porém, enquanto acontecimento que poderia ter um impacto directo na sua vida, o embarque assustava-o. Embora, bem vistas as coisas, houvesse ali um lado de aventura que não lhe desagradava de todo, andar aos tiros de arma na mão, arriscar a vida, enfrentar o perigo, quem sabe se um acto de bravura não o tornaria um herói, um bravo, um Mouzinho, que nicada ficaria Carolina!

O aparecimento do tenente Pinto na messe levou-o a decidir--se a encarar a notícia pelo lado positivo. Os medos eram para os cobardolas; em França esperava-o a acção, o heroísmo, a glória. Afonso, embrenhado nos seus pensamentos, reflectiu que possuía galões de oficial e tinha de se comportar como tal. Por outro lado, o apoio à partida das tropas sempre era uma forma de se meter com o tenente, um pretexto para o provocar, para remexer a sua visceral repulsa pelo envolvimento de Portugal na guerra.

"Lá vai a rapaziada naquela viagem que dizias que nunca se realizaria", soltou Afonso maliciosamente quando o amigo se sentou com um copo de bagaço entre os dedos.

"Uma triste figura, é o que vão lá fazer", resmungou o Cenoura entre dentes, pouco convencido.

"E apareceu toda a gente. Soldados, oficiais, não houve deserções."

"Ah não? E então o que aconteceu em Santarém, hã?"

"Não me fales de Santarém."

"Não te convém..."

"Não te convém é a ti."

"A mim?"

"Sim, a ti. Foi uma vergonha o que lá se passou. Os soldados compareceram no quartel, não faltou um único, todos preparados para apanharem o comboio para Lisboa e seguirem para França. Todos. E os senhores oficiais ficaram todos em casa."

"Estás a exagerar", riu-se o tenente. "Olha que houve um alferes que apareceu."

"Não gozes que é grave. Os oficiais desertaram, abandonaram os seus homens, e isso não é para brincadeiras."

"Desertaram, não. Indignaram-se."

"Desertaram. E já sabes o que lhes aconteceu?"

"Foram presos."

"Não, depois disso."

"Depois disso? Depois disso, nada. Estão presos."

"Ó homem, não sabes o que lhes aconteceu?"

"Eu não."

"Aaah, não sabes... Olha, foram enxovalhados pela populaça. O povo saiu à rua quando eles eram levados para a estação. As mães, as mulheres, as namoradas, as irmãs dos soldados, todas na rua a atirarem-lhes pedras e lama e a chamarem-lhes cobardes, a insultarem os oficiais que ficaram enquanto as praças partiram. Uma vergonha."

"Mas quem é que te contou isso tudo?"

"O major Montalvão."

"Esse também é uma boa peça", murmurou baixinho, revirando os olhos. "Mas, olha, ao menos conseguiram não seguir para França."

"Isso é o que tu pensas", riu-se Afonso. "Foram condenados a trinta dias de prisão correccional e já estão a cumprir a pena num barco."

"O quê? Eles seguiram mesmo para França?"

"Seguiram, pois."

"Não sei se será boa ideia."

"Não vejo porquê. Parece-me até muito justo."

"Ah sim? E como é que uns oficiais que estão contra a guerra vão chefiar os homens no combate? Já viste como vai ser?"

"Debaixo de fogo não têm outro remédio senão ir em frente, caraças."

"Afonso, Afonso, as guerras não se ganham assim. Ganham-se com liderança e moral elevado, ganham-se com motivação e empenhamento. Diz-me lá que liderança, que moral, que motivação, que empenhamento, esses oficiais têm?"

Afonso fez um silêncio meditativo, ponderando aquela situação. "Sim, tens razão", admitiu finalmente. "Pode ser um problema. Mas não vejo alternativas. Se eles tivessem ficado cá, isso seria um prémio e encorajaria outros a repetirem a gracinha."

Pinto tirou do bolso um maço de *Mondegos* e acendeu um cigarro.

"Outra coisa que não percebo é por que razão mandam a malta de barco", disse pensativamente, expelindo uma baforada cinzenta. "Com os submarinos alemães à solta, parece-me um perigo desnecessário, é mais um disparate deste governo de merda."

"Essa é boa! Então como é que querias que eles fossem?"

"De comboio, claro."

"De comboio? Estás parvo ou quê?"

"Mas qual é a dúvida?"

"Ó homem, a Espanha não deixa."

"Não deixa? Não deixa porquê?"

"Política, o que é que havia de ser?"

"Mas o que é que a política tem a ver com isto?"

"O problema é que a Espanha é um país neutral e não autoriza o movimento de tropas beligerantes pelo seu território. Além do mais, não te esqueças de que os espanhóis simpatizam com os alemães."

"Olha que isso não deve ser bem assim", atalhou o tenente. "Disseram-me que o coronel Abreu vai seguir para França de comboio."

"Vestido à civil, Cenoura, vestido à civil. Como turistas, sem a farda vestida, podemos ir por Espanha, não há qualquer problema. Mas não é possível enviar todo o CEP à paisana por comboio, como deves compreender. Portanto, como ir a nado não é opção, lá têm eles de apanhar os barcos."

O tenente Pinto ficou calado um momento.

"Se queres que te diga, os espanhóis é que têm razão", desabafou finalmente.

"Em quê? Em serem neutrais?"

"Sim, nisso também. Mas refiro-me a apoiarem os alemães."

"Não digas disparates."

"Não é disparate nenhum. A que propósito é que vamos ajudar os ingleses e os franceses?"

"Ó Cenoura, temos de respeitar a nossa aliança com a Inglaterra. Se eles nos pedem ajuda..."

"Não me venhas com essa conversa. Os ingleses que têm uma aliança connosco são os mesmos que nos deram o ultimato em 1890 e são os mesmos que negociaram com os alemães a entrega das nossas colónias. E, quanto aos franceses, nem é bom lembrar as invasões napoleónicas nem o que eles escavacaram por aqui. Vamos ajudar essa malta? A que propósito?"

"É do nosso interesse. Se nada fizermos agora, não estaremos mais tarde em condições de defender o nosso império quando os mapas forem redesenhados. E, além disso, reafirmando a nossa aliança com a Inglaterra, ficamos com a certeza de que os espanhóis não se atrevem a vir moer-nos o juízo."

"Lá vens tu com a mesma conversa."

"Tens razão", sorriu Afonso. Baixou a cabeça, pensativo, à procura de um outro tema menos tenso e conflitual. Lembrou-se. "Olha lá, já foste esta semana ao restaurante do Hotel Francfort? Aquilo é que têm lá um bacalhauzinho de se lhe afiar o dente!"

A partida da 1.ª Divisão foi acompanhada por um intensificar dos preparativos das unidades que pertenciam à 2.ª Divisão. Os britânicos fizeram chegar fardas novas a Portugal, distribuídas pelos contingentes integrados no CEP. Dizia-se que fazia frio em França e foram entregues a cada soldado um capote de lã e duas mantas, para além de dois pares de cada peça de roupa. Em Braga, os homens de Infantaria 8 foram todos equipados, a maior parte com capacetes de copa canelada na cabeça, de má qualidade, o refugo do exército britânico. Afonso teve mais sorte e conseguiu um mais resistente capacete *MK1* e um magnífico dólman aberto, privilégios de oficial.

As ordens de embarque vieram num dia nublado de Abril. Na manhã de sábado, dia 21, os dois mil homens de Infantaria 8 e Infantaria 29 marcharam pelas ruas de Braga e formaram junto à estação num ambiente de grande comoção. Famílias inteiras compareceram à despedida, mulheres choravam amargamente a partida dos filhos, dos maridos, dos namorados, dos pais. Alguns civis irrompiam pelas filas desordenadas de soldados para abraçarem este ou aquele, para darem um último conselho, para entregarem uma maçã, uma regueifa, um fidalguinho, para partilharem mais uma lágrima ou largarem um derradeiro beijo.

A uma ordem dos oficiais, os homens subiram às carruagens e o comboio iniciou a marcha com um apito longo e triste, bonés a acenarem pelas janelas, beijos lançados pelo ar. A locomotiva a carvão ganhou velocidade e desapareceu lentamente na curva, do comboio apenas se via agora o fumo negro que se erguia acima do casario, deixando a multidão desalentada com a partida dos seus rapazes para a guerra.

Tratava-se de um comboio especial, pelo que não fazia paragens. Afonso não se despedira de ninguém, limitara-se a escrever uma carta para a Carrachana com a notícia da sua partida. O capitão passou a viagem a ver Portugal desfilar-lhe pela janela, rezando em silêncio, interrogando-se sobre se voltaria e em que estado. Leu vezes sem conta a edição dessa manhã do *Commércio do Minho,* que, na primeira página, chamara "Jornada Solemne" àquele dia. "Quantas lágrimas vão hoje ser vertidas; quantas recordações saudosas a amargurarem as almas", escreveu o jornal num longo artigo repleto de angústias e exortações e que terminava com uma fervorosa prece: "Deus vos acompanhe na lucta e guie os vossos passos ao triumpho, á victoria." Afonso achou o texto piroso, mas no fundo gostou, sentiu-o sincero. Quando esgotou a leitura do jornal, passou para as "Instruções para o embarque", um documento emitido na véspera pela 2.ª Repartição do CEP, destinado a regular procedimentos que impedissem a repetição do caos dos primeiros embarques.

O ambiente no comboio revelava-se moderadamente alegre. Os soldados eram rapazes novos e muitos mostravam-se excitados com a viagem, viviam intensamente a grande aventura, "vamos despachar umas francesas", tudo era novidade; a maior parte abandonava pela primeira vez o Minho e sentia que ia conquistar o mundo. À vista de Lisboa o comboio abrandou e entrou lentamente na gare. Os soldados apearam-se e foram alojados num quartel, onde pernoitaram.

Na manhã seguinte marcharam para o porto. No cais, Afonso assegurou que a sua companhia formava em linha no local que lhe fora designado e ficaram todos a aguardar as instruções dos delegados do quartel-general. Havia milhares de homens e centenas de cavalos no porto, e tornou-se claro que o embarque seria demorado. Aproveitando o compasso de espera, Afonso deu um salto a uma tabacaria, comprou *O Século* desse memorável dia 22 de Abril e regressou ao cais. Os homens encontravam-se sentados no chão à conversa ou a admirar os navios britânicos que os iriam levar para França.

O capitão abancou sobre uns caixotes, Pinto encostado ao lado a espreitar pelo ombro, e ambos ficaram assim a ler o jornal. A grande manchete do dia era a notícia de que "os inglezes derrotam os turcos", mas passaram os olhos pelas primeiras linhas e perceberam que tudo aquilo acontecia na distante Mesopotâmia, não interessava. A sua atenção percorreu a segunda coluna até se fixar num pequeno título, "Os prisioneiros de guerra", isso já era algo que lhes dizia respeito, ou podia dizer. A notícia contava a história de três soldados britânicos que tinham fugido de um campo alemão de prisioneiros e, uma vez nas linhas aliadas, "citam coisas extraordinárias dos sofrimentos e do tratamento brutal a que são sujeitos os prisioneiros". Segundo a notícia, os três pareciam esqueletos vivos e revelaram que a vida nos campos era dominada pela fome, pelo frio e pelas doenças.

"Eh lá", exclamou o Cenoura. "Já vi que, se me render, tenho de levar uns chouriços no bolso."

Um outro título despertou-lhes igualmente a atenção, "Portugue-zes na guerra". Leram e verificaram que era o anúncio de que a *Ilustração Portugueza* do dia seguinte iria trazer "flagrantes aspectos das nossas tropas que foram combater contra os alemães."

"Já viste?", perguntou Afonso. "Qualquer dia a malta também aparece na *Ilustração Portugueza.*"

Ao fim de algumas horas de espera, gastas essencialmente a carregar os navios de abastecimentos e cavalos, os delegados do quartel-general deram a ordem de embarque. Como responsável de uma companhia, Afonso subiu ao barco destinado ao seu regimento, era o *Bellerophon,* e ficou junto à prancha a aguardar os homens. Infantaria 8 alinhou em fracções de doze praças, cada fracção comandada por um cabo, e os homens marcharam de costado a dois e desfilaram para o convés do navio, sendo distribuídos pelos alojamentos segundo as instruções dos comandantes de pelotão. O embarque foi feito em silêncio, de acordo com as ordens emitidas, o que conferiu uma solenidade pesada ao momento. Terminado o embarque de Infantaria 8, os oficiais entregaram aos delegados a relação nominal de todos os homens que embarcaram no *Bellerophon.* Eram, ao todo, vinte e nove oficiais, quarenta e cinco sargentos e mil e setenta e cinco soldados do 8, mais cinquenta praças do 10, o regimento de Bragança. Alguns homens do 8 tinham sido colocados no *Inventor.* Do convés, Afonso observou os restantes navios, o *City of Benares* e o *Bohemian,* onde se encontravam os efectivos do 29, o outro regimento de Braga, e pensou que teria de se habituar à ideia de que aquelas unidades deixariam de ser regimentos e passariam a batalhões, era um passo necessário para homogeneizar as forças portuguesas e britânicas.

As pranchas foram desmontadas e pouco tempo depois os rebocadores começaram a arrastar os navios para longe do cais. Levaram-nos para águas profundas, para abismos longínquos, para trevas desconhecidas, e os homens ficaram em silêncio a observar a terra a afastar-se, devagar, devagar, só voltariam a ver a costa quando avistassem Brest.

PARTE DOIS

Flandres

I

O enorme *Daimler* negro, as bandeiras com a águia imperial esvoaçando junto aos enlameados faróis dianteiros, cruzou a Rue de la Chausée, entrou na Grande Place por sul, deu vagarosamente a volta ao largo e imobilizou-se frente ao Hôtel de Ville, o edifício da *Mairie*, os batedores espraiando-se pela praça para vigiarem os acessos, afinal de contas havia oito ruas que para ali iam convergir. Um oficial com a cruz de ferro no colarinho e farda *feldgrau* fez continência para a janela da limusina, deu um passo em frente e abriu com deferência a porta esquerda traseira. O general saiu do carro, a bota impecavelmente polida mergulhou numa poça de água barrenta, *"Scheisse!"*, praguejou, procurou uma parte mais seca do piso, sentiu o vento cortante a fustigar-lhe o rosto e ajeitou o grosso sobretudo com um gesto rápido, protegendo o pescoço do frio.

"Was für ein schreckliches Wetter!", vociferou entre dentes, a voz rouca e baixa, resmungando contra o tempo e o frio.

Ergueu os olhos para o céu cinzento, procurando inexistentes raios de Sol, mas a sua atenção foi atraída para a soberba fachada que se erguia em frente. O general estacou defronte dos enormes portões abertos diante de si, admirando a arquitectura do edifício da Câmara Municipal e ignorando os soldados que se perfilavam em sentido e a estranha estátua de ferro que protegia a entrada.

"Was ist das für ein Kunststil?", perguntou ao ajudante-de--campo, sem tirar os olhos da fachada. Queria saber qual era o estilo arquitectónico da *Mairie*.

"Gotik, Herr Kommandant."

A Câmara de Mons estava instalada na praça principal da cidade, capital da ocupada província belga de Hainaut. Era um antigo forte do século XV, construído em estilo gótico, imponente, a fachada pintada em cor-de-rosa e trabalhada em pormenor pelos arquitectos e pedreiros medievais. A estátua de ferro colocada junto à grande porta era a popular *Grande Garde,* o macaco da Guarda, uma escultura da Idade Média, de origem desconhecida, mostrando um macaco de cócoras, a mão esquerda a coçar a cara. Ao lado da original estátua encontrava-se uma tabuleta com *Eintritt Verboten* escrito em gordas letras góticas, uma proibição de entrada obviamente destinada aos civis belgas. No alto do edifício, na zona central, erguia-se, como uma coroa imponente, uma torre quase cilíndrica, com um relógio na base, assinalando oito horas e nove minutos.

Era manhã em Mons e o calendário marcava 11 de Novembro de 1917. Depois de apreciar a fachada do Hôtel de Ville, o general recém-chegado cruzou os portões, atravessou o túnel e chegou ao jardim interior, designado *Le jardin du Mayeur,* cruzou o jardim, entrou por uma porta larga, subiu ao salão nobre da sede do município, o ajudante-de-campo na peugada, e saudou apressadamente o grupo que o aguardava.

"Guten Morgen", cumprimentou o general Erich Ludendorff, general quartel-mestre das forças armadas alemãs, o cérebro por detrás das operações militares da Alemanha, o terceiro homem na hierarquia militar do país, depois do comandante-chefe, o *Kaiser,* e do marechal Paul von Hindenburg, mas na verdade o verdadeiro comandante de todos os exércitos alemães, a grande eminência parda do país.

O salão agitava-se de homens fardados, atarefados num bulício de trabalho, um mapa gigantesco do sector da frente ocidental a espraiar-se pela mesa, no centro. Quando o general entrou impôs-se instantaneamente o silêncio, os homens puseram-se em sentido e fizeram continência.

"Guten Morgen, Herr General", exclamaram todas as vozes, mais ou menos em uníssono, o som a reverberar pelo salão.

Os elementos supérfluos dos diversos estados-maiores abandonaram rapidamente o local, numa agitação de papéis remexidos e botas a ecoarem pelo soalho impecavelmente encerado. Os sons foram-se afastando e a tranquilidade instalou-se pouco a pouco até o silêncio se abater totalmente sobre o ambiente da sala. Ludendorff pousou a pasta que levava na mão, tirou da cabeça o característico *pickelhaube,* o imponente capacete negro com uma seta gótica apontada para cima, sentou-se no cadeirão que lhe estava reservado, em posição dominante na mesa, limpou o monóculo com meticulosa atenção, colocou-o no olho e, calado e perscrutador, fitou os três altos oficiais diante de si. Estava reunido o *Oberst Heeresleitung*, o Comando Supremo Alemão, num conselho de guerra que iria revelar-se decisivo.

"Meine Herren", começou o general, em tom vigoroso. "Estive a conferenciar com o marechal Hindenburg e decidimos antecipar a ofensiva da Primavera."

À mesa não estavam os comandantes dos vários corpos de exércitos alemães, mas, como era costume na tradição marcial da Alemanha, os respectivos chefes de estado-maior. Eram eles que discutiam a estratégia, não os comandantes nominais. Sentado com Ludendorff encontrava-se o general Herman von Kuhl, chefe de estado-maior do corpo de exércitos do príncipe Rupprecht da Baviera e anfitrião daquela cimeira. Era em Mons que estava sediado o quartel-general do príncipe Rupprecht e eram as suas tropas bávaras que garantiam a segurança do edifício, os estandartes axadrezados em azul e branco da Baviera ao lado da bandeira da Alemanha na fachada do município. Presentes encontra-

vam-se também o general von der Schulenberg, chefe de estado-
-maior do corpo de exércitos do príncipe herdeiro, Guilherme, e
o conselheiro de estratégia do próprio Ludendorff, o coronel
Georg Wetzell.

"Como sabem, a entrada da América na guerra, há sete meses,
alterou todos os dados", declarou Ludendorff com um suspiro.
"Os soldados americanos já estão a chegar em grande número,
mas acreditamos que só no Verão é que a sua influência poderá
ser decisiva no teatro de operações."

"Estamos numa corrida contra o tempo", observou von Kuhl.

"Nem mais", concordou Ludendorff. "A iminente saída da
Rússia da guerra libertou-nos a frente leste e abriu-nos uma janela de oportunidade que temos de aproveitar. As nossas forças
do Leste já começaram a afluir à frente ocidental e pela primeira
vez começámos a ter vantagem numérica sobre os franceses e os
ingleses. Temos agora cento e cinquenta divisões na frente ocidental e poderemos em breve aumentar o nosso contingente em mais
trinta divisões provenientes da pacificada frente leste e do
Caporeto, onde derrotámos os italianos. Esta vantagem vai durar
pouco tempo, por causa dos americanos, e temos, por isso, de
tirar o máximo partido possível da actual situação. A primeira
questão é saber onde vamos atacar."

"Estamos a falar de que tipo de ataque?", quis saber von
Kuhl.

"De um ataque decisivo", esclareceu Ludendorff, com um gesto enfático. "A nossa ofensiva terá de fazer vergar os aliados e
obrigá-los a assinarem a paz. Nem mais nem menos. Será a ofensiva que nos vai dar a vitória."

"Nesse caso, só vejo um sítio possível", disse von Kuhl.
"A Flandres."

"A Flandres?", sorriu Ludendorff.

O general quartel-mestre sabia que a Flandres era justamente
o sector em frente ao VI Corpo de Exércitos do príncipe
Rupprecht da Baviera, cujo chefe de estado-maior era o próprio
von Kuhl.

"A Flandres", confirmou von Kuhl. "Os ingleses estão esgota-dos com a Batalha de Passchendaele e este é o momento de lhes desferir o golpe decisivo."

"A Flandres não me parece boa ideia", interrompeu von der Schulenberg, abanando a cabeça. "Os ingleses são duros de roer e acho que é melhor entrarmos pelo sector francês, menos disci-plinado."

"E em que sector francês está a pensar?", perguntou Luden-dorff.

"Bem, Verdun parece-me o sítio ideal", avançou von der Schulenberg. "Os franceses têm sido duramente castigados em Verdun e penso que existem condições para os quebrarmos."

"Verdun?", sorriu novamente Ludendorff, nada surpreendido.

Verdun era o sector em frente do qual se encontravam as forças do príncipe herdeiro, de quem o general von der Schulenberg era chefe de estado-maior. Ou seja, qualquer dos corpos de exércitos queria uma fatia da acção e a melhor ma-neira de o conseguir era convencer Ludendorff a atacar no seu sector.

"*Ja, Verdun*", confirmou von der Schulenberg. "A Grã-Breta-nha sobreviveria a um desastre na Flandres, mas a França jamais recuperaria de uma catástrofe em Verdun. Temos por isso de lançar um duplo ataque em Verdun, de modo a provocarmos o colapso de toda a linha francesa e obrigarmos Paris a negociar a paz. Se Paris negociar, Londres terá de ir atrás."

O general quartel-mestre voltou-se para o seu assessor de estratégia.

"O que pensas, Wetzell?"

O coronel Wetzell olhou para von der Schulenberg.

"Concordo com o general von der Schulenberg", disse. "Verdun é melhor."

"Porquê Verdun?", quis saber Ludendorff.

"Verdun é um ponto delicado, que é preciso controlar", expli-cou Wetzell. "Os franceses são menos disciplinados, já houve várias revoltas entre eles este ano, e é importante começar pelo sector mais fraco. Derrotando os franceses, poderemos de seguida isolar os ingleses e forçar a paz."

Ludendorff fez uma pausa, pensativo. O general era um homem alto e erecto, tinha a cabeça redonda e o cabelo cortado curto, os olhos protuberantes revelavam um carácter feito de ambição e impaciência. A impenetrável postura prussiana impunha respeito aos que o conheciam, ao ponto de haver mesmo quem confessasse que a sua presença provocava arrepios de medo, exageros por certo de espíritos frágeis, que se deixavam impressionar com facilidade. Mas a verdade é que a própria família se intimidava com o olhar frio do general e por vezes até circulava em casa o aviso sussurrado de que "o pai hoje parece um glaciar". Por isso, quando fez a pausa pensativa naquele conselho de guerra em Mons, a mesa ficou em silêncio, os dois generais e o coronel quase suspenderam a respiração, à espera do veredicto.

"Não concordo", sentenciou finalmente Ludendorff. "O terreno em Verdun é-nos desfavorável e quebrar aquele sector não nos daria nada de decisivo. Pior ainda, arriscamo-nos a ser atacados pelos ingleses na Flandres, aproveitando a nossa vulnerabilidade quando estivermos a lidar com os franceses. Além disso, é preciso notar que os franceses estão a recuperar bem das feridas que lhes infligimos."

"Então concorda com a minha proposta de atacar a Flandres?", avançou von Kuhl, esperançado.

"Sim", assentiu Ludendorff. "Para ganhar esta guerra é preciso derrotar os ingleses. Esse é o primeiro grande princípio que nos deve orientar no nosso pensamento estratégico. Derrotar os ingleses. Passchendaele abriu-lhes profundas feridas e deixou-os vulneráveis. Temos de aproveitar o momento."

"Então, se vamos atacar na Flandres, o melhor sítio é o sector entre Ypres e Lens", propôs von Kuhl.

"Mas isso é o grosso das forças inglesas", argumentou Ludendorff, consultando o mapa. "*Auf keinen Fall!* Nem pensar! Terá de ser num sector em que se juntam exércitos de nacionalidades diferentes. Esses é que são pontos de ruptura, onde a coordenação entre forças diferentes é menos bem conseguida."

"Está a pensar em quê?", perguntou von Kuhl.

Ludendorff pôs-se de pé e apontou a bengala para o mapa sobre a mesa.

"Estou a pensar em Saint-Quentin", disse Ludendorff, indicando aquela região do Somme. "O ponto onde se encontram o sector inglês e o sector francês."

"Mas, *Herr Kommandant,* essa é a zona do Somme", interrompeu o coronel Wetzell. "Essa área está cheia de obstáculos, a progressão será difícil, e, além disso, os franceses poderão fazer chegar aí rapidamente os reforços."

"É melhor do que a zona Ypres-Lens", argumentou o general.

"Não necessariamente", disse von Kuhl, defendendo a sua ideia. "Notámos recentemente que existe uma vulnerabilidade importante nesse sector e penso que vale a pena explorá-la."

"Uma vulnerabilidade?", interrogou-se Ludendorff.

"Uma pequena faixa da frente está a ser defendida por tropas portuguesas, encaixadas entre divisões inglesas", explicou von Kuhl. "As nossas informações sugerem que os portugueses estão desmotivados, mal preparados e têm carência de oficiais e falta de descanso."

"*Wo ist es?*", questionou Ludendorff, querendo saber onde era isso.

"É no sector do rio Lys, a sul de Armentières, em Neuve Chapelle, mais precisamente."

"*Ach!*", exclamou o comandante das forças alemãs, que ouvira falar do sector quando das primeiras grandes ofensivas aliadas em 1915. Olhou pensativamente para o mapa, fixando-se em Armentières. "Queres atacar os portugueses?", perguntou Ludendorff.

"Eu diria que eles estão a pedir para serem atacados", sorriu von Kuhl. "Repare, *Herr General,* que o Lys responde ao seu requisito de atacar uma zona de junção de forças de nacionalidades diferentes."

"Continuo a pensar que Saint-Quentin é melhor", comentou Ludendorff, céptico.

"Note, *Herr General,* que a zona do Lys tem outra vantagem", indicou von Kuhl, apontando no mapa para Armentières. "Entrando por aqui, poderemos chegar ao estratégico eixo ferroviário de Hazebrouck, dificultando o movimento de reforços inimigos e deixando os ingleses sem espaço de manobra, encostando-os ao mar."

"*Herr Kommandant*, penso que devemos explorar a sugestão de von Kuhl", defendeu Wetzell. "Porque não juntar todas as ideias?"

"Como assim?", perguntou o general.

"Na minha opinião, não vamos conseguir a vitória com um só golpe, por mais bem planeado que ele seja", explicou o coronel. "Só conseguiremos destruir a frente inimiga através de uma inteligente combinação de ataques sucessivos em diferentes pontos da frente, coordenando-os e relacionando-os em momentos cuidadosamente escolhidos."

"*Ach so!*", exclamou Ludendorff. "Estás a propor atacar ao mesmo tempo no Somme e no Lys."

"Não ao mesmo tempo", corrigiu Wetzell. "Sucessivamente. Atacamos primeiro no Somme, depois no Lys, mais tarde em Arras, a seguir em Verdun, depois em Champagne, ataques aqui e ali, uns atrás dos outros, numa estratégia de marteladas consecutivas."

"Como na frente leste", comentou Ludendorff, afagando o bigode grisalho.

"*Jawohl, Herr Kommandant.*"

O general quartel-mestre e o seu conselheiro de estratégia referiam-se às novas tácticas desenvolvidas na frente leste e estreadas pelos russos com grande sucesso. Durante a Ofensiva Brasilov, no Verão de 1916, as forças russas utilizaram a surpresa e os efeitos desorientadores suscitados por ataques múltiplos ao longo de uma vasta frente para devastarem as posições austro-húngaras no sector da Galícia. Os alemães assimilaram rapidamente o conceito russo dos ataques sucessivos em toda a linha da frente, chegando mesmo a aperfeiçoá-lo, através das tácticas de infiltração desenvolvidas pelo general Oskar von Hutier e aplicadas com grande êxito apenas dois meses antes, na Batalha de Riga. Wetzell defendia agora a aplicação dessas mesmas tácticas na frente ocidental para conseguir uma vitória decisiva.

"Parece-me viável", assentiu Ludendorff, olhando para os outros dois generais. "O que acham?"

Von Kuhl e von der Schulenberg concordaram, o bávaro mais entusiasmado.

"O sector do Lys tem o problema da chuva", observou, no entanto, von Kuhl, que conhecia bem a região. "O terreno só estará transitável lá para Abril."

A lama da Flandres era famosa entre as forças militares que viveram o inferno lamacento das Batalhas do Somme e de Ypres, pelo que a observação foi instantaneamente compreendida.

"Pois bem, se não chover em demasia, avançamos no Somme em Fevereiro ou Março", decidiu Ludendorff. "Em Abril será então a vez dos restantes golpes, a começar pelos portugueses no Lys."

"O VI Corpo de Exércitos do príncipe Rupprecht entra, portanto, em acção em Abril...", observou von Kuhl.

"Em princípio", retorquiu o general. Ludendorff apontou o dedo para toda a extensão da linha da frente, representada no mapa. "Comecem a preparar-me estudos pormenorizados sobre cada sector. Reforcem a vigilância, desencadeiem operações regulares para obterem informação, não quero surpresas na hora da verdade. Comecem a exercitar as tropas para combate em terreno aberto segundo as tácticas do capitão Geyer e chamem-me o coronel Bruchmüller para a frente ocidental, de modo a preparar a artilharia. Quero ver montada a maior *feuerwalze* da história da guerra. E, von Kuhl, transfira também o general von Hutier para a frente ocidental, vamos ver se ele aplica aqui as suas famosas tácticas de surpresa e bombardeamento em progressão."

"*Jawohl, Herr Kommandant*", assentiu von Kuhl.

Tal como von Hutier, Bruchmüller destacara-se na frente leste, e em particular na Batalha de Riga, pelas suas inovações tácticas. Georg Bruchmüller era conhecido por *durchbruchmüller*, o Müller decisivo, devido às arrasadoras *feuerwalze*, ou valsas-do-fogo, com que regava as linhas inimigas antes da progressão da infantaria. O coronel estava na reserva quando foi chamado para o activo na frente leste, onde desenvolveu uma técnica de bombardeamento orquestrado que se tornou famosa entre as forças alemãs. Utilizando uma mistura de granadas numa sequência precisa e coordenada, com lançamento sucessivo de bombas contendo diferentes gases, poderosos explosivos e *schrapnel,* conseguia espalhar grande confusão nas linhas inimigas. Bruchmüller manipulava as granadas de modo a provocar determinadas reacções ou efeitos. Por exemplo, uma das suas especialidades eram os *cocktails* de gases, lançando primeiro o gás *arsine,* que não era letal mas que penetrava nas máscaras antigás. Os soldados começavam a vomitar e tiravam as máscaras. Era nesse momento que Bruchmüller atirava o gás *chlorine,* que era mortal e que apanhava o inimigo sem máscaras. As granadas com os diferentes gases estavam marcadas por diversas cores, o que deu ao *cocktail* o nome de *buntkreuz,* multicolorido. Ludendorff, que conhecia bem a frente leste, onde ganhara fama de grande estratego e onde desenvolvera a sua visão de *Drang nach Osten,* a expansão para oriente, queria transportar todo esse talento para a frente ocidental e acreditava que conseguiria assim ganhar a guerra.

"Entschuldigen Sie bitte, Herr Kommandant", interrompeu Wetzell, levantando a cabeça do seu bloco de notas e quebrando o breve silêncio meditativo que se instalara na sala. "Quais os nomes de código que vamos adoptar?"

"Alguma sugestão?", perguntou Ludendorff para a mesa.

Todos se entreolharam. Cada um foi avançando com ideias, algumas suscitaram consenso, outras não. Depois de um debate rápido, o general quartel-mestre fechou a questão.

"Bitte schreiben Sie es auf", ordenou Ludendorff a Wetzell, dando-lhe instruções para tomar nota das ideias que mereceram concordância. "O ataque no Somme será a Operação Michael, a ofensiva no Lys será a Operação Saint-George, a de Arras será a Operação Marte, a de Champagne será a Blücher e as duas de Verdun serão a Castor e a Pólux. Estas operações estão destinadas a pôr fim à guerra e a dar a vitória à Alemanha e encontram-se subordinadas ao nome de código geral de *Kaiserschlacht."*

O conselho de guerra terminou e a *Kaiserschlacht,* a batalha do *Kaiser,* entrou em marcha.

II

A noite caíra fria e húmida sobre Armentières, mas a isso já todos se tinham habituado. O Inverno estava à porta e as árvores preparavam-se para enfrentar os rigores do frio. Os grandes plátanos e os delicados choupos encontravam-se quase totalmente despidos. É certo que algumas árvores ainda exibiam folhas amareladas ou avermelhadas ornando os ramos ou estendendo-se em tapete à sombra das copas, espectros fantasmagóricos na paisagem verde, plana e bucólica da Flandres. Pendurados nos ramos ou esvoaçando de árvore em árvore, os melros assobiavam aqui e os pardais pipilavam ali, alegres e despreocupados, numa animada sinfonia de despedida do Outono.

O ronco distante de um motor a aproximar-se intrometeu-se naquela harmoniosa melodia da natureza. Um *Hudson* negro cruzou o grande portão de pedra e entrou nos domínios do Château Redier, a estrada calcetada cortando a meio o vasto jardim, com as suas sebes cuidadosamente aparadas e dispostas em labirinto por entre choupos de faia-branca, ciprestes delgados e tílias de grande porte, o palacete claro a erguer-se ao fundo, logo atrás de uma rotunda estreita com um jardim formado em círculo ao meio, enfeitado por coloridas tulipas, vigorosos jacintos e hibiscos teimosamente roxos. Um anjo de pedra ornava o centro daquele pequeno jardim oval, um repuxo de água a jorrar do pífaro ostentado na boca da estátua cinzenta.

"Encosta junto à escadaria", indicou Afonso à sua ordenança.

"Sim, meu capitão."

O oficial tinha os olhos pregados no espectáculo de serenidade verde que ordeiramente se perfilava em redor, sentia-se quase chocado com o contraste relativamente ao mar de lama a que se habituara desde que tinha chegado à Flandres. O *Hudson* contornou a rotunda e imobilizou-se à beira dos degraus de mármore envelhecido do *château*. Afonso apeou-se e estudou a fachada do edifício, as trepadeiras cobrindo a pedra gasta, o verdete entranhando-se na base do palacete, as enormes janelas sobressaindo daquele emaranhado de plantas e de paredes cinzentas, um elegante alpendre sobre a porta de entrada, guarnecida por duas colunas de um mármore fino, o creme polido rasgado por múltiplos veios encarnados.

Joaquim tirava já a mala da bagageira quando a porta principal se abriu. Um homem pequeno, com um bigode grisalho e um monóculo no olho direito preso à algibeira por uma corrente dourada, desceu as escadarias de encontro aos recém-chegados.

"*Bon soir*", saudou, apresentando-se. "*Je suis le baron Redier.*"

"*Bon soir, monsieur le baron. Je suis le capitaine* Afonso Brandão. Venho da parte do *maire*."

"Eu sei, eu sei", exclamou o barão, estendendo o braço. "*Bienvenue.*"

"*Merci*", agradeceu Afonso, olhando de relance para trás. "Joaquim, traz a mala."

"Ele precisa de ajuda?", indagou o barão. "Vou chamar os criados."

"Não é necessário", apressou-se a dizer o capitão. "É só uma mala."

Os dois cruzaram a porta de entrada, o anfitrião concedendo a vez ao convidado, o *foyer* abriu-se a toda a largura, uma escadaria ampla dando acesso ao piso superior, duas portas, uma à direita e outra à esquerda, revelando corredores e salas. O chão brilhava, reluzente de tão impecavelmente envernizado, parecia um lago cristalino a reflectir, como um espelho, as figuras que o pisavam e tudo o resto, incluindo os enormes retratos que ornavam as paredes, os candelabros que caíam do tecto, os largos cortinados que enfeitavam as janelas.

"Marcel!", chamou o barão para o corredor à esquerda.

Um homem calvo com um colete escuro assomou, solícito, ao *foyer*.

"*Oui, m'sieur le baron?*"

"Conduz a ordenança ao quarto do nosso convidado para depositar a mala."

Marcel ajudou Afonso a retirar o sobretudo, pendurou-o num compartimento do *foyer* e de seguida guiou Joaquim pela escadaria, a mala sempre na mão, até desaparecerem ambos no andar superior.

"Tem fome?", indagou o barão, caminhando para o salão, à direita.

"Jantei num *estaminet*, obrigado", esclareceu o convidado.

"Mas não recusa um digestivo..."

"*Allons y!*"

O salão estava quente, agradável, as madeiras escuras iluminadas pelas velas acesas nas paredes e nas mesas, projectando luzes amareladas e sombras tremidas sobre os sofás, os móveis e o soalho coberto de tapetes. Na parede junto aos sofás ardia lenha numa lareira intensa, cheia de fagulhas e estalidos, alguns pedaços de madeira amontoados num cesto de vime à espera de serem atirados para alimentarem aquele fogo acolhedor. O barão dirigiu-se ao bar e agarrou em dois copos.

"*Cognac?* Porto?"

"Tem *whisky?*"

O barão riu-se.

"*Whisky?* Não imaginei ver um português a beber *whisky*..."

"A culpa é dos oficiais do regimento escocês", sorriu Afonso. "Os *jocks* apresentaram-me o *whisky* e agora não quero outra coisa."

"Mas olhe que os ingleses fazem sempre os brindes com porto", fez notar o barão. "Só optam pelo *whisky* quando já não há mais porto."

"Eu sei, eu sei, mas o que quer? O *whisky* aquece-me mais."

O anfitrião curvou-se, agarrou uma garrafa e colocou-a sobre o balcão do bar. O líquido dourado dançava e brilhava dentro do recipiente delgado, o rótulo a indicar *The Balvenie*.

"Tenho aqui este *blended scotch* que vai apreciar", anunciou. "Foi-me oferecido por um coronel do regimento de Yorkshire". Levantou a cabeça e olhou em direcção à lareira. "*Agnès, qu'est-ce que tu prends?*"

Afonso olhou na mesma direcção, surpreendido. De uma cadeira de balanço à sombra, junto à lareira, saiu uma baforada suave de fumo cinzento-azulado que rapidamente se dissolveu no ar. O oficial português apercebeu-se pela primeira vez da presença feminina no salão.

"*Du champagne*", murmurou uma voz doce, impregnada de uma melodia meiga de que só as mulheres francesas são capazes.

O capitão tentou perceber o rosto da mulher, mas a sombra era ali densa e apenas identificou o perfil da cadeira e da cabeça feminina, umas pernas longas a emergirem da penumbra, meio escondidas por entre um desconcertante e sensual vestido vermelho com folhos brancos.

"*M'dame*", cumprimentou, baixando levemente a cabeça e olhando sem a ver.

"*Asseyez-vous, s'il vous plaît*", disse a mulher, indicando com a mão um sofá junto à lareira, um cigarro entre os dedos.

Afonso pegou no copo com *scotch* e no outro com *champagne*, entretanto preparado pelo barão, e aproximou-se da cadeira de balanço. A cadeira rodou e a mulher ergueu-se com delicadeza, dando um passo para receber o *champagne*. O capitão sentiu primeiro a fragrância perfumada de *L'heure bleue* a emanar do corpo escultural, a harmoniosa mistura de rosas, íris, baunilha e almíscar do sofisticado perfume de *Guerlain* a aguçar-lhe os sentidos. Depois, a bruxuleante luz amarelada da lareira iluminou o misterioso rosto, destapando-lhe os traços finos e distintos, os cabelos castanhos, longos, e os caracóis com madeixas aloiradas, o nariz pequeno e delicado, os olhos de um verde-forte e luminoso, o ar doce e vulnerável, um sorriso enigmático formado em lábios grossos e bem desenhados. Transparecia um tom sereno, algo inacessível, naquele rosto belo, sublime mesmo, de francesa *coquette*. Afonso experimentou um baque, uma falta de ar súbita, oh que encanto!, ficou perturbado com o brilho que dela irradiava, a mulher era de uma beleza ofuscante, inalcançável, tão radiosa que se tornava difícil mirá-la de frente e impossível deixar de a olhar. O capitão sentiu-se paralisado de surpresa, não esperava ver ali uma flor daquelas, uma mulher jovem, algures a meio da casa dos vinte, pouco mais nova do que ele próprio, uma jóia rara tão perto do sector da frente. Seria filha do barão?

"*Ma femme*", apresentou o barão, aproximando-se com o seu *cognac*. "*Agnès.*"

"*Enchanté, madame la baronne*", saudou o oficial, esforçando-se o mais que podia por ocultar a perturbação que a mulher lhe causava e a forte decepção pela notícia de que era casada com o seu anfitrião. Beijou-lhe a mão e apresentou-se. "*Je suis le capitaine* Afonso Brandão, um seu criado."

"*Alphonse?*", sorriu a francesa.

"Se o desejar..."

O sorriso desfez-se do rosto de Agnès no momento em que pela primeira vez o viu de perto. A francesa fitou-o intensamente, por instantes pareceu reconhecê-lo, hesitou, avaliou-o de alto a baixo, observou-lhe o ar sonhador, melífluo, os olhos largos e penetrantes, a tez pálida, o nariz direito, o bigode bem desenhado, o cabelo castanho escuro curto e bem penteado, o porte altivo e tranquilo. Suspirou.

"Você faz-me lembrar alguém que uma vez conheci", disse com lentidão, algo séria, solene até, uma inesperada palidez a esvaziar-lhe a face, era notória uma enigmática perturbação a ensombrar-lhe o olhar. Mas depressa o rosto marmóreo se reabriu num sorriso, primeiro forçado e tenso, depois gradualmente genuíno e fácil, de uma candura que se tornou desarmante. "Donde vem você, *Alphonse?*"

"Merville."

"Não", riu-se Agnès, esforçando-se por ficar mais alegre, parecia que se tinha transformado em meros segundos. "Qual é o seu país?"

"Sou português, *m'dame.*"

"On dit que les portugais sont toujours gais", exclamou, citando um ditado francês segundo o qual os portugueses são sempre divertidos.

"Pas toujours, m'dame", negou Afonso.

Agnès fez um trejeito mimado na boca, como se estivesse decepcionada.

"Você não é divertido?"

"Eu sou", exclamou, corrigindo o tiro e desejando agradá-la. "Mas se visse os meus generais..."

A baronesa voltou a sentar-se na cadeira de balanço e os dois homens acomodaram-se no sofá, um requintado canapé de faia estofado em *gros* e *petit point*. Afonso não conseguiu impedir-se de pensar que havia uma sensível diferença de idades no casal anfitrião, ele aproximava-se dos sessenta, ela mais de trinta anos mais nova, andaria algures por volta dos vinte e cinco. Era bonita como uma princesa, mas vivia encerrada naquele palacete, uma prisioneira encarcerada numa terra de miséria e desolação, rodeada por ruínas e destroços, num mundo de homens e fel, com a guerra perto e o inimigo às portas. Estranhamente não definhava; essa vulnerabilidade tornava-a até mais atraente, mais desejável, mais frágil, era como uma flor teimosamente exposta a um temporal, delicada mas obstinada, e essa tocante teimosia despertava no oficial um inexplicável e irresistível sentimento de protecção.

"Quero agradecer por me terem acolhido", disse Afonso, clareando a voz e fixando-a nos perturbadores olhos verdes, envolvendo-se assim, quase sem dar por isso, num subtil jogo de sedução.

"Oh, é um prazer", retorquiu Agnès, devolvendo-lhe o olhar e aceitando o jogo. "Jacques e eu percebemos que temos de cooperar com o esforço de guerra."

"Não tenho como dizer não a um pedido do presidente da Câmara", atalhou o barão. "Mas às vezes tenho a impressão de que *monsieur le maire* acha que o meu *château* é um hotel, e isso aborrece-me."

"*C'est la guerre, Jacques*", exclamou a francesa, com uma expressão reprovadora para o marido.

Afonso percebeu que, apesar de o esconder, o barão não se sentia inteiramente agradado com a sua presença. O alojamento de militares no castelo era-lhe imposto pelo presidente da Câmara de Armentières, encarregado de instalar os oficiais dos exércitos expedicionários aliados que combatiam em França. Naquele sector concentravam-se a 1.ª e a 2.ª Divisões do Corpo Expedicionário Português, o CEP, ladeado, à esquerda, pela 38.ª Divisão do XI Corpo e, à direita, pela 25.ª Divisão do I Corpo, ambas pertencentes ao I Exército do *British Expeditionary Force,* o BEF, a força expedicionária britânica. Os soldados que não ocupavam a frente eram instalados em quintas, a vinte cêntimos por noite com cama e cinco cêntimos quando não havia cama. Por cada cavalo eram pagos cinco cêntimos por abrigo fechado, com os proprietários franceses a reterem o direito de ficarem com o esterco para estrume. As autoridades civis francesas mostravam-se, porém, empenhadas em evitar, na medida do possível, que os oficiais ocupassem os currais e as cavalariças onde dormiam os soldados e os solípedes. Um oficial pagava um franco por noite e sentia-se naturalmente com direito a instalações mais dignas do que as praças e os animais. Mas, com as pensões lotadas, as casas particulares já todas requisitadas e os hotéis a cobrarem preços inacessíveis, por vezes apenas restavam como alternativa os palacetes da região.

"Como vai a guerra, capitão *Alphonse?*", quis saber a baronesa. "É como os jornais dizem?"

"E o que dizem os jornais?"

"Que estamos a ganhar."

"Não se pode acreditar sempre nos jornais..."

Agnès admirou-se.

"Estamos a perder?"

"Não, não ganhamos nem perdemos. Estamos imobilizados."

"Mas não é verdade que o inimigo recuou há alguns meses?"

Afonso sorriu.

"Lá recuar, recuou. Mas recuou por sua própria iniciativa, não fomos nós que o empurrámos."

"Como assim?", interrompeu o barão, a garganta aquecida pelo *cognac*. "Se eles recuam, é porque nós avançamos, ninguém recua porque lhe apetece."

"O que se passou, *m'sieur le baron*, é que os boches construíram umas trincheiras melhores numa posição elevada e na retaguarda das suas trincheiras habituais e depois abandonaram as suas posições e foram instalar-se nessas trincheiras. Chamamos a essas novas posições a linha Siegfried, mas parece que os boches lhe chamam linha Hindenburg. Seja como for, este recuo para a Siegfried significa que eles perderam uns quilómetros mas ganharam posições quase inexpugnáveis."

"Então não acha que vamos ganhar a guerra?"

"Para ganhar uma guerra é preciso que ela acabe", comentou o capitão com secura.

"E esta não vai acabar?", quis saber Agnès.

"Não dá sinais disso. Repare que já estamos a 20 de Novembro, perto do final de 1917 portanto. A guerra dura há mais de três anos e as posições permanecem estáticas. Nem nós rompemos, nem eles se mexem."

"O senhor é um homem de pouca fé, pelo que vejo", comentou a francesa.

"Pelo contrário, *m'dame*, sou um homem de fé."

"Pois não parece", observou ela. "Não foi no seu país que apareceu, no mês passado, Nossa Senhora a anunciar o fim da guerra em breve?"

"Sim, já li sobre isso", disse Afonso, inclinando-se para a sua pasta. "Até tenho aqui um jornal que me mandaram há dias com notícias sobre essa aparição, veja lá."

O capitão retirou da pasta um exemplar de *O Século*, uma folha gigante dobrada em duas, de modo a dar quatro páginas, e amarfanhada pelo correio, mas perfeitamente legível. O jornal estava datado de segunda-feira, 15 de Outubro. Ou seja, trinta e cinco dias antes. As duas colunas do lado direito da primeira página encontravam-se preenchidas, do topo à base, com um texto dedicado ao assunto, o antetítulo anunciando em caixa alta "Coisas espantosas!" e o título falando em "Como o Sol bailou ao meio-dia em Fátima". O subtítulo era longo. "As aparições da Virgem — Em que consistiu o sinal do céu — Muitos milhares de pessoas afirmam ter-se produzido um milagre — A guerra e a paz."

Agnès inclinou-se para melhor ver o jornal.

"Quem são?", perguntou, apontando para uma grande fotografia por cima do texto mostrando três crianças de olhos fixos na imagem, duas raparigas de saia larga e lenço na cabeça a ensanduicharem um rapaz com um barrete, por trás um muro de pedra.

"São as crianças que dizem ter falado com a Virgem", explicou Afonso. Leu a legenda e identificou-as, o dedo movendo-se da esquerda para a direita. "Esta chama-se Lúcia, este Francisco e esta Jacinta."

A francesa mirou a imagem, fascinada.

"E o que viram elas exactamente?"

O capitão pôs-se a ler o texto, momentaneamente silencioso.

"Bem, o repórter começa por descrever como chegou à charneca de Fátima, que viu lá muita gente, estavam todos a rezar", disse, explicando o texto que acabara de ler. Fez mais uma pausa enquanto lia os parágrafos seguintes. "Começou a chover e as três crianças chegaram ao local meia hora antes da anunciada aparição, os fiéis ajoelharam-se na lama à sua passagem e uma das crianças, a Lúcia, pediu-lhes para fecharem os guarda-chuvas." Nova pausa para leitura. "O repórter diz que, à hora certa, o céu começou de repente a clarear, a chuva parou e apareceu o Sol." Ainda mais uma pausa. "Aqui é muito interessante, ora oiçam", exclamou Afonso, passando a traduzir o texto palavra a palavra, em voz alta. " 'O astro lembra uma placa de prata fosca e é possível fitar-lhe o disco sem o mínimo esforço. Não queima, não cega. Dir-se-ia estar-se realizando um eclipse. Mas eis que um alarido colossal se levanta e aos espectadores que se encontram mais perto se ouve gritar 'Milagre, milagre! Maravilha, maravilha!'. Aos olhos deslumbrados daquele povo, cuja atitude nos transporta aos tempos bíblicos e que, pálido de assombro, com a cabeça descoberta, encara o azul, o Sol tremeu, o Sol teve nunca vistos movimentos bruscos fora de todas as leis cósmicas — o Sol 'bailou', segundo a típica expressão dos camponeses.'"

Afonso levantou a cabeça do jornal.

"Interessante, não?"

"*Oui*", disse Agnès, fascinada, fixando a fotografia das três crianças na primeira página. "Não tem mais?"

O português retomou a leitura silenciosa do jornal e resumiu o seu conteúdo.

"Diz aqui que o repórter falou com as pessoas e nem toda a gente estava de acordo com aquilo a que todos tinham acabado de assistir. A maioria confirma ter visto um bailado do Sol, mas outros garantiram terem observado o rosto da própria Virgem e que o Sol girou sobre si mesmo como uma roda de fogo-de-artifício, descendo do ponto onde se encontrava. E uns poucos asseguram que até o viram mudar de cor."

"Ilusão de óptica", comentou o barão Redier com um sorriso condescendente.

"É possível", assentiu Afonso.

"Não digam disparates", comentou Agnès. "E as crianças?"

O capitão leu mais um pouco.

"O essencial está nesta frase que vos vou traduzir", indicou. "'Lúcia, a que fala com a Virgem, anuncia, com gestos teatrais, ao colo de um homem que a transporta de grupo em grupo, que a guerra terminará e que os nossos soldados vão regressar.'"

Quando Afonso levantou a cabeça viu Agnès recostar-se na cadeira de balanço, serena.

"Então sempre é verdade", disse ela. "A guerra vai acabar."

"É o que diz aqui."

"E não acredita?"

"Que a guerra vai acabar?", admirou-se o barão Redier, juntando-se à conversa. "Então não há-de ele acreditar? Até eu! Nem que seja daqui a cem anos, mas que ela vai acabar, lá isso vai."

"Não sejas parvo, Jacques, a profecia é que a guerra vai acabar em breve."

"Não foi isso, em bom rigor, o que o nosso convidado leu no jornal", disse o barão, apontando para *O Século*. "O que, pelos vistos, está ali escrito é que a guerra terminará. Ora, bem vistas as coisas, essa não me parece ser uma profecia muito difícil de fazer, é evidente que a guerra, mais tarde ou mais cedo, vai terminar. Até eu posso prever isso. A grande questão é saber quando, e isso esses intrujões fanatizados já não se atrevem a profetizar."

"Presume-se, pelo contexto da frase, que será em breve. Não acredita nisso, *Alphonse?*"

"Bem, eu gostaria que fosse verdade..."

"Mas acredita ou não acredita?"

"Não sei que pensar", atrapalhou-se Afonso. "Era bom que fosse verdade."

"Isso é tudo uma fantasia", riu-se o barão. "Vivemos tempos difíceis e é nestas alturas que aparecem profetas, milagres, crendices a apontar o caminho da salvação. As mensagens messiânicas são normais nestes períodos de incerteza e aflição."

"Acha?", interrogou-se o capitão.

"Tenho a certeza", asseverou o anfitrião. "Vai ver que a guerra não irá acabar imediatamente e que, daqui a algum tempo, já ninguém vai falar dessas crianças."

Agnès olhou-o com irritação. Após um breve instante de olhar carregado, suspirou e voltou-se para Afonso.

"Jacques é ateu", explicou. "É pior do que Robespierre. Veja lá que até faz pouco de Lourdes."

"Ah", exclamou Afonso, nada surpreendido.

"O senhor sabe o que aconteceu em Lourdes?"

"Naturalmente", assentiu o capitão. "Tal como em Fátima no mês passado, a Virgem apareceu numa gruta de Lourdes a uma criança..."

"Bernardette Soubirous."

"Isso. A primeira aparição foi em 1858, já lá vão quase sessenta anos."

"*Oh la la!*", espantou-se a bela baronesa. "Até sabe o ano."

"Eu disse-lhe que era um homem de fé", sorriu Afonso.

"Crendices!", cortou o barão, sempre céptico, abanando a cabeça.

"Eu tive uma vez um professor na faculdade que era tão anti-religião como o meu marido", disse Agnès com um sorriso. "Era o professor de Anatomia, chamava-se Bridoux. Dizia ele que a religião era a inimiga da ciência." Fitou Afonso. "Também acha isso, *Alphonse?*"

"Sim, até certo ponto poderá ser verdade", assentiu Afonso. "Sabe, tanto a religião como a ciência oferecem explicações para o mundo, mas o problema é que essas explicações competem entre si. Para que uma seja verdadeira, a outra tem de ser falsa. É por isso que a religião sempre fez tudo o que podia para desacreditar a ciência e é por isso que a ciência faz agora o mesmo à religião. Há, todavia, uma hipótese que ainda ninguém levantou e que me parece merecer ser explorada."

"Qual é?"

"É a possibilidade de estarem as duas a falar verdade, embora complementando-se uma à outra, dizendo verdades diferentes. Já reparou que não é possível demonstrar cientificamente a existência de Deus, mas também não é possível demonstrar o contrário?"

"É um facto."

"Os filósofos ateus afirmam que nós projectamos numa entidade divina as nossas próprias características, o que significa que Deus é uma mera criação humana."

"Quem diz isso?"

"Oh, vários filósofos. Sei lá, Schopenhauer, Hegel, Feuerbach..."

"Todos alemães", riu-se Agnès. "Só por isso os boches merecem perder a guerra."

Afonso sorriu.

"Já vi que acha essas ideias uma heresia."

"Não, nem por isso, estava só a brincar. Julgo até que essa é uma tese que merece atenção."

"É o que eu penso. Mas a verdade é que, se, por um lado, o homem criou Deus à sua imagem, por outro, põe-se a questão de saber quem criou o homem. Ou, mais importante ainda, quem criou tudo o que nos rodeia, quem criou o universo? Será que as coisas surgiram sem qualquer razão, o universo apareceu por aparecer, assim sem mais nem menos?"

"Concordo consigo", disse Agnès, estimulada por este pensamento. "Talvez a verdade seja partilhada pela religião e pela ciência, essa é uma hipótese fascinante."

"A minha ideia vai para além disso, *m'dame,* a minha ideia é a de que não há uma única verdade. Nietzsche dizia que não há factos, só interpretações, o que é verdade do ponto de vista do ser humano. É indesmentível que existe uma realidade, aquilo a que Kant chamava a coisa em si, o nómeno. Mas, como o próprio Kant notou, nós não vemos a coisa em si, apenas vemos as suas manifestações. Ou seja, nós interpretamos o real." Olhou em volta e viu uma fotografia emoldurada na parede, era o barão montado a cavalo, com uma espingarda a tiracolo e rodeado de cães, uma cena de caça em Compiègne. Afonso apontou para a imagem. "É um pouco como aquela fotografia ali, está a ver? Aquele não é o senhor barão, mas uma imagem dele. Percebe? A fotografia não é o real, é uma representação do real, construída a partir de um ângulo, com determinados filtros e segundo um determinado código arbitrário. Tal como a fotografia reconstrói o real, pondo-o a preto e branco, por exemplo, nós também o reconstruímos. Já Kierkegaard tinha observado que tudo o que existe é algo exclusivamente individual. Ou seja, nós pomos algo de nós próprios quando interpretamos a realidade e é por isso que a nossa verdade é diferente da verdade de outras pessoas."

"Portanto, não há verdade. É isso?"

"Não, claro que há verdade, claro que há. Mas há muitas verdades. O real é uno, embora inatingível na sua plenitude. As verdades são múltiplas, uma vez que são interpretações individuais do real. Eu sei que parece complicado, mas..."

"Não, não, estou a entendê-lo perfeitamente, é realmente uma ideia interessante."

"Sabe, eu acho que esta é a única maneira de estabelecer que a religião e a ciência podem estar as duas a falar verdade", concluiu o capitão. "O real é uno, mas cada um destes discursos, o religioso e o científico, apresenta uma interpretação individual desse real. As duas podem até ser contraditórias e, paradoxalmente, permanecer ambas verdadeiras."

Fez-se silêncio, apenas quebrado pelo som dos estalidos da madeira a arder na lareira. As sombras do lume dançavam pela sala, as fagulhas saltitando e bailando pelo ar como pirilampos nervosos. Todos fitavam o fogo, Afonso com um sorriso de íntima satisfação. Desde os tempos do padre Nunes, no seminário, e do Trindade Ranhoso, na Escola do Exército, que não voltara a discutir filosofia com ninguém. Era um imenso prazer estar a fazê-lo agora, pela primeira vez em tanto tempo, naquele recanto perdido de França, para mais com uma mulher lindíssima. Interrogou-se sobre se alguma vez conseguiria falar de coisas tão profundas e apaixonantes com uma portuguesa, mas tinha muitas dúvidas, não se imaginava a conversar sobre Hegel com Carolina. Só essa constatação encheu-o de admiração por Agnès.

A francesa, por seu turno, tinha também a mente concentrada em Afonso, nas palavras que pronunciava, na maneira ágil como raciocinava. Era a primeira vez desde o namoro com Serge que mantinha uma conversa tão interessante com alguém, um diálogo que a libertava daquelas quatro paredes castradoras e, atravessando uma maravilhosa janela imaginária, a lançava destemidamente numa viagem feita de encantamento e magia, um deslumbrante périplo pelo inspirador mundo das ideias, um universo rico, pleno de pensamentos audazes, de novidades palpitantes, de revelações surpreendentes. Lembrava-se de ter tido essa sensação quando visitou a Exposição Universal de Paris ou quando o pai lhe ensinou os segredos do vinho. Também viveu as mesmas emoções de descoberta ao frequentar as aulas de Medicina e na altura em que conheceu Serge e o seu sublime mundo das artes. Agora vinha este capitão português despertar-lhe esses sentimentos, esse gosto pelo conhecimento, pela exploração, e Agnès desejou ardentemente ficar ali toda a noite a descobri-lo.

Talvez pressentindo que havia uma perturbadora química a nascer entre o oficial e a sua mulher, o barão decidiu pôr um fim abrupto ao serão. Engoliu de uma assentada todo o *cognac* e levantou-se com vigor.

"É tarde. O Marcel vai conduzi-lo ao seu quarto", disse. Olhou para a porta e elevou a voz: "Marcel!"

O mordomo apareceu em alguns instantes.

"Leva o senhor capitão aos seus aposentos", ordenou. "Senhor capitão", disse, despedindo-se do seu convidado com um sinal de cabeça, e olhou para a mulher. *"Viens, Agnès."*

A francesa demorou-se um instante na cadeira de balanço, como se hesitasse. Ergueu-se devagar, quase contrariada, e olhou para o capitão português.

"Bonne nuit, Alphonse", sussurrou com a sua voz meiga e serena. *"À demain."*

"M'dame!", exclamou Afonso, pondo-se de pé num salto e fazendo uma vénia galante.

Marcel conduziu-o pelos corredores do palacete, indicando-lhe o *cabinet de toilette* e os seus aposentos. O quarto onde foi instalado era sumptuoso, tão luxuoso que por momentos o oficial se sentiu um palmípede, um daqueles homens do quartel-general que faziam a guerra comodamente instalados num palacete, fardados de pijama e armados com chinelas de quarto. Tudo ali era requintado. Molduras ovais decoravam as paredes com retratos pintados, ilustrando rostos e feitos das sucessivas gerações de Redier, a família que dera o nome ao *château*. No centro do quarto destacava-se, imponente, uma cama de armação Luís XV, toda feita em nogueira, um motivo de concha esculpido na madeira da cabeceira.

O quarto de banho era grande e frio. Encostada à parede estava uma pia *art nouveau*, o suporte de ferro batido revirado em arabescos, curvas aqui e ali, contorcendo-se para um lado e para outro, um espelho redondo no centro ladeado por duas velas. Afonso acendeu-as. A bacia tinha uma torneira dourada de alavanca, o bico longo de níquel curvado para baixo. Abriu-a, sentiu o líquido gelado queimar-lhe os dedos, passou a água fugitivamente pela face, como um gato, pegou no *savon au miel* que se encontrava no bojo circular da pia e esfregou as palmas das mãos, sentiu a fragrância do sabão e passou-a pelo rosto, esfregou a cara com água e secou-se à toalha. Olhou de relance para a banheira *Chariot* instalada junto à janela, toda ela em ferro fundido, o interior em branco, o exterior em rosa-forte, os pés dourados, sonhou tomar banho ali no dia seguinte, agora não, a bexiga apertava-se-lhe. Saiu do *cabinet de toilette* e foi ao quartinho adjacente onde se encontrava a retrete, o vaso de porcelana com uma elegante gravura floral decalcada, um longo tubo de níquel pregado à parede a ligar o vaso à cisterna branca de ferro fundido fixada junto ao tecto e sustentada por dois suportes dourados de girassol. Levantou o assento de mogno e urinou para o vaso, no final puxou a alavanca que caía da cisterna, a água foi despejada com fragor dentro do vaso.

O capitão regressou ao quarto sem lhe passar pela cabeça voltar a lavar as mãos. Sentia-se satisfeito com estes luxos, isto sim, isto é que era vida, a malta à volta com as latrinas e ele ali a satisfazer-se naquele palacete, o pessoal deitado em palheiros ou a chafurdar na lama dos boletos campestres e ele com um quarto digno de reis só para si. Suspirou com alegria, "ah caraças! ah camano!", murmurou, tinha de aproveitar bem aquele momento. Despiu-se, abriu a cama e deitou-se, puxou os cobertores até quase à cabeça, ainda encheu os pulmões com o aroma fresco dos lençóis lavados e imaculadamente alvos, sentiu o calor a anichar--se no seu corpo encolhido, respirou com tranquilidade, fechou os olhos e adormeceu num instante, o murmúrio longínquo dos canhões a ressoar como vagas a baterem lá longe, fustigando imaginários rochedos da costa, a furiosa tempestade transformada em distante e modorrenta maré que o embalava no seu agitado sono de soldado.

O oficial português foi acordado de manhã por uma criada que lhe trouxe leite, café, três tostas, um pouco de manteiga e uma compota, que devorou com avidez. Afiou a navalha e fez a barba com água fria, vestiu-se e saiu do quarto. A meio do corredor viu Marcel a transportar roupas de cama.

"*M'sieur, où est* Joaquim?"

"*Pardon?*"

"Joaquim, *le portugais*. Onde está ele?"

"*Ah*", compreendeu Marcel. "*Attendez, s'il vous plaît.*"

O mordomo pousou as roupas numa cadeira alta do corredor, deu meia volta e apressou o passo, desaparecendo pela escadaria. Afonso seguiu na mesma direcção, desceu as escadas e deu consigo no *foyer*. Agnès apareceu à porta do salão e encostou-se à aduela.

"*Bonjour, Alphonse.*"

"*Bonjour, m'dame.*"

"Dormiu bem?"

"Magnificamente, *merci*", disse, observando-a com curiosidade. Era de facto uma criatura bela, os olhos verdes ainda mais brilhantes à luz do dia. De noite parecia uma gata, tentadora e misteriosa, mas agora surgia-lhe como um anjo, um ar imaculadamente divino e gracioso. "*Et vous?*"

Agnès encolheu os ombros.

"*Ça va.*"

Afonso apreciou o seu jeito suave e doce, a beleza tranquila, o ar carinhoso e levemente triste. Admirou-a e sentiu-se interessado em conhecê-la melhor. Mas uma voz atrás de si, em português, desviou-lhe a atenção.

"Meu capitão!"

Era Joaquim, fazendo continência.

"Vai buscar o carro", ordenou o oficial.

"Está lá fora, meu capitão."

Marcel abriu a porta e Afonso voltou-se para Agnès.

"*M'dame*, muito obrigado pela sua hospitalidade", agradeceu, pegando na carteira e no *billeting certificate* que trazia guardado no bolso. "Ora, um oficial é um franco e um soldado são vinte cêntimos. Portanto, julgo dever-lhe um franco e vinte cêntimos."

A baronesa aproximou-se um passo, ignorando as moedas que ele lhe estendia mas pegando no *billeting certificate*. Estudou o documento com curiosidade; era o certificado de aboletamento e estava assinado pelo *maire* e pelo comandante do batalhão e autenticado com o carimbo do CEP. Levantou os olhos do papel e fitou o capitão.

"Voltará esta noite?"

"Não, *m'dame.*"

"E porquê?"

"Parto hoje para as trincheiras."

Agnès cerrou os lábios.

"Vai lá estar muito tempo?"

"Uma semana, *m'dame.*"

"Então seja nosso hóspede daqui a uma semana", disse-lhe, devolvendo o *billeting certificate*.

Afonso hesitou um instante, sem saber como responder ao inesperado convite.

"Com muito gosto, *m'dame,* teria muito prazer em cá voltar", disse, "mas tudo vai depender dos boches e do *maire.*"

"Tenha cuidado e trate dos boches que eu tratarei do *maire.*"

"E o *billet?*", quis ele saber, referindo-se ao boleto.

"Paga-me o *billet* para a semana."

Os dois apertaram as mãos, ela com um sorriso sempre levemente desenhado nos lábios, desta vez era um rubor suave, de rosa-avermelhado, a encher-lhe a face de calor, o aroma floral de *L'heure bleue* a perfumar o ar com as suas essências frutadas.

"Você é realmente parecido com uma pessoa que conheci."

"Espero que seja uma parecença agradável."

Ela sorriu com tristeza.

"Je vous attends", murmurou intensamente, evitando responder. Deu meia volta para se retirar e, afastando-se, olhou de relance para trás, com um movimento gracioso e uma expressão afável. *"Bonne chance!"*

III

A terra estendia-se pelo campo quase plano, desértico e desolado, ao mesmo tempo molhado, enlameado, sujo. Até onde os olhos podiam ver, o solo era revolto, árido, tudo se encontrava queimado, o chão apresentava-se esburacado pelas crateras de granadas de obuses e esventrado por minas, aqui e ali viam-se poças de água e lama donde emergiam ferros contorcidos, um ou outro cadáver humano em decomposição, ossos, botas com os pés decepados lá dentro, farrapos de uniformes, ratazanas mortas a boiar. As únicas coisas de pé naquele tenebroso mar de desolação eram redes enrodilhadas de arame farpado, árvores calcinadas sem folhas e com os troncos carbonizados, paredes incompletas do que outrora foram casas e não passavam agora de tristes e irreconhecíveis ruínas.

Um silêncio profundo abatera-se na última hora sobre esta sinistra paisagem lunar. Encostado ao parapeito, Matias Silva, a quem chamavam Matias Grande, não sabia o que mais detestava. Este seu turno nas trincheiras começara havia apenas dois dias e ainda não se habituara totalmente ao cheiro a fezes que provinha das fossas por baixo do estrado de madeira, um cheiro a que se misturava o odor nauseabundo de carne putrefacta, de detritos de comida apodrecida e de urina. Para se proteger do frio tinha vestido sobre a farda o seu colete de pelica, feito de pele de carneiro e sem mangas, que se tornara uma imagem de marca dos soldados portugueses na Flandres durante os dias frios. Chamavam-lhes, por isso, os *lãzudos*. Matias levantou a cabeça pelo parapeito do posto, em Neuve Chapelle, e espreitou para as posições inimigas. Da primeira linha, no ponto onde se encontrava de vigia, até à primeira linha alemã distavam quinhentos metros.

"Méééééé!", gemeu uma voz fingidamente trémula do outro lado da terra-de-ninguém. "Méééééé!"

"Filhos da puta dos boches que já me viram!", resmungou por entre dentes a sentinela portuguesa, afastando-se cinco metros do local por onde espreitara, não fosse o diabo tecê-las.

O colete de pele de carneiro era um sucesso entre a tropa alemã. Do outro lado das trincheiras estavam os homens da 50.ª Divisão do VI Exército alemão, comandado pelo general von Quast e pertencente ao grupo de exércitos do príncipe herdeiro Rupprecht, que não se cansavam de provocar os portugueses com imitações de sons de rebanho. Alguns lãzudos ficaram inicialmente fora de si com estas graçolas do inimigo, mas já todos se tinham habituado. A piada, de tão repetida, deixara de fazer efeito, e, quando atiçados, os homens dos quatro batalhões de infantaria da Brigada do Minho, a 4.ª Brigada da 2.ª Divisão do CEP, limitavam-se agora a ruminar alguns insultos contra os alemães.

A primeira linha portuguesa prolongava-se por dez quilómetros, da trincheira de comunicação New Bond Street, no sector de Fauquissart, até Ferme du Bois, a sul, com Neuve Chapelle no meio. Este era, de resto, um troço cheio de história antes de os portugueses chegarem. Foi justamente em Neuve Chapelle que, em Outubro de 1914, os alemães utilizaram pela primeira vez gases químicos como arma de guerra. Na altura estas trincheiras eram ocupadas por tropas francesas que, no entanto, nem repararam nos gases não letais que as granadas de *schrapnel* transportavam, pelo que a estreia das armas químicas se saldou por um fracasso. Depois, em Março de 1915, já com as tropas inglesas a ocuparem o sector, foi aqui lançada a primeira grande ofensiva britânica contra as posições alemãs. Após sucessos iniciais, a ofensiva fracassou ao fim de três dias, mas revelou-se uma acção politicamente importante porque serviu para mostrar aos franceses o empenho dos seus aliados britânicos. Na Batalha de Neuve Chapelle foram pela primeira vez na guerra utilizados aviões para fotografar as posições inimigas, de modo a fornecerem informação para a operação, uma prática que se tornaria rotina, embora perigosa, nas acções subsequentes.

Agora, neste dia 22 de Novembro de 1917, Neuve Chapelle e as vizinhas Ferme du Bois e Fauquissart viviam tempos calmos nas mãos dos portugueses. Todo o sector da primeira linha era constituído por três linhas fundamentais de trincheiras, todas elas paralelas e ligadas entre si pelas trincheiras de comunicação, que as cruzavam perpendicularmente. A mais adiantada das três linhas era a linha da frente, com um desenho quebrado, quase aos ziguezagues, num esforço deliberado de fugir ao traçado rectilíneo para evitar enfiamentos e facilitar o cruzamento do fogo das metralhadoras defensivas. Diante da linha da frente, logo a seguir ao parapeito da trincheira, estendiam-se três faixas de rolos de arame farpado, erguidos para dificultarem a progressão do inimigo quando este atacava pela terra-de-ninguém. Atrás, cavada paralelamente à linha da frente, estava a linha B, que constituía a principal linha de defesa adiantada e se encontrava protegida por mais uma faixa de rolo farpado e por ninhos camuflados de metralhadoras pesadas, em geral *Vickers*. Mais atrás ainda, a linha C, também conhecida por linha de apoio, onde se situavam as sedes dos batalhões avançados. Depois destas três filas de trincheiras, conhecidas globalmente sob a designação de primeira linha, vinha a linha das aldeias, ligando Richebourg, Pont du Hem e Laventie, igualmente protegida por uma longa rede de arame farpado, e a linha de Corpo, que passava por Huit Maisons e Lacouture, constituída por vários pontos fortificados que defendiam as principais vias de comunicação para a retaguarda. Finalmente, ao longo da ribeira de Lawe, a linha do Exército, atrás da qual se encontravam os quartéis-generais e uma legião de cachapins, a expressão pejorativa por que eram referidos todos os militares envolvidos em tarefas burocráticas e que das trincheiras apenas conheciam as fotografias que viam nas revistas.

Matias sentiu movimento à esquerda. Pelos regulamentos estava proibido de virar a cabeça para outro lado que não fosse a terra-de-ninguém, mas tinha de se certificar de que o inimigo não entrara furtivamente na primeira linha. Afinal de contas, as trincheiras eram locais habitualmente desertos, andava-se centenas de metros e só se via uma sentinela, pelo que qualquer movimento naquele sítio desolado tinha de ser identificado. Olhou para a esquerda e não viu ninguém. Poderia ser o sargento ou o oficial de serviço à ronda da linha da frente, mas tinha de ter a certeza. Virou a *Lee-Enfield* e apontou-a preventivamente.

"Quem vem lá?", perguntou.

"Tiro", foi a resposta. "Contra-senha?"

"Fogo", disse Matias, descontraindo-se e voltando a prestar atenção à terra-de-ninguém.

Um soldado também protegido por um colete de pele de carneiro apareceu da trincheira de comunicação La Fone Street, perpendicular à linha da frente e construída igualmente em sucessivos ziguezagues, e apresentou-se no posto da sentinela. Matias viu-o e reconheceu Vicente, um homem baixo e forte, o rosto largo, um bigode tímido no canto dos lábios e umas mãos de ouro. Era carpinteiro em Barcelos e o jeito para criar objectos a partir da madeira atingira tal fama que todos o conheciam por Manápulas.

"Venho render-te", anunciou Vicente. "Com'é qu'está esta merda?"

Vicente era um pouco trapalhão a falar, disparava as palavras com rapidez sôfrega e engolia algumas sílabas. Era por vezes difícil entendê-lo, mas, com o hábito, Matias tornou-se um bom descodificador das suas conversas.

"Tive uma hora tranquila", foi a resposta. "A costureira dos boches abriu fogo há vinte minutos, mas acho que foi só para me manter acordado."

"Brrrr, 'tá 'qui um gelo..."

"Aguenta-te, Manápulas, que eu agora vou serrar presunto e ver se como umas gajas no abrigo."

"Vai mas é pentear macacos, meu cabrão!"

Matias riu-se e saiu dali em passo rápido, aliviado, permanecer na linha da frente punha qualquer pessoa nervosa. É certo que a tarde ia ainda no princípio e que o pior era a noite, mas ninguém ignorava que, em corrida e se não existissem obstáculos, bastariam aos alemães entre quinze segundos e dois minutos para cruzarem a terra-de-ninguém e aparecerem nas trincheiras portuguesas, dependendo do ponto da frente onde fizessem a travessia. Em alguns sectores, a distância era de uns meros oitenta metros, noutros atingia os oitocentos. Quando volta e meia os alemães efectuavam um golpe de mão, as sentinelas da linha da frente viviam uma experiência desagradável.

O soldado meteu por La Fone Street, apanhou a linha B, paralela à linha da frente mas cem metros mais atrás, atravessou os postos das metralhadoras pesadas, umas *Vickers Mk I* rotativas, alimentadas por um cinto de munições e protegidas por sacos de areia com uma abertura para a terra-de-ninguém. Matias cruzou ainda o posto dos telefones e alcançou Ghurkha Road, seguiu-a até Sign Post Lane, voltou à direita e foi apanhar Cardiff Road. Passou pelo abrigo de comando e chegou a Euston Post, onde naquele dia estava montada a cozinha.

"Matos", chamou. "Dá-me aí o borrego assado com batatas a murro e o molho de caviar."

O cozinheiro pegou numa tigela.

"É para já, senhor marquês", disse, enchendo a tigela de sopa aguada e entregando-a ao soldado.

Matias pegou num naco de pão, sentou-se sobre a tábua e viu a água gordurosa com legumes a boiar na tigela branca.

"Porra, Matos, puseste caviar a mais", queixou-se, metendo uma colher à boca e engolindo devagar a sopa juliana.

Matias Grande era um minhoto bem-disposto. Vinha de Palmeira, uma freguesia a norte de Braga, e estava habituado à boa e pesada comida do Minho, mas aqui, nas trincheiras, não tinha ilusões quanto à qualidade da cozinha. A sua mãe fazia canjas de sonho, suculentas, ricas, temperadas, regadas a coentros da horta, um manjar dos deuses a que só agora dava o devido valor. Desde que chegara a França, integrando o Batalhão de Infantaria 8 da Brigada do Minho, Matias Grande raramente voltou a comer bem. Sonhava abundantemente com as sopas secas, as bolas de carnes, as orelheiras e as papas de sarrabulho, mais as deliciosas sobremesas de arrufadas, de brisas e de roscas, para já não falar das fabulosas molarinhas. Mas ali, nas primeiras linhas, tudo isso não passava de fantasias cruelmente alimentadas pela memória de dias que, sendo de miséria e feitos de carências, vistos daquela perspectiva pareciam fartos e opulentos. Tal como a generalidade dos seus companheiros, Matias emagrecia meio quilo por dia quando ocupava as trincheiras e só ao voltar às aldeias da retaguarda, uma semana depois, é que conseguia restabelecer o peso.

Mas, se houve algo que aprendeu naquele lugar, foi a dar valor aos pequenos nadas. As coisas mais simples proporcionavam-lhe agora momentos de inexprimível alegria. Fruía os instantes de silêncio, saboreava com gosto qualquer alimento, mesmo o repetitivo *corned-beef* lhe sabia quase tão bem como uns rojões à moda do Minho, gozava com o calor da aguardente distribuída às sentinelas a arder-lhe nas entranhas e a queimar-lhe o sangue, deleitava-se com os instantes em que não tinha tarefas atribuídas e se empenhava aplicadamente em recuperar o défice de sono ou em sonhar com o ar perfumado dos montes do Minho, com as águas frias do Cávado a congelar-lhe os pés ou com o calor ternurento da sua Francisca a aquecer-lhe a alma e a atear-lhe o fogo da paixão. Durante uma marcha, até uma paragem de meio minuto lhe dava prazer. Como qualquer outro soldado do CEP, Matias aprendera a viver para o presente, para o momento; vivia como se não existisse amanhã, como se não tivesse futuro, como se o tempo lhe fugisse, como se a morte o pudesse levar daí a uma semana ou já no minuto seguinte.

Depois de esvaziar a sua quota de *corned-beef* e de tomar o chá, que bebericou de olhos fechados, saiu da cozinha e voltou a La Fone Street até chegar à linha C, quinhentos metros atrás da B e completando as três linhas de trincheiras que constituíam a primeira linha. Na linha C cruzou-se com elementos da reserva do batalhão e foi para a zona das latrinas. O cheiro a excrementos, sempre presente nas trincheiras em geral, e nas portuguesas em particular, era aqui mais intenso. Matias agarrou num balde, fechou a porta da latrina e defecou para o balde enquanto ia abanando a mão para afastar as moscas da cara, eram enormes varejeiras azuis e deslocavam-se numa nuvem ruidosa, zumbindo e azoinando, sequiosas da podridão. Quando terminou, o soldado ergueu-se e verificou a cor das fezes, estavam um bocado líquidas, interrogou-se se não estaria com disenteria, procurou sinais da tão frequente diarreia das trincheiras, mas não lhe pareceu, afinal de contas não lhe doía o abdómen e não viu sangue nos excrementos. Mesmo assim tomou nota mental para vigiar a próxima evacuação, limpou-se a um jornal, na ocasião uma página desportiva do *Le Petit Journal,* saiu da latrina, pegou no balde e lançou os excrementos para a fossa, guardou o balde, viu que algumas gotas de fezes lhe tinham salpicado as costas da mão direita, praguejou, limpou-se, esfregando fugazmente a mão ao pano áspero das calças, e desceu rapidamente pela linha C até ao abrigo do seu pelotão.

O posto de comando da segunda companhia de Infantaria 8 da Brigada do Minho estava transformado num verdadeiro escritório. Encostado à parede de Grants Post encontrava-se o catre de arame para o oficial de serviço. Ao lado, alguns caixotes pregados como estantes para armazenar o que fosse necessário; aqui e ali eram visíveis velas de estearina e junto à entrada estava um caixote de munições a servir de mesa, com um banco encostado.

Sentado à mesa, os traços rudes do caixote disfarçados por uns trapos esfarrapados, o capitão Afonso Brandão preparava o relatório das três da tarde sobre a situação no sector sob o seu comando e sobre o vento, informação esta considerada relevante para avaliar a possibilidade de serem lançados gases tóxicos pelo inimigo. Por acaso, naquele dia 22 de Novembro, o vento vinha de leste, sendo por isso propício à utilização de armas químicas pelos alemães. O documento que o capitão ultimava era o quinto do dia. Pelo menos, ninguém podia acusar o CEP de ignorar a burocracia. Ainda no dia anterior Afonso chegara às trincheiras, depois da intrigante noite no Château Redier, e afadigava-se agora, em plena frente de guerra, com a papelada da companhia que chefiava.

Às seis da manhã já tinha enviado o "relatório das operações e das informações", descrevendo a ocupação das trincheiras, o número de cartuchos consumidos pelas metralhadoras, as patrulhas, as obras de reparação das trincheiras bombardeadas, a visibilidade, a actividade visível do inimigo, a acção das suas metralhadoras e granadas, os sítios alvejados, o movimento dos aeroplanos e outras informações. Este primeiro documento era sem dúvida o mais importante, mas havia mais. Às dez da manhã, Afonso tinha telegrafado as baixas das últimas vinte e quatro horas e ao meio-dia havia remetido o relatório dos trabalhos e requisições. O próximo relatório seria agora às quatro da manhã, com informações sobre o vento e a situação nas trincheiras. O problema é que a papelada não se ficava por aí, e o capitão suspirou com desalento ao lembrar-se de que teria ainda de ler com atenção a circular 22.753, enviada pela brigada para clarificar a circular 12.136 da 2.ª Divisão, a qual, aliás, era uma ampliação da circular 9.227 do CEP, com novas indicações para os soldados sobre o modo de colocarem e tirarem as máscaras de pé, deitados, em marcha, parados, a dormir ou acordados.

"Afonso", chamou uma voz atrás dele.

O capitão voltou a cabeça e viu o major Gustavo Mascarenhas, o antigo colega da Escola do Exército que estava colocado como segundo comandante de Infantaria 13, de Vila Real, uma das duas unidades transmontanas presentes na Flandres, integradas também na 2.ª Divisão.

"Entra", convidou Afonso, voltando a sua atenção para o documento que ultimava. "Não devias estar a preparar o teu relatório?"

"Já acabei", disse Mascarenhas, baixando a cabeça e sentando-se no catre. "Tenho uma surpresa para ti."

"Conta", pediu Afonso, sem levantar os olhos do seu relatório.

"Lisboa mandou-nos um oficial novinho em folha."

Afonso parou e ergueu a cabeça.

"Não me digas", sorriu, olhando para o amigo. "Quem é o anjinho?"

"Um tal capitão Resende."

"Donde é que ele é?"

"Sei lá", disse Mascarenhas, com um trejeito de boca. "Como vem para o 13, deve ser transmontano."

"Ainda dizem que o 13 dá azar", desabafou Afonso. "Andamos nós com uma enorme falta de oficiais e vocês conseguem um reforço. Quando é que ele vem aqui às trincheiras?"

"É essa a questão", excitou-se Mascarenhas. "Ele chega daqui a um bocadinho, a minha ordenança já o foi buscar."

"Ó homem, então só agora é que me dizes isso?", repreendeu-o Afonso. "Vamos fazer-lhe uma recepção e peras!"

"É isso, Afonso, foi por isso que te vim cá chamar."

Afonso ergueu-se e espreitou pela porta do posto em busca da ordenança.

"Joaquim", chamou.

"Meu capitão?"

"Daqui a um bocado chega aí um oficial novo", anunciou-lhe. "Vamos fazer-lhe a recepção ao caloiro. Avisa a malta para se preparar para o número do costume."

"Imediatamente, meu capitão", disse Joaquim, fazendo continência antes de descer em corrida pela segunda linha.

Afonso e Mascarenhas abandonaram o posto de comando da segunda companhia de Infantaria 8, em Grants, meteram pela Winchester Road e apanharam a Rue Tilleloy até Baluchi Road, a trincheira de comunicação por onde seguiram até virarem em

Cardiff Road e chegarem à linha de apoio, no sector de Euston Post. Aí encostaram-se ao muro de pedra e aguardaram pelo recém-chegado oficial.

O capitão Resende apareceu no local dez minutos depois, conduzido pela ordenança do major Mascarenhas. Afonso e Mascarenhas viram-no aproximar-se pela longa Rue de la Bassée e apreciaram-no com mal disfarçado prazer e antecipação. A farda vinha imaculadamente lavada, o capacete de ferro impecavelmente colocado e apertado debaixo do queixo, a máscara antigás pendurada ao pescoço e muito direita como requerido pelo regulamento, o porte majestoso e altivo, as botas reluzindo de graxa, embora já com alguma lama na sola. Apenas a barriga proeminente estragava a majestosa postura marcial.

Quando se encontraram, os três fizeram continência e depois apertaram as mãos.

"Então, capitão, preparado para a vida nas trincheiras?", quis saber Afonso.

"Nem por isso", disse Resende. "Ainda há quinze dias passeava eu no Rossio e, veja lá, estou agora aqui, de surpresa, sem preparação alguma. Pus-me na guerra enquanto o diabo esfrega um olho."

"Homessa!", exclamou Mascarenhas. "No Rossio? O que fazia vossemecê no Rossio?"

"Bem", atrapalhou-se Resende. "Passeava, suponho. Ia até lá acima à Casa Havaneza comprar tabaco."

"À Havaneza?", admirou-se Mascarenhas. "Mas donde é vossemecê?"

"Eu sou de Paço d'Arcos."

"De Paço d'Arcos?", surpreendeu-se ainda mais o major. "Mas o que é que vossemecê está a fazer no 13, que é uma unidade de Trás-os-Montes? Você devia era estar na 6.ª Brigada, a de Lisboa, onde se encontram o 1, o 2, o 5 ou o 11."

"Pode parecer-lhe um pouco estranho, meu major, mas não tenho nada a ver com Trás-os-Montes e fui colocado de emergência no 13", justificou-se o capitão. "Vou para onde me mandam."

O major Mascarenhas afagou o bigode, pontiagudo nas extremidades.

"É a porra da falta de oficiais", comentou para Afonso. "Como já viemos desfalcados e vamos perdendo homens por causa dos boches e das doenças, até mandam lisboetas para os nossos batalhões transmontanos."

"Ó meu major", observou Resende. "Quem o ouvir falar até parece que me desconsidera..."

"De modo algum, de modo algum", apressou-se a esclarecer Mascarenhas. "Seja muito bem-vindo ao Batalhão de Infantaria 13 e às trincheiras do CEP. Nós estamos estacionados em Ferme du Bois e aqui o capitão Brandão, que é do 8, de Braga, encontra-se a defender a linha de Neuve Chapelle. O 8 pertence à Barrigada do Minho."

"Barrigada do Minho?", admirou-se Resende.

"Engraçadinho...", comentou Afonso, rolando os olhos.

Mascarenhas riu-se.

"A malta chama Barrigada do Minho à Brigada do Minho. Mas, como vê, os minhotos ficam todos nicados."

Os três oficiais e a ordenança desceram pela Rue de la Bassée e foram apanhar a Edgware Road, meteram por esta até, lá ao fundo, galgarem pela Baluchi Trench. Afonso adiantou-se ligeiramente, conduzindo-os para a linha B do seu sector, onde, se Joaquim cumprira bem as instruções que lhe dera, os aguardava a recepção ao caloiro.

Quando desembocaram na linha B, Afonso avisou, induzindo o recém-chegado em erro:

"Estamos na linha da frente, o inimigo encontra-se a duzentos metros."

Era mentira, claro, mas a informação tinha sido transmitida em tom grave e impunha respeito. Uma voz de sentinela troou nos ares.

"Quem vem lá?"

Afonso encheu os pulmões.

"Mijo!", gritou. "Contra-senha?"

"Merda!"

Afonso voltou-se para trás e olhou para Resende, que o fixava de olhos esbugalhados.

"Vamos, podemos passar."

Resende estava perplexo.

"Arre!", exclamou. "Vocês têm o diabo de umas senhas..."

"Chiiiu!", indicou Afonso, o dedo à frente da boca exigindo silêncio.

"Silêncio total!", ordenou Mascarenhas, reforçando a mensagem.

O capitão Resende encolheu-se no sobretudo, intimidado com o ambiente opressivo. Uma rajada de metralhadora rasgou o ar. O facto de ser uma *Lewis* portuguesa, previamente instruída para abrir fogo na sequência de um sinal de Joaquim, não foi comunicado ao recém-chegado. Mascarenhas deu um brutal encontrão ao capitão Resende, este patinou desesperadamente no estrado até tombar de joelhos na lama. Os outros oficiais e respectivas ordenanças encostaram-se também ao parapeito, agachados. Nova rajada de metralhadora.

"Capitão!", chamou Mascarenhas, dirigindo-se a Resende. "Deite-se ali, depressa!"

Ali era uma poça de lama. Resende olhou, ainda hesitou, mas pensou que estava em terra estranha e que os seus companheiros sabiam o que faziam e por isso atirou-se em força para a lama. Mascarenhas e Afonso viram-no rebolar-se com entusiasmo pela poça viscosa, a impecável farda lavada transformada numa papa repugnante, e viraram a cara para rirem em silêncio, os ombros em convulsões de gargalhadas reprimidas. Quando recuperaram, Afonso fechou os olhos e, num esforço titânico para não se desmanchar, encheu os pulmões de ar e gritou baixinho:

"Boches! Aos abrigos!"

O grupo desapareceu num ápice pelo emaranhado de trincheiras e buracos, deixando Resende só, a chapinhar na lama. O capitão virou-se para todos os lados e não viu ninguém. Com os olhos muito abertos, aterrorizados, olhou para cima à procura do temível inimigo, o boche maldito, ergueu-se e encostou--se ao parapeito, encurralado, sem saber o que fazer, a mão, trémula, sacando o revólver do coldre. Durou alguns longos segundos este momento de suprema desorientação e logo Afonso reapareceu.

"Falso alarme", explicou sumariamente. "Venha por aqui."

O capitão Resende suspirou de alívio e seguiu-o, transpirando apesar do frio, Mascarenhas e as duas ordenanças a juntarem-se a eles, todos com cara de caso. Passaram por uma árvore carbonizada e Afonso apontou para o tronco.

"Bata aqui!", disse a Resende.

"Como?"

"Bata aqui, homem!", ordenou.

O capitão caloiro, obediente, embora sem perceber o propósito da agressão ao tronco queimado, levantou a bengala e bateu na árvore. O impacto produziu um surpreendente som metálico e o tronco soltou um berro.

"Cuidado com isso, suas bestas!"

Resende deu um salto, estupefacto. A árvore falava. Afonso e Mascarenhas desataram a rir.

"Ó homem, isto é um posto de observação, camuflado em árvore", explicou Mascarenhas. "Chama-se Betty e é uma das árvores de ferro que para aqui temos."

"Vocês estão-me a gozar..."

"Então o que queria vossemecê?", justificou-se Afonso. "Esta é a nossa tradicional recepção ao caloiro aqui nas trinchas, diga lá se não é uma maravilha?"

"Vão-se cardar!"

Os dois oficiais riram-se.

"Deixe lá que caem todos", comentou Mascarenhas. "Quando entrámos pela primeira vez nas trinchas, os gajos da 1.ª Divisão fizeram-nos a mesma coisa. Venha daí até ao posto de comando para bebermos um vinho do Porto e lamber as feridas."

E lá foi o capitão Resende, o bigode desalinhado, a farda numa amálgama de lama escura e húmida, as botas cobertas de terra, arrastando-se penosamente pela trincheira suja e malcheirosa, na esperança de saborear um doce cálice com sabor a Portugal.

A entrada do abrigo do pelotão não passava de um buraco aberto junto à base do parapeito, várias tábuas pregadas e sacos de areia a reterem a lama cinzenta que teimava em se infiltrar pelas arestas. Matias Grande meteu pela toca, sentindo as tábuas da escada a rangerem a cada degrau. O abrigo estava iluminado por lamparinas e eram visíveis vários homens deitados ou sentados, pertenciam ao seu desfalcado pelotão. Alguns dormiam, um fumava, outro catava piolhos do seu colete de pelica, um último lia uma carta numa pose pouco habitual. Afinal de contas era raro encontrar quem soubesse ler naquele universo de analfabetos, homens rudes da serra e do campo que cresceram a trabalhar a terra e a zelar pelos animais e cuja única educação foi a que a vida lhes deu. Matias pôs a mão no ombro do soldado que lia a carta.

"Daniel", chamou.

O homem, magro, franzino e com olheiras, levantou a cabeça. Tal como Matias, mais alto e forte, usava matacões, uma barba cortada rente e que distinguia os soldados minhotos do resto da tropa portuguesa.

"Então?", saudou Daniel.

"Tudo bem, vou ver se serro presunto."

"Alguma merda?"

"Não, os balázios do costume, nada mais."

"Já manducaste?", quis saber Daniel.

"Caviar", disse Matias, os olhos desviando-se para a carta. "Notícias da patroa?"

"Sim", retorquiu Daniel, a sua atenção voltando-se de novo para o papel escrevinhado que tinha nas mãos.

"Alguma novidade lá na terra?"

Daniel, tal como Matias, era de Palmeira. Tinham andado juntos na brincadeira, lavraram campos para o mesmo patrão, fizeram vindimas lado a lado, eram unha com carne nas trincheiras. Daniel, muito religioso, como convém a qualquer minhoto, chamavam-lhe até Beato, aprendera a ler com o pároco, era a única forma de entender a Bíblia. Já Matias, menos dado a misticismos, nunca encontrou grande motivação para a aprendizagem. Além do mais, os pais cedo o obrigaram a ir lavrar a terra, não queriam o peso de uma boca para alimentar que permanecesse improdutiva. Como resultado, ficou analfabeto.

"Está tudo bem, mas ela queixa-se de que o miúdo é endiabrado."

"Um boche."

"Um boche", assentiu Daniel, sorrindo.

Uma ratazana gorda correu desajeitadamente pelo abrigo, passando a um palmo da tábua de Matias e deixando atrás de si um rasto enlameado. O soldado observou-a a anichar-se por um buraco aberto nas paredes de lama.

"Mais?", perguntou, olhando novamente para o amigo e esperando notícias de Palmeira.

"O ·perdigueiro da Assunta teve uma ninhada e o Zelito fez uma birra, quer um cãozinho."

"Olha, a mim é que me dava jeito um cão", riu-se Matias. "Já viste o Fritz chegar ao meu posto e levar com um perdigueiro nas trombas?"

Daniel ficou pensativo.

"Eu, se tivesse um cão, fazia já aqui um churrasco", exclamou. "Dizem que os chineses lhes chamam um figo."

"Estás maluco", disse Matias, puxando por uma manta. "Os bifes, se soubessem, deixavam de nos falar. Os camones adoram os cães."

"Deixavam de nos falar?", retorquiu Daniel. "E eu ralado, não percebo nada do que eles dizem."

"Ó Daniel, vai-te quilhar", concluiu Matias, sacudindo a manta para a libertar dos parasitas e das pulgas e deitando-se depois na tábua molhada e enlameada.

"Vai-te quilhar tu."

"Vou mas é dormir, dormir e sonhar com gajas", soltou Matias, a cabeça já debaixo da manta. "No estado em que estou até a Assunta marchava. A Assunta e o perdigueiro."

"És um porco."

"Cala-te lá que eu agora vou adunar e sonhar que estou a tratar do assunto com a Assunta."

Sentiu a humidade a enregelar-lhe as costas, a lama da tábua a misturar-se com a farda suja e empapada. Praguejou baixinho. Odiava aquele mar de lama, não havia meio de se habituar a ele, detestava dormir com a roupa molhada, o frio a colar-se-lhe à pele e a penetrá-lo até aos ossos. Pensou que era inevitável um dia apanhar uma pneumonia, mas esse pensamento tornou-se lento e transformou-se subitamente num sonho. Tinha adormecido.

O posto de comando de Grants estava húmido e Afonso puxou o catre para junto do caixote de munições, de modo a permitir que os seus convidados se sentassem. Baixou-se para procurar a caixa com as bebidas e, ainda curvado, virou a cabeça para Resende.

"Vossemecê quer experimentar um *whisky?*"

"Um quê?"

"Um *whisky.*"

"O que é isso?"

"É uma espécie de aguardente escocesa."

Resende abanou a cabeça.

"Quero lá saber dessas mistelas dos bifes. Dê-me lá mas é um bom porto."

Afonso pôs a garrafa na mesa, era escura, o vidro sujo e sem rótulo. Distribuiu três copos e despejou um dedo de vinho em cada um. Os três oficiais ergueram os copos.

"À nossa!"

Depois de engolirem o primeiro trago, Resende ajeitou-se no banco.

"Então como é a vida por aqui?", quis saber.

O major Mascarenhas puxou de uma caixa branca, *Embassy* escrito a vermelho, e tirou de lá um cigarro, era um maço que vinha nas rações inglesas.

"Aqui não se vive, homem", disse, acendendo o cigarro. "Aqui sobrevive-se."

"Imagino."

"Não imagina nada", cortou o major. "Mas vai perceber depressa. O que a malta tenta é passar despercebida, provocar os boches o menos possível e ir fazendo pela vida."

"Tem havido muitos combates?"

"Nem por isso", disse Mascarenhas com um trejeito de boca, libertando uma baforada cinzenta do *Embassy*. "Nada que se compare com o que se passa com os camones. Aquilo é que é bordoada da grossa."

Mascarenhas olhou para Afonso, que se sentiu na obrigação de retomar a explicação.

"Temos sobretudo duelos de artilharia, missões de patrulha na terra-de-ninguém, tiros de *sniper,* rajadas de metralhadora, essas coisas que dão encanto à vida nas trincheiras", disse Afonso. "As patrulhas na terra-de-ninguém acabam por vezes aos tiros, já lá perdemos alguns homens. Mas combates mesmo a sério, daqueles de envergadura, tivemos apenas quatro. O primeiro foi logo em Julho, quando a malta do 24, de Aveiro, ainda fresquinha-da--silva, fez um raide às linhas alemãs com trinta homens. Só que as coisas não correram lá muito bem."

"Porquê?"

"Éramos ainda inexperientes, andávamos armados ao pingarelho e apanhámos uns maduros pela frente", disse. "Além do mais, um oficial do 24 contou-me que tinham ficado com a impressão de que os boches já sabiam antecipadamente que ia haver um raide."

"Sabiam como?", admirou-se Resende.

"Sei lá. Por espionagem ou por um desertor, qualquer coisa assim. Mas também porque éramos uns ingénuos. Disseram-me que, dias antes do ataque, a própria população francesa já comentava a operação."

"Não acredito."

"Pode crer. Sabe como é o pessoal, era tudo novidade, uma aventura, e facilitaram, puseram-se a falar em toda a parte sobre o que iam fazer. Resultado, as coisas acabaram mal."

"E os outros combates?"

"Depois do espalhanço do 24 não fizemos mais nada, de modo que os restantes três foram todos de iniciativa alemã", explicou Afonso. "O primeiro raide dos tipos ocorreu em Agosto, três semanas depois do nosso. Lançaram gases e atacaram com centenas de homens em Fauquissart, chegando a passear nas nossas linhas, e foi sobretudo o pessoal do 35, de Coimbra, que teve de se aguentar à bronca. Uma semana depois, os boches voltaram a atacar, agora ali em Ferme du Bois, mas a artilharia bateu forte e conseguiu impedir que eles chegassem às nossas linhas."

"E o terceiro raide?"

"Esse ocorreu há pouco tempo", indicou Afonso, olhando de relance para Mascarenhas.

"Há uns dez dias, mais coisa, menos coisa", referiu o major. "Já envolveu o pessoal da 2.ª Divisão."

"Os outros não foram com a 2.ª Divisão?"

"Ó homem, você anda no mundo da Lua ou quê?", questionou-se Mascarenhas. "Nós só entrámos nas trincheiras há pouco tempo. Pouco tempo, é como quem diz, fez ontem dois meses e já achamos muito. Mas a verdade é que quem aqui tem andado no duro têm sido os gajos da 1.ª Divisão, esses estão a combater desde Maio, enquanto nós só chegámos aqui às trinchas a 23 de Setembro. E foi apenas há dez dias que tivemos um combate a sério, justamente quando desse raide inimigo. Até aí só tínhamos visto bombardeamentos e patrulhas."

"O azar dos boches neste último raide foi terem encontrado pela frente aqui a malta de Braga", exclamou, orgulhoso, Afonso.

"Ah, foi convosco?", surpreendeu-se Resende, pousando o copo.

"Não", disse Afonso. "Temos aqui dois batalhões de Braga, pertencentes à Brigada do Minho da 2.ª Divisão."

"A Barrigada do Minho?"

"A Brigada", insistiu, com ar de quem não admitia brincadeiras com o nome da sua brigada. "Temos o 8, que é o meu, e o 29. Foi com o 29."

"E o que aconteceu?"

"Eles avançaram ao fim da tarde em Ferme du Bois e entraram nas nossas linhas, mas a malta de Braga pô-los a correr num instante."

"Ó Afonso, não estás a contar a história toda", atalhou o major Mascarenhas com um sorriso, apagando no chão o cigarro inglês.

"Qual história?", pressionou Resende.

"Ah, umas coisinhas de nada", disse Afonso.

"Umas coisinhas de nada, não", corrigiu Mascarenhas. "Alguns homens abandonaram os postos e cavaram, outros foram feitos prisioneiros sem lutarem e, para cúmulo, houve até um comandante que ficou de tal modo acagaçado que nem no dia seguinte se atreveu a ir à linha da frente saber o que tinha acontecido e mandar reparar as trincheiras danificadas."

"Está bem, mas a verdade é que, uma hora depois de ter começado o ataque, os boches cavaram", argumentou Afonso, defendendo a honra do batalhão de Braga, mesmo não sendo o seu.

"Cavaram uma ova!", exclamou o major transmontano. "Andaram a passear na nossa linha da frente, foi o que foi, e só se foram embora quando lhes apeteceu e com uma carrada de prisioneiros às costas. Pareciam uns pastores a levarem a carneirada."

"Desculpa, mas houve sete louvores e duas promoções por distinção em combate", lembrou Afonso.

"É", cortou Mascarenhas, carregado de ironia. "E um oficial e três soldados foram punidos com prisão correccional e um outro oficial foi repreendido. Deve ter sido por bravura."

Afonso calou-se e engoliu as últimas gotas do seu porto. Fez-se um silêncio embaraçado e Resende olhou para o relógio.

"Já são quase cinco da tarde", observou o lisboeta.

Mascarenhas pôs-se de pé e os dois capitães também se levantaram.

"Daqui a pouco é a formatura", disse o major, olhando para Resende. "Tenho ainda de o pôr a par da nossa rotina aqui nas trincheiras e das suas funções."

"Então o que vou fazer, meu major?", perguntou Resende, apalpando inconscientemente a barriga, cujo volume tinha o futuro seriamente ameaçado pela vida nas trincheiras.

"Para já, vai ser o oficial de serviço à meia-noite", indicou Mascarenhas. "Terá de efectuar durante duas horas a ronda das sentinelas sem nunca se abrigar e irá contar com um sargento com a mesma missão, mas em sentido contrário. Há duas formaturas gerais, uma ao amanhecer e outra ao anoitecer. Cabe-lhe ainda preparar os relatórios sobre a actividade no seu sector e terá de garantir que as suas trincheiras estão transitáveis a qualquer momento."

"Muito bem", disse o capitão lisboeta, antevendo sete dias de pesadelo e dieta forçada.

"Vou agora levá-lo aos seus aposentos e apresentar-lhe o pessoal."

"Aposentos?"

"É mais um buraco", corrigiu o major. Cruzou a porta e abandonou o posto de Afonso, despedindo-se do amigo com um aceno. "Até logo."

Os dois oficiais de Infantaria 13 desceram pela trincheira, a caminho de Ferme du Bois, e o capitão Afonso regressou ao seu relatório das três da tarde. A elaboração do documento tinha sido interrompida para a praxe ao caloiro e, por isso, o relatório teria agora de ser enviado com um grande atraso. Além do mais, era importante não esquecer a leitura da circular 22.753. O oficial mirou o relógio da mesa e viu-o a assinalar as cinco da tarde em ponto.

IV

A equipa de artilheiros tinha ordens para disparar três salvas às cinco da tarde. À hora exacta, os homens pegaram numa granada de duzentas e noventa libras, carregaram a *Howitzer*, o chefe da equipa regulou pelo óculo a elevação até aos quarenta e três graus e, quando ficou satisfeito, recuou.

"Atenção!"

Os homens taparam os ouvidos.

"Fogo!"

A *Howitzer* deu uma violenta guinada para trás e vomitou uma língua-de-fogo pelo cano chamuscado, um trovão ensurde-cedor encheu o ar e a granada saiu disparada em direcção às linhas inimigas. O projéctil afastou-se com um silvo sinistro, o assobio foi morrendo no céu até se calar, fez-se uma pausa de vários segundos, uma nuvem silenciosa ergueu-se do outro lado, a pausa prolongou-se, finalmente escutou-se o longínquo estam-pido da detonação, eram notícias trazidas pelo vento a confirma-rem que a granada tinha explodido como previsto. A operação foi repetida duas vezes, após o que os artilheiros recolheram ao abrigo, não desejando estar junto ao canhão quando viesse a resposta.

Não foi preciso esperar muito. Em alguns minutos, uma chuva de granadas começou a regar as linhas portuguesas. As sentinelas correram a abrigar-se do fogo largado pelas *Morser* alemãs e até os observadores camuflados se encolheram nos buracos.

As sucessivas detonações despertaram Matias Grande e os restantes homens de Infantaria 8 do torpor do sono. A terra tremia e alguns pedaços de lama caíram-lhe no corpo. O enorme minhoto ergueu-se na tábua, viu uma ratazana a roer-lhe a manta, sacudiu-a para afugentar o animal e sentou-se junto a Daniel Beato, que tremia. O abrigo estava frio e húmido, mas aquele era um tremor nervoso, de medo. Matias sentiu também as mãos a tremelicar e pôs a manta a cobrir-lhe as costas, mas de modo a esconder-lhe os membros. Uma granada explodiu perto e o fragor da detonação ressoou como um tambor. Ao tremor das mãos vieram juntar-se os suores frios. A dezena de homens que se apertava no abrigo sofria em silêncio, gotas de suor no rosto, todos sentados olhando uns para os outros ou fixando os olhos no infinito ou nas paredes enlameadas do abrigo. Daniel era o único com as pálpebras cerradas, os lábios murmurando uma oração rápida e sempre repetida quando chegava ao fim, fazendo assim pleno jus à alcunha de Beato.

"AveMariacheiadegraçabenditasoisVósentrasmulheresbenditófruto..."

Escutando a ladainha sussurrada da oração do amigo, por entre os baques e silvos da artilharia, Matias lembrou-se com um sorriso amargo da decepção que sentiu quando pela primeira vez chegou às trincheiras, dois meses antes, em Setembro de 1917. Imaginava antes que a guerra era uma grande aventura, repleta de acção e emoção, e ficou surpreendido com o volume de trabalho rotineiro e de bocejante tédio que preenchia a vida nas linhas. Grande parte do dia era ocupada com trabalhos da mais diversa ordem. Os homens carregavam munições e mantimentos, enchiam sacos de areia, consertavam vedações e redes de arame farpado, faziam buracos, procediam a drenagens, pregavam tábuas nos parapeitos, reforçavam paredes, efectuavam limpezas, tudo sempre com o estômago a apertar de fome e o corpo a tremer de frio.

A estafa era tanta que Matias começou a concluir que fazia trabalho de servo em condições de escravo e a viver como um homem das cavernas.

Quando vieram os primeiros bombardeamentos pesados foi uma alegria, os lãzudos pareciam uns garotos traquinas, estupidamente entusiasmados com o espectáculo feérico que iluminava a noite. Naquela altura, tudo cheirava a novidade, tudo prometia animação. Ninguém teve verdadeiro medo, havia até quem saísse dos abrigos para ver como eram as coisas, a acção parecia excitante, palpitante, tremenda, a adrenalina disparava, a guerra era um alucinante jogo de luzes, cores, sons e emoções fortes. Sentiam-se bizarramente invulneráveis, turistas num inofensivo passeio, actores numa emocionante aventura. Matias achava então que as granadas não lhe eram destinadas, que as balas passariam sempre ao lado, e admirava-se quando via os *tommies* a abanarem a cabeça, estupefactos com a alegria infantil dos lãzudos. Mas, quando começou a ver os seus camaradas morrer, pedaços de carne espalhados pelo chão e membros mutilados em redor, tudo mudou, a morte deixou de ser abstracta. O que inicialmente não parecia mais que uma fantasia irreal transformou-se agora em perigo letal, deixou de ser brincadeira e começou a ser pesadelo. Vieram os tremores, o suor, o horror, a impotência. Matias começou gradualmente a perceber que a guerra era feita de oitenta por cento de tédio e rotina, dezanove por cento de frio polar e um por cento de puro horror, o mesmo horror que naquele momento o paralisava, a si e aos seus companheiros. Fugir dali estava fora de questão, mesmo que os regulamentos militares o permitissem. Os abrigos encurralavam-no, é certo, mas sempre ofereciam alguma protecção. Lá fora, sob a tempestade de aço e de fogo, suspeitava que não seria possível sobreviver muito tempo.

"Os cabrões dos cachapins deviam era estar aqui", resmungou Vicente Manápulas, que terminara havia uma hora o serviço de sentinela e tentava agora distrair as atenções do bombardeamento pesado que decorria no exterior.

Vicente era o soldado mais rezingão do grupo; não perdia oportunidade para flagelar os oficiais com palavras carregadas de revolta, mas a verdade é que se limitava a expressar de viva voz o que outros calavam em pensamento. O ressentimento das praças para com os oficiais e a multidão de militares com tarefas exclusivamente burocráticas era profundo e tema recorrente das suas conversas. Os soldados formavam uma comunidade fechada, unidos pela miséria extrema; tinham consciência de ser carne para canhão e sentiam-se esquecidos pelo país e espezinhados pelos chefes.

"Temos de aguentar", comentou Matias laconicamente, cerrando os dentes para controlar o medo.

"Nós aqui na merd'e eles nos seus abrigos com camas, a viverem à grande nos quartéis-generais aquecidos com lareiras, a gozarem o prato nas brincadeiras c'as *demoiselles,* a alambuzarem-se nas messes c'as rações de carne de vaca, a emborcarem tintol servido em copos de cristal e a dormir'em lençóis lavados e perfumados", enumerou Vicente com um esgar de desprezo.

Um outro lãzudo aproximou-se, quase gatinhando pelo soalho enlameado do abrigo. Era Baltazar, um serrano do Gerês que costumava ser gordo e agora, com a pele enrugada e o cabelo prematuramente grisalho nas têmporas, mostrava um aspecto envelhecido; chamavam-lhe até o Velho. Sentindo uma espécie de comunhão do medo, que o levava a procurar os homens que com ele sofriam, decidiu animar o diálogo, apimentando-o com pormenores sobre as *demoiselles,* uma maneira eficaz de distrair a mente do bombardeamento.

"Noutro dia, em Saint-Venant, vi mesmo uma gaja a sair do quartel-general", disse Baltazar. "Que categoria!"

Calaram-se, imaginando-a. Qualquer notícia sobre o aparecimento de mulheres causava sempre sensação.

"Era boa?", perguntou Matias, sabendo que o Velho não era económico no uso da palavra "categoria", essa era mesmo a sua expressão favorita desde que a ouvira da boca de um oficial.

"Sabes que não sou esquisito", disse Baltazar Velho, encolhendo os ombros. "Lá na minha aldeia, em Pitões das Júnias, já pinei sansardoninhas bem piores, de bigode e tudo, o que é que vocês pensam?"

"Mas como é que ela era?"

"Francesa ou flamenga, arruivada, grande e cheia de carnes", descreveu, os olhos brilhantes.

"Um almazem?", perguntou Matias.

"Um almazem", confirmou o serrano. "Mas marchava cá com uma categoria..."

Uma sequência de violentas detonações ali perto fê-los calarem-se e olharem para a entrada do abrigo. A terra voltou a tremer e mais lama caiu do tecto.

"Porra!", praguejou Vicente Manápulas. "Eles hoje não param."

Novo silêncio dentro do abrigo, abalado pelos estremeções e detonações que vinham do exterior. Até Daniel Beato calou a oração por instantes e se virou, apreensivo, para a porta do abrigo.

"Espero que esta merda aguente", disse Baltazar com fervor, verificando a solidez das paredes lamacentas.

"Vamos todos morrer na puta desta guerra!", vociferou Vicente, claustrofóbico naquele buraco. "Tenho cá um pressentimento..."

"Isto está a escacholar", comentou Matias com ar tranquilo. O homenzarrão de Palmeira tinha a qualidade de saber ocultar o medo por detrás de uma máscara de imperturbabilidade, apenas o tremor das mãos o traía. Matias dava importância ao bom ambiente no grupo e esforçava-se por acalmar os companheiros, em especial Vicente, que era particularmente supersticioso e a todos enervava com os seus maus agoiros. "Mas não há-de ser nada."

As trepidações libertaram novos pedaços de lama do tecto. Os homens calaram-se, olhando para cima com alarme, analisando as tábuas que seguravam as paredes do abrigo.

"Até me treme a passarinha!", murmurou Baltazar, angustiado.

"...ventreJesusSantaMariaMãedeDeusrogaipornóspecadoresagora...", prosseguia Daniel, os olhos devotamente cerrados.

Mas as paredes aguentaram-se e, minutos mais tarde, os soldados retomaram a conversa.

"Eu gostav'era de ver os oficiais aqui metidos", resmungou Vicente. "Quando lhes chusm'a coisa xuega, pisgam-se todos."

"Os gajos são galrichos", observou Baltazar. "Agafanham-se em abrigos de cimento e a malta é que fica aqui a bombar."

Quando começaram a ter verdadeiro horror dos bombardeamentos, estes momentos deixavam-nos sem fala e sem reacção, permaneciam prostrados, encolhidos nos abrigos, quietos e inquietos. Mas agora já tinham aprendido a conversar, num esforço titânico para pensarem noutras coisas e distraírem as atenções da tempestade de fogo que lá fora se abatia sobre as trincheiras. Chegaram até a tentar jogar às cartas, mas isso era pedir de mais, não se conseguiam concentrar e depressa desistiram; as suas mentes decididamente não se podiam abstrair da sombra de morte que sobre eles pairava naqueles penosos momentos de trovoada de ferro. As conversas entrecortadas, as frases despejadas num fôlego e as palavras ditas como se queimassem eram o limite do seu esforço.

"O velho prometeu há dois meses conceder-nos licenças p'ra irmos a Portugal, mas aqui a mim 'inda não me coube nada, apesar de já ter direito", queixou-se Vicente. "Marranos."

"Como é que queres que a malta vá se não nos deixam ir de comboio?", perguntou Baltazar.

"Ist'é p'ra rir", exclamou Vicente. "Dão-nos as licenças mas não nos deixam apanhar o comboio. O qu'é qu'o velho quer qu'a malta faç'aqui c'a porra das licenças? Vamos gozá-las c'os boches?"

O "velho" a quem se referiam não era Baltazar, mas antes o general Tamagnini Abreu, o comandante do CEP que, dois meses antes, em Setembro de 1917, estabelecera um sistema de quinze dias de licença para quem estivesse cinco meses em campanha. O general aproveitou para autorizar os primeiros soldados a irem de licença a Portugal. Em Outubro, o ministro da Guerra aumentou o tempo de licença para vinte dias e consentiu que os soldados fizessem a viagem de comboio através de Espanha, à falta de navios para efectuarem a ligação, mas cortou essa regalia pouco depois. Não havendo outro meio de transporte, a proibição de usar os comboios traduziu-se, na prática, na interdição de gozar as licenças em Portugal. O general Tamagnini verificou também que, de todas as praças que em Setembro tinham sido autorizadas a irem a Portugal gozar duas semanas de férias, nem uma única regressara ao CEP. Nesse mês de Novembro, as licenças foram aumentadas para um mês, mas, como não havia barcos de transporte e o comandante do CEP desconfiava que qualquer soldado de licença em Portugal era um soldado perdido, as praças ficaram literalmente a ver navios. Estavam reunidos os ingredientes para lançar a grande confusão. Nas trincheiras começou nesta altura a grassar um clima de enorme descontentamento entre a tropa, uma revolta ainda surda de quem se via com a oportunidade burocrática de gozar a licença, mas que não tinha a possibilidade real de exercer esse direito.

Eclodiu mais uma sucessão de detonações perto do abrigo. As granadas passavam tão perto que até se distinguiam os silvos, alguns curtos, outros alongados. Todos se calaram e, por instantes, voltou o silêncio no local.

Mas não por muito tempo.

"Os cabrões não param", notou Vicente, aproveitando a primeira pausa daquela sequência de explosões. "Isto dur'há meia hora e os cabrões não param."

Abel transpirava profusamente no posto de sentinela da linha da frente, perto de Punn House, ali em Neuve Chapelle, apesar da temperatura glaciar que durava havia semanas. O soldado entrara de serviço às cinco da tarde, justamente quando o bombardeamento começara, e não via a hora de terminar o turno e ir refugiar-se no abrigo, os ares cá fora não lhe pareciam saudáveis.

As ratazanas corriam desesperadas pelas trincheiras, fugindo dos sucessivos pontos onde ocorriam detonações. Os alemães varriam a bombas as posições portuguesas e Abel, o Lingrinhas entre os amigos, estava proibido pelo regulamento de procurar refúgio. Abel era um magro agricultor de Gondizalves cujas mãos calejadas de trabalharem a terra trocaram a rude enxada pela macia *Lee-Enfield*. Sabia que uma sentinela não podia abandonar o posto e não tinha como se abrigar. À falta de melhor, encostou-se à base da trincheira, junto à parede anterior, e ficou deitado na lama, evitando assim os estilhaços de metal e de pedra que, com a chuva de lama levantada por cada rebentamento, voavam por toda a parte, e por ali permaneceu quase toda a hora do turno.

Por definição, as trincheiras são locais desagradáveis. Mas ali, no sector do Lys, o desconforto atingia extremos devido às características do terreno. As posições ocupadas pelos portugueses eram constituídas por terras baixas e argilosas, bastando cavar cinquenta centímetros para encontrar água. Na época do degelo ou das chuvas, os drenos que cruzavam as linhas transbordavam, produzindo inundações gerais. Isto significava, na prática, que, ao contrário da generalidade das trincheiras, as linhas portuguesas não podiam ser cavadas em profundidade, sob pena de se transformarem em verdadeiras piscinas. Por isso, a parte escavada nunca excedia os sessenta centímetros, sendo as paredes dos parapeitos constituídas por sacos de areia ou de terra amontoados acima do nível do solo, uma solução menos segura, mas a única que se revelava prática naquelas circunstâncias. Mesmo assim, a lama chegava aos joelhos em quase todas as trincheiras portuguesas durante o período das chuvas ou do degelo, e não era uma lama qualquer. Pegava-se ao corpo como cola e não era a primeira nem a segunda vez que os soldados ali deixavam as botas. Abel ficou uma vez com os pés presos naquela lama escura, tentou levantar as pernas mas não conseguiu, pôs as mãos no chão para melhor fazer força nas pernas e acabaram também elas por ficar ali coladas. Permaneceu durante meia hora numa posição ridícula, os pés e as mãos pregados ao chão, e só conseguiu sair quando um companheiro escavou a lama com pás.

Já perto das seis da tarde, próximo da hora da rendição de sentinela, apareceu o sargento Rosa, de serviço de fiscalização à linha da frente, e se agachou junto a Abel.

"Não se pode andar por aqui no meio das marmitas, faz mal à saúde", ironizou o sargento entre duas golfadas de ar para recuperar o fôlego. "Ó Lingrinhas, tens espreitado pelo parapeito?"

"Sim, meu sargento", mentiu Abel.

"Não topaste movimento na Avenida Afonso Costa?"

Era a alcunha da terra-de-ninguém.

"Não há nada."

Uma das obrigações das sentinelas era espreitarem pelo parapeito para a terra-de-ninguém, de modo a verificarem se o inimigo estava em progressão. Como o bombardeamento se prolongava e mostrava uma intensidade anormalmente elevada, a vigilância tinha de ser maior, uma vez que estes fogos de artilharia serviam normalmente para amaciar o terreno e preparar uma surtida da infantaria. Mas Abel Lingrinhas sentia-se demasiado aterrorizado e não se atrevia a erguer o corpo para observar o território hostil.

"Quando o Beato daqui a bocado te vier substituir, não quero que te vás embora", ordenou o sargento. "Como as coisas se estão a pôr, parece-me melhor haver duas sentinelas."

Era uma má notícia, mas Abel procurou ocultar a decepção. Queria desesperadamente refugiar-se nos abrigos, onde estava o resto do pessoal, e o prolongamento do serviço de sentinela, embora natural naquelas circunstâncias, significava que continuaria a expor-se penosamente e sem defesas ao bombardeamento. A única protecção era a atenção que dava aos diferentes sons dos vários projécteis. Com a experiência que adquirira, Abel, tal como a generalidade da tropa que prestava serviço nas trincheiras, já aprendera a reconhecer o barulho das bombas alemãs antes de explodirem, conseguindo até adivinhar a direcção e a distância a que iriam cair pelo tipo de assobio que produziam. Nessas circunstâncias, se distinguisse um zumbido indiciador de que o projéctil iria tombar em cima dele, Abel já tinha planeado atirar-se para o outro lado de uma das curvas em ziguezague da linha da frente. Era uma protecção frágil, mas a única de que dispunha ali, a céu aberto, no posto de sentinela.

Para alarme dos dois homens encolhidos junto a Punn House, um desses zumbidos chegou-lhes aos ouvidos. Ambos se encolheram no chão, protegendo a cabeça com as mãos, e uma brutal explosão sacudiu o ar, levantando lama e pedras e fazendo-lhes chegar um bafo quente e uma chuva de pequenos projécteis. Meio aturdido, Abel ergueu a cabeça e percebeu que a bomba tinha caído na trincheira de comunicação ali ao lado e que parte da parede se desmoronara. O sargento Rosa também levantou os olhos e viu a nuvem de fumo a subir da trincheira situada a cinco metros de distância. Virou-se para Abel e verificou que este tinha sangue no ombro direito.

"Estás ferido, ó Lingrinhas", disse, examinando o ombro da sentinela.

Abel olhou e viu a pele esfacelada.

"Porra."

"Dói-te?", perguntou o sargento, vasculhando já a caixa dos primeiros socorros à procura de um penso.

"Não", murmurou o soldado, abanando a cabeça. "Se calhar é melhor ir ao posto médico."

"Não digas disparates", cortou o sargento Rosa. "Vais, mas só depois do bombardeamento. Isto são uns arranhões de estilhaços de pedra, não é nada de grave. Põe-se aí um penso e já está."

Um cheiro a maçãs assadas paralisou-os a meio da conversa. Ergueram os olhos e viram uma nuvem amarelada a aproximar-se, era como se fosse um vapor suspenso no ar e empurrado suavemente pela leve brisa que soprava das linhas inimigas.

"Gás!", exclamou o sargento.

Os dois homens agarraram as máscaras que traziam suspensas ao peito e colocaram-nas apressadamente na cabeça. Os dentes apertaram o bocal do tubo, a pinça metálica fechou as narinas para impedir a respiração pelo nariz e as fitas elásticas ajustaram a máscara de tela ao rosto. Era muito desconfortável, mas não havia alternativa. Depois de voltar a pôr o capacete, o sargento deu um salto à sineta de alarme antigás e accionou-a, alertando a tropa para a necessidade de todos utilizarem as máscaras, conhecidas por "respiradores". Sabendo que o gás constituía um prenúncio de um eventual avanço iminente da infantaria inimiga, Rosa fez um sinal à sentinela para espreitar para a terra-de-ninguém e estar atenta a qualquer movimentação dos soldados alemães e largou de imediato a correr pela linha, saltou por cima dos pedaços desmoronados da trincheira de comunicação, chegou à linha B, meteu a cabeça por um abrigo, tirou por instantes a máscara e gritou lá para dentro.

"O que é que estão aqui a fazer?"

Os homens olharam-no da penumbra do abrigo escuro, atrapalhados. Sabiam que, durante um bombardeamento, as ordens eram de saírem dos abrigos que não fossem de betão, uma vez que havia uma elevada probabilidade de os buracos se desmoronarem, mas o pavor de enfrentarem as bombas e granadas a céu aberto sobrepusera-se.

O sargento impacientou-se.

"Todos à linha da frente, em postos de combate", berrou. "Já, já!"

Sem esperar, correu para o abrigo seguinte e deu a mesma ordem aos homens que lá se encontravam. Entretanto, os do primeiro abrigo, que eram o pelotão de Matias Grande, já emergiam pela abertura, o sargento voltou para eles e apontou para a linha da frente.

"Espalhem-se pela linha junto à Punn House", ordenou.

"Imediatamente, meu sargento", respondeu Matias, ajeitando a máscara antigás que tinha ido buscar logo que começou a ouvir o alarme.

Matias Grande seguiu em corrida pela trincheira de comunicação, intimamente satisfeito por se estar a mexer. Não havia nada que lhe fizesse mais medo do que permanecer encerrado num buraco a ouvir as bombas a caírem e a terra a tremer. Tinha nessas alturas uma angustiante sensação de impotência, de claustrofobia, imaginava que a terra lhe cairia em cima e morreria soterrado. Mas agora, correndo pela trincheira com a espingarda na mão, ao ar livre, sentia-se dono do seu destino; era pura ilusão, decerto, mas a actividade ocupava-lhe a mente e expulsava-lhe o medo para um recanto da consciência. Daniel, Baltazar, Vicente e mais três homens seguiam na sua peugada, mas o sargento foi no sentido oposto, dirigindo-se ao segundo abrigo, donde saltavam agora os soldados do segundo pelotão.

"Ao posto da costureira", ordenou Rosa, mandando-os ocupar a posição da *Vickers* na linha B.

De seguida, o sargento, já ofegante, meteu pela trincheira de comunicação, sentiu que o bombardeamento alemão abrandara visivelmente, pensou que este era o momento mais sensível, era agora que se teria de vigiar melhor a terra-de-ninguém, preocupou-se com o tempo que escasseava, chegou à linha da frente e deu com os homens encostados ao parapeito e com as armas em prontidão, as baionetas aguçadas na ponta.

"Novidades?", quis saber, voltando a afastar momentaneamente a máscara para lançar a pergunta.

Os homens abanaram a cabeça, indicando que nada acontecera. Estavam todos com as máscaras colocadas, pelo que se tornava difícil perceber quem era quem. Vicente Manápulas distinguia-se pelo corpo baixo e forte, enquanto Matias Grande era o mais alto e encorpado e Daniel o mais franzino, os dedos do Beato a acariciarem o pequeno crucifixo que trazia ao pescoço. E o magricelas que tinha o ombro direito esfacelado só podia ser o Abel Lingrinhas. Encontrava-se sentado no chão, um companheiro de cócoras a colocar-lhe um penso, aquele que o sargento não tivera tempo de fazer por causa da intempestiva chegada do gás.

"Todos a vigiarem o inimigo", ordenou o sargento.

Um oficial apareceu nesse instante na linha. Era o tenente Cardoso, que estava de serviço de turno à linha da frente e levava a máscara na mão.

"Sargento", chamou. "Está tudo bem?"

"Sim, meu tenente", confirmou o sargento Rosa, tirando novamente a máscara.

"Está tudo a postos?"

"Sim, meu tenente", repetiu. "Chamei os homens do abrigo e coloquei uma secção na *Vickers* ali atrás. Mas talvez seja melhor mandar vir mais homens. Agora que o bombardeamento abrandou, nunca se sabe o que é que o inimigo vai fazer."

"Vá lá que eu fico aqui", ordenou o tenente.

O sargento recolocou a máscara e voltou à semidestruída trincheira de comunicação, fazendo-se à segunda linha para convocar mais soldados que se encontravam nos abrigos.

Na linha da frente, o tenente Cardoso colocou a máscara e posicionou os homens ao longo da trincheira. Matias instalou-se na esquina mais próxima da trincheira de comunicação de Punn House, atento ao que se passava na terra-de-ninguém. Havia muito fumo à frente, resultado das múltiplas granadas que foram caindo no local, em particular junto ao arame farpado das linhas portuguesas. Em alguns pontos, a linha de arame farpado estava mesmo interrompida, o solo aberto em crateras escavadas pelas bombas da última meia hora.

Matias sentiu os vidros da máscara embaciarem-se. Pegou nas dobras do respirador e limpou exteriormente os vidros sem retirar a máscara. Respirar pela boca cansava-o, mas não tinha remédio. De súbito, viu um vulto emergir do fumo à esquerda, um outro insinuou-se ao lado. Matias reconheceu os contornos inconfundíveis dos capacetes *pickelhaube*. Retirou a boca da válvula respiratória.

"Boches!", anunciou, num sussurro gritado e abafado pelo respirador, apontando na direcção onde referenciara o inimigo.

Eram os primeiros alemães que via de corpo inteiro ao natural e em situação de combate, sem serem prisioneiros ou vultos fugidios que se esgueiravam de longe algures nas linhas inimigas. Estranhou o característico capacete gótico em couro cozido, o *pickelhaube* tinha sido no ano anterior substituído por mais modernos capacetes de aço, certamente que aquela força ainda não tinha sido equipada com essa novidade, não interessava, eram alemães e bastava. Os homens voltaram as *Lee-Enfield* para a terra-de-ninguém, os corações aos saltos. O tenente Cardoso chamou Daniel Beato com um gesto, apontou para um dos foguetes encostados na trincheira, fazendo sinal de que queria que ele os lançasse, sacou o revólver e indicou os vultos.

"Fogo!", ordenou o tenente, a voz também distorcida pela máscara de lona.

Matias sentiu a espingarda saltar-lhe dos braços com o coice do tiro, as detonações da sua arma e das dos seus companheiros a ecoarem-lhe ruidosamente nos tímpanos e a testarem-lhe os nervos. Os vultos atiraram-se ao chão e uma metralhadora inimiga abriu fogo sobre a posição de Punn House, fazendo saltar a lama em redor. Os portugueses encolheram-se por detrás do parapeito, as respirações aceleradas pelo medo e pela tensão de terem de colocar depressa uma nova bala em posição. As espingardas tinham um sistema de repetição e por isso eram forçados a recarregá-las manualmente. Ao mesmo tempo que os seus camaradas, e numa anárquica sinfonia de cliques e claques metálicos, Matias abriu apressadamente a culatra da *Lee--Enfield,* puxou-a, deixou a mola do carregador empurrar a bala seguinte para o cano, fechou a culatra, esperaram todos pela passagem das balas de uma nova rajada disparada pela metralhadora inimiga, ergueram-se, deram mais um tiro vagamente para a posição onde estavam os alemães e voltaram a encolher-se para recarregarem as espingardas. Fazia frio, mas todos transpiravam abundantemente.

Com uma pistola semiautomática na mão, o tenente Cardoso não tinha de se preocupar em recarregar a arma. Estava ocupado a vigiar a movimentação inimiga e ansioso por se ver livre da claustrofóbica máscara antigás. Olhou atentamente em redor e concluiu que a nuvem tóxica já se tinha afastado. Arrancou parcialmente o respirador, inalou uma pequena golfada, a medo, nada aconteceu, verificou que, de facto, o ar era respirável e, mais confiante, tirou toda a máscara. Os homens imitaram-no, aliviados por se verem livres do incómodo dispositivo de respiração, e sentiram a brisa fresca chocar com o suor e gelar-lhes a pele.

"Cuidado com a costureira à direita", alertou o tenente, avisando desnecessariamente para a actividade da metralhadora inimiga.

Daniel, entretanto, conseguiu acender o rastilho do foguete e este saltou para o ar com uma guinada brusca, como os foguetes em dia de feira em Palmeira, e foi detonar lá em cima, sobre a linha, com um *pop* luminoso e inofensivo.

Espreitando as linhas a partir do seu posto, o capitão Afonso Brandão já tinha percebido que, pela inusitada intensidade, aquele não era um bombardeamento normal nem uma mera retaliação pelas três salvas das cinco da tarde. Mas quando viu o foguete a rebentar no céu em frente, lançando um *flash* vermelho sobre o sector de Punn House, percebeu que a infantaria inimiga estava a avançar. O foguete significava um SOS.

A artilharia alemã voltou a abrir fogo, varrendo a retaguarda portuguesa, e os canhões do CEP respondiam com disparos a regar as trincheiras inimigas. Novos clarões vermelhos iluminaram os céus à direita, alguns sobre Ferme du Bois, eram mais SOS. Afonso correu até ao posto dos sinais com a sua ordenança, Joaquim, logo atrás. Os dois chegaram ao local, o capitão baixou-se para entrar pela pequena porta e deu com o oficial de ligação da artilharia sentado na gaiola dos pombos-correios, os telefones em cima de um caixote.

"Vocês são cegos ou quê?", gritou o capitão. "Os canhões estão a disparar para o sítio errado."

O oficial de ligação, um tenente, olhou-o sem entender.

"Meu capitão...", gaguejou, hesitante.

"Estou-lhe a dizer que é preciso corrigir o tiro da artilharia", disse, impaciente e nervoso. "Dê-me um telefone."

"Está aqui, meu capitão", indicou o tenente, agarrando no auscultador de um dos aparelhos que faziam ligação aos canhões.

Afonso pegou no telefone e conseguiu que lhe respondessem do outro lado.

"Aqui capitão Afonso Brandão, de Infantaria 8", identificou-se. "Façam o favor de largar as trincheiras inimigas e bombardear imediatamente a terra-de-ninguém à frente das linhas em Punn House, Church e Chapelle Hill, que acabaram de lançar um SOS."

A artilharia tinha as coordenadas previamente registadas e Afonso desligou sem demoras, voltando-se para o telegrafista à procura de informações adicionais.

"Então?"

"As companhias da linha telegrafaram a confirmarem o avistamento de tropas inimigas e a anunciarem a presença de nuvens de gás nas trincheiras", indicou o telegrafista. "E a brigada pede informações sobre o que se está a passar."

"Telegrafe a todos os postos para colocarem as máscaras de gás e porem todos os homens nas trincheiras e avise a brigada de que os alemães estão a atacar com infantaria em Neuve Chapelle e Ferme du Bois", ordenou o capitão. "Diga à brigada que eu solicito que os batalhões de apoio se preparem para nos ajudar."

Afonso saiu do posto de sinais e subiu ao parapeito para observar a frente de combate. As granadas de obus e canhão das *minenwerfer* sobrevoavam as linhas portuguesas, indo explodir na retaguarda e em vários pontos das trincheiras, ao mesmo tempo que as balas metralhadas pelas *Maxim MG* alemãs repicavam os locais donde os homens do CEP abriam fogo. Pairavam nuvens espessas na terra-de-ninguém e tornava-se evidente que os alemães tinham lançado granadas de fumo para ocultarem o movimento da infantaria. O capitão tentou desesperadamente interpretar a pouca informação que tinha ao seu dispor. Qual seria o objectivo do inimigo? Obter prisioneiros? Arrasar as linhas portuguesas? Criar uma diversão para atrair reservas e atacar depois noutro ponto? Quais os sectores da linha que precisavam de reforços? O que fazer?

O tenente Cardoso já não sabia o que fazer. Os soldados inimigos deslizavam colados ao chão, evitando avançar directamente para Punn House, posição que estava bem guarnecida por si e pelos seus homens, procurando antes um envolvimento em pinça. Os portugueses disparavam consecutivamente para a terra-de-ninguém, mas nenhuma bala parecia atingir qualquer inimigo.

"Tu aí", disse o tenente, apontando para Daniel. "Vai ali derrubar a porta do paiol e traz o que encontrares."

Daniel foi ao paiol de reserva, colocado perto da linha da frente para emergências como aquela, deu cabo da fechadura a tiro e arrastou a primeira caixa que encontrou para junto dos companheiros.

O tenente Cardoso arrancou a parte superior da caixa e inspeccionou o conteúdo. Eram *Mills bombs,* as granadas arredondadas de fabrico britânico, o formato a lembrar ananazes anões.

"Boa!", regozijou-se. "Vê lá agora se encontras uma *Luísa* e magazines de munições."

A *Lewis* era uma metralhadora concebida pelos americanos e muito mais ligeira do que a tradicional *Vickers,* de fabrico britânico. Pesava doze quilos, mesmo assim demasiado pesada para uso portátil eficaz, mas perfeita para aquelas circunstâncias. Daniel encontrou uma *Lewis* no paiol e agarrou-a com o braço direito, enquanto o esquerdo pegava em dois magazines de munições, em forma de disco, cada um com noventa e sete balas, e voltou para o posto de combate.

"Qual de vocês se dá melhor aqui com a *Luísa?*", quis saber Cardoso.

"Eu ajeito-me, meu tenente", voluntarizou-se Matias Grande.

"Então agarre lá na costureira e este seu camarada dá-lhe apoio com as munições", disse o tenente, apontando para Daniel.

Matias pegou na metralhadora, encaixou um magazine de munições e apontou a arma pelo topo do parapeito. Verificou de imediato que a posição lhe dificultava o tiro e tomou uma decisão.

"Meu tenente", chamou. "Preciso que lancem uma ronda de laranjinhas para eu poder saltar lá para cima." As laranjinhas eram as granadas *Mills.* "E vão buscar mais munições."

Os homens agarraram nas *Mills,* mas, nesse mesmo instante, como que respondendo à solicitação de Matias, embora fosse de facto uma resposta ao pedido feito havia minutos pelo capitão Afonso, começaram a chover na terra-de-ninguém granadas disparadas pelas *Howitzer* portuguesas. Espalhou-se a confusão entre as forças atacantes e Matias aproveitou para pular pelo parapeito para a terra-de-ninguém e posicionar-se deitado atrás do arame farpado defensivo e de uma pilha de sacos de areia. Viu alemães a atirarem-se para as crateras em frente, de modo a encontrarem refúgio que os abrigasse dos estilhaços das explosões portuguesas, e de imediato carregou no gatilho.

A *Lewis* sacudiu com violência e vomitou duas rajadas rápidas. Um alemão caiu ferido, várias balas bateram o solo em sequência e um outro soldado germânico também tombou. Os restantes aperceberam-se do fogo da metralhadora, infinitamente mais perigosa do que as *Lee-Enfield* que os portugueses estavam até aí a disparar daquele ponto, e deitaram-se todos no chão. Já não havia alemães a correr, encontravam-se agora tombados, a maior parte a rastejar para depressões no terreno, em geral crateras, todos em busca de refúgio. As granadas portuguesas caíam, porém, demasiado longe, o que tinha pelo menos a virtude de isolar a força atacante e impedir a passagem de reforços, mas o problema é que o seu efeito sobre a infantaria alemã que se aproximara das linhas portuguesas era assim meramente psicológico.

Ouviu-se um apito na terra-de-ninguém e, num ápice, como respondendo a uma ordem, levantaram-se das crateras várias nuvens de soldados alemães, todos a carregarem sobre as linhas portuguesas. Matias Grande apertou longamente o gatilho e a *Lewis* começou a saltar-lhe nas mãos, num frenesim louco, os sucessivos coices da rajada prolongada da metralhadora a impedirem-no de fazer adequadamente pontaria. Atrás do parapeito, os companheiros largaram momentaneamente as *Lee-Enfield* e começaram a atirar *Mills* para a terra-de-ninguém. Vários alemães caíram com o fogo da *Lewis* e mais dois quando as granadas explodiram, mas Matias apercebeu-se de que não os conseguiria conter a todos e sentiu-se tomado por um acesso de pânico. Para agravar as coisas, o magazine de munições esgotou-se inesperadamente e deu consigo a carregar num gatilho que já não disparava balas. Nesse instante, as *Maxim* alemãs descobriram-no e começaram a chover projécteis junto ao soldado português. Era de mais. Sem recarregar a *Lewis,* Matias atirou-se para trás, caindo aparatosamente na lama e no entulho da linha da frente portuguesa.

A situação deteriorou-se quando o grupo que defendia a linha em Punn House viu soldados inimigos a avançarem rapidamente pela direita e a saltarem para a linha da frente do CEP, a uns meros quinhentos metros de distância, algures perto de Tilleloy Sul, que estava a ser defendida por Infantaria 29, também de Braga. E o pior é que a *Lewis* de Matias se calara e os alemães em frente já se tinham apercebido disso, aproximando-se agora perigosamente, apesar do fogo furioso do punhado de *Lee-Enfield* manejadas em Punn House.

"Os cabrões saltaram para a nossa linha", gritou o tenente, anunciando o que todos já tinham visto com grande alarme. "A malta do 29 está tramada!" Olhou com impaciência para a retaguarda. "O que andam a fazer a porra das nossas bacoreiras?"

As bacoreiras eram as metralhadoras pesadas *Vickers*.

"Meu tenente, é melhor cavar daqui", aconselhou o pequeno Vicente Manápulas, vermelho como um pimentão, enquanto recarregava a espingarda. "Isto 'tá a ficar xuega."

O tenente apercebeu-se de que, sem a metralhadora de Matias na terra-de-ninguém a varrer as linhas inimigas e com as *Vickers* ocupadas com o flanco direito, não conseguiria travar a avalancha que lhe vinha em frente e que era agora uma questão de um ou dois minutos até os alemães lhes saltarem em cima. E, mesmo que conseguissem resistir ao ataque frontal, o que era pouco provável, estavam em perigo de ser apanhados de flanco pelos soldados inimigos que se encontravam na linha portuguesa em Tilleloy Sul.

"Vamos recuar", decidiu. "Recuem, recuem!"

O pelotão disparou uma última salva para a terra-de-ninguém e abandonou apressadamente o parapeito em direcção à trincheira de comunicação, o tenente a mostrar o caminho. Matias já tinha recarregado a *Lewis* e foi o último a sair, a metralhadora preventivamente apontada para cima dos parapeitos.

As *minenwerfer* começaram entretanto a disparar sobre Punn House, talvez alertadas pela infantaria alemã para aquele foco de resistência portuguesa. Uma sucessão de explosões abalou com violência as trincheiras naquele sector e o grupo comandado pelo tenente Cardoso deslizou célere pela linha, os soldados correndo curvados e tentando proteger a cabeça.

Uma granada atingiu em cheio a trincheira de comunicação por onde seguiam os portugueses, produzindo um fragor medonho e levantando uma nuvem que envolveu o grupo. Caíram todos no chão e Matias, porque vinha mais atrás a fechar a fila, foi o único que olhou para o local da explosão, mesmo em frente. Ouviu os gemidos de um homem sem um braço, era o tenente Cardoso, estava estendido no chão e olhava, surpreendido e atordoado, para o coto ensanguentado que fora o seu ombro e que se agitava absurdamente no ar. Mas o que verdadeiramente ficou gravado para sempre na memória de Matias foram os dois segundos que se seguiram.

No primeiro segundo despenhou-se do céu um corpo decapitado, como um fardo pesado. *Pof.* Depois, outro segundo volvido, tombou a cabeça, como uma pedra. *Poc.* Matias aproximou-se, o coração aos saltos, angustiado, não querendo ver mas querendo ver, olhou para a cabeça decepada e reconheceu, os olhos rolados para cima e a língua de fora na face semi-rasgada, o rosto do seu amigo Daniel, o Beato, o companheiro de infância nas vindimas de Palmeira e pai do "boche" Zelito, o homem franzino que ainda havia duas horas lhe dera notícias da terra e novidades sobre o perdigueiro da Assunta, o camarada de armas que rezava fervorosamente durante cada bombardeamento e cujas orações, feitas agora as contas, de nada lhe serviram, a não ser talvez poupá-lo a novas tribulações na miséria da guerra.

O posto de sinais animava-se ao ritmo de uma sinfonia de comunicações. Todos os telefones tocavam e os telégrafos despejavam informação em morse, num *tut-tut-tutut-tut* contínuo e incansável. O telegrafista leu a última mensagem, saltou da secretária e saiu apressadamente do posto, indo ter com o capitão Afonso Brandão, que fumava um cigarro nervoso junto à porta, a ordenança ao lado.

"Meu capitão", chamou.

"O que é agora?", perguntou Afonso, irritado, voltando-se para o telegrafista.

"Chegou há instantes a comunicação de que o inimigo já está a circular na linha da frente."

"O quê?", exclamou o capitão, vendo confirmarem-se os seus piores receios. "Onde?"

"Não é muito claro", retorquiu o telegrafista. "Mas a mensagem menciona Tilleloy."

"O quê?", admirou-se Afonso, muito alarmado.

"Tilleloy, meu capitão."

"A estrada?"

"Não, meu capitão. Uma trincheira."

"Ah", expirou Afonso, aliviado. "Norte ou Sul?"

"Essa informação não consta. Diz apenas Tilleloy."

"Informe imediatamente a brigada", indicou.

"Sim, meu capitão."

Se os alemães estivessem na Rue Tilleloy, a importante estrada que se prolongava desde Neuve Chapelle a Fauquissart sempre paralelamente à primeira linha, isso significaria sarilhos dos grandes. Sendo uma trincheira, isso queria dizer que a acção se encontrava circunscrita, em Neuve Chapelle, ao sector entre Sunken Road e Min Street.

Afonso sentia-se mais tranquilizado, mas queria a ajuda dos canhões.

"O oficial de ligação que ligue à artilharia", ordenou. "Ela que bombardeie as posições à frente do arame farpado em Tilleloy, diante de Mastiff Trench, para impedir que o inimigo consiga reforços, mas tenham cuidado para não atingirem as nossas linhas, uma vez que não sabemos qual das Tilleloy está ocupada, se a Norte ou se a Sul."

"Sim, meu capitão."

Afonso olhou-o para ter a certeza de que não havia equívocos. "Eles só entraram em Tilleloy, certo?"

"Em Neuve Chapelle foi só no sector de Tilleloy, meu capitão. Mas os boches estão a atacar forte em Ferme du Bois."

"Isso é para o 13", devolveu o oficial, fazendo um aceno de despedida. "Vai lá transmitir as instruções."

O telegrafista voltou apressadamente para o posto e Afonso, impaciente, seguiu-o, ansioso por novas informações. Quando entrou no abrigo dos sinais havia uma outra notícia, esta boa, para variar. A acção da artilharia funcionara bem à direita e, em combinação com a infantaria, obrigara o inimigo a bater em retirada frente a Church e Chapelle Hill e o mesmo acontecia em Ferme du Bois. O problema era neste momento determinar o que se passava em Tilleloy e, já agora, em Punn House, o primeiro ponto donde fora lançado um foguete de SOS. Incapaz de conter mais a impaciência e a ansiedade que se apossara de si, Afonso fez sinal a Joaquim para o acompanhar e desceu em corrida as trincheiras, a pequena pistola *Savage* na mão, decidido a comandar a limpeza de Tilleloy.

O capitão encontrou as linhas mergulhadas na mais completa confusão. Havia fumo por todo o lado e os homens pareciam desorientados, correndo por aqui e por ali, desordenadamente e sem rumo e propósito visíveis, pareciam umas galinhas tontas. Ao percorrer a linha, Afonso deu com o posto de primeiros socorros e notou a enorme actividade à porta. Entrou no posto e deparou com poças de sangue no chão, homens feridos a gemerem nas macas e outros gaseados a tossirem convulsivamente, macas sujas por debaixo dos corpos, algumas com pedaços de carne solta, os médicos e os enfermeiros atarefados a fazerem garrotes e de tesoura em punho a cortarem peles e músculos, um deles a serrar uma mão esfacelada.

"Alguém esteve em Tilleloy ou em Punn House?", perguntou Afonso para ninguém em particular.

Um médico lavado em suor, a bata branca manchada de sangue como se fosse um homem do talho, olhou-o de relance, reprovadoramente, e regressou ao trabalho. Um oficial deitado numa maca, junto à parede do posto, levantou timidamente o braço direito.

"Eu estive em Punn House", disse, a voz fraca.

Afonso aproximou-se e reconheceu o tenente Cardoso, com quem falara duas ou três vezes na messe e jogara umas partidas de *bridge* no quartel do Pópulo, em Braga. Cardoso jazia prostrado num canto do posto sem o braço esquerdo, a manga rasgada pelo ombro a exibir o coto esfarrapado e coberto de sangue escuro e fresco, aguardando que o tratassem e que lhe dessem morfina.

"Os alemães estão em Punn House?", perguntou Afonso, sentando-se de cócoras junto à maca e indo direito ao que precisava de saber.

"É provável", murmurou o ferido com um esgar de dor, a voz fraca e cansada. "Quando saímos de lá, eles já tinham tomado Tilleloy Sul e estavam a assaltar o nosso sector." Parou para recuperar o fôlego. "Fomos bombardeados e levámos com uma marmita em cima, mas o pessoal que escapou ficou lá, montando uma nova posição de defesa na linha B." Nova pausa em busca de golfadas de ar. "O resto já não sei porque entretanto apareceram os maqueiros e trouxeram-me para aqui neste estado."

"Está bem", suspirou o capitão, erguendo-se e afagando o cabelo do ferido. "Está descansado que vai correr tudo bem. É desta que vais para casa, Cardoso. As melhoras."

Momentaneamente acabrunhado com o seu jeito desastrado de consolar o ferido, Afonso abandonou o posto de socorros e seguiu com Joaquim pela trincheira. Cruzou-se com um estafeta e mandou-o parar.

"Vais ao posto de sinais e entregas ao telegrafista um papel que te vou dar", ordenou, enquanto remexia os bolsos à procura do bloco de notas.

Afonso encontrou o bloco no bolso do casaco e ajoelhou-se para rabiscar uns gatafunhos na primeira folha, suja com nódoas de gordura. Eram instruções para que se suspendesse o bombardeamento frente a Tilleloy Norte, que afinal poderia ainda estar ocupada pelo CEP, e que se prosseguisse o batimento perante Tilleloy Sul, onde confirmadamente entrara o inimigo. O capitão entregou a nota ao estafeta e, sem perder mais tempo, meteu por uma trincheira de comunicações em direcção à linha B com a ideia de se aproximar de Punn House. No caminho deu com um grupo de quatro homens de olhar nervoso, pareciam desorientados.

"O vosso oficial?", perguntou.

"Não sabemos dele, meu capitão", respondeu um soldado. "Perdemo-lo, a ele e ao resto do pelotão, no meio de toda esta barafunda."

"Venham comigo", ordenou.

Eram agora seis homens a dirigir-se para o sector de Punn House, pensou Afonso que talvez conseguissem fazer a diferença. Os combates também são feitos de momentos de inspiração e o que o inspirava agora era ajudar os soldados a defenderem a linha e a expulsarem o inimigo, não queria ver o seu batalhão gozado na messe dos oficiais da brigada nem diminuído aos olhos dos bifes. Quando chegaram perto de Punn House ouviram explosões de granadas de mão, o *pop-pop-pop* intermitente das metralhadoras e o silvo das balas a cruzar o ar, *zzziiiim*, algumas arrancando pedaços de madeira dos esqueletos das árvores carbonizadas.

"Estamos perto", avisou o capitão, escondendo a apreensão que aqueles barulhos pavorosos lhe provocavam.

O grupo foi dar com o pelotão de Punn House, Matias Grande deitado no chão com a *Lewis* apontada para o caminho que conduzia à linha da frente, vários sacos de areia amontoados apressadamente quase até ao topo do parapeito de modo a fornecerem alguma protecção, Baltazar Velho a apoiá-lo com as munições e Vicente e Abel a atirarem para a esquerda. No chão estendia-se um quinto soldado, agarrado à barriga e a agonizar, o sangue a jorrar pelo canto da boca.

"Quem é que está a comandar isto?", perguntou Afonso, não vendo nenhum oficial ou sargento no grupo.

"Eu, meu capitão", disse Matias, levantando os olhos da mira da *Lewis*.

Afonso procurou-lhe os galões e não encontrou nenhum. Era uma praça.

"A que propósito?"

"O tenente ficou ferido e o sargento desapareceu", explicou o soldado. "Como sou o mais antigo, assumi o comando."

Afonso achou por bem não questionar a situação, as lideranças naturais eram por vezes as melhores, e optou por se concentrar na tarefa em mãos.

"Os boches?", interrogou.

"Estão para ali, em Tilleloy Sul", indicou Matias. "Têm uma costureira apontada para aqui e decidimos montar neste ponto uma posição defensiva."

"E o pessoal do 29?"

"Não sei, meu capitão. Devem ter recuado."

"Eles abandonaram o posto?"

Matias hesitou, percebendo a pergunta do capitão. Tilleloy Sul, sendo um reduto que se encontrava em mau estado de conservação, tinha oito abrigos com capacidade para albergarem uma guarnição de cinquenta homens. Era ainda defendida por uma posição a descoberto para metralhadora e contava com um paiol e um depósito de água. Tomar um reduto deste calibre não devia ser fácil.

"Não sei, meu capitão", disse finalmente o soldado. "O ataque foi forte, lá isso foi."

Afonso suspirou.

"Arranje-me aí um periscópio", disse a um dos soldados que havia pouco encontrara na trincheira. Olhou para o ferido que agonizava no chão, dobrado sobre o estômago. "Aproveite para chamar os maqueiros e tirem-me este homem daqui", ainda foi a tempo de acrescentar, virando-se para o elemento que se afastava.

O soldado desapareceu e Afonso distribuiu o grupo pelo local, pondo dois homens a vigiarem o sector imediatamente em frente, de modo a prevenir surpresas, e os restantes voltados para a esquerda. O soldado regressou entretanto com um periscópio, apesar do nome pomposo não passava de um pau com um espelho na ponta, e Afonso ergueu-o acima do parapeito para observar melhor Tilleloy Sul. A princípio não detectou movimento, mas os clarões brancos que acompanharam uma rajada inimiga revelaram-lhe uma metralhadora alemã camuflada junto à base de um tronco de árvore, o cano voltado para si.

"Joaquim", chamou.

A ordenança aproximou-se.

"Meu capitão."

"Estás a ver aquele tronco ali?", perguntou, exibindo-lhe a imagem no espelho do periscópio.

Joaquim olhou e viu o tronco.

"Sim, meu capitão."

"Vai ao posto de sinais e pede para a artilharia destruir o tronco", instruiu. "Quando os canhões abrirem fogo, quero duas *Vickers* também a dispararem ininterruptamente sobre o tronco. Entendido?"

"Sim, meu capitão."

"Então vai depressa antes que eles saiam dali."

Joaquim largou em corrida pela trincheira e desapareceu na primeira curva. Afonso voltou ao periscópio para analisar Tilleloy Sul. Havia detonações sucessivas de granadas mesmo diante da linha da frente, era a artilharia do CEP a corresponder ao seu pedido de havia pouco e a tentar isolar os alemães que tinham entrado na trincheira portuguesa.

Mais uns minutos volvidos e Afonso viu grupos de alemães a procurarem saltar o parapeito para regressarem às linhas inimigas.

"Apanhem-me aqueles boches", ordenou aos seus homens.

Os soldados dispararam imediatamente as *Lee-Enfield,* Matias levantou-se, apontou a *Lewis* sobre o parapeito e, apesar do desconforto da posição e do peso da metralhadora, sempre eram doze quilos, largou algumas rajadas. Os alemães que tentavam escapar desistiram momentaneamente, assustados com a atenção que tinham atraído, mas a acção teve um preço. A metralhadora alemã escondida junto ao tronco abriu fogo, as balas foram chover na posição portuguesa, muitas assobiando, algumas batendo nos sacos de areia, na lama e até no parapeito, uma atingindo Baltazar, que tombou no chão agarrado ao lado esquerdo da cara.

Os companheiros rodearam-no e constataram que tinha a pele rasgada junto à orelha, uma ferida que provocou um profuso jorrar de sangue numa abundância que, em boa verdade, era desproporcional à gravidade do ferimento.

Vicente Manápulas prestou os primeiros socorros a Baltazar, fazendo-lhe um penso na ferida, e Afonso aproveitou a pausa para explanar a táctica que iriam adoptar.

"Oiçam bem", interpelou-os. "Ninguém se vai ficar a rir da malta de Braga. Quando as marmitas começarem a cair sobre a costureira dos boches, avançamos pela trincha a cima e varremos tudo o que nos aparecer à frente, entendido?"

Os homens fizeram que sim com a cabeça, mas apenas Matias Grande parecia realmente motivado e empenhado em levar a cabo o golpe de mão. Afonso pressentiu isso e encarou-o, avaliando-lhe o corpanzil enorme e a postura determinada.

"Você, quem é?"

"2†6."

"O nome, homem."

"Matias Silva, meu capitão."

"Pois bem, Matias", disse-lhe. "Você parece ter caparro suficiente para levar a costureira pelas trinchas. Recarregue imediatamente a *Luísa* e, quando eu disser, vai à frente comigo a despejar rajadas sobre os boches, entendeu?"

"Muito bem, meu capitão."

"O resto do pessoal arme as baionetas."

"Eu também, meu capitão?", perguntou Baltazar Velho, agarrado à orelha que estava envolvida num penso.

"Claro", devolveu prontamente o capitão. "Não quero mariquices aqui no 8. Que eu saiba, um arranhão numa orelha não impede ninguém de combater."

Matias colocou um novo disco de balas na *Lewis,* levantou a metralhadora e encostou-a verticalmente à parede da trincheira para depois lhe ser mais fácil pegar nela e ir por ali fora aos tiros. Os outros homens, incluindo Baltazar, encaixaram as baionetas debaixo do cano das *Lee-Enfield*.

Afonso voltou ao periscópio e ficou a observar Tilleloy Sul. De repente, no meio do fragor da artilharia, começaram a erguer-se nuvens de fumo e lama em torno do tronco onde estava a metralhadora alemã emboscada e, acto contínuo, as *Vickers* portuguesas abriram fogo sobre a posição inimiga. Joaquim tinha comunicado bem as suas instruções.

"Já estão a neutralizar a costureira", disse Afonso sem tirar os olhos do periscópio. Após um breve instante, pousou o instrumento no chão e voltou-se para os homens. "Vamos lá."

Matias Grande agarrou na pesada *Lewis,* os músculos maciços a retesarem-se com o esforço, respirou fundo e lançou-se em corrida pela trincheira, os enormes braços segurando a metralhadora em riste, Afonso colado a ele com a pistola numa mão e uma *Mills* noutra. Chegaram à linha da frente e inspeccionaram os dois lados, a direita e a esquerda, e não viram ninguém.

"Limpa", disse Matias.

"Você aí", indicou Afonso, apontando para Baltazar. "Fique aqui a vigiar a direita para não sermos apanhados por trás."

Baltazar Velho plantou-se de sentinela à direita e os oito homens restantes flectiram pela esquerda em direcção a Tilleloy Sul, Matias sempre com a *Lewis* apontada para a frente a ziguezaguear pela linha.

Um vulto emergiu do fumo na trincheira e o português nem hesitou, só podia ser um alemão, abriu fogo com a metralhadora e derrubou o vulto, os homens do CEP ultrapassaram o corpo do inimigo caído no chão e Matias voltou a disparar com a *Lewis* para o meio do fumo. Apareceu um segundo alemão que ergueu os braços em sinal de rendição, gritando *"Kamerad"*, Matias cortou-o a meio com uma nova rajada, silvavam projécteis por toda a parte, em plena confusão os alemães pensaram que era um contra-ataque de grande envergadura, tinham perdido momentos antes a metralhadora e ouviam agora soldados portugueses a aproximarem-se rapidamente da posição onde se encontravam, saltaram todos pelo parapeito, desafiaram destemidamente as granadas do CEP que erguiam penachos de fumo e ferro na terra-

-de-ninguém e mergulharam nas nuvens de guerra que pairavam entre as linhas inimigas.

Os portugueses ficaram a ver os alemães a correrem de regresso às suas posições. Saberiam depois que vários companheiros do 29 tinham sido feitos prisioneiros mas nunca chegariam a saber que era esse o verdadeiro objectivo daquele assalto alemão, apanhar prisioneiros portugueses para obter informações que facilitassem o planeamento da ofensiva da Primavera, decidida onze dias antes, em Mons, pelo conselho de guerra inimigo. No parapeito, o único soldado português que ainda disparava sobre os alemães em fuga era Matias Grande. Afonso fez-lhe sinal para parar quando se tornou evidente que os alemães estavam já demasiado longe e seria difícil atingi-los em movimento, mas Matias ignorou-o, manteve o dedo furiosamente carregado no gatilho e assim permaneceu enquanto viu inimigos à frente e mesmo depois de eles terem desaparecido de vista. O capitão admirou-se com a fúria do soldado e atribuiu-a erradamente a qualidades inatas de guerreiro. O que Afonso não sabia, não podia saber, era que, naquele dia, Matias tinha um amigo de infância para vingar.

V

Até a luz amarelada das lamparinas sobre a mesa pareceu brilhar mais forte quando Marcel se colocou na porta. Afonso nem reparou nele, tão absorto estava a apreciar a bela mesa de mogno que enchia o centro do salão de jantar, a tábua assente em cinco pernas pesadas com *cabochons* salientes, os talheres de prata a enquadrarem as requintadas porcelanas de Sèvres, decoradas com gotas de esmalte e geometrias douradas sobre azul-forte, cuidadosamente alinhadas na toalha bordada à mão. A empregada entrou apressadamente no salão de jantar com a travessa nos braços, afogueada, as mãos protegidas da porcelana quente por um pano branco de cozinha. Vendo-a passar célere e corada, o mordomo encheu o peito de ar e, a voz firme e solene, anunciou o *menu*.

"*Poulet rôti au riz à la normande*", proclamou Marcel, o jeito cerimonioso e o tom altivo.

A rapariga rechonchuda, sorridente e aliviada, pousou a travessa fumegante na mesa e o barão Redier, agradado com o murmúrio de satisfação dos convidados como reacção ao anúncio da chegada da comida, abriu as mãos em direcção ao *poulet*.

"Voilà!"

"Jolly good!", exclamou o tenente Cook, arqueando as sobrancelhas e elogiando a visão do que, por todas as aparências formais, seria certamente um lauto banquete. *"Looks smashing."*

O capitão Afonso Brandão olhou para a travessa e não pôde deixar de apreciar a genial maneira francesa de transformar um prato banal num manjar de reis unicamente com recurso a um grandioso floreado semântico inserido num ambiente requintado. O pomposamente designado *poulet rôti au riz à la normande* não passava de um vulgar frango grelhado servido com arroz branco em molho cremoso. Lá em casa, na Carrachana, fazia-se melhor com nomes mais simples, pensou Afonso, empenhado no entanto em perdoar Cook pelo entusiasmo excessivo que manifestava por um prato tão simplório. Não era ele afinal inglês, habituado a violentas dietas de *corned-beef, mushed potatoes, baked beans* com *bacon, sausages* e *scrambled eggs?* Como censurá-lo pelo extraordinário efeito que um mero frango produzia antecipadamente nas suas papilas gustativas se o pobre moço estava habituado a sofrer os rigores da austera cozinha britânica?

O oficial português encontrava-se de regresso ao palacete onde pernoitara dez dias antes, nos arredores de Armentières, e admirou-se por não se sentir admirado de ali estar de novo. Fora graças a uma conversa particular entre a bela baronesa e o *maire* da cidade que Afonso obtivera um novo boleto no Château Redier, embora desta feita não tivesse vindo sozinho. Também o tenente Timothy Cook, do *Royal Flying Corps,* recebeu o *billeting certificate* para pernoitar no palacete nessa noite fria de 1 de Dezembro.

"C'est bon?", perguntou Agnès, fazendo sinal a Marcel para trazer o vinho.

"I say", retorquiu Cook com a boca cheia pela primeira garfada, um pingo de gordura no bigode loiro. *"Capital! Most excellent!"*

Marcel aproximou-se com uma garrafa fechada e entregou-a à baronesa. Agnès pegou nela e exibiu-a aos convidados.

"É um *Bordeaux Château Margaux* de uma colheita de ano *vintage*, 1892. Alguma objecção?"

Os convidados entreolharam-se, sem saberem o que dizer. Cook não era *connaisseur* e tanto lhe fazia. Já Afonso entendia de vinhos, mas apenas dos portugueses e não podia adivinhar que lhe estava a ser oferecido um néctar dos deuses produzido pelas melhores vinhas francesas.

"*C'est bon*", disse finalmente o inglês, como diria a qualquer outro vinho que lhe pusessem à frente, mesmo o mais ordinário dos tintos, ele que estava mais habituado às frescas *lagers* e às tépidas *ales*, às *mild*, às *bitter*, às *porter* e às *stout*, aos *half-a-pint* de *draft* servidos num qualquer *pub* da Strand, de King's Road ou da estreita Neal Street.

Agnès envolveu a garrafa num guardanapo imaculadamente branco, retirou a cápsula de chumbo do topo do gargalo, limpou o bordo e a rolha com a ponta do guardanapo, inseriu o saca-rolhas metálico, tendo especial cuidado para não perfurar totalmente a rolha, e puxou devagar, como se fosse uma alavanca. A rolha soltou-se com um *poc* seco, Agnès limpou o interior do bordo com o pano do guardanapo, deitou um pedacinho de vinho no copo, cheirou-o para captar a fragrância, girou o líquido em contraluz para avaliar a cor, era tinto escuro, provou-o de olhos fechados, deixando o vinho percorrer as gengivas e estender-se pela língua para melhor experimentar a sua fruta, textura e intensidade, engoliu e esperou, sentindo o hálito a perfumar a boca. Após um breve momento, entregou a garrafa a Marcel.

"Pode servir", disse.

Os convidados olhavam-na, espantados com o inesperado espectáculo. Todo o ritual tinha durado uns bons três minutos.

"Onde é que aprendeu a fazer isso?", quis saber Cook.

"Esse, *mon cher*, é o meu segredo."

A baronesa sorriu e desviou os olhos para Afonso. Tinha um vestido creme enfeitado com folhos trabalhados nas mangas. O capitão reparou no medalhão azul que trazia ao pescoço, mesmo por cima do discreto decote, e teve dificuldade em ocultar a sensação de encantamento que aquela francesa lhe produzia, a forma como abrira a garrafa era um inesperado extra que mais a aproximava dele.

Depois de todos gabarem o *poulet* e o tinto tão finamente desenrolhado, a conversa deambulou pelas recentes aventuras de Afonso, que relatou em pormenor os acontecimentos que vivera dias antes nas trincheiras, mais as outras histórias que os seus camaradas de armas lhe contaram sobre o raide alemão a Neuve Chapelle e Ferme du Bois. Os pormenores sangrentos e chocantes foram eliminados, por pudor e respeito pela senhora presente, ficando apenas os actos insinuados como de grande bravura. Causou particular sensação junto do casal anfitrião a narrativa do audacioso golpe de mão que expulsou os alemães de Tilleloy Sul, com Afonso a ter, todavia, o cuidado de omitir o pormenor do abate do alemão que se rendera.

Agnès mostrava-se discretamente encantada com o que lhe pareceu ser a coragem de *Alphonse* e dos seus homens e por duas vezes fez um brinde em homenagem ao capitão e ao Corpo Expedicionário Português. Preocupada em não marginalizar o outro convidado e em ocultar do marido o interesse que lhe despertava Afonso, a baronesa questionou igualmente o tenente inglês sobre o que vira e o que fazia na guerra.

"*I say*", disse Cook, afinando a voz. "Neste momento sou oficial de ligação com o exército português."

"*Ah bon!*", surpreendeu-se Agnès.

"*Indeed!*", retorquiu o tenente. "Tudo por causa do meu português."

"Fala português?", admirou-se, por seu turno, o barão Redier.

"*Right ho!*", assentiu Cook. "Vivi três anos no Brasil."

"Ah", exclamou o barão. "No Rio de Janeiro?"

"Manaus."

O barão ergueu as sobrancelhas, em sinal de que não reconhecera o nome.

"*Pardon?*"

"Manaus. É uma cidade no meio da Amazónia."

"E o que estava o senhor a fazer na Amazónia?", atalhou Agnès, retomando o fio da conversa.

"It's a long story", riu-se Cook. "Tive um desaguisado familiar em Hendon, onde vivo, e embarquei para o Brasil. No Rio conheci um carpinteiro inglês que trabalhava numa fazenda perto de Manaus e ele convenceu-me a ir conhecer a floresta. Fiquei por Manaus. Como tinha um pé-de-meia e jeito para a mecânica, adquiri um pequeno barco a vapor, no qual transportava seringueiros ou comerciantes pelo Amazonas ou pelo rio Negro até às fazendas. Ninguém falava inglês e lá tive de aprender português."

"Alphonse", chamou a baronesa. "Ele fala bem?"

"Não é mau", retorquiu o capitão, olhando para o tenente inglês com ar de quem lhe está a fazer um favor.

"Depois voltei para Hendon e começou a guerra", continuou Cook, ignorando a amigável provocação. "O meu jeito para a mecânica atirou-me para o *Royal Flying Corps.*"

"Não tem medo de voar?", questionou Agnès, curiosa.

"Heavens, no", devolveu o tenente, abanando enfaticamente a cabeça. *"I love it!* Excepto quando aparecem os *jerries,* claro."

"Os jerries?"

"Os boches", corrigiu Cook. "Chamamos-lhes *jerries.*"

"Não lhes chamam boches?"

"Às vezes. Boches, *jerries, Fritz, Huns, who cares?"*

"Huns? O que é isso? Um nome?"

"Hunos", explicou Afonso, interrompendo a conversa. "Os ingleses chamam-lhes hunos."

"Ah", compreendeu Agnès. "Hunos, os bárbaros."

"Yes", confirmou Cook. "Mas eles também se chamam a si próprios 'hunos'."

"Ah sim?", surpreendeu-se Afonso, suspendendo uma garfada no ar. "Nunca ouvi falar nisso."

"Oh yes, they do!", retorquiu o inglês, quase cantarolando. "Eles usam nos cinturões a frase *Gott Mit Uns.* Eu já vi."

"Isso é outra coisa", exclamou Afonso com uma gargalhada. *"Gott Mit Uns* significa Deus está connosco."

"Deus está com os hunos", corrigiu Cook.

"Connosco", insistiu o capitão.

"*Alphonse*", chamou Agnès. "Você fala alemão?"

Afonso olhou para a francesa e não pôde deixar de admirar a sua atenção aos pormenores.

"*Un petit peu.*"

"*Ah bon!*", exclamou a baronesa, em tom de admiração apreciativa. "E onde aprendeu?"

Afonso hesitou, considerando as consequências da resposta. Decidiu-se pela evasiva.

"Na escola."

"Ensinam alemão nas escolas portuguesas?"

Era uma boa pergunta. O capitão sentiu uma gota de transpiração a nascer-lhe na fronte e um calor súbito a encher-lhe as axilas. Todos na mesa se calaram e pararam de mastigar, fitando o português e aguardando a resposta com moderada expectativa. Instintivamente, Afonso não quis contar a verdade, não quis dizer que frequentara o seminário em Braga nem quis falar do padre Fachetti que lhe ensinara alemão, mas não percebia exactamente por que razão se recusava a revelar esse facto. Ou, para ser verdadeiramente sincero, até percebia, embora nem a si mesmo o quisesse admitir. Falar do seminário seria dar indícios de que estudara para padre, o que o capitão pretendia a todo o custo evitar, nem pensar em deixar pairar na mente da francesa qualquer hipótese de considerar que ele lhe era inacessível, que as mulheres lhe eram indiferentes. Ainda admitiu a possibilidade de alegar que as escolas portuguesas tinham capacidades pedagógicas excepcionais, mas imediatamente compreendeu que essa seria uma afirmação absurda e susceptível de levantar suspeitas. Mais valia ir pelas meias-verdades.

"Digamos que os meus pais me puseram numa escola especial, onde se aprendiam várias línguas."

"*Ah bon!*", concluiu Agnès, dando mostras de acreditar na resposta. "E que outras línguas aprendeu?"

"Para além do francês, do inglês e do alemão?", perguntou Afonso. "Também aprendi italiano e latim."

"Mas isso é uma maravilha", encantou-se a baronesa. "Você é um poliglota formidável!"

"*Molte grazie, signorina, le dispiace si non parlo francesi?*", disparou o português, exibindo o seu italiano cantado.

"*Oh la la!*", riu-se Agnès, batendo palmas e mostrando os dentes brancos e bem alinhados.

Seguiu-se uma nova ronda de brindes, com Afonso a largar mais umas tiradas em italiano, palavras que ninguém compreendia mas que produziram o seu efeito naquele subliminar jogo de sedução que se estabelecera entre os dois. Quando os italianismos se esgotaram, o barão voltou-se para o tenente inglês.

"Tudo isto vinha a propósito, não me perguntem como, da sua experiência na Força Aérea."

"*Right ho!*", exclamou Cook, como quem regressa à terra. "Onde ia eu?"

"Na Força Aérea. Veio do Brasil e alistou-se na Força Aérea para vir à guerra."

"*Oh yes!*", disse. "Alistei-me no *Royal Flying Corps* e lá vim eu para França. Naquela altura, há três anos, os aviões pareciam feitos de cartão e só serviam para voos de reconhecimento. O meu primeiro aparelho foi um *Farman HF-20*, de fabrico francês, que tinha sido comprado à *Aéronautique Militaire,* a força aérea francesa. Depois começaram a aparecer novos aviões e passei para um *Nieuport 11,* também francês, um grande avião, que estava armado com uma *Vickers* e já servia para combate."

"E matou muitos alemães?", quis saber Agnès.

"Estive mais envolvido em operações de reconhecimento. As minhas missões consistiam em fotografar as trincheiras, verificar o que se passava por detrás das linhas inimigas e, já agora, sobreviver às antiaéreas dos *jerries.* Mas houve uma vez em que abati um *Fokker.*"

"Um quê?", interrompeu o barão.

"Um *Fokker,* um avião boche."

"Mas os aviões dos boches não são os *Tauber?*"

"Também", riu-se Cook. "Os *Tauber* são apenas um dos modelos boches, porventura aquele que os civis conhecem, mas eles têm outros aparelhos, como os *Fokker,* os *Gotha,* os *Halberstadt,* os *Albatros* e outros."

"E tinha medo?", perguntou Agnès, insistindo na questão de havia pouco.

"Always", assentiu o tenente inglês, fazendo de seguida uma expressão pensativa. "Mas houve uma vez em que tive mais medo de ser apanhado vivo do que de morrer."

"Ah sim?"

"As operações de reconhecimento são muito ingratas no Somme por causa do tempo. Está sempre nublado, as nuvens são baixas e ocultam as linhas inimigas, impossibilitando as fotografias aéreas. No ano passado, por causa da ofensiva no Somme, recebemos ordens para fotografarmos as posições inimigas. Cansámo-nos de sobrevoar as linhas, sem sorte nenhuma com as nuvens, que permaneciam cerradas. Um dia estávamos a jogar *football* perto do aeródromo quando começaram a soar as sirenes. Tinha havido uma aberta nas nuvens e tínhamos de aproveitar. Fomos a correr até ao aeródromo e eu, sem tempo para mudar de roupa, saltei para o *cockpit* com o meu equipamento de *football.* Lá em cima fazia um frio desgraçado e, a bater os dentes, os joelhos nus e vendo as explosões das granadas de antiaérea à minha volta, comecei a sentir um medo terrível de ser atingido e de ter de aterrar atrás das linhas inimigas. Já viram o que era os boches irem-me buscar ao avião e verem-me sair de calções e equipado à *footballer?"*

Todos se riram, divertidos. O tenente inglês manteve um ar impenetrável, como se tivesse contado uma coisa grave. Sorveu um golo de tinto e retomou a palavra.

"Este ano fui abatido durante o grande *dogfight* de 26 de Abril, aqui perto. Foi uma batalha aérea que envolveu noventa e quatro aviões, o maior *dogfight* da história da guerra. O *Royal Flying Corps* foi dizimado, eu fiquei sem avião e, como falava português e o Corpo Expedicionário Português tinha acabado de chegar à Flandres, fui destacado como oficial de ligação. *Et voilà."*

À mesa, todos se calaram. A história do voo com equipamento de *football* tinha sido engraçada, mas o final não. Fez-se um silêncio embaraçado e foi Afonso quem, interessado no pormenor desportivo da narrativa, relançou a conversa.

"Gosta de jogar *football?*"

"Só *association football.*"

"Há mais tipos de *football?*"

"Sim", assentiu Cook. "Há também o *rugby football.*"

"Bem, refiro-me àquele que se joga com os pés."

"Jogam-se ambos com os pés, é por isso que se chamam *football*", riu-se o inglês.

Afonso ficou atrapalhado.

"Mas qual é a diferença entre eles?"

"O *association football* só autoriza o *goal-keeper* a segurar a bola com as mãos, enquanto o *rugby football* permite que todos os jogadores peguem na bola com a mão, embora os *goals* sejam marcados com o pé."

"Ah!", entendeu Afonso. "Então em Portugal só conhecemos o *association football.*"

"É precisamente desse que eu gosto", exclamou o inglês. "É menos violento, os empurrões são proibidos e as obstruções também, não é como o *rugby football*, mais próprio para energúmenos rústicos do que para verdadeiros *gentlemen.*"

O capitão percebeu que os anfitriões não estavam a entender a conversa e, diplomaticamente, refreou o entusiasmo. Queria contar as aventuras de infância atrás de uma bola de trapos, os desvarios da juventude aos pontapés a uma pedra rolante e ainda os grandes *matches* a que assistiu no Campo Pequeno, nas Salésias e na Quinta da Feiteira, mas conteve-se.

Agnès aproveitou a oportunidade para fugir do tema desportivo, que decididamente não lhe interessava.

"Então o senhor está agora com os portugueses", disse, dirigindo-se ao tenente inglês.

"*Yes.*"

"E gosta deles?"

"Right ho!", assentiu, olhando para Afonso. "São simpáticos, uns verdadeiros *jolly good fellows,* e, além disso, é preciso não esquecer que são os nossos mais velhos aliados."

"São bons soldados...", disse a anfitriã, meio perguntando, meio afirmando.

A resposta foi inesperada.

"Well, não exageremos."

"Não são bons soldados?"

"Sabe, para haver bons soldados é, sobretudo, preciso haver boa organização. Mostre-me um exército bem organizado e eu mostro-lhe bons soldados. A organização produz disciplina, motivação e *esprit de corps.* Os portugueses são uns *merry men,* uns homens descontraídos, tímidos e pacíficos, mas a sua organização, lamento dizê-lo, deixa muito a desejar."

Afonso manteve-se calado. Já uma vez conversara com Cook na messe dos oficiais da brigada sobre este tema e conhecia as suas pouco diplomáticas opiniões, pelo que estas palavras não constituíam novidade. O tenente inglês exprimia-se com uma candura desarmante, quase cruel, mas o capitão achava, no íntimo, que o que ele dizia era verdadeiro. Na fase de instrução, Afonso passara uma temporada nas trincheiras inglesas e sabia quão diferentes eram elas das portuguesas em termos de organização, disciplina, higiene e trabalho.

"Os portugueses são desorganizados...", avançou Agnès, sorrindo, como quem diz que isso não é um pecado muito grande.

"Right ho!", confirmou Cook. "São os campeões do improviso, e isso pode pagar-se caro quando se está numa guerra."

"Talvez amem demasiado a vida e percebam que há coisas mais interessantes do que andarem a matar-se uns aos outros", adiantou a francesa, olhando para Afonso como que a encorajá-lo.

O português aproveitou a deixa.

"Tirem-nos o amor, o vinho, o nosso pão, o chouriço e o sol, e tiram-nos a alegria", observou com um sorriso.

Era uma oportunidade para mudar de tema, o que Agnès e Afonso ardentemente desejavam, mas o barão Redier não deixou.

"Dê-me um exemplo da desorganização portuguesa", pediu o barão ao tenente inglês.

"A questão da limpeza das trincheiras", retorquiu Cook quase imediatamente.

"A limpeza?"

"A limpeza. Esta é uma área que parece irrelevante para definir um bom exército e, no entanto, é de enorme importância. Pelos padrões de higiene é possível descortinar os níveis de organização, disciplina e motivação de um exército."

"As trincheiras portuguesas são sujas?", perguntou o barão, com um esgar malicioso.

"As portuguesas e as francesas", adiantou Cook, não deixando que o barão se ficasse a rir do capitão.

O esgar de Redier desfez-se e o seu rosto exibiu um súbito rubor irritado, que o tenente inglês ignorou. Se lhe faziam perguntas, respondia, e que culpa tinha ele de as respostas não serem do agrado de quem perguntava?

"As francesas?"

"*Right ho!*", confirmou Cook. "Após visitar várias trincheiras, aliadas e inimigas, eu e os meus amigos do *Royal Flying Corps* até já estabelecemos a lista das mais limpas, por ordem decrescente. Quer saber quais são?"

"*Bien sûr.*"

"*Very well*", disse o tenente, adoptando o trejeito de quem está a fazer um esforço de memória. "Os campeões da limpeza são os ingleses e os protestantes alemães, designadamente os prussianos. Depois vêm os galeses, os canadianos e os irlandeses protestantes. Seguem-se os católicos irlandeses e os católicos alemães, como os bávaros. De seguida, os escoceses, os franceses e os belgas. No patamar mais abaixo estão os indianos. Depois, os argelinos. Por último, os portugueses, os campeões da porcaria."

Fez-se silêncio.

"Isso não é simpático", cortou Agnès, agastada com o rumo da conversa e com os comentários do tenente, que considerou desagradáveis e desnecessários.

"Pediram-me a verdade e eu dei-vos a verdade", devolveu Cook, fazendo um gesto de impotência. "Aqui o capitão Afonso já conhece as minhas opiniões e, tanto quanto me pude aperceber, até concorda."

Afonso sentiu que tinha de dizer alguma coisa. Fez um *uh uh* com a garganta, afinando as cordas vocais antes de falar.

"É um facto que as trincheiras portuguesas estão longe de ser um modelo", admitiu. "Temos um problema com o nosso quadro de oficiais, que, em geral, não acredita na participação de Portugal nesta guerra. Os homens estão a ficar cansados, não foi ainda feito *roulement* das tropas e há uma gradual deterioração da disciplina. Como consequência, por exemplo, as latrinas não são convenientemente limpas e há lixo a acumular-se nas trincheiras. Para além disso, não há hábito em Portugal de se tomar regularmente banho. A campanha dos higienistas, que se propagou pela Europa no século passado, não chegou ao nosso país, onde se considera que o banho é um prazer narcisista de mulheres ociosas e fúteis, quase um pecado. Impusemos aos nossos soldados a obrigatoriedade de um banho semanal, mas a maior parte acha isso um exagero e muitos evitam a água, consideram até que a sujidade é a melhor defesa contra as doenças, e, para mais com o frio que está e a que não estamos habituados, os soldados fogem do banho como o diabo da cruz. É um problema que temos de resolver."

"Mas olha, Afonso, que o pior são mesmo os vossos oficiais", insistiu o inglês. "Os soldados ainda vá que não vá, vão mostrando boa vontade, mas os oficiais portugueses..."

"Admito", concordou o capitão. "Temos muitos oficiais contrariados com o esforço de guerra, são pouco pontuais, não executam imediatamente as ordens que recebem, passam a vida a dizer mal de tudo e estão-se nas tintas para o bem-estar dos seus homens. Com oficiais assim, é realmente difícil motivar os soldados."

"Para ser inteiramente justo, há um outro problema que não mencionaste e que contribui muito para o problema", atalhou o tenente Cook.

"Qual?"

"A natureza das próprias trincheiras ocupadas pelas vossas tropas", disse o oficial britânico. "A entrega do sector de Neuve Chapelle aos portugueses foi um presente envenenado. Neuve Chapelle está situada num lamaçal baixo, dominado pela cumeada de Aubers-Fromelles, uma posição elevada ocupada pelos *jerries*. Quando chove, os homens que defendem Neuve Chapelle têm de levar não só com a água que lhes cai em cima como com a que vem do sector boche pelo fosso que desce pelo caminho Estaires-La Bassée. A consequência é que as trincheiras estão sempre inundadas de água e lama e tornam vãos todos os esforços de limpeza. É por isso que quem se encontra em Neuve Chapelle está destinado a viver como um rato."

Mas o barão Redier já nada ouvia. Sentia-se agora mais preocupado com a observação sobre o que se passava nas trincheiras francesas e insistiu com Cook.

"Você colocou as trincheiras francesas só um grau acima das indianas."

"*Yes.*"

"*C'est pas possible!*", exclamou, abanando a cabeça e recusando-se a aceitar tal comparação.

"E no entanto é verdade."

Afonso decidiu ir em socorro do seu anfitrião.

"Sabe, *monsieur le baron,* é um facto que as trincheiras portuguesas e francesas são mais sujas do que as inglesas e que os nossos hábitos de asseio são menores do que os dos nossos aliados", disse. "Mas é um exagero reduzir a qualidade de um exército à limpeza das trincheiras e aos hábitos de higiene dos homens. Os ingleses podem ser muito limpos e organizados, mas, do ponto de vista militar, os franceses apresentam melhores tácticas de combate."

"*Ah bon?*", soltou o barão, a auto-estima a regressar.

"Os ingleses acreditam no sistema de encher a linha da frente de soldados quando o inimigo ataca, mas os franceses já perceberam que isso é disparatado e, tal como os alemães, concentram as suas forças na retaguarda", exemplificou o capitão.

"Qual é a diferença?"

"A diferença é que os ingleses perdem inutilmente muitos homens nos bombardeamentos preliminares do inimigo, enquanto os franceses e os alemães os protegem na retaguarda e só os mandam para as primeiras linhas quando é mesmo preciso. É mais inteligente."

O barão olhou para o tenente Cook com ar triunfal.

"Alors?"

"I agree", retorquiu o inglês, concordando com a observação de Afonso. "Eu e o capitão já falámos muito sobre isto, as nossas tácticas são excessivamente inflexíveis e conservadoras. Infelizmente, os nossos altos oficiais são todos da velha escola e resistem a modelos inovadores e mais dinâmicos. Como diria aqui o nosso amigo Afonso, é um problema que temos de resolver."

"E o pior é que o nosso exército está a beber da doutrina inglesa", disse o capitão português, rindo-se. "Ou seja, imitamos os ingleses no que eles têm de pior e não os imitamos no que têm de melhor."

O esguio relógio de caixa alta encostado à parede, um antigo regulador vienense *Biedermeier,* deu um estalido e, acto contínuo, assinalou ruidosamente as nove da noite, o mostrador prateado e o mecanismo de *grande sonnerie* a funcionar na perfeição. Agnès achou que já chegava de comparações entre exércitos. Percebeu que, quando os interlocutores eram de nacionalidades diferentes e decidiam ser sinceros, estas conversas resultavam por vezes humilhantes para alguns. Era preciso tacto, algo que manifestamente se encontrava ausente naquela mesa. A refeição estava concluída e havia, pois, que aproveitar os oportunos gongos do *Biedermeier* e o tom descontraído desta última intervenção de Afonso para fechar o assunto e não o voltar a aflorar. Findos os gongos, a francesa levantou-se da mesa, determinada a agarrar a oportunidade.

"*M'sieurs*", anunciou. "Façam o favor de seguir para a sala de estar, onde nos esperam os digestivos e onde eu vos vou mostrar um objecto de arte que decerto vos irá surpreender."

O som do piano era abafado pela imensa algazarra que enchia o salão. O fumo do tabaco, espesso e denso, flutuava como uma nuvem dentro do *estaminet* "A Cambrinus", em Merville, mas ninguém parecia incomodado, a piores e mais perigosos fumos estavam todos já habituados nas trincheiras. Junto à janela, um *tommy* magrinho deslizava os dedos pelo piano barato, desafiando vigorosamente a cacofonia das conversas com um *fox-trot* animado, os versos incompreensíveis para os lãzudos mas vagamente acompanhados por alguns ingleses meio entorpecidos pelo álcool.

"*If I were the only girl in the world...*"

Uma rapariga magra, um avental sujo sobre o ventre, ziguezagueou, esguia, por entre as mesas cheias de homens barulhentos, um tabuleiro com copos de cerveja *blanche* na ponta dos dedos da mão direita. Baltazar Velho viu-a e esticou a cabeça.

"*T'es bonne!*", rugiu o veterano, insinuando um convite sexual. "*Mademoiselle coucher avec moi?*"

A rapariga sorriu e prosseguiu sem responder. Estava habituada aos avanços dos soldados, aos grosseiros piropos de caserna e ao desajeitado *patois* de francês das trincheiras, feito de um conjunto limitado de palavras, como *compris, pas compris, bonne, pas bonne, finish, coucher avec, manger, promenade* e pouco mais.

"Que categoria de gaja!", disse Baltazar, voltando-se para a mesa. Sorveu um golo de cerveja, pousou a caneca pesadamente na mesa e arrotou. "Hoje temos de ir às buscates."

"Ó Baltazar, já não tens idade p'ra isso", devolveu Vicente Manápulas. "E, além disso, 'tás ferido, tens de descansar."

Baltazar passou a mão pelo penso que lhe enfeitava a orelha.

"Estou ferido na orelha, não no saçarugo", retorquiu, apontando para entre as pernas.

"Camano, eu 'tou arrasado", queixou-se Vicente. "Passámos a manhã na porra dos trabalhos de fortificação e a tarde c'as marchas e a instrução de baionetas, lá c'aquela merda das estocadas contra sacos suspensos e sacos no chão, mais aqueles exercícios todos de coronhadas, joelhadas, rasteiras e cabeçadas, de modo que 'tou que nem posso."

"Mau, não te armes em rabeta", advertiu Baltazar. "A melhor maneira de recuperar dessa estafa é dar uma grande pirocada."

"O qu'é qu'achas?", perguntou Vicente a Matias Grande.

De olhos fixos e melancolicamente perdidos no amarelo-turvo da *blanche* que segurava entre as mãos, o enorme homem de Palmeira mostrava-se distante e sorumbático. Não conseguia conformar-se com a morte de Daniel, o amigo de infância, e a imagem do corpo e da cabeça a tombarem do céu assombrava os seus pesadelos desde o combate da semana anterior. Saíra já das trincheiras mas era como se ainda lá estivesse, martelando o episódio vezes e vezes sem conta, angustiado e invadido de incontroláveis sentimentos de culpa, pensando que deviam ter abandonado mais cedo a linha da frente, ou então alguns segundos mais tarde, imaginando a carta que iria pedir ao sargento para escrever à mulher do Beato, repisando as palavras, as ideias, os sentimentos, a revolta, a resignação, a tristeza. Matias olhou para Vicente, parecendo despertar de um sonho longínquo.

"Hã?"

"O qu'é qu'achas?"

"O que é que eu acho de quê?"

"D'irmos às buscates, homem", disse Vicente, impaciente. "Estás a dormir ou quê?"

"Irmos às buscates?", interrogou-se Matias, como se se tratasse de uma ideia extraordinária. Parecia apalermado e levou um segundo a reflectir. "Vamos lá."

"Então está decidido!", exclamou Baltazar, batendo com a palma da mão na mesa de madeira. "Vamos às buscates!"

"Alguém tem til que me empreste?", perguntou Abel, meio ensonado com o efeito das cervejas. "Sem til não posso chafurdar naquelas breixas."

"Eu tenho til, Lingrinhas, está descansado", disse Baltazar, exibindo umas notas de francos. "Carradas de moni." Voltou-se para Matias. "Desde a porrada do outro dia que andas abatido, homem. Levaste um louvor de categoria, foste promovido a primeiro-cabo, o que é que queres mais?"

"Estou-me a cagar para o louvor e para a promoção", exclamou Matias, erguendo-se e deixando algumas moedas na mesa para pagar as suas duas cervejas. "Vamos embora."

O grupo levantou-se e saiu do *estaminet*, metendo pela rua suja e lamacenta em direcção ao bordel de Merville.

"Mas, ó Matias, a promoção não é má, sempre ganhas mais uns carcanhóis."

"Ganho uma merda."

"Não são vinte francos?"

"São."

"Então sempre é melhor do que nós, caraças. A malta continua nos quinze e a verdade é que também arriscámos o pêlo."

Matias encolheu os ombros e, arrastando Abel consigo, foi urinar junto a uma árvore, na berma. Os outros dois companheiros adiantaram-se um pouco. Baltazar pôs-se a cantar "Ó amendoeira! Que é da tua rama?", mas Vicente interrompeu os berros estridentes e desafinados.

"Cala-te", vociferou. "Estás a dar espectáculo."

"O que é que tu queres, ó Manápulas?", devolveu Baltazar. "Estás nervoso por causa das *mademoiselles* que vamos comer?"

"Cala-te."

"Já sei, Manápulas, o teu problema é que vais ter uma mulher de categoria e tu preferes dar à mão!", disse Baltazar, com uma gargalhada grosseira. "O Manápulas prefere a manápula!"

"Cala-te, 'tás bêbado!"

Baltazar calou-se. Matias e Abel juntaram-se-lhes e o grupo seguiu em silêncio pela rua, os quatro a fintarem as poças de lama espalhadas pela via, as fardas a arrastarem as pontas pelo chão, enormes. Eram uniformes confeccionados para soldados ingleses, mais altos, e que nos portugueses se mostravam ridiculamente grandes, as mangas quase a taparem as mãos, as bainhas das calças a nadarem na lama, verdadeiros anões em trajos de gigantes. Apenas Matias Silva, o homenzarrão cuja estatura elevada lhe valia merecidamente a alcunha de Grande, parecia feito à medida daquele uniforme.

O bordel ficava numa esquina da avenida principal de Merville, para onde se dirigiram com vagar. A um quarteirão da avenida viram um rapazinho sentado num muro frente a uma casa com um buraco na parede lateral.

"M'sieurs!", chamou o rapaz. *"Voulez-vous ma soeur? Very good jig-a-jig. Demoiselle very cheap. Very good."*

O francesinho tinha uns dez anos de idade e, claramente, com a sua mistura de inglês e francês, confundia os soldados portugueses com *tommies* ingleses.

"O qu'é que quer o miúdo?", perguntou Vicente a Baltazar.

"Está a oferecer a irmã", explicou o veterano, estacando e olhando para o rapaz francês. *"Coucher avec mademoiselle?"*

"Oui m'sieur, très jolie, très bon marché."

"Combien?"

"Cinq francs."

"É barato", comentou Baltazar para os amigos. "Cobra-nos cinco francos pela irmã."

"E é mesmo irmã dele?", admirou-se Abel Lingrinhas.

"Sei lá!", exclamou Baltazar, encolhendo os ombros. "Devem ser refugiados belgas."

"Vamos embora", disse Matias.

"Tem calma, espera lá um pouco", retorquiu Baltazar, voltando-se para o rapaz e querendo saber onde se encontrava a irmã. *"Où est mademoiselle?"*

O francês, que se calhar era belga, saltou do muro e cruzou a rua.

"Venez!", disse, entrando no quintal de uma casa baixa do outro lado da rua e fazendo-lhes sinal para o seguirem.

Os portugueses entreolharam-se e, com um passo lento e hesitante, foram atrás dele. Chegaram à casa, na verdade umas ruínas já sem telhado, e encontraram o rapaz à sua espera no fundo de umas escadas, à porta do que parecia uma cave com acesso exterior. Desceram as escadas e o adolescente convidou-os a entrarem. Estava escuro na cave, mas depressa se aperceberam de uma vela acesa no canto. Entraram e viram uma rapariga sentada sobre um pano largo, uma almofada ao lado, utensílios de cozinha num outro canto da cave.

"Cinq francs pour ma soeur", repetiu o rapaz, exibindo os cinco dedos da mão.

Os quatro portugueses olharam para a rapariga, escanzelada e magra, que os fitava com algum nervosismo, os olhos cansados saltando de um soldado para o outro.

"Promenade avec moi?"

"Esta miúda não tem mais de catorze anos", comentou Matias em voz baixa, abanando a cabeça.

"É quase a idade da minha filha", observou Baltazar, sem tirar os olhos da rapariga. O pequeno tamanho dos seios juvenis não lhe passou despercebido. "Vocês já viram as catrinas dela? Parecem umas bolotas."

Matias Grande aproximou-se, pôs a mão no bolso, tirou umas moedas e deu-as à rapariga, que guardou o dinheiro e começou a despir-se.

"Vais dar-lh'uma pinadela?", perguntou Vicente.

"Estás maluco?", devolveu Matias, dando meia volta e saindo da cave. "Vamos embora."

O grupo abandonou a cave e voltou à rua, deixando os adolescentes para trás.

"Uma miúda desta idade!", exclamou Baltazar. "É pecado."

"E ir às buscates não é pecado?", quis saber Abel.

"Ir às buscates é necessidade", explicou Baltazar. "Mas crianças é pecado."

"Sei d'um tipo que pinou uma destas refugiadas", comentou Vicente Manápulas.

"Uma miúda como esta?"

"Sim, novinha."

"E o que é que ele achou?"

"Uma maravilha", respondeu Vicente. "Disse-me que 'tava aflit'e qu'a refugiada lh'aditou bem a mingalha."

Riram-se todos nervosamente.

O barão Redier já se tinha escusado perante os hóspedes e recolhido aos seus aposentos. Era um homem de hábitos, gostava de rotinas, de passear pelos mesmos sítios, de comer os mesmos pratos, de dormir à hora certa. Agnès ficou a fazer sala com os dois oficiais junto à lareira, ela com um *champagne* na sua cadeira de balanço, Afonso instalado no canapé com o habitual *whisky*, Cook com um porto num cadeirão de mogno estofado e braços de serpentinas. O inglês puxou de uma caixa de charutos de madeira, o topo assinalando *Tabak-en-Sigaren*, registado pela P. G. C. Hajenius, a célebre casa de tabaco da avenida Damrak, em Amesterdão, abriu-a e ofereceu *Coronitas* aos dois companheiros, que declinaram. Acabou por acender ele próprio um dos curtos havanos, que aspirou com gosto, o aroma quente e agradável do charuto a encher a sala com o seu perfume tropical. Conversaram sobre tudo e sobretudo sobre a guerra, o tema que dominava as suas vidas. O capitão mostrava-se particularmente interessado em perceber como é que os ingleses viam a guerra, se a encaravam de forma diferente dos portugueses, e o cálice de porto pareceu ter soltado a língua ao tenente Cook. Agnès tentava igualmente entender se o que lhe diziam sobre as hostilidades era verdadeiro ou falso, se os alemães eram mesmo cruéis e cobardes como os descrevia a imprensa, se a guerra ia ou não acabar. O tenente Timothy Cook, com três anos de experiência no conflito, revelou-se uma verdadeira mina de informações.

"*All lies*", exclamou o tenente após uma baforada, não hesitando em considerar mentirosas muitas das notícias publicadas nos jornais. Percebeu a confusão da sua interlocutora e traduziu para francês: "*Mensonges.*"

"*Mensonges?*"

"*Yes*", assentiu. "Os *poilus* chamam a isso *bourrage de crâne*. É como se os jornais fossem uma fábrica de produzir mentiras."

"*Par exemple?*"

"Oh, sei lá, tanta coisa! Olhe, uma vez estive em Champagne durante uma semana, a testar um *Farman* num aeródromo francês, e as coisas apresentavam-se tranquilas. Pois li nos jornais que tinha havido ali uma poderosa ofensiva alemã que fora travada sem que o exército francês tivesse recuado um único metro. *All lies*. Outra vez foi o contrário. Quando da ofensiva do Somme, em que parecia que o inferno tinha descido à terra, os jornais noticiaram que estava tudo calmo na zona da frente."

Agnès ficou a fitá-lo, confusa.

"Seja", concedeu. "Mas não é verdade que os boches são cruéis?"

"*I say*", retorquiu Cook. "Não mais do que nós. Se nos virem à frente, tentam matar-nos, mas não é isso afinal o que nós também lhes fazemos? Para ser inteiramente honesto, eu diria que alguns até são uns *very decent chaps*. Um amigo meu que está nos *Royal Welch* contou-me que, durante uma ofensiva desastrosa ali no sector de Béthune, milhares de homens nossos ficaram caídos na terra-de-ninguém, feridos e a agonizarem. Pois os boches, parado o ataque, não dispararam um único tiro durante a noite, e deixaram os nossos maqueiros ir buscar todos os feridos e até muitos mortos."

"Não me diga que vocês gostam dos boches..."

"*Don't get me wrong*", disse Cook, abanando a cabeça. "Se vir um à minha frente, mais facilmente o abato do que o faço prisioneiro."

"A sério?"

"Fazer prisioneiros dá muito trabalho", explicou, fazendo uma curta pausa para aspirar a sua *Coronita*. "Alguns oficiais não hesitam em dar ordens implícitas para não fazer prisioneiros."

"E isso quer dizer..."

"Matá-los *on the spot*, não dar tréguas a ninguém", esclareceu o tenente, largando o fumo retido nos pulmões.

"Vocês fazem isso?"

"Right ho!", confirmou. "Se estamos com pressa ou particularmente aborrecidos porque um amigo nosso foi morto, vai tudo de enfiada. Mas devo dizer que, a este respeito, os piores são de longe os canadianos e os australianos, que têm a fama de matar todos os boches que se rendem. Não se brinca com eles."

"Mon Dieu!"

"C'est la guerre", concluiu Cook, utilizando a expressão então muito em voga sempre que se mencionavam as desgraças provocadas pelo conflito.

Como acontecia quando se falava da guerra, a conversa enveredara por caminhos desagradáveis e Afonso sentiu que era necessário inflectir o rumo. Por isso, aproveitou a pausa para tentar conhecer Agnès.

"Deve ser difícil a uma mulher bonita e encantadora como a senhora estar a viver neste recanto violento de França."

Agnès sorriu, agradada com o piropo.

"C'est pas facile", disse ela. Encarou Afonso, sorriu sedutoramente e acrescentou: "Mas às vezes tenho a felicidade de conhecer uns oficiais *très charmants* que me deixam encantada."

O português ia-se engasgando com o *whisky*, não estava à espera desta resposta, as senhoras em Portugal costumavam ser mais passivas no jogo da sedução. O capitão ficou sem saber o que dizer. Engoliu em seco, muito corado, e prosseguiu sem acusar o toque.

"Imagino que... uh... com os soldados todos na rua, uh... não possa andar por aí a passear à vontade. Como consegue preencher o seu tempo?"

"Leio. Leio muito."

"Ah sim? E o que lê?"

"Oh, um pouco de tudo. Stendhal, Balzac, Flaubert, Dumas, Daudet, Maupassant..."

"E de qual gosta mais?"

"Não sei. Talvez Dumas, diverte-me."

Afonso pousou o copo de *whisky*.

"Eu também gosto de ler."

"E o que lê em Portugal?"

"Bem, não temos tanta variedade como vocês aqui em França, mas aprecio Eça de Queiroz e Júlio Dinis."

"Eu já li um romance português", comentou Cook.

"Ah é?", surpreendeu-se Afonso. "E qual?"

"Chamava-se *O Guarani.*"

"*O Guarani?*", interrogou-se o capitão, fazendo uma careta. "Nunca ouvi falar. De certeza que era esse o título?"

"*Sure.* O autor era José de Alencar."

"Tem piada, não conheço. Onde encontrou o livro?"

"No Brasil."

"Ah, não deve ser português, é certamente um escritor brasileiro. Gostou?"

"*Well,* não percebi algumas palavras", riu-se o inglês. "Mas acho que sim."

"Era melhor ou pior do que os romances ingleses?"

"Era diferente."

"E o que se lê em Inglaterra?", quis saber Agnès, com pouca vontade de voltar ao jogo das comparações. "Charles Dickens?"

"Sim, esse é o nosso maior nome, depois de Shakespeare. Mas há outros."

"Por exemplo?"

"Oh, tantos. Thackeray, as irmãs Brontë, Eliot, Trollope, Stevenson, Hardy, Kipling, Conrad..."

"Pois eu dos autores ingleses só li aquele romance de Dickens passado durante a Revolução Francesa."

"*A Tale of Two Cities.* Gostou?"

"*Oui*", riu-se a francesa. "Chorei muito no fim."

"*That's Dickens, all right*", concordou Cook com um sorriso conhecedor.

"E qual é o escritor de que gosta mais?"

"Acho que é Stevenson, aprecio o seu sentido de aventura, o gosto pelo exótico. Mas olhe que ando agora a ler um romance que saiu há pouco tempo e que é muito bom, muito original, muito profundo."

"Do que trata?"

"O livro chama-se *Of Human Bondage* e é a história de um homem que se apaixona obcecadamente por uma mulher, mas ela não quer saber dele para nada. O que é extraordinário neste romance é que o leitor entra na cabeça da personagem e começa a pensar como ela, a perceber os seus sentimentos, a compreender as suas reacções, a antecipar os seus movimentos. O leitor transforma-se na personagem."

"Parece interessante", concordou Agnès. "Quem é o autor?"

"Somerset Maugham. É um escritor novo, eu próprio nunca tinha ouvido falar dele."

"Pois olhe que o romance que comecei agora a ler é o contrário, está até a dar-me dores de cabeça."

"Então e porquê?"

"Porque a história não avança. *Mon Dieu,* dá a impressão de que não tem história."

"E que obra-prima é essa?"

"*À la recherche du temps perdu.* É um título que me parece adequado porque já ando à procura do tempo que estou a perder com ele. Veja lá que as primeiras cinquenta páginas são gastas com uma cena em que a personagem se encontra deitada na cama à espera de que a mãe lhe venha dar o beijo de boa-noite. São cinquenta páginas nisto!"

Riram-se todos.

"E quem é o génio que escreveu essa obra de arte?"

"Marcel Proust."

"Não vai longe", sentenciou Cook.

"Não diga isso, o livro até está extraordinariamente bem escrito."

"Mas qual é a história?"

"É esse o problema, ainda não percebi a história", observou Agnès, pensativa. "É certo que vou ainda no princípio, mas parece-me que a personagem anda à procura de coisas da sua memória, de coisas perdidas no tempo, daí possivelmente o título. É algo estranho mas dá-me a impressão de que, talvez mais do que de histórias, é um livro feito de sensações, de impressões, de odores, de paladares, de sons, de cores, de emoções, de afectos. Eu diria que é um grande fresco pintado de nostalgia, de momentos mágicos de infância, de pequenos nadas."

"Olhe, eu tenho um amigo que uma vez me fez a definição perfeita do que é um bom livro", disse Cook, efectuando uma pausa teatral para expelir uma baforada perfumada da sua *Coronita*. "Um bom livro é aquele que está bem escrito e tem uma boa história. Se o livro está bem escrito mas a história é má, o livro não é bom. Se o livro tem uma boa história mas está mal escrito, também não é bom. O livro só é bom se tiver uma boa história e estiver bem escrito."

A lenha na lareira crepitava suavemente e os três encostaram-se nos respectivos assentos, tranquilos e serenos, a saborear o momento e a digerir aquela ideia. Todos recordaram os romances que haviam lido ao longo da vida, pensaram nos que tinham boas histórias mas estavam mal escritos e nos que estavam bem escritos mas tinham más histórias. E pensaram sobretudo naquelas obras, raras e preciosas, que, com palavras simples e elegantes, frases graciosas e bem estruturadas, poderosas até, contavam histórias inesquecíveis e arrebatadoras. Sim, concordaram, esses é que eram os livros realmente bons. Quantas excelentes histórias não se desperdiçaram em maus textos, quantos bons redactores não se perderam em más histórias? É como a pintura, considerou Afonso. De que serve ter boa técnica se não se tiver imaginação criativa? De que serve ter imaginação criativa se não se dominar a técnica de pintura? Não está uma sempre ao serviço da outra, dando e recebendo, mudando e evoluindo, transformando-se e influenciando-se?

O som metálico e distante do *Biedermeier* a dar horas na sala de jantar encheu o silêncio. Por associação de ideias, quase sem querer, Afonso lembrou-se então da promessa feita pela baronesa ao jantar.

"*M'dame*, há pouco referiu-se a um objecto de arte surpreendente..."

"*Oui*", exclamou Agnès, o rosto abrindo-se e apontando para um ponto da parede acima de uma estante. "É aquele quadro ali."

Os dois oficiais viraram-se naquela direcção e repararam, pela primeira vez, num pequeno quadro realmente estranho, era uma paisagem pintada de maneira pouco ortodoxa, o céu cortado em formas geométricas de diferentes tons de azul, as casas transformadas em rectângulos tépidos, as árvores pareciam triângulos verdes.

"*Good heavens!*", soltou Cook, os olhos arregalados. "O que é aquilo?"

"Cubismo", explicou a baronesa, divertida com o ar perplexo dos dois militares.

"Cubismo?"

"É uma nova corrente artística, muito *chic,* muito *avant garde*", indicou Agnès. "Aquele quadro ali é de Robert Delaunay e comprei-o há uns quatro anos na galeria Kahnweiler, em Paris."

"Mas é horrível", disse Cook com um esgar de repulsa.

"Eu diria que é diferente, original talvez."

"Mas a natureza não é assim, o céu não é assim, está tudo mal pintado."

"Não está mal pintado", assegurou a francesa. "A ideia do cubismo não é representar o objecto tal como o vemos, mas tal como o conhecemos. O céu tem vários tons de azul porque sabemos que o céu é assim, a intensidade do seu azul varia com a luz do dia."

"*It's ghastly!*", repetiu o oficial britânico, ainda horrorizado com o que observava e insistindo na ideia de que não via qualquer virtude artística no quadro. Para não dar tempo para que se exibissem mais objectos do género, susceptíveis de ofender a sua sensibilidade estética, Cook esmagou no cinzeiro o pouco que restava da *Coronita,* ergueu-se do cadeirão e bocejou. "Meus amigos, foi agradável mas já são onze da noite e estou com sono.

As minhas homenagens, *madame,* e os meus agradecimentos. Afonso, *old chap. Cheerio and behave yourself!"*
"*Bonne nuit!"*
"Até amanhã, Tim."
O inglês saiu e Agnès e Afonso ficaram sós.

Os lãzudos caminhavam agora pelos movimentados passeios da principal avenida de Merville, evitando o pavimento enlameado da rua, ocupado por cavalos e algumas carroças, e a animação do centro da vila deixou-os mais alegres. Seguiram pela avenida até chegarem a um edifício cor de tijolo perante o qual se aglomerava um considerável número de soldados. Era a porta do bordel, *Le Drapeau Blanc* escrito numa tabuleta vermelha acima da entrada.
"Ena", comentou Baltazar. "Tanta mingalha aflita!"
Os soldados faziam fila; somavam, à vontade, mais de uma centena. Misturavam-se ingleses, escoceses e portugueses numa grande algazarra, cada um esperando a sua vez, quase todos em grupo, eram raros os homens que aguardavam sozinhos, multiplicavam-se as piadas e as gargalhadas. O bordel tinha sido montado pelas próprias autoridades francesas para servir as tropas daquele sector, e o *Le Drapeau Blanc* era apenas um dos muitos existentes na retaguarda das linhas aliadas. Havia bordéis para oficiais, mais discretos e caros, onde até se conversava com as prostitutas, enquanto os soldados se contentavam com versões industrializadas e despachadas, sem tempo para grandes conversas porque o tempo urgia e a clientela estava à espera, verdadeiras fábricas de sexo massificado e em série.
Matias e os seus amigos juntaram-se à fila. Diante deles encontravam-se uns ruidosos escoceses, facilmente reconhecíveis pelos *kilts* de lã *Black Watch* do regimento *highlander* e boinas *Tom O'Shanter.* Os escoceses riam-se alarvemente e davam sinais de estar embriagados. Mas, logo a seguir, Matias reconheceu dois camaradas do 8 e foi ter com eles.
"Então?", saudou-os. "Vieram às buscates?"

"Viemos pois", confirmou um dos portugueses, um rapaz chamado Victor. "Mas isto ainda vai levar um bom bocado."

"Sim, há muita gente", confirmou Matias. "Quantas buscates
estão lá dentro?"

"Disseram-me que são três."

"Três...", repetiu Matias, fazendo mentalmente as contas.

"Não te canses, já fizemos o cálculo", disse Victor. "Somos
cento e vinte e elas são três, dá quarenta homens para cada
buscate. A cinco minutos cada pinadela, dá duzentos minutos,
mais coisa menos coisa."

"Duzentos minutos, mais o tempo que se perde a vestir e
despir", observou Matias.

"Não, não", indicou Victor, abanando a cabeça. "Esta conta
já inclui isso tudo."

"Ah bom", admirou-se Matias. "Portanto, só temos de esperar
três horas."

"E é se queres!", riu-se Victor.

Matias regressou ao seu lugar na fila, contando as novidades
aos companheiros. Apenas Baltazar pareceu desanimar.

"Se calhar, devíamos era voltar para trás e ir ter com a refugiada", gracejou. "Sempre era mais rápido e barato."

Ficaram à espera, vendo a fila avançar lentamente e os clientes
já aviados a saírem do *Le Drapeau Blanc*, a felicidade estampada
no rosto, a auto-estima subindo-lhes pelas calças. Não havia dúvidas de que aquelas prostitutas forneciam um serviço eficiente.
Numa anterior visita ao bordel de Merville, Matias fora informado de que cada uma delas servia o equivalente a quase um
batalhão por semana. Trabalhavam enquanto tinham forças e
ânimo. O limite normal eram três semanas, após as quais elas em
geral içavam a bandeira branca e, cansadas, retiravam-se com o
dever patriótico cumprido, mas sobretudo com um belo pé-de-
-meia, governadas, provavelmente, até ao fim da guerra.

Enquanto aguardavam, os quatro começaram a falar sobre as
qualidades das mulheres francesas na cama, as que gostavam de
jogos, as desavergonhadas e as pudicas, ou falsas pudicas. Este

era um assunto em que os homens gostavam de se gabar, ou de sonhar. Em geral, preferiam evitar as estatísticas, não se fosse dar o caso de um dos colegas apresentar *performances* sexuais superiores, mesmo que fictícias, mas ir às francesas, incluindo as prostitutas, era um tema de especial orgulho entre eles, e os mais experimentados não se negavam aos comentários. Neste ponto, Baltazar Velho decidiu fazer uma comparação com as portuguesas e descobriu que as suas avaliações críticas, embora seguidas com atenção, não eram rebatidas ou corroboradas pelos amigos. Achou o facto intrigante e pressionou-os até arrancar de Vicente uma confissão que muito o surpreendeu.

"A minha primeira mulher foi aqui em França", murmurou Vicente Manápulas, olhando para baixo, quase envergonhado. "Nunc'experimentei uma portuguesa."

Baltazar ficou a mirá-lo, embasbacado.

"Tu vieste virgem para aqui?"

Vicente fez que sim com a cabeça.

"Que idade tens?"

"Vinte."

"Valha-me Deus, homem, quem te visse nunca diria", comentou o veterano. "Todos os quinze dias vens aqui às buscates, até parece que fizeste isto toda a vida, a dar pirocadas desde o berço."

"Sabes, Baltazar", explicou Vicente, "quando se 'tá nas trinchas pensa-se muito, a malta pensa na morte, pens'em tudo."

"Então eu não sei, homem?"

Todos sabiam o que era isso de pensar nas trincheiras, durante as longas horas de espera, feitas de puro tédio, e ao longo dos intermináveis minutos de bombardeamento, consumidos em puro horror. Ninguém ignorava que havia uma elevada hipótese de não saírem vivos de França, ou de saírem mutilados e estropiados, e o tempo fugia, escasseava-lhes. Como passar por cima do facto de que talvez nunca viessem a experimentar as coisas boas da vida, de que a juventude lhes seria possivelmente roubada daí a alguns dias, de que o futuro lhes ficaria eventualmente vedado por uma bala traiçoeira ou por um estilhaço perdido? Nas trincheiras, o sexo era uma obsessão universal, sempre presente na linguagem dos homens, nunca esquecida na mente, nos gestos, na memória e no desejo. Havia que aproveitar enquanto era possível, enquanto estavam vivos e de corpo inteiro, enquanto tinham forças para agarrar a vida como quem abraça a mãe, todos tinham visto demasiados amigos ceifados, ninguém queria morrer virgem. Mas o facto é que só os oficiais dispunham de oportunidades genuínas de arranjar verdadeiras namoradas francesas. Aos soldados, entorpecidos de frio e de fome, embrutecidos pela guerra e sempre ocupados a esconder-se nas trincheiras ou empenhados em trabalhos de fortificação na retaguarda, restava geralmente o amor comprado numa cama gasta de um qualquer bordel. Os que vinham virgens de Portugal depressa tratavam do assunto no prostíbulo ou num curral com uma camponesa mais arisca ou com falta de dinheiro, não fossem os alemães antecipar-se e privá-los de fruir aquele fruto até ali proibido. E até os muitos que já anteriormente praticavam sexo, por serem casados ou por terem encontrado moças que não receavam pecar antes do matrimónio, não se privavam de gozar a carne sempre que a oportunidade se oferecia, mesmo que a troco de uns francos oferecidos num canto esconso de umas ruínas miseráveis, temendo também que lhes restasse pouco tempo para usufruírem daquele prazer efémero.

Passaram-se três horas na fila do *Le Drapeau Blanc* e a vez dos quatro portugueses chegou finalmente. O primeiro a avançar foi, como era natural, Baltazar Velho, veterania *oblige*. Era um homem casado e pai de uma rapariga e dois meninos, a pele com rugas prematuras para quem tinha apenas trinta e seis anos, rugas nascidas do emagrecimento forçado nas trincheiras, do ar seco da serra onde vivia e da dura vida de quem estava habituado a acompanhar os rebanhos em longas correrias pelos montes, mas nada disso o impediu de mergulhar com entusiasmo e antecipada excitação no quarto escuro que se lhe oferecia.

Depois foi a vez de Matias Grande. A porta de um dos quartos abriu-se, saiu de lá um escocês ainda a apertar o cinto do *kilt* verde, o *jock* piscou o olho e soltou um enrolado *"your turn, lad!"* quando passou pelo português, Matias saiu da fila e avançou, abriu a porta, ouviu um *"entrez"* feminino, cruzou a entrada e estacou, viu uma mulher morena e magra a lavar-se numa bacia ao lado da cama desfeita, o quarto iluminado por uma lamparina sobre a mesa-de-cabeceira e a luz amarelada a projectar sombras fantasmagóricas sobre as paredes, fechou a porta, aproximou-se de uma cadeira, começou a tirar o casaco de pelico mas foi interrompido pela mulher, *"seulement les pantalons"*, disse ela apontando para as calças, percebeu que só devia tirar as calças e as ceroulas, não valia a pena retirar o acessório, tirou o que tinha a tirar, entretanto a mulher voltou para a cama e abriu as pernas, *"viens ici!"*, ele foi *ici* sem preliminares, ela recebeu-o molhada, ele entrou, *"vite! vite!"*, insistiu ela sem sequer simular respiração ofegante, ele foi *vite* mas ainda teve tempo de lhe apalpar as nádegas e os seios, o corpo entrou em cadência, o ritmo a crescer, tornou-se incontrolável, sentiu a explosão, estremeceu de prazer, o momento prolongou-se, depois os músculos começaram a distender-se, o enorme corpo foi-se descontraindo e acalmando, devagar, devagar, o coração a diminuir as batidas, ela aguardou um instante mas não tardou a fazer um gesto de impaciência, ele despertou do seu torpor, quase chocado com aquela pressa, saiu dela com lentidão contrariada, ela levantou-se, dirigiu-se à bacia e, enquanto a mão esquerda buscava água, a mão direita apontava para a mesa, *"dix francs"*, ele vestiu as ceroulas e as calças, tirou dinheiro do bolso e contou dez francos, colocou-os na mesa ao lado de outras moedas e notas que já lá estavam amontoadas, *"merci, mademoiselle, très bonne"*, e saiu ainda a apertar o cinto. Piscou o olho ao *tommy* inglês que aguardava a sua oportunidade e disse "vai-te a ela, bife!".

Tinham passado cinco minutos.

Olharam-se de forma cúmplice, divertidos com a reacção de Tim perante o estranho quadro e a sua precipitada retirada para o quarto, mas o olhar prolongou-se e, embaraçados, Afonso e Agnès passearam os olhos pela sala, procurando novos motivos de interesse. Estava fora de causa continuarem a prestar atenção à original pintura de Delaunay e ambos tiveram de se contentar em ficar a observar as chamas a crepitar na lareira, o lume mostrando-se já muito brando, lambendo com suavidade a lenha carbonizada que se amontoava numa amálgama negra e quente, as pequenas labaredas incandescentes isoladas naquela massa inerte como gotas de lava a brilharem sobre o carvão, como lágrimas de ouro choradas pela madeira no seu derradeiro sopro de vida.

"Adoro conversar", disse ela finalmente, recomeçando a balouçar na cadeira. "O meu marido é um homem de poucas palavras, o que me deixa frustrada, e a vossa presença aqui constitui um raio de luz que ilumina a minha solidão."

"Quem a ouvisse diria que é infeliz", comentou Afonso. O capitão levantou-se do canapé e aproximou-se da lareira, voltando-se de costas para a sua anfitriã. Não a queria enfrentar, sentia-se acanhado e inibido. Pegou na vara de ferro e empurrou a lenha para junto do cascalho, espevitando a chama moribunda. Algumas fagulhas voaram pelo ar, soltando estalidos secos, e as labaredas cresceram com fulgor, atrevidas e orgulhosas.

"*Ça vous amuse, le feu...*", observou a baronesa.

"*Oui, vraiment.*"

"Nos tempos de Luís XVI havia um estilo delicioso de cultivar o convívio", suspirou Agnès. "As pessoas tinham nessa altura o elegante hábito de enviar convites onde se escrevia simplesmente '*on causera*', iremos conversar."

Afonso remexeu de novo a lenha, reactivando definitivamente a lareira. O fogo voltou com fulgor moderado. O capitão recuou a cabeça, admirando a sua obra. Dando-se finalmente por satisfeito, limpou as mãos com palmadas rápidas e poeirentas, ergueu-se e sentou-se outra vez no canapé de faia.

"Não respondeu à minha pergunta..."

"Qual?"

"Sente-se infeliz?"

"Não é bem infeliz", explicou a baronesa, pensativa. "Sinto-
-me só, vazia, desacompanhada. Tenho saudades de Paris."

"Viveu em Paris?"

"Oui."

"E então o que está aqui a fazer?"

"É uma longa história."

"Gosto de histórias longas."

"Quer mesmo ouvir?"

"Não estou aqui para outra coisa."

A baronesa sorriu.

"Saiba, *mon cher Alphonse,* que eu nasci em Lille", disse. Em
dez minutos contou-lhe a história da sua infância e todos os
pormenores sobre a família, a loja de vinhos do pai, Serge e o
barão Redier. Neste ponto, Afonso constatou que Agnès o observava, hesitante, como se estivesse a considerar se valia ou não a
pena acrescentar mais uma coisa. Decidiu-se.

"Sabe que ele era parecido consigo?"

"Quem?"

"Serge."

"Ah sim?", surpreendeu-se Afonso.

"É o olhar, é o sorriso, mas não só, há mais qualquer coisa em
si que me lembra Serge, não sei, talvez um certo espírito, uma
certa maneira de estar, esse ar sonhador", disse. Ficou fixada no
português, de ar contemplativo, os olhos verdes com um brilho
intenso. "E você, alguma vez casou?"

"Non", disse, abanando a cabeça.

"Nem tem ninguém à sua espera?", inquiriu. *"Une petite amie,
peut-être?"*

"Non."

Agnès voltou a baixar os olhos.

"Sabe, eu, na verdade, casei com Jacques porque me sentia só,
desamparada, e ele tinha aparecido quando eu mais precisava,
estendendo-me a mão naquele momento de maior fragilidade,
quando o mundo desabara e deixara de fazer sentido. Ele foi o
farol que me guiou na tormenta, a luz que me trouxe até porto

seguro. Feitas as contas, casei, se quiser, por gratidão." Fez uma pausa. "Foi um erro."

"Hoje teria agido de maneira diferente?"

"Sim, sem dúvida. Se fosse hoje, ficava em Paris e acabava o curso, custasse o que custasse." Suspirou. "Mas a vida é como é e as decisões, bem ou mal, foram já tomadas."

"Pelo que me diz, devo presumir que não tem nenhum amor na sua vida."

"Engana-se. Tenho um grande amor."

"Tem?"

"Sim. A medicina."

"Ah, está bem", exclamou Afonso, aliviado.

"Sabe o que me fascina na medicina?"

"Não."

Agnès ergueu dois dedos.

"São essencialmente duas coisas", indicou. "Em primeiro lugar, e como lhe disse, desde criança que tenho um fascínio por Florence Nightingale, acho uma coisa extraordinária ajudar os outros na doença, atenuar-lhes o sofrimento. Isso direccionou-me para o campo da saúde. Em segundo lugar, acho que pesou muito o gosto pela ciência que adquiri quando visitei a Exposição Universal de Paris em 1900."

"Já vi que gosta do aspecto científico da medicina..."

A baronesa fez um ar pensativo.

"Sim, é isso. Apesar de ser uma pessoa moderadamente religiosa, sei que, na vida, não podemos estar sempre à espera do auxílio divino, Deus ajuda quem se ajuda a si próprio. Aqueles que não percebem isso não entendem nada da vida. O que é facto é que durante muito tempo os nossos antepassados não compreendiam essa simples verdade e foram muito penalizados pelo excesso de confiança na intervenção divina. Sabe, *Alphonse,* antigamente a medicina esteve associada à superstição, os antigos acreditavam que os males eram causados por espíritos malignos. No Neolítico, por exemplo, chegavam a fazer buracos no crânio dos pacientes para expulsarem esses espíritos, veja lá."

"E curavam-nos?"

Agnès riu-se.

"Claro que não. Com esses métodos, *mon chère Alphonse,* é evidente que os doentes morriam da cura, não do mal. Mas depois, passado este período rudimentar, a ciência começou gradualmente a entrar em campo. A par dos feitiços surgiram procedimentos pragmáticos e racionais para tratar de doenças facilmente diagnosticáveis ou para prevenir o aparecimento de outros males. A Bíblia, por exemplo, está repleta de instruções quanto à higiene, à necessidade de manter doentes de quarentena e à obrigação de desinfectar os objectos tocados pelos doentes. Mas o grande passo, a ruptura da medicina com a religião e a superstição, foi dado na Grécia. Presumo que, com os seus estudos clássicos, saiba o que aconteceu neste período..."

"Em relação à medicina, infelizmente conheço pouca coisa. Lembro-me de que os filósofos gregos consideravam que os doentes eram vítimas de desequilíbrios do corpo."

"Pois, os gregos trouxeram realmente uma postura nova. As mais famosas escolas de medicina da Grécia localizavam-se em Knidos e em Kos. Foi em Kos que nasceu Hipócrates, considerado o primeiro médico moderno."

"O do juramento?"

"Sim, o autor do famoso texto de ética médica conhecido por juramento de Hipócrates. É claro que os gregos diziam muitos disparates. Por exemplo, achavam que a saúde resultava fundamentalmente de um equilíbrio entre quatro humores presentes no corpo humano, designadamente o sangue, a fleuma, a bílis negra e a bílis amarela. Como resultado, os tratamentos que prescreviam limitavam-se a dietas, a vómitos forçados e a sangramentos, procedimentos efectuados supostamente para reequilibrar os humores do corpo. Doentio, não acha?"

"Mas olhe que ainda há pouco tempo se faziam esses tratamentos. O meu pai contou-me que, quando era pequeno, o sangravam sempre que estava doente. Diziam que era para reequilibrar os humores e eliminar os venenos."

"Sim, os tratamentos prescritos pelos gregos mantiveram-se válidos até ao século passado, veja bem, embora no século XVIII estas ideias começassem a ser revistas."

"Portanto, nem com os gregos a medicina evoluiu..."

"Não", disse Agnès, abanando a cabeça. "A medicina evoluiu com os gregos, uma vez que foi aí que, pela primeira vez, se estabeleceu que as doenças não resultavam de acontecimentos sobrenaturais, mas tinham uma explicação física. Até esse tempo, os doentes eram encarados como pecadores punidos pelos deuses ou como gente possuída por demónios, ideia que os gregos combateram. O problema é que a medicina entrou em retrocesso na Idade Média, vitimada pelo obscurantismo de que o meu antigo professor de Anatomia não se cansava de falar. Os textos gregos foram levados para o mundo árabe e só regressaram ao Ocidente pela mão dos monges beneditinos, que traduziram para latim os documentos árabes e assim tomaram conhecimento do que Hipócrates e os outros médicos gregos escreveram. O atraso foi tanto que só no século XII nasceram as escolas de medicina e foi preciso esperar pelo Renascimento para finalmente se começar a estudar o corpo humano. E aí, sim, houve de facto uma grande evolução. Descobriu-se que as doenças eram causadas por microorganismos, percebeu-se que o sangue circulava, enfim, o corpo humano e o seu funcionamento e patologias tornaram-se mais compreensíveis."

"Descartes escreveu que o corpo funcionava como uma máquina..."

"Justamente, *Alphonse,* o corpo começou a ser visto como um sistema. Os médicos descobriram o sistema digestivo, o sistema metabólico, o sistema sanguíneo, o sistema respiratório, o sistema nervoso. Além disso, apareceu a química, os médicos começaram a usar químicos para reequilibrarem os sistemas. Surgiram também as especialidades, como a neurologia, a patologia e outras. Depois, com o meu conterrâneo de Lille, Louis Pasteur, vieram as vacinas e a ciência tomou totalmente conta da medicina, acabando de vez com as feitiçarias do passado."

"Estou impressionado", exclamou Afonso com sincera admiração. "Já vi que conhece bem a história da medicina."

"Tenho obrigação", sorriu Agnès. "Sempre foram três anos na Sorbonne, não é? Alguma coisa tinha de aprender."

"E qual é a sua especialidade?"

"Bem, eu quando andava na faculdade não tinha ainda entrado nas especialidades, estava na área geral. Mas confesso que me sentia tentada a ir para a psicanálise."

"Psicanálise?"

"É uma área nova, desenvolvida por Freud. Já ouviu falar?"

"Vagamente. É um hipnotizador, não é?"

Agnès riu-se.

"Sim, ele utilizou a hipnose na terapia, mas já se deixou dessas coisas."

"Desculpe, mas isso não lembra ao diabo! Como é que um médico espera curar uma febre com hipnose?"

A francesa voltou a rir-se.

"Não, *Alphonse,* Freud não trata doenças do corpo. Ele trata as doenças da mente."

"Dos loucos?"

"Sim, também dos loucos, mas não só. Há igualmente pessoas com perturbações ou traumas, casos a que a medicina não tem conseguido dar resposta. Pois Freud descobriu que muitos males da mente nascem de traumas ocorridos no passado e que, se a pessoa conseguir resolver esses traumas, curar-se-á. O problema é que muita gente não tem consciência dos traumas que sofreu, uma vez que eles são reprimidos e atirados para o inconsciente, pelo que o trabalho do médico é localizar esses traumas para os resolver. Freud começou por usar a hipnose, mas agora voltou--se para outros métodos, como a associação de ideias e a interpretação dos sonhos."

"Ele também acredita que os sonhos são profecias?"

"Não, é exactamente o contrário. Ele acha que os sonhos não revelam o que vai acontecer no futuro, mas o que as pessoas gostariam que acontecesse no futuro. Percebe a ideia? Os sonhos revelam-nos o que as nossas instâncias censoras nos ocultam. Por exemplo, vamos imaginar que você gosta muito de uma mulher e sonha que está a fazer amor com ela." Afonso corou. "O seu sonho não é uma profecia, ele não revela que você vai fazer amor com essa mulher. O que ele revela é que você gostaria de fazer amor com ela. Quando se encontra acordado, e tratando-se de uma pessoa com decoro, evita imaginar essa situação. Isso significa que a sua consciência reprime tal desejo. Mas, no momento em que mergulha no sono, a consciência também dorme e é o subconsciente que toma conta da sua mente. O subconsciente sabe que você gostaria de fazer amor com essa mulher. Ora, como a consciência já não está activa para censurar esse desejo, o subconsciente manifesta-o através do sonho. Entendeu?"

"Bem... uh... sim", titubeou Afonso, embaraçado com o exemplo.

Agnès sorriu.

"Vejo que o meu exemplo o deixou um pouco... como direi?, um pouco constrangido", comentou ela com malícia.

"Uh... enfim, não estou habituado a ouvir... a ouvir uma senhora... enfim..."

"Está a ver? A sua instância censora encontra-se muito activa", observou Agnès alegremente. "Não se preocupe, isso só mostra que você é um homem decente, muito civilizado."

"Enfim...", soltou Afonso com alívio, o elogio soube-lhe bem.

"Mas deixe-me que lhe diga", apressou-se Agnès a acrescentar, divertida por saber que o ia chocar de novo. "O sexo é um elemento crucial no comportamento dos homens e das mulheres, sabia?" Afonso abanou a cabeça, pasmado, incapaz já de emitir nem que fosse um grunhido. "Freud descobriu que a sexualidade constitui um factor dominante e ocupa um lugar central em toda a experiência humana. Ele verificou que as pessoas têm comportamentos sexuais desde que são bebés, o que..."

"Isso não pode ser", atalhou Afonso, recuperando a fala. "Os bebés?"

"Compreendo a sua incredulidade, muita gente reage assim, mas a verdade é que já os bebés manifestam sexualidade. Nunca ouviu falar no complexo de Édipo?"

"Não."

"Existe um mito grego que conta a história de um homem, Édipo, que, sem querer, cumpriu uma profecia antiga, matando o pai e casando com a mãe. Ora Freud acha que todos os homens gostariam de fazer o mesmo, matar o pai e casar..."

"Ah, desculpe, *m'dame,* mas isso é ir longe de mais. Faz algum sentido essa ideia? No que me diz respeito, é um perfeito disparate dizer que eu quero matar o meu pai e casar com a minha mãe, isso é realmente... não sei, mas não é aceitável."

"O complexo de Édipo é uma metáfora, *Alphonse,* e assim deve ser entendido. O que Freud quer dizer com isto é que os homens têm desejos sexuais inconscientes que remontam à infância, desejos de casarem com a mãe, não porque ela é a mãe, naturalmente, mas porque ela é a fêmea que conhecem. Para casarem com ela, porém, os homens têm de eliminar o seu rival. E quem é ele? É o homem que está com a fêmea que eles desejam. É o pai."

"Mas está a dizer que eu tenho esse desejo?"

"Calma, não o estou a acusar de nada", sorriu Agnès. "Sei que você é um homem muito íntegro, um homem até muito interessante. Mas o que eu estou a dizer é que Freud identificou esse desejo inconsciente, repito, inconsciente, no comportamento masculino. Pode ter a certeza, no entanto, de que tenho a convicção de que o seu pai nada tem a temer de si, as instâncias censoras desses desejos inconscientes funcionam, no seu caso, muito bem."

Afonso fitou-a e o rosto abriu-se-lhe num sorriso.

"Já vi que se está a meter comigo."

"Não, asseguro-lhe que Freud pensa tudo o que eu lhe disse, e sim, estou a meter-me consigo". Riu-se. "O que é curioso é que os homens ficam sempre furiosos com isto, você é o primeiro a perceber que eu não passo de uma provocadora."

"Ah sim, é uma grande provocadora..."

Ela lançou-lhe um olhar malicioso.

"E posso provocá-lo ainda mais?"

Afonso corou novamente. O que será que vem aí?, pensou.

"Faça o favor. Provoque-me, vá. Estou por tudo."

"Quer dançar comigo?"

"Como?"

"Eu sei que não vem a propósito de nada, mas apetece-me. Quer dançar comigo? Sabe dançar, presumo..."

"Uh... bem... eu... ajeito-me, acho."

A baronesa levantou-se e abriu um móvel encostado à parede. Das entranhas retirou um imenso gramofone e pousou-o sobre a mesa junto à lareira. O gramofone era constituído por uma caixa de madeira com uma manivela a sair de um dos lados, tratava--se do manípulo que permitia dar corda ao motor. A caixa tinha um prato por cima e uma enorme corneta no topo, erguendo-se como uma orelha gigante e desenhada em flor segundo o estilo *art nouveau*.

"Este é um gramofone *Pathé*", explicou Agnès. "O que gosta de dançar?"

Afonso ergueu-se.

"Não sei, o que tem aí?"

Agnès aproximou-se dos discos e consultou-os.

"*Fox-trot,* sinfonias, valsas..."

"Talvez um *fox-trot,* não?"

"Sim, gosto muito, mas talvez seja demasiado barulhento a esta hora, não acha?" Deteve-se noutro disco. "Este é fascinante. *La mer,* de Debussy." Abanou a cabeça. "É brilhante, simula os sons da água, mas não serve para dançar." Olhou para Afonso. "Porque não uma valsa?"

"Pode ser."

A francesa seleccionou um disco e colocou-o sobre o prato do gramofone. Pôs a agulha da corneta sobre a borda do disco e deu à manivela. A melodia emergiu da corneta aberta em flor, ondu-lante, bela e harmoniosa.

"Strauss", disse ela, dirigindo-se ao capitão.

Os sons da orquestra de Viena encheram a sala. Afonso tomou-a nos braços e começaram a bailar, os olhos pregados um no outro, os corpos embalados ao ritmo da valsa, as mãos apertadas entre si, as livres procurando os corpos, a direita dele na cintura dela, a esquerda dela nos ombros dele. Dançaram sem nada dizerem, os olhos fixos nos olhos, insinuantes, maliciosos, provocadores, navegando na onda da música. A valsa acelerou e Afonso puxou-a mais para si, os ventres a chocarem, as roupas a roçarem. Perderam a noção do espaço e do tempo, rodopiando na sala ao som da valsa tocada pelo gramofone, desejando que aquele momento se prolongasse, se eternizasse, sublime, arrebatador, perene, inesquecível. A melodia encheu-lhes a alma e atirou-os para um universo à parte, um mundo só seu, encantado, feito de beleza e sonho, êxtase e magia. Afonso mergulhou nos olhos verdes e observou-lhe a boca entreaberta, os lábios aveludados brilhando como pétalas húmidas, convidativos, acolhedores. Aproximou-se ligeiramente com a cabeça, hesitou, ela permaneceu de olhos muito abertos, fixos nele, ele sentiu-a irresistível, sentiu que chegara o momento, era altura de o desejo tomar conta do corpo.

"*Madame* deseja mais alguma coisa?"

A voz masculina rompeu como um trovão o momento mágico. Afonso e Agnès sobressaltaram-se e olharam para a porta. Era Marcel, o mordomo. A baronesa desprendeu-se bruscamente do capitão.

"Não, Marcel, obrigada. Boa noite."

"Boa noite, *madame*", disse Marcel com os olhos perscrutadores. "Boa noite, *monsieur*."

O mordomo retirou-se com vagar, algo frio, deixando-os sem jeito. Fez-se um silêncio breve, constrangido e embaraçado, sentiam-se como crianças apanhadas numa tropelia.

Agnès desligou o gramofone e Afonso regressou à lareira, as chamas precisavam de ser ateadas. Remexeu a madeira da lenha e o fogo reacendeu-se, respirando fogo e calor. Durante alguns segundos apenas se ouviram os estalidos das fagulhas. Satisfeito, o capitão voltou ao seu lugar, no canapé, e sentou-se.

Ficaram os dois a olhar-se. Foi um olhar inesperado e o capitão atrapalhou-se com aqueles olhos bonitos e meigos que se fixavam em si, era um homem tímido, o olhar prolongou-se e ele começou a sentir o coração a bater, a bater, cada vez mais, tudo muito rápido, agora ecoando nas têmporas, a certa altura já pulava quase descontroladamente. Experimentou pulsões contraditórias. Queria beijá-la, pressentia que ela não resistiria, existia ali uma força magnética, um íman invisível atraía-os, mas caiu em si, pensou que aquela era uma mulher casada, estaria ele louco? Ainda havia pouco estivera à conversa com o marido. Além do mais, quem lhe garantia que não estava a confundir tudo, que o seu desejo por ela não o traía, criando a ilusão de que ela também o desejava? Sentiu-se inseguro, que escândalo se a beijasse e viesse a constatar que ela afinal não o queria, que aquele olhar era só de simpatia, que vergonha desrespeitar a anfitriã e o marido na sua própria casa. Afinal de contas, pensou, aquela mulher era bela de mais para ele, pertencia a um outro mundo, era uma princesa inalcançável e inacessível, uma fada de sonhos, e ele não passava de uma mera rã, um portuguezito emproado que tudo misturava, o olhar que dela recebia só podia ser de cortesia, havia que não confundir afabilidade com desejo. Afastou os olhos, embaraçado, quebrando o contacto visual.

Virou a cabeça com naturalidade forçada e foi salvo pelo gongo do *Biedermeier* que soava na sala de jantar, era o pretexto ideal, fixou-se nas batidas do grande relógio de parede como se aquele som metálico e tranquilizador fosse a coisa mais importante do mundo.

"É tarde, *m'dame, il faut dormir*", disse, levantando-se com tal prontidão que até parecia que tinha algo de urgente para fazer e que não podia esperar mais.

Agnès ergueu-se devagar.

"Tem razão, *Alphonse*", concordou. "É tarde. *À demain.*"

"*À demain, m'dame.*"

Afonso caminhou para o quarto sentindo-se dilacerado pela dúvida. Ela desejava-o realmente ou tudo não tinha passado de

319

um equívoco, de uma impressão errónea? Reconstituiu a conversa palavra a palavra e a dança passo a passo, tentou ler-lhe o olhar e o tom, recordou cuidadosamente cada expressão, procurou interpretar as intenções por detrás do menor acto, do menor gesto, e concluiu que sim, talvez, era provável que ela desejasse ser seduzida. Pensou então que não passava de um parvo, estava ali uma das mais bonitas e interessantes mulheres que jamais conhecera, parecia-lhe gradualmente evidente que ela alimentava um fraco por si, e ele certamente por ela, mas não tinha sido audaz, encolhera-se, duvidara, acobardara-se. Era, todavia, mais do que isso. Aprofundou a introspecção e descobriu que, de certo modo, estava também a armar-se em cavalheiro, em grande *gentleman,* a proteger um homem que, no fundo, até lhe era desagradável. Que estúpido! Estúpido, estúpido, estúpido! Abanou a cabeça, os olhos perdidos no soalho. Mas não valia a pena chorar agora sobre o que ficara consumado, não tivera coragem de a beijar e a oportunidade perdera-se, talvez para sempre. Desesperou, sentiu ganas de dar meia volta e ir a correr à sua procura, implorando-lhe que o perdoasse, que desperdício, quem sabe se ele não iria morrer daí a alguns dias, que o que tinha para dizer ficaria por dizer, e por fazer. Mas nada fez, a não ser encolher os ombros, resignado. Correr atrás dela não passava de uma fantasia, tinha de se conformar, que remédio, paciência, já estava feito, se calhar foi melhor assim.

O capitão entrou no quarto que lhe fora destinado, o mesmo de havia dez dias quando se hospedara pela primeira vez no Château Redier. Acendeu a lamparina, viu a mala que Joaquim lhe deixara ao lado da cama de armação Luís XV, tirou o casaco e pendurou-o numa cadeira. Sentiu-se triste e só. Foi ao *cabinet de toilette,* rodou a alavanca da torneira e lavou a cara na porcelana da pia em estilo *art nouveau,* esvaziou a bexiga na decorada sanita *Oneas* do cubículo vizinho, tão requintada que até fazia pena sujá-la. Voltou ao quarto, sentou-se na cama, descalçou as botas, desfez vagarosamente a gravata verde-pálida e despiu a farda, ficou de ceroulas, tremia de frio, deitou-se e cobriu-se, encolhendo e enrolando o corpo para melhor aquecer os lençóis e as mantas, quando o tremor acalmou espreitou pelos lençóis, estendeu o braço e apagou a lamparina. Às escuras, fechou os olhos, suspirou e pensou em Agnès, fantasiando uma resposta diferente à oportunidade que acreditava ter tido quinze minutos antes, arquitectando planos para o dia seguinte, imaginando atraí--la para um local discreto onde lhe confessaria o seu amor com palavras românticas e irresistíveis. Sentiu-se mais tranquilo quando decidiu que assim iria actuar, atrevido e arrojado, embora soubesse, bem lá no íntimo, que verdadeiramente jamais teria coragem de o fazer, quando a manhã nascesse veria tudo com outros olhos, as destemidas decisões da noite transformar-se-iam em ingénuas ilusões infantis.

Um estalido oriundo da porta desfez as fantasias como uma nuvem que se dissolve no céu. Afonso ergueu a cabeça e olhou para a entrada. Por momentos pareceu-lhe que estava tudo normal, pensou que ouvira talvez uma madeira a dar de si, possivelmente um móvel a estalar com as subtis mudanças de temperatura, afinal de contas um barulho habitual num palacete daquelas dimensões. Mas um novo som, agora um pouco diferente, mais suave e prolongado, confirmou que algo de facto se passava. Afonso sentou-se na cama, alerta. Um ténue clarão de luz emergiu verticalmente da entrada do quarto, era a porta que se abria, devagar.

"*Alphonse?*"

O capitão arregalou os olhos.

"*Alphonse?*"

"*Oui?*"

Um vulto entrou com uma vela na mão, os contornos de luz a revelarem as linhas graciosas de Agnès, as sombras dançando no rosto fino, a penumbra acentuando as curvas da cintura e das coxas e a protuberância dos seios firmes que se insinuavam sob o vestido creme. A baronesa estacou, olhando para ele, frágil, quase receosa, submissa até. Ele fitou-a, surpreendido. Agnès sorriu com timidez e doçura, aproximou-se com passos leves, olharam-se de perto, de coração palpitante, aos pulos, caíram um no outro, envolvendo-se num abraço, beijaram-se timidamente, depois com sofreguidão.

Afonso começou pela face, desceu para os lábios, descobriu-os húmidos e fofos, penetrou-a com a língua, a boca era doce, quente, acolhedora, encontrou aí um sabor melífluo que o deixou inebriado, bêbado de prazer, perdido numa dimensão que não sabia existir, como se o tivessem arrancado da realidade e o elevassem à eternidade, Afonso era uma andorinha e Agnès o céu, ela um lago, ele um nenúfar. Sentiu o veludo macio dos grossos lábios vermelhos a recebê-lo com paixão e soube então, nesse preciso instante, como se de uma revelação se tratasse, que esses mesmos lábios de mel eram o seu fado, que aquela boca quente se fizera para ser a sua casa, que aquela mulher terna nascera para ser o seu destino.

O desejo cresceu, tornou-se irresistível, arrebatador, incontrolável, a respiração pesada, ofegante, ela sentiu as pernas fraquejarem, tombou na cama e perdeu-se nos lençóis. O capitão lambeu--lhe a orelha direita, desceu para o pescoço e depois, tirando-lhe os seios para fora da camisa de noite, percorreu os mamilos erectos com a língua, chupou-os e lambeu-os, eram rosados e arrebitados. Meteu a mão por baixo do vestido de dormir, ajudou-a a tirar as calcinhas e acariciou-a entre as pernas. Depois, quando a verificou muito húmida, tirou as calças do pijama e procurou-lhe a entrada.

"*Doucement*", sussurrou ela.

Afonso penetrou-a com suavidade. Sentiu-se inebriado, era como se tivesse mergulhado num delicioso pote de mel, infinitamente doce, quente e húmido, tão saboroso que até salivou. Agnès fechou os olhos, gemeu, deitou a cabeça para trás e experimentou-o dentro de si, abrindo-a, explorando-a. Sem que Afonso o esperasse, ela rodopiou e rolou para cima dele, dominando-o. O capitão nunca vira uma mulher pôr-se sobre ele, nem as desavergonhadas meninas das Travessas, em Braga, alguma vez o tinham feito. Passada a surpresa inicial, aceitou a dominação, considerou-a mais uma coisa excitante que a francesa lhe ensinava. Ela cavalgou-o com entusiasmo, o ventre dançando para cima e para baixo, por vezes acariciando-o com a ponta dos dedos. Quando sentia a ejaculação aproximar-se, apertava-lhe as mãos.

"Pára! Pára", implorava-lhe.

Ela imobilizava-se, paciente, até a lava que o queimava recuar de mansinho, e depois recomeçavam, sempre beijando-se e acariciando-se. Minutos mais tarde, ela deitou-se e voltou ele para a posição dominante. Sentiu o corpo ganhar velocidade e ritmo, tomando conta de si, cavalgando autonomamente com crescente intensidade, mais rápido e mais rápido, até não mais se conseguir conter e soltar a erupção com um urro, sentir o corpo explodir e gemer de prazer, ao mesmo tempo que ela se agitava por baixo dele num orgasmo mais prolongado. Todos os músculos se retesaram, atingiram um pico de tensão e, passada a onda alucinante, descontraíram-se de imediato. A respiração readquiriu gradual normalidade, uma indescritível sensação de bem-estar encheu-lhes a alma de paz e adormeceram nos braços um do outro.

VI

A luz era, nessa manhã, límpida e suave. O Sol espalhou uma claridade gelada pelo manto branco intermitente que cobria a paisagem agreste das trincheiras. Dezembro trouxera os nevões e um frio glaciar, mais gelado quando o céu se abria num azul puro, como nesse dia, pedaços de flocos amontoados aqui e ali, como se estivessem ao abandono, pequenas poças de neve derretida nas crateras e nas fossas das ranhuras rasgadas na terra por entre parapeitos e onde se amontoavam as toupeiras humanas. A vegetação jazia queimada, pelo gelo ou pelo fogo de guerra. As árvores, nuas, carbonizadas e mutiladas, erguiam-se como espectros teimosamente de pé naquela terra revolvida pelo aço e pela morte.

A tranquila placidez da paisagem alva criava a ilusão, agradável mas perigosa, de que ali não havia guerra, impressão intensificada pelas novas sensações que tinham entrado de rompante no mundo do capitão Afonso Brandão e que coloriam a sua nova perspectiva da vida. A intensa noite com Agnès e a cumplicidade que se estabelecera entre os dois amantes, cumplicidade cimentada nos fugazes encontros que tiveram nos quatro restantes dias de descanso do oficial, trouxeram-lhe um outro estado de espírito. De certo modo, o capitão receava agora ainda mais as semanas de trincheiras, mas, ao mesmo tempo, e apesar de um mal disfarçado sentimento de culpa por estar a relacionar-se com a mulher de outro homem, a perspectiva do regresso ao descanso apresentava-se mais luminosa, cheia de promessas, de encantos proibidos, de prazeres despertados, de emoções arrebatadas.

Era a manhã do dia 6 de Dezembro, Afonso e Infantaria 8 tinham regressado às posições de Neuve Chapelle na noite anterior. O frio revelava-se cortante, e, se as coisas já assim se apresentavam no princípio do mês, como seria em Janeiro e Fevereiro? Encostado ao parapeito interior da linha B, os pensamentos do capitão dividiam-se entre o esforço para se proteger do gelo que lhe penetrava pelo dólman e o desejo de se refugiar no calor da memória ardente de Agnès e no universo de fantasia que construía na sua alma apaixonada, antecipando os novos encontros que adivinhava depois desta semana nas trincheiras. Tirou do bolso a cigarreira prateada que a baronesa lhe oferecera na emoção da despedida, colocou distraidamente um *Kiamil* nos lábios e acendeu-o, sempre mergulhado nos seus pensamentos, procurando encontrar no acre fumo do cigarro o doce cheiro da boca da baronesa, o aroma perfumado de *L'heure bleue*. Tão absorto estava que só se apercebeu da aproximação do tenente Timothy Cook quando o oficial inglês de ligação o cumprimentou.

"*What ho*, Afonso, *old boy?*"

O capitão regressou das nuvens e olhou para o recém-chegado.

"Hã?", exclamou. "Ah, olá Tim."

"*What's up?*", perguntou Cook, querendo saber quais as novidades.

"Nada. Tudo na mesma como a lesma."

"Então qual o motivo de toda a agitação?", perguntou o tenente inglês no seu português britanicamente abrasileirado.

"Agitação? Qual agitação?"

"A que ali vai, na *C line*."

"O que é que se passa na linha C?"

"Não sei, me diga você. Vi um ajuntamento à porta do posto de sinaleiros, em Dreadnought Post."

"Ah sim? Quando?"

"Agora mesmo, passei por lá e estava a maior confusão."

Afonso fitou Cook com ar interrogativo.

"Não sei de nada", disse. "Espera aí que eu vou lá ver o que é."

O capitão percorreu com Joaquim a linha B, chegou à linha de comunicação, Jock Street, virou à esquerda e meteu pela Winchester Road, apanhou a linha C, seguiu para a direita e foi ter ao posto de sinaleiros de Dreadnought, um buraco aberto entre sacos de areia. Ao aproximar-se, apercebeu-se de que havia, de facto, um burburinho no local.

"O que se passa?", perguntou ao tenente Curado, que se quedava à porta, rodeado de oficiais excitados.

"Uma revolução, meu capitão."

"Uma revolução? Que revolução?"

"Em Portugal, meu capitão. O Bernardino e o Afonso Costa foram à vida."

"Que história é essa?"

"É como lhe digo, meu capitão. Houve uma revolução em Portugal."

Afonso penetrou no posto, onde todos falavam animadamente, na maior algazarra. Abriu espaço entre os excitados oficiais e foi ter com o telegrafista.

"Conta lá o que é que está a acontecer."

O telegrafista, um alferes de nariz protuberante, olhou-o, desanimado. Era a vigésima vez que lhe faziam a mesma pergunta, todos queriam saber o que se passava, quais as informações que chegavam por telegrafia, e ele já se cansara de repetir a mesma lengalenga. Suspirou e decidiu ser sucinto.

"Sei pouca coisa, meu capitão. Apenas a informação de que houve ontem uma revolução e há combates nas ruas de Lisboa."

"Disseram-me ali à porta que o presidente da República e o primeiro-ministro tinham sido derrubados."

"Tanto quanto sei, isso não se confirma, é apenas especulação. Se há combates, julgo que isso significa que a coisa ainda não está decidida."

"E quem é que está a encabeçar esse golpe?"

"Um tal major Paes."

"Major Paes? Quem é esse?"

"Não sei, meu capitão."

O tenente Pinto, o seu maior amigo dentro de Infantaria 8, apareceu por entre outros dois oficiais, o cabelo ruivo despenteado, como se tivesse acabado de acordar, e pôs-lhe a mão no ombro.

"Então Afonso? Se calhar, vamos para casa."

"Olá, Cenoura. Eu acho é que afinal estamos no sítio errado. A guerra é em Portugal, não aqui."

"É, andam lá aos tiros."

"Quem é esse major Paes?"

"Olha, disseram-me há pouco que é um gajo do Exército que há uns anos esteve no governo e depois foi para nosso ministro em Berlim."

Afonso arregalou os olhos, identificando o nome.

"Aaaaah, o Sidónio Paes!"

"Esse mesmo", confirmou Pinto. "Conheces o tipo?"

"Só dos jornais", explicou o capitão.

"E então?"

"Se ele ganhar, é como tu dizes, parece-me que podemos ir fazendo as malas e preparar-nos para ir para casa."

"Foi isso mesmo que me disseram. O gajo é monárquico?"

"Isso querias tu", sorriu Afonso, largamente conhecedor da costela monárquica do tenente Pinto. "Tanto quanto sei, o Paes é republicano, está ligado ao Partido Unionista. Lembro-me de que até integrou os primeiros governos da República."

"Mas é contra a guerra..."

"Acho que sim. Ele estava em Berlim quando os boches nos declararam a guerra, fartava-se de elogiar aqueles cabrões e, do que sei, não gostou da nossa vinda aqui para a Flandres." Calou-se, pensativo. "Vais ver que a Virgem de Fátima sempre tinha razão, vamos mesmo mais cedo para casa."

O capitão Resende, já menos gordo desde que havia duas semanas se sujeitara à recepção ao caloiro, abraçou os dois homens, efusivo.

"Vamos para casa, caraças!"

"Aguenta lá os cavalos, Resende", recomendou Pinto. "Ainda não sabemos como é que aquilo acaba, o major Paes pode não ganhar."

"Estás mas é maluco, Cenoura. Eu conheço o homem, ele vai ganhar."

"Conheces o gajo?"

"De Coimbra. Ele deu lá aulas na universidade."

"E como é ele?"

"Um tipo às direitas, com ele não se faz farinha. Este regabofe dos deputados, do Afonso Costa e da guerra vai acabar, o Paes vai pôr ordem nesta merda."

"Deus te oiça", comentou o tenente Pinto, que nunca digeriu a decisão de Portugal entrar na guerra. "Vocês já viram isto? Ainda em meados de Outubro o Bernardino e o Afonso Costa vieram cá ao CEP e menos de dois meses depois já estão ambos com guia de marcha."

O ambiente no posto era agitado. Os oficiais percebiam que os acontecimentos de Lisboa, qualquer que fosse o seu desfecho, teriam impacto nas suas vidas. Se o Partido Democrático permanecesse no poder, mantendo Bernardino Machado como presidente da República e Afonso Costa como primeiro-ministro, o plano de envolvimento de Portugal na Grande Guerra provavelmente permaneceria inalterado. Mas, se Sidónio Paes vencesse, as coisas mudavam de figura e ninguém ignorava que era possível a retirada do CEP do teatro das operações. Mais do que entre republicanos e monárquicos, o país estava agora dividido entre intervencionistas e não intervencionistas. Se o Partido Democrático, no poder, era intervencionista, então quem quer que se lhe opusesse teria necessariamente de ser contra o envolvimento de Portugal no conflito.

Afonso saiu do posto e, apesar do frio glaciar, veio cá fora apanhar ar. Sentia-se dividido e não sabia o que pensar. Por um lado, desejava ardentemente deixar as trincheiras, esquecer a guerra e regressar ao quartel de Braga ou ao ninho de Rio Maior. Fizera a sua parte, cumprira o seu dever, chegara a hora de descansar. Mas, por outro, não deixava de achar que o abandono do conflito deixaria o país mal visto pelos aliados e com o pós-guerra comprometido. Como manter o império se Portugal nem era capaz de aguentar duas divisões na Flandres? E, no fundo da sua mente, isso não era tudo. Se o CEP partisse, não era só o prestígio de Portugal que se perderia, havia mais coisas que ficariam para trás.

Havia Agnès.

Marcel estranhou o pedido da baronesa, franziu o sobrolho, mas limitou-se a assentir.

"Oui, madame", disse, seguindo-a pelos corredores do palacete.

Agnès atravessou o *foyer* com impaciência, cruzou a porta de entrada, recebeu o ar frio da manhã como um sopro de liberdade e desceu as escadarias com alívio, estava cá fora, saíra do palacete, sentia-se leve. O criado ultrapassou-a, apressado, e foi a correr para o lado direito. Instantes mais tarde ouviu-se um motor a roncar e ele apareceu ao volante da *Renault* amarela do barão Redier, uma elegante *sedan*, deu a volta à praceta, imobilizou-se diante da patroa, saltou cá para fora, o motor ainda a funcionar e a despejar fumo negro pelo escape, abriu a porta traseira, Agnès ergueu as largas saias cor-de-rosa, assentou o pé direito no degrau e instalou-se no compartimento fechado. Marcel voltou ao volante, destravou e arrancou, uma rajada de vento gelado despenteou-o quando o carro passou o portão, afinal de contas o lugar do *chauffeur* era ao ar livre, apenas protegido pelo vidro dianteiro e pelo tejadilho.

A baronesa deixou-se guiar docilmente, os olhos fixos para além das janelas, cravados melancolicamente nas filas de plátanos, de choupos, de olmos, de tílias, que desfilavam pela berma da estrada, olhos que se perdiam na planície, nos bosques, nas ribanceiras, no céu aberto, nas vacas e nos porcos, nos patos e nos gansos, nas casas abandonadas, nos celeiros vazios, nos muros conquistados pela hera, nos flocos de neve que se diluíam em lama, nas carroças vagarosas, nos teimosos camponeses que insistiam em lavrar a terra, olhos que olhavam para fora mas apenas viam para dentro, os arbustos agitavam-se e Agnès observava-os sem os ver, diante dos olhos tinha somente Afonso, via-o a sorrir, a beijá-la, imaginava-o algures lá na frente, desde que lhe sentira o calor que deixara de suportar a presença de Jacques, ansiava pelo capitão que lhe fazia lembrar o marido perdido, ansiava tanto que, já desesperada, pedira a Marcel que a levasse com ele ao mercado, para o acompanhar nas compras. Ela que nunca se preocupara com as compras na praça queria agora um pretexto para se afastar do palacete que a sufocava, um pretexto para escapar à espera ansiosa pelo seu português, para pensar noutras coisas, para se distrair, também para se sentir mais perto dele naquela vilória por detrás das primeiras linhas onde ele se enterrara. Estarei a ficar louca?, questionou-se, ainda vendo sem ver os viçosos campos da Flandres a espraiarem-se para lá da estrada, a estenderem-se até ao fio do horizonte, a prolongarem-se até o verde se fundir no azul do céu. Conheço-o há tão pouco tempo, tão pouco, tão pouco, estarei a ficar louca? Respirou fundo, buscava ar que a libertasse da ansiedade que a oprimia, encheu o peito com aquele aroma frio e puro que lhe trazia notícias da vida, agitou-se com inquietação.

O automóvel entrou em Armentières e os olhos de Agnès começaram enfim a ver, a enxergar o que se encontrava para além dos vidros. Lá fora agitava-se a povoação, a lama do carro saltava para as paredes das casas, a neve adquiria um aspecto sujo pelos cantos, via-se ali um *estaminet,* acolá um barbeiro, além uma *boulangerie,* por todo o lado soldados, deambulavam por ali todas as nacionalidades, tantas que até faziam lembrar aquele longínquo passeio pela Exposição Universal, eles eram ingleses, escoceses, canadianos, australianos, portugueses. Ah, portugueses! Agnès inclinou-se no assento e olhou-os com curiosidade, com intensidade, estudou-os, procurou neles traços de Afonso e vestígios que os assemelhassem a Serge como Afonso se asseme- lhava, *les portugais sont toujours gais,* lembrou-se, mas não lhe pareceu. Eram pequenos, atarracados, uns com rostos largos, outros de caras chupadas e maçãs salientes, simplórios, rudes, mal barbeados, botas sujas e descosidas, vestiam roupas ridículas, rotas, casacos azuis com mangas tão grandes que nelas se escon- diam as mãos, uns usavam pelicos com peles de carneiro, outros tinham ar andrajoso, pareciam tristes, desenraizados, arrastavam- -se pelas ruas em grupo, a fumar, alguns seguiam solitários, meti- dos consigo, eram miúdos sem alegria da vida, crianças sem infân- cia, homenzinhos abandonados numa terra distante.

A *Renault* dobrou a esquina e aproximou-se do mercado. Havia mais gente nas ruas, viam-se civis, sobretudo velhos e crianças. Ali ao fundo reconheceu uma nuca, o coração disparou, era Afon- so. Agnès levou a mão à boca, sobressaltada.

"*Alphonse!*", murmurou.

Afonso estava ali. Afonso caminhava pelo passeio alagado, de costas, o carro aproximou-se, passou por ele, a francesa com o rosto colado ao vidro, os olhos verdes bem abertos, o automóvel ultrapassou Afonso, ela ficou a vê-lo, vidrada no vidro, a nuca dele tornou-se perfil e finalmente rosto, Afonso tinha os olhos a saltitarem distraidamente pelo chão e um cigarro no canto da boca, o bigode diferente, ela percebeu enfim que não era ele, não era Afonso, era outro, era um soldado canadiano. Agnès encos- tou-se no assento, ofegante, espantada, surpreendida consigo mesma, a mão no peito.

"Estarei louca?", interrogou-se. "*Mon Dieu,* já o vejo por toda a parte."

Matias Grande sentia-se cansado e com frio. Mantinha-se ali- nhado com os homens do pelotão na linha B, perto de Deadhorse Corpse, integrando a formatura da tarde, designada por *A Postos,* uma rotina diária directamente inspirada no *Stand To* britânico.

O sargento Rosa olhou para o fundo da trincheira, viu o capitão Afonso Brandão a aproximar-se e gritou para os seus homens.

"Aaaaaa postos!"

O pelotão pôs-se em sentido nos buracos cavados na paisagem branca, chocalhando as botas e os metais das armas e munições num fragor rápido, voltou o silêncio e todos aguardaram a inspecção do oficial. Afonso foi chapinhando pela lama e pisando flocos de neve até ao ponto onde os homens se encontravam formados. Caminhava quase distraidamente, um bengalão de ponteira metálica balouçando como um pêndulo na luva que calçava a mão esquerda, até que chegou junto do primeiro soldado do pelotão, Vicente Manápulas, olhou para a *Lee-Enfield* e fez uma careta de desaprovação, um bafo de vapor a sair-lhe pela boca.

"Quero este cano limpo e oleado."

"Sim, meu capitão."

O oficial passou lentamente pelos homens do grupo, apontando com o bengalão para aqui e para ali, fazendo reparos ao equipamento, às armas, às munições, aos aparelhos antigás. Repreendeu Baltazar Velho porque o seu respirador não se apresentava na devida posição de alerta, uma vez que, embora a máscara estivesse suspensa à frente do peito, como era do regulamento, as molas da tampa se encontravam voltadas para fora, o que violava as regras estabelecidas. Afonso passou por Matias Grande e inclinou ligeiramente a cabeça, em sinal de que o reconhecia da aventura de havia duas semanas, e, no final da revista aos homens, estacou junto do sargento Rosa.

"Sargento, quero ver o material de trincheira."

O sargento percorreu a trincheira com o oficial atrás, mostrando-lhe as tarimbas, os armeiros, as bombas para tirar água das linhas, as picaretas e enxadas, os braseiros, os pulverizadores *Vermorel*, as pistolas especiais para lançar os cunhetes de iluminantes *Verey*, também designados por *Verey lights*, ou *very lights*, mais as buzinas *Strombos* e as sinetas de alarme. O mais frustrante eram as bombas, que continuamente retiravam água das trincheiras para os soldados verem mais água a brotar do chão lamacento ou a nascer do gelo acumulado, tornando quase inútil todo o exercício. O capitão mandou limpar algumas fezes que encontrou aninhadas nas tábuas das passadeiras e ordenou que se consertassem duas banquetas danificadas e um rolo de arame farpado que uma *minenwerfer* tinha rompido duas horas antes, deixando uma cratera junto ao parapeito de sacos de areia.

O Sol, triste e esgotado, deitou-se por detrás das linhas portuguesas e a noite caiu, gelada e escura. O *A Postos* da tarde terminou, começando o período mais difícil da jornada. Não havia nada que o soldado mais temesse do que a noite, com os seus mistérios e perigos ocultos, com as suas ameaças escondidas e silêncios traiçoeiros. Afonso deu ordens para que fossem colocadas quatro sentinelas de vigia, em vez de uma única, como se fazia de dia. Duas das sentinelas tinham de ficar de pé, vigiando as linhas inimigas pelo parapeito, e as outras duas podiam sentar--se nas banquetas. Ao fim de meia hora, um dos homens de pé trocava de posição com um dos sentados, e meia hora depois era a vez de os dois restantes trocarem igualmente de lugar. Tratava--se de uma forma de manter sempre de vigia um homem com os olhos habituados à escuridão. Apesar dos maiores perigos da noite, os *snipers* foram dispensados, dado que a visibilidade nocturna era nula e convinha poupar os soldados.

Como comandante da companhia da direita, cabia a Afonso garantir os preparativos para a noite, assegurando a posição das sentinelas, a fiscalização da linha da frente e a divulgação das ordens do dia. Nessa noite mandara efectuar vários trabalhos de reparação de passadeiras, drenagem de trincheiras e reposição de protecções, para além de ordenar a saída de várias patrulhas de reconhecimento e outras de protecção aos homens que trabalhavam no arame farpado. Mas a ordem mais importante dizia respeito à saída de uma patrulha de escuta, destinada a obter informações sobre o que se passava nas posições inimigas.

O problema é que as notícias de Portugal concentravam as atenções de toda a gente, com soldados e oficiais a especularem sobre o futuro da sua presença na Flandres. Não era ainda certo o rumo dos acontecimentos, se o major Sidónio Paes venceria, se Portugal iria pôr termo à sua participação na guerra, mas bastava a hipótese ser posta para minar o espírito combativo. Ninguém queria morrer tão perto de regressar a casa, e foi, por isso, com contrariedade que Vicente Manápulas e Abel Lingrinhas receberam a ordem de se prepararem para a incursão pela terra-de--ninguém. A ordem veio de Afonso, mas foi transmitida pelo sargento Rosa.

"Porra, meu sargento, porquê nós?", queixou-se Vicente, a gesticular com veemente indignação.

"Cala-te e veste-te", indicou Rosa, estendendo aos dois homens os impermeáveis brancos.

Estas fardas eram utilizadas como camuflagem em paisagens nevadas, de modo a que os soldados se confundissem com o manto gelado que tudo cobria de serenidade alva.

"Então e porquê'é qu'o capitão não vem também?"

"Cala-te e veste-te."

"É sempr'a mesma merda c'os oficiais", murmurou Vicente, furioso, enquanto punha as calças brancas com gestos bruscos. "Arrotam postas de pescad'e nós é qu'arriscamos o couro. Vê lá s'ele tem tomates p'ra vir connosco."

"Cala-te, Manápulas, já te disse."

"Os camones da direita já mudaram e nós 'ind'aqui 'tamos nesta pocilga, a chafurdar na lama com'uns marranos."

Vicente referia-se à 25.ª Divisão britânica do XI Corpo, que ocupava a linha à direita de Ferme du Bois e que, dias antes, tinha sido substituída pela 42.ª Divisão do XV Corpo do I Exército do BEF. As tropas portuguesas começavam a ver os seus vizinhos serem substituídos para irem descansar e ansiavam já pelo mesmo.

"Não te aviso mais", rosnou o sargento. Apontou o indicador para Vicente, ameaçador. "Voltas a piar e na semana de descanso vais de serviço às latrinas, ouviste?"

O soldado continuou a resmungar, mas agora de modo imperceptível. Abel Lingrinhas permanecia silencioso, era mais introvertido, mas sentia-se igualmente assustado e irritado. Parecia-lhe pouco sensato fazer aquela operação quando havia a possibilidade de, daí a alguns dias ou semanas, receberem todos ordem de regresso. Mas conformou-se. Mostrava-se determinado a permanecer o mais invisível possível na terra-de-ninguém e a regressar inteiro às linhas do CEP e foi com essa ideia que vestiu o impermeável branco e, acompanhado pelo sargento Rosa e por um muito contrariado Vicente, seguiu para a linha da frente.

Como sempre quando frequentavam a primeira linha, instalou--se um silêncio respeitoso ao pisarem as tábuas da passadeira da linha da frente, no posto avançado de Duck's Bill. Aquele era o último reduto antes de enfrentarem o inimigo e era por ali que acederiam ao ponto mais perigoso de todos, a terra-de-ninguém. O sargento fez um sinal e os dois homens armaram as baionetas e sentaram-se nas banquetas, aguardando a chegada do oficial. O capitão Afonso Brandão apareceu em Duck's Bill perto das nove da noite com um rolo de linha telefónica desactivada debaixo do braço e sentou-se junto dos homens que iam partir para a patrulha de escuta.

"Isto é uma operação simples", indicou, a voz num sussurro. "Quero vigilância do terreno sem intervenção. Entendido?"

Os dois soldados permaneceram calados. O manto escuro da noite ocultava-lhes os rostos, apenas era possível distinguir um vago contorno das silhuetas. Afonso sentiu-se desconfortável com aquele silêncio.

"Entendido?", repetiu.

"O que devemos vigiar?", quis saber Vicente.

Afonso rolou os olhos, impaciente. Era evidente que o soldado estava contrariado e se fazia desentendido, não era possível que andasse havia dois meses nas trincheiras e ainda não soubesse em que consistia uma patrulha de escuta.

"Quero que verifiquem se há movimento de patrulhas inimigas e número de efectivos, mas não quero tiros, apenas informação", disse com toda a paciência que conseguiu juntar, estendendo-lhes o rolo de fio telefónico que tinha trazido consigo. "Levam o fio a servir de cordão. Um esticão significa que chegaram e que estão bem, dois esticões para regressarem, três esticões se detectarem patrulhas inimigas, seguidos do número de esticões relativos ao número de boches, e quatro esticões se acharem que a patrulha inimiga representa um perigo para as nossas linhas. Entendido?."

"Sim, meu capitão", assentiu Vicente, resignado.

"Vamos a isso, rapazes. Boa sorte e tenham cuidado."

Os dois homens embandoleiraram as *Lee-Enfield,* agarraram o fio de telefone, entregando a ponta ao sargento Rosa, pegaram no arame-guia, que os conduziria por uma rota aberta entre o emaranhado dos rolos de arame farpado, puseram os pés nas banquetas e pularam em silêncio pelo parapeito, mergulhando na noite. Afonso e o sargento assomaram ao parapeito no seu encalço e sentiram, mais do que viram, Vicente e Abel a rastejarem lentamente pela neve, seguindo o percurso revelado pelo arame-guia, até que, uns metros mais à frente, os seus movimentos deixaram de ser perceptíveis. Apuraram a vista, tentando descortiná-los, mas nada registaram e Afonso não pôde deixar de pensar que existiam possivelmente patrulhas alemãs também a circular por ali, invisíveis e silenciosas, traiçoeiras e perigosas, e não desejou estar na pele dos dois homens que acabara de mandar para desafiarem a morte na terra-de-ninguém.

O capitão e o sargento permaneceram longamente no parapeito, mirando a imensidão de trevas que se estendia à sua frente. Apenas uns ocasionais tiros ou rajadas rompiam o silêncio que se abatera sobre as linhas. A certa altura, um *very light,* proveniente do lado alemão, acendeu-se no céu e começou a descer com lentidão, lançando uma luminosidade quase diurna sobre a terra-de-ninguém. Era uma luz estranha e assustadora, tinha algo de sinistro, parecia de outro mundo. Havia quem a achasse bela, mas o capitão sentia um invariável arrepio de medo sempre que via aquele clarão sobrenatural a pairar sobre as linhas. Tentando abstrair-se dos sentimentos sombrios gerados pelo *very light,* Afonso e Rosa esforçaram-se por aproveitar a visibilidade e detectar presença humana naquela faixa de terreno inóspito, presença que sabiam existir. Mas a paisagem permanecia morta, a luz revelava apenas as árvores tristemente curvadas, amputadas e calcinadas, erguendo-se como espantalhos, as sombras a girarem com suavidade pelo chão numa rotação contraposta ao farol que cruzava o céu, crateras cavadas na terra, um manto branco de neve a resplandecer luminosamente sob o clarão frio do *very light* que descia pendurado no seu pequeno pára-quedas. O foco de luz foi morrer perto do horizonte, e, naqueles longos instantes de claridade, não vislumbraram sinais de Vicente e Abel, era como se ambos se tivessem volatilizado da terra-de-ninguém.

Ao fim de dez minutos, um único esticão do fio telefónico indicou que os dois soldados tinham chegado à posição de observação. Tranquilizado, Afonso sentou-se na banqueta, deixando o sargento a vigiar a terra-de-ninguém, e acendeu um cigarro curvado sobre si mesmo, as mãos enluvadas a protegerem o lume do vento cortante e sobretudo dos olhares inimigos. Os minutos passaram e não vieram novidades. O fio telefónico permaneceu imóvel e, por mais que aguçassem o ouvido ou tentassem discernir algo na escuridão, Afonso e o sargento Rosa não tiveram qualquer indicação proveniente da patrulha. O capitão sabia que, com aquela neve espalhada pelo chão, não deveria manter os dois homens muito tempo na terra-de-ninguém, sob pena de sofrerem hipotermia, pelo que, ao fim de meia hora, fez sinal ao sargento.

"Manda-os voltar."

O sargento Rosa puxou duas vezes o fio telefónico e ficou a vigiar pelo parapeito. Dez minutos depois, os vultos dos dois soldados emergiram da noite, brancos de frio, e saltaram para a linha da frente, os queixos a tiritarem, os braços enregelados, tremendo e tremendo, sentaram-se nas banquetas e dobraram-se sobre si, encolhidos em busca de calor. O sargento estendeu-lhes um copo de aguardente, que engoliram de uma vez, ansiando sofregamente pelo ardor quente do álcool que lhes invadiu o corpo e queimou as vísceras.

"Então?", perguntou Afonso quando os homens pareceram mais recompostos.

"Não há novidade, meu capitão", disse Vicente Manápulas muito rapidamente, engolindo sílabas, num fôlego quebrado pelo frio. "Ouvimos os gajos a falarem ao fund'e mais nada."

"Nenhum movimento?"

"Nada."

"Para onde é que vocês foram?"

"P'ra uma cratera ali ao fundo, perto dos gajos. Estav'um zieiro do camano. S'a gente se delatasse mais um pouco, cangava."

"Em que ponto é que os boches estavam a falar?"

"Junt'ó parapeito, em linha recta diante de Rifle Row, ali em Mitre Trench", respondeu Vicente, indicando a direcção com a mão. "Mesm'ali."

Afonso suspirou e ergueu-se.

"Vão lá descansar", disse, antes de se afastar.

O capitão seguiu para o posto de sinaleiros. Tinha de passar a informação de que permanecia tudo calmo no seu sector e a ordem para metralharem a posição onde a patrulha detectou soldados inimigos a falarem, mas sobretudo queria ainda saber novidades dos acontecimentos em Portugal. Depois de comunicar que a patrulha de escuta não tinha registado nenhum movimento nas posições alemãs, foi informado pelo alferes de serviço ao telégrafo de que as forças revoltosas em Lisboa montaram um acampamento no Parque Eduardo VII, enquanto a Guarda Republicana, leal ao governo, se instalara no Rossio. Não havia mais pormenores e o capitão voltou às linhas para efectuar a ronda da noite e inspeccionar os trabalhos de reparação e drenagem das trincheiras. Só iria deitar-se pela alvorada, depois de o clarão radioso da manhã emergir difuso para além das linhas inimigas.

Matias Grande, Baltazar Velho e mais quatro homens passaram três horas por cima do parapeito da linha da frente, entre Newcut Alley e Château Road, envolvidos no trabalho de fortalecimento das posições defensivas. Operando às escuras e comunicando em murmúrios temerosos, os seis soldados colocaram dezassete concertinas e quatro rolos de arame farpado naquele sector, uma vez que as anteriores protecções tinham sido arrancadas por umas morteiradas que ali caíram durante o dia. Perderam a sensibilidade nos dedos, as mãos agitavam-se num tremor miúdo, dormentes e enregeladas, e foi com grande alívio que deram o trabalho por concluído e receberam autorização do sargento Rosa para recolherem ao abrigo, situado em Baluchi Road.

Matias e Baltazar beberam meia garrafa de rum junto às paredes interiores do parapeito, sentiram o álcool a aquecer-lhes as entranhas como o bafo de um vulcão e, mais reconfortados, fizeram-se ao caminho. Subiram pela Château Road até à Rue Tilleloy e meteram logo pela Baluchi até chegarem ao abrigo. Mergulharam no buraco lamacento e deram com Vicente e Abel estirados no chão e envolvidos em mantas, os corpos iluminados por uma lamparina fraca, a luz amarela e bruxuleante a dançar-lhes no rosto.

"Então essa patrulha?", perguntou Matias enquanto se instalava.

"Nem me fales", devolveu Vicente, pálido de frio, a manta a cobri-lo até ao nariz. "Estav'um zieiro infernal."

"Então eu não sei? Estou com as mãos inchadas de frieiras, caraças." Exibiu os punhos deformados pelo frio, os dedos gordos e vermelho-arroxeados. "Até parece que me sai sangue das unhas."

"Isto é pior do que a serra", queixou-se Baltazar, que era do Gerês e estava habituado ao gelo seco das alturas. "Nem sinto os dedos, porra!"

Matias fitou Abel e reparou que o amigo tremia descontroladamente.

"Ó Lingrinhas, isso está mau."

"Ah, Matias, estou gelado", desabafou com dificuldade. "Esta patrulha na neve fez-me mesmo mal."

"Isso vejo eu. Já emborcaste a murrilha?"

"O sargento deu-me um bocado quando acabou a patrulha", gemeu Abel. "Mas o rum, a mim, não me faz muito efeito."

"Credo, homem, não sei o que te faça. Não te posso acender uma fogueira, não te posso arranjar uma gaja boa para te escacholar. Se aquela mascambilha não te faz efeito..."

Abel Lingrinhas bateu o dente mais um bocado antes de conseguir voltar a falar.

"Sabes o que me fazia mesmo bem?", perguntou finalmente.

"Diz lá."

"É uma coisa que a minha mãe me dava no Inverno."

A tremideira de frio acentuou-se e Abel cerrou as pálpebras e calou-se, toda a cabeça a agitar-se num delírio de gelo. Matias impacientou-se.

"Que coisa? Desembucha, homem."

Abel reabriu os olhos.

"Chá."

"Chá?"

"Sim, um chá quentinho, regado a álcool. Pode ser rum. Chá com rum. Ah, isso é que era uma maravilha."

"Ó Lingrinhas, onde é que te vou arranjar chá a esta hora? Não dá para ir ali ao *estaminet*..."

Abel voltou a fechar os olhos, o corpo sempre a tremer em descontroladas convulsões de frio.

"A malt'ainda tem aqui uns pacotinhos de chá", anunciou Vicente, vasculhando a caixa das rações. "O problem'é a água quente."

"Sempre podíamos fazer uma fogueira", avançou Baltazar, pensativo. "Montávamos um fogo de categoria."

"Estás maluco, Velho", cortou Matias. "Ainda sufocávamos aqui dentro, nem pensar." Calou-se um instante, pensativo, à procura de soluções. Uma rajada de metralhadora cortou o ar lá fora, o som sincopado a entrar abafado no abrigo, pareceu a Matias que vinha das linhas alemãs, era uma *Maxim*. O soldado teve uma ideia e ergueu-se num ápice. "A chaleira?"

"Hã?"

"A chaleira?"

"Est'ali ao fundo, homem", apontou Vicente, apoiado no cotovelo. "Porquê? Queres mesm'acender a fogueira?"

Matias deu três passos, agarrou na chaleira e saiu disparado do abrigo.

"Já volto."

O cabo subiu a Baluchi em passo rápido e enérgico, tentando gerar calor que o defendesse do frio cortante que lhe penetrava pelo colete de pelica, e foi até Sunken Road. Meteu à direita pela Sunken e, antes do posto de Tilleloy Sul, deu com o ninho de metralhadora camuflado entre sacos de terra e vegetação postiça.

"Rogério", chamou.

"Quem vem lá?", perguntou uma voz vinda da escuridão.

"Sou eu, o Matias."

"Ah, manganão. O que me queres?"

"Estás de serviço à costureira?"

"O que é que julgas que estou aqui a fazer, hã? A pinar uma sansardoninha?"

"Preciso de uma ajudinha tua."

"Diz lá."

"Tenho um marada que está a cangar de frio, treme que nem uma galinha diante do cutelo."

"Dá-lhe uma murrilha."

"Isso já lhe disse eu, mas parece que não faz efeito."

"Então ele que vista um casaco."

"Porra, Rogério, estou aqui a apanhar um zieiro do catano e não tenho paciência para brincadeiras."

"Então diz lá o que queres."

"O meu marada precisa de chá."

"Chá?"

"Sim, chá."

"Olha lá, ó Matias, estás a mangar comigo ou quê?"

"A sério."

"Chá para aquecer? Diz-me lá, quem está com frio é um marada teu ou não será antes uma *demoiselle* que trouxeste às escondidas aqui para as trinchas?"

"É um marada, porra. É o Lingrinhas. O tipo andou na neve durante uma patrulha e está que nem pode."

"Mas onde é que queres tu que eu lhe arranje chá? Tens cada uma!"

Matias impacientou-se e decidiu ir directo ao assunto.

"Olha lá, ó Rogério, já abriste fogo esta noite?"

Fez-se silêncio.

"Rogério?"

"Estás a reinar comigo, diz-me que estás a reinar comigo."

"Vá lá, sê bacano, dá-me uma mãozinha."

Fez-se um novo silêncio, mais curto.

"Portanto, se bem entendi, queres que eu abra fogo para que tu possas fazer um chá a um marada que está com frio, ainda para mais o Lingrinhas, esse gramito metido consigo..."

"É isso."

"Tu estás mas é maluco, ó Matias."

"Vá lá."

Novo silêncio.

"O que é que eu ganho com isso?"

"Dou-te um xagrego."

A voz na escuridão riu-se com gosto.

"Um xagrego? Um?"

"Está bem, dois."

"Dois xagregos? Estás a reinar comigo."

"Três."

"Um maço."

"Cinco."

"Um maço, já te disse."

Matias suspirou, apalpou o bolso e sentiu o maço de cigarros.

"Um maço inteiro não tenho", disse. "Mas posso dar-te todos os xagregos que estão no meu bolso, faz quase um maço."

Fez-se mais um breve silêncio.

"Está bem, seu valdra, negócio fechado. Ajuda-me aqui."

Matias avançou no escuro de braços estendidos. As mãos flutuaram no ar até sentirem o corpo quente de Rogério e a superfície metálica e dolorosamente gelada da *Vickers Mk I*, a grande metralhadora pesada britânica, de 303 polegadas, assente num tripé.

"Passa-me a caixa que está aí ao fundo", pediu Rogério. "São as munições."

Matias puxou a caixa e tirou uma cinta de balas, eram duzentos e cinquenta projécteis alinhados lado a lado, como dentes afiados e ameaçadores, prontos a rasgarem a carne e a estilhaçarem ossos. Rogério encaixou a fita na metralhadora, agarrou os manípulos com as duas mãos, sentiu o gatilho nos polegares e rodou a arma.

"Para onde é que atiro?"

"Manda umas bujardas ali para a segunda linha da Mastiff Trench, mesmo junto aos boches."

Rogério apontou para a esquerda, calculou a posição da linha B da Mastiff Trench, bem dentro das posições alemãs que se espraiavam diante de si, e carregou no gatilho. Um matraquear ensurdecedor encheu o pequeno abrigo camuflado, as balas saíam do cano em sucessão rápida e explosiva. *Tra-tra-tra-tra-tra-tra*. Matias pensou que era como um cão a ladrar-lhe sobre os ouvidos, um ronco louco e insuportável, um ruído dos infernos a encher-lhe a cabeça e a testar-lhe os nervos. O tapa-chamas, na ponta do cano, ocultava do inimigo os relâmpagos de cada tiro, impedindo que os alemães detectassem com precisão a fonte dos disparos. A primeira cinta esgotou-se em trinta segundos, tão rápida era a sucessão de fogo, e a arma calou-se. Um silêncio retemperador encheu o pequeno abrigo. Rogério meteu uma segunda cinta e a cacofonia infernal regressou de imediato. Quando a segunda cinta também se esgotou, trinta segundos e outras duzentas e cinquenta balas mais tarde, Rogério colocou uma terceira e, meio minuto mais tarde, uma quarta. Gastou mil balas em dois minutos de tiro, mais algum tempo para as mudas de cinta. Quando terminou, pôs levemente o indicador na grossa manga de arrefecimento para avaliar a temperatura.

"Está bom", disse finalmente.

Matias ergueu-se, foi até à extremidade da gorda manga cilíndrica da *Vickers*, tacteou o metal quente em busca da abertura para a saída da água e encontrou-a na ponta, por baixo, mesmo atrás do tapa-chamas. Desenroscou a abertura com os dedos, encostou a chaleira por baixo do orifício e deixou a água a ferver encher o recipiente. Quando a chaleira ficou cheia, tirou-a e deixou despejar o resto da água quente no chão. Depois voltou a enroscar a tampa do orifício de evacuação da água e abriu o orifício de entrada de água, no topo da manga, mesmo junto à mira. Rogério deu-lhe um garrafão com água gelada e Matias despejou-o pelo orifício para dentro da manga. Ouviu-se um *fzzzz* prolongado; era a água gelada a arrefecer o cano quase incandescente. Terminada a tarefa, o cabo enroscou a tampa, pegou na chaleira a transbordar de água quente e ergueu-se.

"Isto de a costureira ser arrefecida a água dá um jeitão do caraças", comentou com um sorriso. Pôs a mão esquerda no bolso, agarrou no prometido maço de cigarros e estendeu-o ao operador da *Vickers*. "Obrigadinho, ó Rogério."

E abalou por ali fora, a chaleira repleta de água a ferver para o chá do Lingrinhas.

Infantaria 8 terminou o turno nas trincheiras a 12 de Dezembro e logo no dia seguinte, aproveitando a jornada de descanso habitualmente concedida a uma unidade que acabara de abandonar as primeiras linhas, Afonso solicitou um passe B para abandonar o acantonamento, requisitou um cavalo, um pesado ardenês branco-sujo com tufos de pelos negros do topete à crineira e manchas escuras nas coxas e no curvilhão, e seguiu a trote para o quartel-general do CEP em Saint-Venant. Já nas ruas da vila estacou perante uma tabuleta insólita. "Avisa", anunciava a tabuleta, indicando: "É prohibido o uzo latrines inglezas aos portuguezas teem os proprios latrines ao entrada do Parque algumas encontrados uzando otros latrines será castigados severamente." Releu o texto, atónito e divertido. Quem será o idiota que escreveu isto?, interrogou-se. Começou por imaginar um

analfabeto das berças, mas logo concluiu que só poderia tratar-
-se de um inglês, só esperava que não tivesse sido Tim. Ainda a
rir-se, deu um estalido com a língua e obrigou o cavalo a retomar
a marcha até ao quartel-general, onde chegou minutos depois.

"É então isto a Grande Canja?", comentou para a sentinela,
em tom de provocação, quando viu o edifício diante de si, numa
bucólica área verde defendida por um sólido muro de pedra.

Grande Canja era o nome que os homens usavam para se
referirem ao quartel-general do CEP, por considerarem ser fácil aí
combater na guerra. O quartel-general da 1.ª Divisão era a Canja
n.º 1 e o da 2.ª Divisão era a Canja n.º 2, os antros onde formi-
gavam as legiões de combatentes da retaguarda, os bravos guerreiros que faziam dos hotéis e dos restaurantes os seus sangrentos
campos de batalha, os indomáveis homens que, em vez das trincheiras cinzentas de Fauquissart, de Neuve Chapelle e de Ferme
du Bois, preferiam arriscar a vida nas macias areias das praias de
Ambleteuse, Étaples e Boulogne.

O oficial desmontou do cavalo, acariciou-lhe o dorso, entre-
gou-o a uma ordenança e cruzou a pé o portão de entrada para o
terreno da Grande Canja. Era uma mansão majestosa, de dois andares e enormes janelas, a principal situada no primeiro andar, sobre
a entrada, e assinalada pelo gradeamento de ferro rectangular
trabalhado que protegia um pequeno varandim. O capitão atravessou o desmazelado jardim que se estendia defronte da mansão,
passou por entre um pequeno *Ford T* e um elegante *Bugatti Tippo
10* estacionados à porta e entrou no quartel-general.

Afonso tinha um amigo no quartel-general. Tratava-se do
tenente Trindade, o seu colega de carteira na Escola do Exército,
que trabalhava no secretariado do general Tamagnini Abreu. Trindade era o antigo cadete conhecido na Escola por Ranhoso devido
ao célebre incidente infeliz numa aula quando espirrou violentamente sobre um professor. Mas, na Flandres, a alcunha mais adequada era a de "cachapim", o termo pejorativo que os homens
das trincheiras reservavam a todos os militares que escolhiam a
burocracia como teatro de operações e elegiam as canetas como

armas de combate. O CEP estava cheio de cachapins, homens que pululavam na retaguarda para garantirem o funcionamento dos mais variados serviços, desde trabalhos de secretaria até ao serviço de subsistências, serviço de contabilidade, serviço de beneficiação de fardamento, serviço de salvados, serviço de agronomia e até o serviço de expedição de bagagens e registo de perdas, militares que do campo de batalha nada conheciam. Havia os cachapins ligeiros, que ocupavam o quartel-general da brigada, os médios, que deambulavam pelas divisões, e os cachapins pesados, que se encontravam ali, na Grande Canja. E existiam ainda os palmípedes, uma espécie de cachapins de luxo, felizardos que andavam de automóvel e pernoitavam nos palacetes por entre lençóis lavados e *chauffage* central, o sistema de aquecimento só acessível a uns eleitos. No Château Redier, Afonso fora um palmípede, é verdade, mas apenas por pouco tempo. Já o tenente Trindade era um cachapim de alma e coração, ainda para mais um cachapim pesado com aspirações a palmípede, porventura o único que Afonso não desprezava, privilégio sem dúvida resultante da velha amizade que nem nestas horas se traía.

O capitão bateu à porta do secretariado e perguntou pelo tenente.

"Então, Ranhoso?", disparou em jeito de saudação quando viu o amigo assomar à porta.

"Olha-me este finório!", exclamou o tenente Trindade com um sorriso. "Sê bem-vindo ao meu miserável posto de combate." Fez sinal para entrar e Afonso obedeceu. "Diz-me uma coisa, ó Aprumadinho. É mesmo verdade que proibiste os teus homens de dizerem palavrões?"

"Sim, porquê?"

Trindade soltou uma ruidosa gargalhada.

"Ena, és mesmo catita!", disse, contorcendo-se de gozo. "Não há dúvida de que a alcunha de Aprumadinho te caiu a matar." Riu-se mais um pouco. "Olha lá, quando um magala leva um balázio no cu, que palavras autorizas tu que ele diga, hã? Valha-me Deus? Credo? Ai Jesus?"

Afonso forçou um sorriso.

"Não autorizo palavra nenhuma em especial. O que eu não gosto é de estar a ouvir as ordinarices todas, isso não faz o meu feitio e o pessoal sabe."

"Ah, caraças, enganaste-te na vocação", observou o tenente. "Devias era ter ido para padre." Ergueu o indicador. "Para padre, digo-te eu."

"Vou pensar nisso."

Trindade bocejou.

"Então diz lá, ó Aprumadinho, o que estás tu aqui a fazer?"

"Se queres que te diga, não sei", gracejou Afonso. "Cansei-me do tédio das trincheiras e vim aqui ver como é que se combate no quartel-general. Devo dizer-te que estou impressionado, vocês parecem uns guerreiros temíveis. Os boches cagavam-se todos se aqui viessem."

O tenente riu-se. Conhecia a má fama dos cachapins entre os homens das trincheiras, mas não se mostrava preocupado. Lá em Portugal a família considerava-o um herói, estava na guerra e era tudo o que sabiam, preocupavam-se com a sua segurança e desconheciam que era possível fazer a guerra sem ver a guerra. Era preciso estar na Flandres para conhecer a diferença entre lãzudos e cachapins, à distância eram ambos iguais, encontravam-se todos na guerra, e o que lhe interessava verdadeiramente era o que pensava a malta lá em casa, não a malta das trincheiras. Que melhor coisa havia que aquela de ter a fama de andar na guerra e ter o conforto de não a viver, de ter a reputação de dormir na lama e passar as noites confortavelmente aninhado debaixo de lençóis perfumados e com os pés aquecidos por botijas de água quente, de ser conhecido por matar alemães à baioneta enquanto dos alemães só ouvia falar nas conversas da messe. Além do mais, e bem vistas as coisas, ser um cachapim não era um acto de vontade, mas um capricho do destino. Afinal de contas, quantos lãzudos, se pudessem, não se tornariam cachapins? Quantos homens não dariam um braço para abandonarem a miséria das trincheiras e se recolherem ao conforto da retaguarda? Quem poderia afirmar, com absoluta sinceridade, que era melhor ser lãzudo do que cachapim? Não seria afinal o desprezo dos lãzudos pelos cachapins uma forma dissimulada de inveja? Tudo isto aflorava à mente do tenente Trindade sempre que era confrontado por um lãzudo, mesmo quando o lãzudo era um amigo de carteira da Escola do Exército.

"Senta-te, Afonso", convidou, indicando-lhe uma secretária. "Agora não posso ir tomar um copo contigo, estou de serviço aos sinais, mas falamos aqui."

Afonso tirou o boné de oficial e sentou-se junto à secretária do amigo. O gabinete estava repleto de tecnologia de comunicações, desde pombos-correios até às últimas novidades no domínio dos aparelhos eléctricos, como os telégrafos *Fullerphones* e os telefones *Power-Buzzer*.

"Muitos mortos nas trincheiras?", perguntou Trindade, recostando-se na cadeira.

"Alguns", disse Afonso com tristeza, sem querer entrar em pormenores.

"É bom, é bom!", exclamou o Ranhoso, aprovadoramente. "É preciso que morram muitos para que os nossos aliados vejam o nosso sacrifício, o nosso heroísmo."

O capitão arregalou os olhos, surpreendido com o comentário.

"Estás parvo ou quê?"

"A sério, Afonso. Quantos mais morrerem, mais nos respeitam. É assim mesmo, o que é que pensas? Eu sei que parece chocante para quem está nas trincheiras, mas nos estados-maiores eles prestam atenção a isso, caraças. Quando não há mortos é porque não há combate, há cagufa. É assim que eles pensam. É por isso que precisamos de mostrar trabalho. É fundamental que os camones vejam de que cepa é a nossa gente, de que têmpera é a nossa raça!"

"Não sabes o que dizes", murmurou Afonso, suspirando e abanando a cabeça. "Desde que te conheço que passas a vida a elogiar a matança, a citar Hegel, Moltke e Nietzsche, a dizer que a guerra faz parte da ordem divina, que ajuda a preservar a saúde dos povos, que a crueldade intensificada é a mais elevada forma de cultura e outras balelas do género. Pois olha que nunca te vi nas trinchas a elevar a tua cultura, a preservar a tua saúde e a defender a ordem divina das coisas..."

"Não me viste, nem verás", riu-se Trindade. "Que eu saiba sou militar, mas não sou parvo. A gentinha que se mate. Eu cá estou para a glorificar."

A conversa do Trindade Ranhoso era típica de um cachapim do quartel-general. Quanto mais longe se estava da linha da frente, mais grandiosas e eloquentes eram as tiradas sobre a glória de Portugal e a bravura da raça portuguesa. Os homens que frequentavam as trincheiras não falavam assim, apenas se preocupavam com a sua sobrevivência e com a dos seus camaradas. O patriotismo era um luxo a que não se podiam dar. Olhando para o amigo da Escola do Exército, o capitão considerou que era preciso estar bem confortável na retaguarda para se poder falar daquela maneira, era preciso viver no bem-bom sem arriscar a pele para se ter a coragem de apregoar a glória da morte, era preciso encontrar-se em segurança sem ouvir as *minenwerfer* a estourarem e as *Maxim* a matraquearem na sua direcção para se atrever a mencionar palavras como heroísmo e cagufa, era preciso estar longe, bem longe, para imaginar que a guerra engrandecia a pátria e enobrecia os homens. Só com a barriga cheia e vivendo em conforto se podia teorizar sobre conceitos abstractos como a bravura, a honra, o patriotismo. Para os soldados que comiam mal, dormiam na lama, conviviam com ratos, tiritavam de frio, tremiam de medo e lamentavam a morte dos seus camaradas, apenas a realidade contava, a realidade e o desejo de normalidade, o gosto pelas coisas simples, uma sopa quente, uma lareira acolhedora, a roupa seca, o carinho da mãe, da namorada, da mulher. Afonso conhecia bem a conversa dos cachapins e decidiu não contra-argumentar, sentia-se cansado e só iria irritar-se.

O tenente Trindade intuiu o agastamento latente de Afonso e atribuiu-o a quem vive as coisas demasiado perto, no fundo entendia-o, o capitão estava excessivamente próximo da guerra para captar o retrato geral, a proximidade fazia-lhe perder o sentido de perspectiva, a noção do sacrifício individual para o bem comum. Era esse, afinal, o mal de todos os que combatiam nas trincheiras, pensou Trindade. Para eles, a morte era uma coisa pessoal e isso impedia-os de perceberem a importância dos grandes sacrifícios para cimentar o prestígio do país. As pequenas coisas, como a vida de um homem, tornavam-nos cegos aos grandes valores, como a vida de uma nação, viam a árvore mas não enxergavam a floresta, as trincheiras tornavam-nos míopes, perdiam a imagem global.

Tudo isto passou pela cabeça dos dois homens em algumas fracções de segundo enquanto se miravam. Vendo que o amigo não dava luta, o rosto do tenente abriu-se num sorriso.

"Então o que te traz por cá?"

"Preciso de um favor teu."

"Depende do favor."

"Não é nada de especial. Precisava que me dessem uns dias para ir descansar a Paris."

"Descansar a Paris?", admirou-se o tenente, franzindo o sobrolho. "Não me digas que há moura na costa..."

O rubor que subiu ao rosto de Afonso traiu-o irrevogavelmente, e Trindade riu-se, deliciado com a sua perspicácia e com o visível embaraço do amigo.

"Quem diria que o Afonso Aprumadinho andava a caçar *mademoiselles* nas trinchas", exclamou, provocador. "E ainda falam nos cachapins!" Inclinou-se na cadeira, o olhar gozão. "Quem é ela?"

"Deixa-te de merdas, ó Ranhoso", cortou Afonso, reprimindo com dificuldade a irritação. "Arranjas-me a licença ou não?"

O amigo tinha tocado num ponto sensível. O capitão não queria fazer alarde da sua relação com Agnès, ela não era uma paixoneta do momento, pelo menos não era assim que a via.

"Vá, diz lá", insistiu Trindade.

"Não conheces e não interessa!", declarou Afonso, num modo que não admitia discussão. "Arranjas-me ou não uma licença de uns dias?"

O tenente Trindade voltou a recostar-se na cadeira e respirou fundo.

"Claro", assentiu finalmente. "Mas para o imediato só te consigo obter dois dias."

"Serve. Quando é que os posso gozar?"

"Vou ali ao velho e já a partir de amanhã podes ir tratar da saúde à tua *mademoiselle*."

"És um compincha", disse Afonso, com alívio. "E uma licença mais alargada?"

"Arranjo-te cinco dias depois do Natal."

"A sério?"

"Sem problema", retorquiu o tenente, levantando-se.

Trindade foi ter com um outro oficial no gabinete, pegou nuns papéis e voltou para junto de Afonso.

"Preenche estes formulários que eu trato do resto."

Afonso percorreu os documentos com os olhos, molhou uma caneta na tinta e preencheu-os em silêncio. Quando terminou entregou-os a Trindade. O tenente verificou se estava tudo nos conformes, notou uma incorrecção, questionou Afonso e rectificou o texto, acabando por se dar por satisfeito.

"Vou ali levar isto ao velho", disse, erguendo-se da cadeira. "Já sabes da revolução?"

"Sim, o major Paes lá venceu."

O tenente inclinou-se para a secretária, abriu uma gaveta e tirou de lá um jornal, que estendeu a Afonso.

"Lê enquanto eu vou ao velho e já volto."

O capitão pegou no jornal, era *O Século*, datado de 8 de Dezembro, tinha apenas cinco dias. A toda a largura da primeira página estendia-se o título "O movimento revolucionário d'estes dias", com uma fotografia aérea de Lisboa e um retrato de Sidónio Paes. Afonso leu avidamente o jornal, que falava sobre "o troar do canhão", "as descargas de fusilaria" e os "cruentos combates" na capital, revelando que os alunos da Escola de Guerra e os homens de Cavalaria 7 e Artilharia 1 se tinham juntado ao major Paes na ocupação do Parque Eduardo VII, contando ainda com o apoio de Infantaria 5, 16 e 33 e de muitos civis, alguns dos quais saquearam lojas. Vários edifícios da Avenida e da Baixa foram atingidos pela artilharia dos revoltosos, incluindo o Avenida Palace, ao mesmo tempo que o Campo Pequeno foi bombardeado por haver notícias de que se encontravam aí elementos afectos ao governo, designadamente a Guarda Republicana. Cruzadores tomaram posições no Tejo, marinheiros ocuparam os telhados da cidade, contaram-se setenta mortos e trezentos feridos, mas as contas não estavam ainda fechadas. Afonso admirou-se com este relato de uma cidade transformada em campo de batalha, com tiroteio no Rossio e nos Restauradores e canhões a abrirem fogo do Parque Eduardo VII durante uma noite inteira, e interrogou-se pela enésima vez sobre os efeitos daqueles acontecimentos na participação portuguesa na guerra. Soubera nas trincheiras que tinha havido uma revolução e que Sidónio Paes vencera após dois dias de combates em Lisboa, mas ninguém ainda conseguia determinar ao certo qual o futuro do CEP. As conjecturas multiplicavam-se, é verdade, mas certezas não havia.

O tenente Trindade regressou entretanto ao gabinete, um semblante de dever cumprido no rosto.

"Está tudo tratado", anunciou. "Aqui tens os teus dois dias de licença, a começar amanhã."

Afonso pegou distraidamente nos documentos, com uma indiferença que espantou o amigo, e acabou por disparar a pergunta que a todos atormentava nas trincheiras.

"Olha lá, ó Ranhoso, a malta volta ou não para casa?"

"Voltar para casa?", interrogou-se o tenente, sem perceber. "Mas o que me pediste foi uma licença de uns dias para..."

"Não é isso", cortou Afonso, abanando a cabeça com impaciência. "O major Paes vai manter Portugal na guerra ou vai mandar a malta para casa?"

"Ah!", exclamou Trindade, caindo pesadamente na cadeira. O tenente abriu a mesma gaveta, tirou de lá outro jornal e estendeu-o ao amigo. "Lê."

Afonso pegou no jornal, era mais uma vez *O Século,* só que do dia seguinte ao anterior; estava datado de havia quatro dias, 9 de Dezembro. O capitão admirou-se com a rapidez com que os jornais chegavam ao quartel-general, mas não teceu comentários. Olhou para a primeira página e apanhou o título "Lisboa regressa à normalidade". Começou a ler o texto, mas Trindade apontou para um subtítulo na coluna central, ao fundo da página. "Palavras do sr. Sidónio Paes", anunciava o subtítulo.

"O que é que tem?", quis saber Afonso.

"Não sabes ler?", perguntou Trindade, inclinando-se sobre o jornal e começando a ler em voz alta um trecho da resposta do chefe dos revolucionários a uma pergunta feita pelo repórter de *O Século.* "'O governo manterá os compromissos internacionais, nomeadamente os que se filiam na aliança com a Inglaterra.'" O tenente levantou os olhos do jornal e fitou o amigo. "Percebeste?"

Afonso observava-o de olhos arregalados, digerindo o impacto das palavras atribuídas a Sidónio Paes. Levou um longo segundo a tirar as devidas ilações daquela declaração e a formulá-las numa curta frase.

"Vamos continuar na guerra."

O tenente Trindade recostou-se na cadeira, pôs as pernas cruzadas sobre a secretária, acendeu um cigarro, aspirou com vagar, tirou o cigarro da boca e expeliu uma enorme e tranquila bafarada de fumo cinzento.

"Afonso, és um génio."

VII

Os triângulos encarnados assinalavam a proximidade das tendas da YMCA, a *Young Men's Christian Association,* que se encontrava espalhada por todo o sector ocupado pelo *British Expeditionary Force.* O *Hudson* negociou a curva enlameada e imobilizou-se junto à primeira tenda, para onde convergiam vários *tommies* ingleses, todos eles visivelmente animados.

"É aqui", disse Afonso, desligando o motor e apeando-se.

O capitão deu a volta ao carro pela frente, abriu a porta do passageiro e convidou Agnès a sair. A jovem baronesa mostrava-se elegantemente vestida, apesar de os seus trajos estarem quatro anos ultrapassados na agenda dos exigentes estilistas parisienses. A silhueta *minaret,* que costurara em Paris nos seus tempos de estudante de Medicina, tinha estado na moda em 1913 mas fora já substituída por outras novidades, embora isso não passasse verdadeiramente de um insignificante pormenor que se perdia naquele canto da província embrutecido pela guerra. Uma mulher bela era sempre uma mulher bela, e a sua sofisticada túnica de carmesim flamejante, envolvendo uma apertada saia de crinolina e coroada com um magnífico chapéu *cloche,* produziu um inevitável efeito dramático entre a soldadesca britânica. Afonso entrou na tenda orgulhoso como um pavão, levando no braço uma elegante francesa que deixava os *tommies* de olhos arregalados. O capitão ofereceu um copo de capilé a Agnès e sentaram-se ambos nas cadeiras, aguardando o início do espectáculo.

"Costumas ir ao cinematógrafo?", quis saber Afonso enquanto bebericava o seu capilé.

"Agora, raramente. Mas em Paris fui muitas vezes ao Phono--Cinéma-Théâtre du Cours-la-Reine, às salas Omnia e ao Gaumont-Palace, que é o maior cinema do mundo."

"O maior?", admirou-se Afonso. "Olha que eu acho que, se foi, já não é. Dizem que na América foi agora estreado um teatro cinematográfico de luxo, todo ele ricamente decorado, com candelabros de cristal, carpetes no chão e tudo. Li no jornal que é uma coisa faraónica. Ao que parece, o teatro tem mais de três mil lugares sentados e uma orquestra com espaço para trinta músicos."

"*Vraiment? Mon Dieu,* só na América", comentou Agnès em tom apreciativo antes de mudar para o seu assunto favorito, as estrelas de cinema. "A minha artista favorita é Sarah Bernhardt."

"Eu cá gosto da Mary Pickford e da Marion Davies."

Ela cerrou as sobrancelhas, fez beicinho e encarou-o com ar grave.

"Se tivesses de escolher, preferia-las a elas ou a mim?"

Afonso riu-se, divertido com a pergunta tipicamente feminina.

"A ti, claro, *ma mignonne.*"

"Boa resposta, *mon cher*", sorriu Agnès, agradada. "Pois eu prefiro-te mil vezes a ti do que ao Douglas Fairbanks."

Os jovens da YMCA fecharam entretanto o acesso à tenda, procurando impedir a entrada da luz, e anunciaram o início da projecção. A máquina de cinematografia começou a trabalhar, ronronando como uma metralhadora longínqua, *tac-tac-tac-tac,* emitiu um foco de luz sobre uma tela branca, apareceram números a preto a saltitar na imagem e depois veio o filme. Um padre anglicano sentou-se ao piano e começou a tocar, enchendo a tenda de música e suprimindo o silêncio da película. Primeiro passou um documentário dos *Les annales de la guerre,* um trabalho da *Section photographique et cinématographique de l'Armée* com as últimas novidades sobre o conflito, seguindo-se, para descontrair, o *sketch* cómico *The Rink,* de Charles Chaplin, que produziu um tremendo efeito dentro da tenda. Os espectadores desataram a aplaudir quando viram a figura do vagabundo de bigode, e as gargalhadas tornaram-se histéricas à medida que Chaplin dava trambolhões no seu papel de trapalhão com patins a tentar equilibrar-se dentro de um ringue. Por fim veio o filme principal, intitulado *The Heart of the World.* Era um trabalho de descarada propaganda patriótica, assinado por D. W. Griffith e rodado parcialmente na frente francesa, mas depressa Afonso se desinteressou dos ares cruéis de Erich von Stroheim, no papel de um sádico oficial alemão, concentrando-se, em vez disso, no apetecível pescoço de Agnès. A francesa aceitou alguns beijos mais discretos, mas, quando o capitão se começou a empolgar demasiado, viu-se forçada a rejeitar delicadamente os impetuosos avanços, preocupada em não se transformar num espectáculo dentro do espectáculo.

"*Pas ici*", sussurrou, apelando à paciência do amante. "*Après, Alphonse. Après.*"

Quando o filme acabou, abandonaram a tenda da YMCA e seguiram para o Hôtel Boulogne, em Boulogne-sur-Mer, uma vilória a noroeste do sector português, na costa atlântica da Picardia, à entrada do canal da Mancha. Ambos tinham decidido que era inconveniente Afonso voltar ao Château Redier. Para além do desrespeito gratuito que significava dormirem juntos na casa do marido traído, havia o factor de risco a considerar. Nenhum dos dois conseguia disfarçar em absoluto os seus sentimentos na presença do outro, o que o barão inevitavelmente notaria, e, por outro lado, as escapadelas de Agnès para o quarto dos hóspedes acabariam também por ser observadas pelo anfitrião ou pelos criados. Para tornear o problema, a baronesa disse ao marido que ia passar dois dias a Paris, e, fazendo coincidir esse "passeio" com a licença obtida pelo capitão no quartel-general do CEP, foram ambos para Boulogne-sur-Mer. O inconveniente era que, apesar de estarem relativamente longe de Armentières, deveriam evitar aparecer juntos em público, o que os obrigou a fecharem--se no quarto de hotel. Em boa verdade, porém, para Afonso isso não foi problema nenhum.

O Hôtel Boulogne serviu para darem largas à sua paixão. Amaram-se fogosa e repetidamente, aproveitando os intervalos para encomendarem refeições ou conversarem sobre tudo e sobre nada. Na manhã do segundo dia, Agnès mostrou-se interessada em conhecer o passado do seu amante, um interesse que não era novo mas que, dessa vez, se revelou mais insistente.

"Mas para que queres saber a minha história?", resistiu Afonso. "Não há nada de interessante para contar, *ma mignonne.*"

Agnès franziu o sobrolho, não ia deixar as coisas ficarem por ali.

"Hum, não me convences", disse. "Qual é o problema de me contares o teu passado?"

"Não há problema nenhum, minha pardaleca. É só que não tenho nada de especial para contar. Acho que a minha vida se resume a três ideias principais. Nasci, cresci e conheci-te."

"Desculpa, mas isso não é resposta. Não me queres contar, é?"

"Não há nada para contar, minha querida."

Ela cerrou os olhos.

"Acho esse teu silêncio suspeito", sentenciou. "Será que me estás a ocultar algo? Não me digas que és casado..."

"Eu? Casado?", riu-se Afonso. "Não, meu amor. Não é nada de especial, a verdade é que não tenho particular prazer em falar de mim, percebes?"

"Não, não percebo. Acho que estás a esconder-me alguma coisa..."

"Não estou nada, filha. Acredita."

Mas Agnès não acreditou. Irritada, fechou-se em si mesma. Encostou-se na cama a ler o enigmático *À la recherche du temps perdu* e não lhe prestou a mínima atenção. Amuara. Afonso tentou quebrar o gelo com algumas graçolas, mas a francesa mostrou-se altivamente indiferente e permaneceu distante, aparentava estar apenas preocupada com a descrição de Proust do *glamour* da vida dupla de Swann, das bisbilhotices da tia Léonie, das possessivas *soirées* dos Verdurin, da conturbada relação com Odette de Crécy.

Ao fim de uma hora, receando desperdiçar-se daquela forma o tão promissor fim-de-semana, o capitão suspirou e rendeu-se. Encostado à cabeceira da cama, contou finalmente a sua história. Afonso relatou a infância na Carrachana, a adolescência no seminário de Braga e a juventude na Escola do Exército. Passaram a manhã a discutir o passado, comparando as educações e a importância das viagens que ambos fizeram em pequenos às respectivas capitais, ele a Lisboa, ela a Paris. Perto do meio-dia, Agnès espreguiçou-se e ergueu-se da cama. Tinha seguido a narrativa com atenção, mas dava sinais de se encontrar cansada por permanecer tanto tempo encerrada no quarto do hotel, já lhe bastavam as intermináveis horas em que permanecia fechada no Château Redier, o que ela queria agora era mesmo espraiar--se. A manhã ia adiantada e a francesa, subitamente impaciente, incitou Afonso a dar um passeio.

"Já me contas o resto", disse-lhe enquanto vestia o casaco. "*On y va?*"

O capitão não transbordava de vontade de sair à rua, não só porque encontrava no apertado quarto do hotel fartos e ricos motivos de interesse, mas também devido ao seu receio de serem ambos avistados por alguém próximo do barão Redier. A última coisa que lhes convinha é que o marido enganado descobrisse a verdade. O problema é que Agnès não queria saber dos argumentos aparentemente razoáveis que o seu amante com insistência lhe apresentou.

"Ninguém vem a Boulogne-sur-Mer para estar o tempo todo fechado no quarto", sentenciou a baronesa num tom que não admitia mais discussão, abrindo a porta de forma decidida e mergulhando resolutamente no corredor. "Anda, *mon chèri.*"

Afonso resignou-se e não teve outro remédio senão acompanhar Agnès no seu passeio. Abandonaram o Hôtel Boulogne e foram passear pela Grande Place e por todo o sector histórico, situado no interior das muralhas da Haute Ville. Estava uma manhã fria e o Sol espreitava timidamente por entre as nuvens. Foram à Basilique Notre-Dame ver a estátua de madeira de Notre-Dame de Boulogne, a patrona da povoação apresentava-se coberta de jóias, e seguiram até ao majestoso castelo poligonal construído no século XIII para os condes de Boulogne, apreciando o exterior todo em pedra e as elegantes janelas que espreitavam pelo telhado negro. Às duas da tarde saíram pela Porte des Degrés, onde admiraram as duas torres medievais que flanqueavam a ruela, e decidiram ir almoçar uma *terrine* de enguias e um *foie gras au sauté* com lagostim assado a um simpático restaurante de peixe instalado no cais Gambetta, as mesas com vista para o rio Liane, uns deliciosos *craquelin de Boulogne* para sobremesa.

"Ainda bem que não foste para padre", sorriu Agnès no seu primeiro comentário à narrativa da manhã. "Era um desperdício."

"Também acho", concordou Afonso enquanto trinchava o lagostim com afinco. "Não estava predestinado."

A francesa fixou-lhe o olhar, maliciosa.

"Aposto que não deixaste essa tua namoradinha em paz", testou-o.

"Qual namoradinha?" perguntou ele, fazendo-se de sonso. "Essa *Caroline.*"

Afonso engoliu em seco e esboçou um sorriso amarelo, meditando se estaria ou não a cometer um erro ao contar a sua história com tanto pormenor. Com as mulheres nunca se sabe, reflectiu, tudo o que lhes contamos pode virar-se contra nós. Mas a narrativa já ia a meio e não tinha agora modo de voltar atrás.

"Oh, foi uma coisa sem importância", justificou-se, a face a encher-se com um rubor embaraçado.

"Hum, não sei se acredite", disse ela com uma careta sorridente. "Mas conta-me o resto, vá."

"Agora?"

"*Pourquoi pas?*"

O capitão passou toda a sobremesa a relatar a sua integração em Infantaria 8, os episódios da entrada de Portugal na guerra e a vinda para França. Concluiu a história após o café. Afonso pediu a conta, beijou Agnès, pagou, pegou no *Hudson* que tinha requisitado no CEP e levou-a num passeio pela costa.

Sentiram a perfumada brisa marítima encher-lhes os pulmões com as fragrâncias frescas do oceano quando o automóvel começou a serpentear pelas estradas marginais à Côte d'Opale até os conduzir à Colonne de la Grande Armée, a norte de Boulogne-sur-Mer. Admiraram de mãos dadas o monumento em mármore ali erguido, leram na inscrição que a obra tinha sido construída em 1841 para homenagear os planos elaborados por Napoleão para invadir a Grã-
-Bretanha e ficaram a saborear a bela vista panorâmica da costa até Calais, o grande porto francês perfeitamente visível daquele ponto. Como um casal de namorados, subiram ainda aos promontórios ventosos do Cap Gris-Nez e do Cap Blanc-Nez para apreciarem o mar bravo a bater lá em baixo na encosta escarpada, as manchas brancas dos penhascos da costa inglesa desenhadas entre o azul-escuro do mar e o azul-claro do céu. Viram o pôr do Sol na linha do horizonte, o astro alaranjado a mergulhar no canal da Mancha, e fizeram apaixonadas juras de amor. Quando o manto da noite se estendeu pela costa, meteram-se no carro e deram meia volta para regressarem ao Hôtel Boulogne. Fazia-se tarde e teriam de viajar ainda nessa noite até ao hotel que reservaram em Merville, uma vez que a licença do capitão estava a expirar e ele tinha ordens para se apresentar na brigada logo pela manhã.

Ao entrar no quarto do hotel, Agnès sentiu-se angustiada e frustrada pela brevidade da licença do amante. Queria permanecer com ele e via-se presa pelas correntes de um casamento que não desejava e de uma guerra que temia.

"Então, *mon petit chou?*", preocupou-se Afonso, atencioso. Sentou-se ao seu lado e enxugou-lhe as lágrimas. Perguntou-lhe em português: "Estás com a mosca?"

"*C'est quoi, ça?*", quis saber Agnès, não entendendo a pergunta.

Afonso traduziu o que dissera e a francesa encostou a cabeça ao seu ombro.

"Estou aterrorizada", disse. Soluçou. "Gosto de ti, *Alphonse*, mas receio sofrer, sofrer muito, sabes?"

O capitão beijou-a repetidamente.

"Mas eu nunca te magoaria, minha flor."

"Não digas isso, magoares-me não depende de ti, mas de Deus. Entendes?" Soluçou, as lágrimas a correrem-lhe pelo rosto, agora abundantes. "Não depende de ti."

Afonso puxou-a para si e apertou-a com mais força.

"Mas o que se passa contigo? O que tens?"

"O que tenho, *Alphonse*, é que vivo aterrorizada com a possibilidade de te acontecer o mesmo que sucedeu a Serge." Fungou. "O que tenho é medo de voltar a passar por aquilo que passei há três anos, de voltar a sentir-me perdida." Soluçou. "Não sei quem sofre mais, se aquele que vai para a guerra ou se aquela que o espera. É uma coisa... uma coisa que não tem descrição, um sofrimento, uma ansiedade, uma inquietação... é terrível, terrível, sobretudo para quem vive isto pela segunda vez."

A palavra "morte" não foi pronunciada, certamente devido ao receio supersticioso de que a sua simples referência atraísse o azar, mas o capitão não tinha dúvidas quanto à natureza dos medos de Agnès. A baronesa não o queria perder e agonizava com a aproximação da hora de se separarem, sofria com o início de mais uma semana de sobressalto, de angústia pela espera, de enervamento quando ouvia os canhões rugirem mais alto, de incerteza quanto à segurança do amante. Ele próprio sabia que havia a possibilidade de não estar vivo daí a pouco tempo, mas nada podia fazer a não ser aproveitar todos os instantes, saborear cada momento, viver para o presente, agarrar o que lhe dava a vida. Abraçou longamente a amante.

Quando ela se acalmou finalmente, levantou-se e foi arrumar as coisas. Fechar a mala revelou-se, todavia, uma tarefa mais complicada do que o previsto devido a um problema com a fechadura. Afonso pôs-se a praguejar e a socar o couro. Por entre o esforço, ouviu Agnès a arranhar um português afrancesado.

"Tás ca mosca?", perguntou ela.

Afonso riu-se e voltou a abraçá-la. O abraço transformou-se em volúpia e, instantes volvidos, amavam-se com fervor, gemendo e respirando com suspiros ofegantes, navegando um no outro, dando e recebendo, os sentidos despertos e inebriados. *Toc-toc--toc*. Uma batida na porta quebrou o feitiço, ainda tentaram ignorar a interrupção e voltar a concentrar-se em si, regressando ao mar da sua paixão. *Toc-toc-toc*. Assim não podia ser. A nova batida obrigou Afonso a saltar irritadamente da cama. Agnès encostou-se à almofada, envolvida no lençol, enquanto o capitão vestiu rapidamente o roupão e, passando pelas roupas espalhadas pelo chão, foi ver quem era. Abriu a porta com irritada brusquidão e sentiu o sangue gelar e o coração parar.

Era o barão Jacques Redier.

"A minha mulher está?"

"Uh... perdão?"

O barão empurrou-o, entrou no quarto e encarou Agnès deitada na cama, coberta pelo lençol. O francês ficou rubro de fúria, mas conteve-se.

"Agnès, vamos para casa."

A baronesa arregalou os olhos, fitando o marido.

"Jacques!"

"Vamos embora, anda."

Afonso foi posicionar-se à cabeceira da cama, preparado para defender Agnès em caso de necessidade.

"Senhor barão", disse o capitão. "Lamento que tenha descoberto tudo desta forma, é realmente..."

"Não quero saber das suas opiniões e faça o favor de não voltar a dirigir-me a palavra", cortou o barão sem o olhar. "Vamos, Agnès."

A francesa hesitou, mas acabou por se decidir. Levantou-se da cama, protegendo o corpo com o lençol, pegou nas roupas e fechou-se no quarto de banho sem dizer palavra. Estabeleceu-se no quarto um silêncio confrangedor, Afonso e Redier evitando trocar olhares. O português, sem perceber ainda o que tencionava Agnès fazer, aproveitou para vestir rapidamente a farda, que se encontrava espalhada pelo chão.

Minutos depois, Agnès reabriu a porta do quarto de banho e reapareceu, já vestida. Dirigiu-se para Afonso e sorriu com fraqueza.

"Desculpa, *Alphonse*, mas tenho de ir."

Afonso sentiu o coração cair-lhe nos pés.

"Não acredito", murmurou. "Vais com ele?"

"Desculpa. Tem de ser."

"Mas porquê?"

"Ele é o meu marido."

Afonso abanou a cabeça, angustiado, sentindo perder o pé.

"Mas tu não o amas. Como podes fazer isso?"

"Desculpa."

Agnès deu meia volta, cabisbaixa, pegou na sua mala e dirigiu-se à porta. Afonso agarrou-lhe o braço, desesperado.

"Não. Não te deixo ir embora."

O barão interveio, tentando afastá-lo.

"Meu caro senhor, tenha modos", disse Redier. "Não ouviu a minha mulher?"

Afonso virou a cara para ele e depois para ela. Sentiu-se derrotado e largou-a. Redier puxou Agnès pelo cotovelo e tirou-a do quarto. A francesa ainda espreitou para trás, os olhos tristes, perdidos, suplicantes.

"Desculpa, *Alphonse*. Adeus."

As horas seguintes foram difíceis para Afonso. Permaneceu os primeiros instantes colado aos vidros da janela do quarto, observando o barão a levar Agnès até à sua *Renault* amarela e o *sedan* a desaparecer pelas ruelas mal iluminadas da cidade. Quando ela partiu, sentiu-se vazio. Ficou longamente sentado na cama, deprimido, angustiado. Achou o quarto claustrofóbico e decidiu sair à rua.

Deambulou por Boulogne nessa noite cerrada, sem direcção nem rumo, mas não encontrou a tranquilidade que buscava. O coração apertava-se-lhe e experimentava até dificuldades em respirar. Sentiu-se só. A solidão abateu-se sobre ele como um manto abafado, como uma porta que se fecha na prisão, como o Sol que se esconde no Inverno. Por mais que tentasse distrair-se, não conseguia deixar de pensar na sua francesa. Agnès enchia-lhe a mente, o seu rosto invadia-o, a sua memória doía-lhe. Magoava-o a forma como ela partira, quase sem hesitar, obediente ao marido, esquecendo a comunhão que ambos sentiram, ou julgaram sentir. Pensou que precisava urgentemente de fazer alguma coisa e, quase sem mais nem menos, desatou a correr, correu como uma criança, destemido, sem propósito visível, correu por correr, para se cansar, para se estafar, para esquecer. Mas a dor não abrandou. Mesmo ofegante, os músculos pesados, os pulmões arquejantes, mesmo assim ela permanecia presente.

Voltou para o quarto e acabou de meter as coisas na mala. Encontrou algumas peças de roupa de Agnès, perdidas por entre os lençóis, e cheirou-as, nostálgico. Quando terminou a arrumação, pegou na mala e abriu a porta. Lançou um derradeiro olhar pelo quarto, relembrando a felicidade que aí vivera, estranhando a súbita mudança que se operara naquele cubículo, antes tão preenchido, tão feliz e cheio de vida, agora assim vazio, morto, insuportavelmente triste, assustadoramente desolado. Não há dúvida, pensou, são as pessoas que fazem os lugares. Aquele quarto, que lhe parecia tão belo e alegre quando o partilhava com Agnès, apresentava-se-lhe agora sombrio, deprimente. Tal como anos antes com Carolina, julgava valorizar mais Agnès agora que a não podia ter, agora que ela partira. A diferença, porém, é que desta vez sempre soubera que a amava, dava-lhe valor, sentia-a insubstituível, única, e a sua ausência deixava-o devastado. Fechou a porta do quarto e arrastou-se pelo corredor, cabisbaixo.

Desceu as escadas e foi ter à recepção, pagou a conta e saiu à rua. Meteu-se no *Hudson,* pôs o motor a trabalhar e partiu.

Dirigiu-se para o Métropole, o hotel de Merville que tinha previamente reservado para passar essa noite com Agnès. Ainda considerou a possibilidade de não ir lá dormir, ser-lhe-ia penoso estar sozinho no quarto depois de todos os planos que tinham arquitectado juntos. Mas a verdade é que não tinha previsto qualquer boleto, pelo que teria mesmo de ir para o hotel. Deu entrada no edifício, preencheu o formulário de cliente, pegou na chave e subiu até ao quarto.

Como previra, a noite foi longa e difícil. Deu voltas e reviravoltas na cama, tentou distrair-se, pensar noutras coisas, fantasiar outras mulheres, mas Agnès enchia-lhe o pensamento, não havia como fugir-lhe. Repetidamente disse a si mesmo que tinha de dormir, tinha de aproveitar enquanto estava na retaguarda, no dia seguinte iria para as trincheiras e passaria uma semana quase sem conseguir pregar olho, mas era escusado, o pensamento voltava-lhe sempre ao mesmo. Recapitulou todas as suas conversas juntos, tudo o que ela lhe dissera, tudo o que tinham partilhado, procurou meter-se na sua cabeça e adivinhar-lhe o raciocínio e os sentimentos. Desesperava em alguns instantes, convencido de que a perdera para sempre. Enchia-se de esperança noutros, crendo que ela voltaria. Interrogava-se longamente sobre o que ele próprio deveria fazer. Deveria procurá-la? Deveria aguardar? Deveria escrever-lhe? Como provocar-lhe saudades? O que fazer? Mil interrogações cruzaram o seu espírito, mil dúvidas, mil certezas, mil angústias. A cabeça fervilhava-lhe de ideias, procurava soluções, testava decisões, arquitectava planos, ensaiava opções e imaginava emocionantes discursos, palavras belas e arrebatadoras a que ela não resistiria.

Às quatro da manhã, esgotado e desanimado, levantou-se e foi fazer a barba. Tinha de se apresentar no acantonamento para preparar a partida para a zona da frente e não lhe restava muito tempo. Vestiu a farda, pegou na mala e saiu. Sentia os olhos cansados, pesados, a arderem de sono, na ressaca da noite que não dormira. Bocejou. Percorreu vagarosamente o corredor, desceu indolentemente as escadas e encostou-se com abandono ao balcão da recepção.

"L'addition, s'il vous plaît", pediu.

O recepcionista, igualmente meio-ensonado, foi buscar o caderno das despesas para lhe apresentar a conta.

"Qual é o seu quarto?"

"É o 106", retorquiu Afonso, estendendo negligentemente a chave.

O empregado pegou na chave e voltou-se para o cacifo para a depositar na respectiva caixa. Viu um papel na caixa do quarto 106. O homem pegou nele e consultou-o brevemente.

"Ah, *monsieur*", exclamou. "Já me esquecia. Está uma senhora na sala de estar à sua espera."

O sono desvaneceu-se num instante.

"Uma senhora?"

"Sim, chegou há uma hora para falar consigo. Eu disse-lhe que tinha ordens para não acordar ninguém àquela hora e ela foi ali para a sala de estar. Pediu que o avisasse quando descesse."

Afonso largou a mala e caminhou rapidamente para a sala de estar, o coração aos pulos, ansioso e excitado. Abriu a porta do salão e viu um vulto estendido sobre um canapé, a dormitar. Era Agnès.

"Agnès", chamou. "Agnès."

Ela estremeceu e abriu os olhos.

"Alphonse", disse. "Estás bem?"

A francesa sorriu timidamente e ergueu-se, tentando abraçá-lo. Inexplicavelmente, tomado por um orgulho inesperado, Afonso recuou, evitando-a. Ela ficou pasmada a olhá-lo, ferida com aquela reacção inesperada.

"O que desejas?", perguntou ele, magoado e ressentido.

"O que desejo? Mas, é evidente, desejo-te a ti."

"Não foi isso o que disseste ontem..."

"Ontem estava Jacques ao pé de mim, numa situação terrível. Não o podia deixar assim, como um trapo velho, ele que tanto me ajudou. Tens de compreender isso."

"Ah sim? E quem me compreende a mim? Ficaste com ele para não o ofender, mas não te preocupaste em ofender-me a mim."

"*Alphonse,* olha para mim", ordenou-lhe, o rosto muito sério. "Jacques ajudou-me muito quando eu estava perdida, deu-me a mão e tirou-me de uma situação muito difícil. Não posso fingir que isso não aconteceu. Além disso, a ingratidão não é coisa de que eu seja capaz."

"Muito bem, tu é que sabes. Mas, se o escolheste, tens agora de assumir a tua opção, não podes andar a brincar com os meus sentimentos."

"*Alphonse,* não sejas criança. Estou aqui, escolhi-te, o que mais queres?"

"A escolha já a fizeste em Boulogne. Está feita, não venhas agora fingir que nada se passou."

Agnès ficou a olhá-lo durante alguns longos segundos, avaliando a situação, procurando decidir-se. Ao fim de uma interminável pausa, suspirou.

"Muito bem, vejo que não me queres. Não vale a pena insistir." Deu meia volta e dirigiu-se resolutamente para a porta. "*Au revoir, Alphonse.*"

O capitão permaneceu pregado ao chão, vidrado a vê-la partir, abismado com a sua própria reacção. Desejava-a ardentemente, nada mais queria na vida que não fosse a reconciliação, aquele encontro ressuscitava-o do pesadelo em que mergulhara na noite anterior. E o que fazia ele? Rejeitava-a, repelia-a, ignorava-a. Sentiu um incontrolável orgulho a prender-lhe o coração e a toldar--lhe a razão, compreendeu que o seu comportamento se tornara refém desse incomensurável sentimento, egoísta e arrogante, mas sentia-se impotente para o superar. Acima de tudo, desejava tornar difícil a sua rendição, fazê-la sofrer, mostrar-lhe que não podia dispor dele como queria, provar-lhe que o que lhe fizera tinha consequências. O problema é que quem sofria era ele. Com o coração desfeito, viu-a sair da sala de estar e desaparecer para além da porta. Sentiu-se confuso, experimentou sensações contraditórias, o coração enfrentou o orgulho, o peso do mundo desa-

367

bou-lhe sobre os ombros, a respiração tornou-se-lhe ofegante, pesada, aflitiva. Agitou-se, torturado pela dúvida, dividido quanto ao que fizera e quanto ao que teria de fazer. Sentiu os segundos a esgotarem-se, cada segundo a afastá-lo de Agnès, cada instante a tornar irrevogável a separação. Torturado por um doloroso conflito interior, deu três passos em frente, parou, recuou, voltou a avançar, quase em corrida, parou novamente, a indecisão dilacerava-o. Depois de uma derradeira hesitação, o coração venceu. Largou em corrida, atravessou os corredores, passou pela recepção e saiu do hotel. Viu Agnès a subir para uma caleche e receou que ela partisse sem o ver.

"Agnès!", gritou, a voz a ecoar pelas ruas desertas de Merville naquela hora madrugadora. "Agnès! *Attends!*"

Por um longo segundo pareceu-lhe que ela o ignorava. Mas a baronesa imobilizou-se quando subia para o seu lugar e voltou a cara, enfrentando-o. Afonso aproximou-se em corrida.

"O que desejas?", perguntou-lhe ela, expectante.

O capitão chegou-se à caleche, ofegante, o peito a subir e a descer, buscando ar.

"Espera", arfou. Parou para recuperar o fôlego. "Desculpa o que te disse." Engoliu em seco. "Ficas comigo?"

Ela fitou-o com intensidade.

"Estás a falar a sério?"

"Nunca falei mais sério na minha vida. Ficas comigo?" Fez um ar de súplica. "Por favor..."

O rosto abriu-se-lhe num largo sorriso.

"Claro que fico, meu pateta!"

Agnès desceu da caleche e caiu-lhe nos braços. Beijaram-se sofregamente, felizes, aliviados. Afonso enlaçou-a e levou-a de volta ao hotel, apertando-a muito contra si, as cabeças inclinadas uma para a outra, tocando-se com ternura. Pediu de novo as chaves ao recepcionista, com o braço livre pegou na mala que abandonara junto ao balcão, subiram as escadas agarrados um ao outro, o capitão meteu a chave na fechadura, abriu a porta, atirou a mala para a direita, fechou a porta e caíram ambos na cama.

Fizeram amor devagar, com carinho, com paixão, emociona-dos, reconciliados, as mãos sempre enlaçadas. Permaneceram depois um longo tempo abraçados, fruindo o momento, trocando sussurros e carícias. Quando o Sol finalmente nasceu, Afonso suspirou e olhou para o relógio.

"Meu amor, é terrível mas tenho mesmo de ir", disse.

"Tens de ir onde?"

Afonso suspirou.

"Tenho de me apresentar no batalhão, a minha licença está esgotada."

"Vais para as trincheiras?"

"Vou."

"Não podes esquecer-te de ir?"

"Poder, posso, mas isso teria consequências. Seria punido dis-ciplinarmente e, pior do que isso, retirar-me-iam a licença que me deram para depois do Natal. Achas que vale a pena?"

Agnès cerrou os olhos.

"Não. Se tens de ir, vai."

"Não fiques zangada, é o meu dever."

A francesa sentou-se na cama de costas para ele, tapou a cara com as mãos e começou a soluçar.

"Vai."

Afonso aproximou-se, agarrou-a pelas costas e beijou-a no pescoço.

"Tem calma, meu amor, tem calma", murmurou com os lábios colados aos ouvidos.

Agnès soluçava, amargurada. Tirou as mãos da cara e enfren-tou-o, os olhos de um verde luminoso, brilhando entre as lágri-mas.

"E se te acontece alguma coisa, *mon mignon?* O que será de mim? Como poderei viver?"

"Não me acontece nada, minha querida, fica descansada."

"Mas isso não depende de ti, pode acontecer. Olha o Serge..."

"Não, minha flor, eu fui destacado para os serviços adminis-trativos", mentiu-lhe ele num repentino e inspirado improviso.

"Ouviste? Já não estou envolvido em combates, apenas na papelada, na burocracia."

Ela afastou a cabeça e olhou-o nos olhos, procurando a verdade.

"*Vraiment?*"

Afonso susteve o olhar apenas o suficiente e depois puxou-a para si; receava que os olhos se descaíssem e traíssem a mentira.

"Claro, *ma petite*." Apertou-a no abraço e depois mirou-a novamente. "Eu volto", garantiu-lhe com um sorriso. "Nem que me matem."

VIII

Os soldados abriram a boca de espanto, os olhos fixos no céu num esgar de assombro. Uma vasta cortina de luz enchia o firmamento, desenhando um fantasmagórico arco de cores que se perdia nas alturas. O clarão luminoso dançava em silêncio, como um harmónio majestoso e grandioso, a profunda treva celestial pintara-se com manchas de luz amarela, verde, vermelha, azul até, era coisa nunca vista, visão de embasbacar, uma maravilha que enchia de fascínio ou de terror os homens na terra. A cascata brilhante e colorida deslizava suavemente, muito devagar, num lento e ondulante movimento, cheia de mistério, sublime de imponência. Um murmúrio respeitoso ergueu-se de Ferme du Bois. Diversos lãzudos caíram de joelhos a rezar, havia mesmo quem tremesse de medo, Deus manifestava-se, a Virgem regressava, ou então, pensavam certos soldados mais supersticiosos, era a fúria do Além que estava prestes a ser desencadeada sobre eles, miseráveis pecadores mergulhados na lama e na neve. Alguns homens, passado o estupor inicial, começaram a gritar e a fugir pelas trincheiras, receavam o castigo divino, outros permaneciam pregados ao solo a contemplar o vasto incêndio celeste que iluminava a noite como uma fogueira gigante.

"Uma aurora boreal", disse Afonso, encantado com o singular espectáculo que o céu lhe proporcionava.

Era a noite de 20 para 21 de Dezembro. O batalhão tinha, horas antes, acabado de se instalar nas trincheiras para enfrentar um inimigo mais desgastante do que os alemães. O frio. O Natal aproximava-se e um gelo incrível abateu-se sobre toda a Flandres. Afonso batia com os pés no chão, junto ao fogo aceso no grande recipiente cilíndrico instalado no chão do posto, tentando desesperadamente aquecê-los naquele frio glaciar. Nunca tinha visto coisa assim, as manhãs geladas de Braga pareciam brisa tépida quando comparadas com aquelas condições polares. De mãos enluvadas apertadas dentro dos bolsos do sobretudo e densas nuvens de vapor a serem expelidas pelo nariz e pela boca, o capitão levantou-se e foi aos saltinhos verificar a temperatura no termómetro que se encontrava pregado na parede lamacenta do posto. O mercúrio registava quinze graus abaixo de zero e Afonso percebeu o conceito da morte de frio. Tremer de frio, como tantas vezes tremera em Rio Maior, e sobretudo em Braga, não era de frio, era de mera frescura incómoda. Frio verdadeiro era aquele, era frio que não fazia tremer, antes feria a pele, dilacerava a carne, rasgava o corpo, era frio que queimava, que doía, que paralisava, que entorpecia, era frio que lhe fazia arder a cara, que lhe roubava o ar, que lhe adormecia as mãos num torpor de insensibilidade, que lhe arrancava uivos doloridos como se lhe estivessem a espetar facas na pele, que escaldava o corpo com um ardor tão forte que se confundia com fogo, que lhe inchava e magoava os dedos até às lágrimas, frio verdadeiro era aquele que o torturava lenta e longamente em Ferme du Bois, a ele e a todos os desgraçados que o CEP enviara para a frente.

O aparecimento da aurora boreal nessa noite suspendeu por um par de horas as hostilidades em terra, como se os soldados temessem que os actos de guerra fossem iluminados por aquela estranha luz que se manifestava no firmamento. Mas logo que o fogo divino desapareceu as trincheiras despertaram do seu torpor e reapareceu o fogo humano. As linhas inimigas recomeçaram a trocar tiros ocasionais de canhão ou metralhadora, mas era fogo de rotina, disparos destinados a lembrar aos soldados de ambos os lados que a guerra não acabara. Vinha aí o Natal e era muito pouco provável que ocorressem agora operações de grande envergadura, não só necessariamente devido à época festiva, mas também porque o Inverno aparecera inclemente, havia neve e lama por toda a parte, não era prático a infantaria avançar naquele tipo de solo, onde o progresso das tropas se revelava lento e os reabastecimentos difíceis. Com o estado do terreno a impossibilitar qualquer ofensiva em larga escala, o principal adversário dos lãzudos passou a ser o frio cruel que os cercava e paralisava; era contra ele que tinham agora de combater as tropas esfarrapadas que viviam na lama das trincheiras.

No calendário fixado na parede húmida do posto, Afonso contava repetidamente os dias que lhe restavam nas trincheiras. Iria ali passar o Natal e só sairia a 28, era uma eternidade, mas não havia remédio. Para se distrair sentou-se no banco e releu a Ordem de Operações n.º 12 destinada ao seu batalhão. O 8 ocupava agora, e durante uma semana, justamente a do Natal, o subsector S.S.2., ou Ferme du Bois II, e o capitão passou os olhos pelas instruções assinadas na véspera pelo comandante interino da brigada, o tenente-coronel Eugénio Mardel. "A companhia avançada da direita guarnecerá os postos Boar's Head e Cockspur, com o comando da companhia em S.15.b.50.95. A companhia avançada da esquerda guarnecerá os postos Vine, Copse e Goat, com o comando da companhia em S.15.a.65.40." Muito interessante, pensou, bocejando. "O batalhão do 8 ocupará o posto de observação Savoy (S.9.d.08.18.), que lhe será entregue pelo chefe dos observadores do batalhão do 3." Afonso verificou no mapa a localização do posto Savoy. "Terminada a ocupação dos novos subsectores, o batalhão do 8 e do 3 comunicá-lo-ão a este Comando, respectivamente pelas palavras Barcellos e Valença pelo telégrafo." O capitão tomou nota do código Barcellos. "No S.S.2., o depósito de munições de Saint-Vaast remuniciará pela *decauville* de Saint-Vaast e directamente a companhia da esquerda. O depósito de munições de King's Cross remuniciará pela *decauville* da Rue du Bois directamente as companhias da direita e apoio." Afonso procurou na carta os paióis de Saint-Vaast e King's Cross e verificou que Saint-Vaast ficava mesmo por trás de Lansdowne, o seu posto, o que o pôs nervoso. Convinha que nenhuma granada inimiga ali caísse, seria um fogo-de-artifício memorável.

Quando acabou de estudar a ordem de operações, deitou-se no catre, cobriu-se com uma manta, fechou os olhos e deixou a mente vaguear melancolicamente até Agnès. Percebeu que entre eles já nada seria como dantes, tinha sido dado um passo irreversível, incontornável, os seus destinos estavam agora irrevogavelmente cruzados. Compadeceu-se com a preocupação que ela revelara por si, pela sua segurança, mas não tinha dúvidas de que por detrás daqueles receios de mulher pela vida do homem ao qual se entregava se escondia a firmeza de quem encontrara o seu caminho. O capitão admirou-lhe a determinação, a coragem, aquela não era uma mulher de lamechices, parecia delicada como uma flor mas era afinal dura como uma rocha. Isso assustou-o um pouco, esperava que as mulheres fossem todas dóceis, submissas e frágeis, era assim que se educava em Portugal, mas esta francesa era tesa e o português surpreendeu-se a si mesmo por sentir que tal até lhe agradava. Aquela determinação que se lhe lia nos olhos parecia-lhe ao mesmo tempo assustadora e admirável, o que, inexplicavelmente, o fazia amá-la ainda mais. Era como se temesse que um dia ela o abandonasse com a mesma ligeireza com que agora se afastava do marido, como se mudar de vida fosse tão fácil como virar a página de um livro; não há dúvida de que, nestas coisas de romper as relações, as mulheres são mais corajosas do que os homens. Encarando-a deste modo, o capitão começou a perceber que para amar uma pessoa era preciso admirá-la.

Matias Grande accionou a bomba manual e começou a despejar a água, num esforço para drenar a trincheira. Curvado ao lado, Vicente Manápulas ajudava-o com um balde, enchendo-o de lama gelada e atirando-a para lá das linhas de circulação.

"Esta porra 'tá sempr'a encher", resmungou Vicente de frustração, as pernas mergulhadas na lama até ao joelho. "Os cabrões dos boches não páram d'atirar água p'rá'qui."

"Os boches?", admirou-se Matias. "Ó Manápulas, lá estás tu nesse refilanço trapalhão. Ora diz-me lá que culpa têm os boches deste tempo desgraçado?"

"Então não vês a posição deles?", perguntou Vicente, apontando para a elevação de terreno no outro lado da terra-de-ninguém, mesmo em frente a Neuve Chapelle, o sector vizinho da esquerda. "Não vês qu'os gajos ocupam uma posição mais elevada do qu'a nossa?"

"Ah sim? E depois?"

"E depois? E depois, disseram-me qu'os tipos também têm bombas e usam-nas p'ra despejarem água p'ró nosso sector."

"Ah é? E quem é que te disse isso?"

"Ouvi uma convers'entre dois oficiais no *estaminet*."

Matias parou o trabalho de faxina e olhou para o sargento Rosa, que descansava encostado a uns sacos de terra.

"Meu sargento, dá licença que suba a espreitar o inimigo?"

O sargento fez um gesto displicente e Matias galgou ao parapeito, donde espreitou fugazmente a posição alemã. O manto de neve cobria toda a linha da frente, a terra-de-ninguém e o sector inimigo, situado por entre o carbonizado arvoredo do Bois du Biez. Varrendo o terreno com os olhos, constatou que, de facto, as poças de lama e de água não se encontravam na elevação de terreno ocupada pelos alemães, mas cá em baixo, junto às linhas portuguesas.

"É mesmo", confirmou o cabo, recolhendo a cabeça e voltando para o seu posto de trabalho. "Não só temos de gramar com as bombas dos gajos, ainda levamos com a lama daqueles cabrões."

"Já vist'o estad'em que 'tá'li a Rue de Puits, mesm'atrás d'Euston Post?"

"Então não vi? A lama dá pelo peito, caraças. Disseram-me que há uns tempos morreu ali um bife afogado."

Concentraram-se no trabalho, momentaneamente em silêncio.

"Isto é uma porra", desabafou Matias, esforçando-se por manter a bomba manual a drenar a trincheira.

"Mas olha lá, ó Matias, tu és cabo, não tens qu'estar aqui a tirar lama."

O matulão de Palmeira encolheu os ombros.

"Não me importo", disse. "Se eu não viesse, ainda mandavam o Velho ou o Lingrinhas, e esses não aguentavam, caraças. Estão derreados."

O cabo endireitou-se na trincheira, repousando por instantes do trabalho de retirar a água e a lama. Tirou um frasco de rum do bolso e engoliu um golo.

"Ahhh, esta murrilha é um achado", considerou Matias, expelindo um bafo quente e vaporoso. "Até parece que se acende uma lareira cá dentro."

"Dá cá um bocado."

Matias Grande atirou o frasco e Vicente bebeu um longo trago de rum.

"Caramba, homem", protestou Matias. "Não emborques tudo. Olha que ainda apanhas uma valente naça e cangas para aí."

"Ora, não t'apoquentes", devolveu o Manápulas, limpando a boca ao braço. "Vai sobrar muita desta mascambilha, vais ver."

Matias olhou com desalento para o rio de lama que enchia a trincheira.

"Amanhã é véspera de Natal e vamos passá-la aqui atolados na lama como marranos", desabafou. "Já viste esta merda?"

"Nem me fales nisso. O que val'é qu'eles vão trazer bacalhau."

"Bacalhau? Que bacalhau?"

"Ó Matias, andas mesmo distraído. Então não sabes qu'a ração da consoada vai ser bacalhau?"

"Não me digas!", exclamou Matias, a água a crescer na boca. Estava farto do *corned-beef* e das *pies,* e uma posta de bacalhau com batatas e azeite vinha mesmo a calhar. "E isso é amanhã?"

"Espero que sim", riu-se Vicente, devolvendo o frasco de rum.

Matias guardou o frasco no bolso e regressou ao trabalho com redobrado entusiasmo.

"Isso é que vai ser", disse, accionando vigorosamente a bomba. "Só faltava mesmo era os boches serem uns compinchas e darem-nos um dia de descanso."

"Acho qu'é normal não haver guerra no Natal."

"Também já ouvi isso, mas não acredito."

"A mim quem mo disse foi uma buscate de Béthune. Ela contou-m'até que no Natal é sempr'uma fest'aqui nas trincheiras, o pessoal cumpriment'os boches, vai ali p'rá Avenid'Afonso Costa e até se jog'à bola."

"E tu acreditas nisso?", riu-se Matias.

"Bem..."

"A malta a jogar à bola com os boches na Afonso Costa? Isso é tudo conversa para enganar tolos. Ó Manápulas, és mesmo um zinão."

O sargento Rosa agitou-se no seu repouso de sacos de terra. Era ele o graduado encarregado de vigiar aquela obra. Tratava-se de um trabalho de menor importância, caso contrário ter-lhe-iam dado quatro, cinco ou até quinze homens, mas estava determinado a fazer sentir a sua autoridade. Foi por isso com esforço e elevado sentido de dever que entreabriu um olho para repreender os dois homens às suas ordens.

"Então, rapazes?", resmungou preguiçosamente. "Vamos lá, menos paleio e mais trabalho." Bocejou. "Depois das drenagens, temos ainda de fazer reparações nos paradorsos, nos traveses e nas banquetas." Remexeu o corpo, procurando uma posição mais agradável, e voltou a recostar-se, indolente, nos confortáveis sacos de terra. "Portanto, é despachar, é despachar."

Fechou os olhos, bocejou de novo e retomou a sesta.

A véspera de Natal nasceu calma. Tímidos raios de Sol atravessaram a bruma húmida e banharam de luz fria a neve reluzente de Ferme du Bois, mas apenas por um breve instante. Pesadas nuvens escuras apressaram-se a cortar-lhes o caminho, ciumentas, bloqueando a luz e envolvendo a martirizada planície da Flandres num sombrio e monótono manto cinzento. O termómetro registava um grau abaixo de zero, nada mau para quem vira muito pior havia apenas alguns dias, mas o que mais impressionou Afonso foi o silêncio sepulcral que se abateu sobre a zona de guerra; não se ouvia um único tiro nas trincheiras.

"Bom dia, Joaquim", disse, cumprimentando a ordenança à saída do seu abrigo, o posto de Lansdowne, situado junto a Forresters Lane, uma perpendicular a sul da Rue de la Bassée.

"Feliz Natal, meu capitão."

"Feliz Natal. Isto hoje parece calmo, hem?"

"Sim, meu capitão."

Afonso seguiu para uma ronda pelas linhas e foi saber como tinha sido o *A Postos* da manhã, a formatura efectuada uma hora antes do nascer do Sol. Meteu pela Forresters Lane em direcção a norte, como se fosse para Neuve Chapelle, desceu pela Rue de la Bassée e virou para dentro na Rue du Bois. Cruzou-se no caminho com o tenente Pinto.

"Ora viva."

"Feliz Natal, Afonso."

"Boas festas, Cenoura. Tudo bem no *A Postos?*"

"Uma maravilha. Nem um tiro."

"Isto hoje promete."

"Se promete. Já viste esta calmaria? Disseram-me que no Natal é sempre assim."

"Quem é que te disse isso?"

"O teu amigo inglês."

"O Tim? Onde está esse sacripanta?"

"Anda por aí."

Afonso seguiu pela trincheira lamacenta de Pioneer's, o bengalão de ponta metálica na mão, Joaquim no encalço. Aquele era o primeiro Natal das tropas portuguesas na zona de combate e a quadra parecia contagiar toda a gente; viam-se sorrisos, havia alegria nas trincheiras. A manhã permaneceu tranquila, com os homens a limparem as armas e a bombearem a água e a lama para fora das passagens. Depois do almoço, Afonso foi inspeccionar o sector de Port Arthur e deu em Pope's Nose com o tenente Cook e um outro oficial britânico calmamente sentados no topo do parapeito e virados para o inimigo, à mercê das balas alemãs.

"Então, Tim, estás maluco ou quê? Sai já daí."

"*What ho, Afonso, old lad. Merry Christmas.*"

"*Merry Christmas* para ti também, mas faz-me o favor de sair daí, tu e o teu amigo. Ainda levas um balázio."

"Você descontraia, Afonso", sorriu o tenente Cook, falando com o seu característico sotaque brasileiro. "Está todo o mundo fazendo o mesmo". Apontou em redor. "Olhe para ali, os soldados portugueses estão no *relax*."

Afonso pôs o pé no degrau do parapeito, esticou a cabeça e abriu a boca de espanto. Viam-se lãzudos a espreguiçar-se languidamente no topo dos parapeitos, ignorando com calma olímpica as letais miras alemãs.

"Mas está tudo louco!"

"Calma, Afonso", disse o inglês. "Hoje é véspera de Natal e as trincheiras costumam ficar tranquilas, é assim todos os anos." Apontou para o sector inimigo. "Além do mais, você está vendo? Há neblina ali em frente, os boches não nos conseguem enxergar."

Um denso vapor pairava de facto na terra-de-ninguém, reduzindo fortemente a visibilidade. O arame farpado misturava-se com as nuvens baixas, a neve perdia-se na claridade alva da neblina. Afonso encolheu os ombros, resignado, e, com movimentos hesitantes e desconfiados, escalou o parapeito e sentou-se junto dos oficiais britânicos.

"*Captain Gleen, this is captain* Afonso", apresentou-os o tenente Cook. "Afonso, este é o capitão Gleen. O capitão foi destacado pelo Alto Comando para o período do Natal."

"*How do you do?*", saudou Afonso.

"*Howdy, mate. Merry Christmas. Compris Christmas?*"

"Yes."

"Christmas bonne", riu-se o capitão Gleen, as faces rosadas a encherem-lhe o rosto cheio. *"Beaucoup rhum, beaucoup champagne, beaucoup port-wine. Et beaucoup zig-zag!"* Fez um gesto com a mão, simulando um movimento de embriaguez. *"Compris? Beaucoup rhum, beaucoup zig-zag!"*

"Compris. Zig-zag. Compris", devolveu Afonso com uma gargalhada, divertido com o trapalhão *patois* de inglês e francês tão típico das trincheiras. Voltou-se para o tenente Cook. "Ó Tim, este gajo está com os copos ou quê?"

"Ele é mesmo assim."

"Ah bom", exclamou. Mirou a neblina, ainda pouco à vontade por estar ali a descoberto, perfeito alvo para os franco-atiradores alemães, sentia-se como se estivesse nu. O problema é que ninguém parecia dar grande importância à posição vulnerável onde se encontravam, pelo que não seria ele a dar parte de fraco. Para se abstrair da desconfortável sensação de perigo decidiu alimentar a conversa. "O que é isso de o teu amigo ser destacado durante o período de Natal?"

"O capitão Gleen já viveu três Natais nas trincheiras e o primeiro foi mesmo aqui ao lado, em Neuve Chapelle. O Alto Comando achou que ele poderia ser útil, com todo o seu *know-how*, a ajudar-nos a lidar com os acontecimentos desta quadra."

"Os acontecimentos desta quadra? Que acontecimentos?"

"A confraternização com o inimigo. O Alto Comando anda preocupado com isso."

"Confraternização? Que conversa é essa?"

"Eu acho que é melhor ser ele mesmo a contar-te", disse o tenente Cook, mudando a conversa para inglês. *"Captain*, pode dizer aqui ao nosso amigo português o que aconteceu no Natal de 1914?"

"Christmas 1914", repetiu o oficial britânico, os olhos a encherem-se-lhe de nostalgia. "Foi um Natal extraordinário. Extraordinário." O capitão Gleen retirou do bolso uma caixa amarela de cigarros, *Gold Flake* escrito no topo, acendeu um, largou uma

baforada e fixou os olhos no infinito. "A guerra durava havia apenas quatro meses quando chegou o Natal de 1914. Eu era na altura um *corporal* dos *18th Hussars* destacado num regimento indiano de cavalaria dos *Royal Garhwal Rifles* e estávamos barricados mesmo aqui em Neuve Chapelle, justamente nestas trincheiras onde estão agora os portugueses. Houve violentos combates até ao dia 24, com os *jerries* a atacarem a 20, os indianos a recuarem a 22 e o nosso I Corpo a responder e a reocupar posições. O tiroteio prolongou-se durante a véspera de Natal, mas, quando a noite caiu, os combates pararam totalmente e ficou tudo silencioso. Um silêncio como este, neste momento." Girou a mão em redor. "De repente, no meio da escuridão, começámos a ver luzes a acenderem-se ali do outro lado." Apontou. "Eram filas e filas de luzes. Lançámos um *very light* e vimos que os *jerries* estavam a colocar pequenas árvores de Natal iluminadas ao longo do topo dos parapeitos. Nós e os indianos ficámos embasbacados a olhar. A nossa rapaziada começou a dizer que era o *divali*, o *divali*. Perguntei-lhes o que era isso do *divali* e eles explicaram-me que se tratava da mais importante festa do calendário hindu, dedicada a uma deusa qualquer ligada à riqueza. Foi uma noite curiosa, mas as coisas ficaram por aí."

"Isso foi na véspera de Natal", atalhou Afonso, meio perguntando, meio afirmando.

"*Indeed*", assentiu.

"E no dia de Natal?"

"Bem, aí foi diferente. A manhã de 25 nasceu gloriosa, estava um dia maravilhoso, o Sol brilhava alto no céu, a chuva da Flandres tinha miraculosamente desaparecido. A dado momento, os *jerries* começaram a cantar. Eram prussianos do VII Corpo e cantavam em coro, alguns com magníficas vozes de tenor, até nos arrepiávamos. Ouvíamo-los a entoarem o *O Tannenbaum*, o *Stille Nacht, Heilige Nacht*, o *O du Fröhliche*, todos muito afinados, cheios de coração, de emoção. Como eram prussianos, e consequentemente militaristas, não se esqueceram, claro, das canções nacionalistas, em especial do *Wacht am Rhein* e do *Deutschland über Alles*. Parece que os estou a ouvir..."

O capitão Gleen calou-se por um instante, mergulhado na memória daqueles momentos.

"Vocês responderam?", quis saber o tenente Cook, quebrando o silêncio.

"Os indianos não. Ficaram calados a ver. Mas alguns oficiais britânicos entoaram baixo o *Tipperary*. Estão-nos a ver a cantar *It's a long Way to Tipperary?*" Riu-se. "Bom, pelo meio-dia começámos a vê-los a fazerem passear sobre as trincheiras cha-péus e capacetes pendurados na ponta de paus. Depois puse-ram-se a espreitar pelos parapeitos, primeiro a medo, a seguir erguendo as cabeças com crescente confiança. Nós estávamos especados a vê-los."

"Ninguém disparou?"

"Ninguém disparou. Penso que achámos que, naquelas cir-cunstâncias, isso seria assassínio a sangue frio. Começaram então a gritar em inglês, desejando-nos um feliz Natal. *A Happy Christmas to you all!*, berravam. Alguns até tinham sotaque *cockney*, dá para acreditar? Outros gritavam *Friede auf der Erde*. Eu arranho algum alemão, mas não entendi. O capitão Collins, que era fluente em alemão, disse-me que isso significava paz na Terra. Não lhes respondemos. Uma hora depois repetiram a gra-ça. Puseram-se aos gritos de *Happy Christmas* e, a dado momen-to, puseram-se de pé sobre os parapeitos, desarmados, totalmente à mercê das nossas espingardas e metralhadoras. Estávamos siderados. Os soldados apontaram as *Lee-Enfield* para darem cabo dos prussianos, mas o capitão Collins deu uma ordem a proibir que se disparasse. Ficou tudo em suspenso, eles a acena-rem, nós quietos. A situação era anormal e, meio hesitantes, al-guns dos nossos homens puseram-se também de pé e acenaram, o que provocou uma festa do lado dos *jerries*. Eles gritaram a dizerem que tinham charutos para nos oferecerem e que nós fôs-semos lá, que não disparariam, que era Natal. Ficámos desconfia-dos. Houve então um prussiano que pegou numa caixa de charutos, saltou para a terra-de-ninguém e veio por ali fora na nossa direcção." O capitão Gleen apontou para um ponto à esquerda, algures na terra-de-ninguém coberta de neblina. "Veio por ali, parece que o estou a ver, o *pickelhaube* na cabeça, uma gabardina cinzenta cheia de lama, a caixa de madeira ao peito, segura pelas duas mãos como se fosse um tesouro. Uma vez que ninguém se mexia, eu saltei também para a terra-de-ninguém e fui ter com ele por ali." Apontou para a esquerda, indicando o ponto da trincheira de Neuve Chapelle que ocupara nessa tarde memorável. "Eu ia nervoso, as pernas tremiam-me, sentia espingardas invisíveis apontadas à minha cabeça, ao meu peito, às minhas pernas. Ainda pensei em dar meia volta e desatar a correr, mas controlei-me e segui em frente, perguntando mil vezes o que estava a fazer no meio da terra-de-ninguém. Encontrámo-nos ali no centro, junto ao arame farpado. Ele entregou-me a caixa e disse-me *a Happy Christmas to you*. Fiquei sem jeito, sem saber o que fazer ou dizer. Estiquei-lhe o braço e apertei-lhe a mão, disse-lhe *danke schön und Merry Christmas*. Quando nos viram no *handshake*, os *jerries* do outro lado começaram a gritar como loucos, pareciam os de Cambridge a festejar a vitória sobre Oxford na regata, muitos saltaram para a terra-de-ninguém e vieram na nossa direcção, os nossos indianos imitaram-nos e foram ter com eles, não dava para acreditar. Apertaram as mãos uns dos outros, ofereceram-se prendas, nós dávamos-lhes cigarros, *cornedbeef*, biscoitos, chocolates, rum, chá e marmeladas *Tickler* e eles presenteavam-nos com *schnapps, sauerkraut, cognac*, vinho e doces. Mas tinham sobretudo muitos charutos, os quais, pelos vistos, eram profusamente distribuídos lá na retaguarda como prendas do *Kaiser*. Eram tantos os charutos que o capitão Collins comentou termos caído no meio de um batalhão de milionários." Gleen deu uma gargalhada e suspirou. "Ah, foi uma festa incrível, vocês haviam de ver, aquilo foi mesmo um Natal a sério. Vendo bem, e de uma certa maneira, talvez tenha sido o melhor Natal da minha vida, o ambiente era absolutamente fantástico."

"Conversaram?", perguntou Afonso.

"Claro. Havia muitos *handshakes* e sorrisos, mas conseguimos falar um pouco. Fiquei com a impressão de que eles achavam que estavam a ganhar a guerra e admiravam-se por nós ainda combatermos. Houve um que até disse que havia tropas alemãs em Londres, o que provocou uma risada geral entre os oficiais britânicos. Acho que ficaram desconcertados com a nossa reacção." Gleen enterrou o cigarro na neve, a ponta incandescente a mergulhar no gelo fofo e a apagar-se com um *fssssh*. "Depois, um oficial *jerry* propôs que enterrássemos os corpos que jaziam abandonados na terra-de-ninguém, no que concordámos. Todos os *jerries* que encontrámos do nosso lado foram-lhes entregues e todos os indianos do lado deles foram-nos entregues. Um pároco *jerry* rezou ali uma missa campal. Estou a vê-lo no pai-nosso, as mãos juntas numa prece, os joelhos na neve, a cabeça tombada, a dizer *Vater unser, der Du bist im Himmel, Geheiligt werde Dein Name*. A seguir tirámos fotografias uns dos outros, voltámos a cumprimentar-nos e despedimo-nos. Ficou combinado que haveria uma nova trégua no ano novo para que, uma vez reveladas as fotografias, déssemos cópias uns aos outros. Voltámos para as trincheiras e o resto do dia permaneceu calmo. Às vezes gritávamos coisas de um lado para o outro, uns a oferecerem charutos, outros a prometerem *souvenirs,* e à noite voltaram as cantorias. Eles tinham o mesmo repertório da manhã. Nós, os oficiais britânicos, para além do *Tipperary,* oferecemos-lhes uma valente interpretação do *My Little Grey Home in the West,* do *Home Sweet Home* e, claro, do *God Save the King,* tudo com muitos aplausos e aclamações efusivas à mistura." Suspiro. "Foi realmente um dia extraordinário."

"No dia seguinte recomeçaram os tiros", disse Afonso.

"*Not really*", retorquiu Gleen, abanando a cabeça. "As coisas permaneceram calmas a 26, ninguém queria dar o primeiro tiro. A artilharia abriu fogo da retaguarda, mas a infantaria permanecia quieta. Por vezes, quando um alto oficial aparecia nas trincheiras, dávamos uns tiros para o ar, para disfarçar. Eles também davam uns tiros e, uma ou duas horas depois, desculpavam-se, alegando que um general qualquer tinha passado por ali. No ano novo permaneceu tudo na mesma e alguns homens encontraram--se junto ao arame farpado da terra-de-ninguém para oferecerem as fotografias de Natal. As coisas continuaram assim durante meses e só a nossa grande ofensiva de Março de 1915, lançada justamente aqui em Neuve Chapelle e Ferme du Bois, é que pôs um fim a esse estado de coisas."

"E toda essa confraternização de Natal aconteceu só aqui neste sector?", quis saber o capitão português.

"Não, foi generalizada", retorquiu Gleen. "Acho que a guerra parou em dois terços da linha da frente britânica, que na altura se situava entre Saint-Eloi e La Bassée. Diz-se que até os franceses e os belgas, que odeiam os *jerries* por eles terem invadido as suas terras, confraternizaram com o inimigo. Por toda a parte foi tudo muito parecido. As cantorias, as luzes das pequenas árvores de Natal, os apertos de mão, as fotografias, as trocas de presentes, a relutância em recomeçar a guerra..."

"Ouvi dizer que até jogaram *football*", indicou o tenente Cook com um sorriso.

"Também ouvi falar nisso, sim, mas não vi nada e nunca conheci ninguém que tivesse testemunhado tal coisa em primeira mão. Mas falou-se muito nisso, dizia-se que em certos sectores os nossos homens jogaram *football* com os *Fritz*. Uns garantem que andaram todos aos pontapés a uma lata de *corned-beef*, outros falam em bolas improvisadas de farrapos. Foi até publicada num jornal de Londres a notícia de que um jogo entre os nossos *tommies* e os *jerries* terminou com eles a ganharem 3-2. Mas isso são boatos. Eu, pessoalmente, não vi nada."

"Os outros Natais também foram todos assim?", quis saber Afonso.

"Não com esta dimensão, embora se tenha efectivamente registado confraternização. O Alto Comando deu instruções rigorosas para não haver comportamento amistoso com o inimigo, mas essas ordens não foram cumpridas em toda a parte. Em 1915, os soldados confraternizaram ali em Laventie, por exem-

plo." Apontou para a retaguarda da esquerda, atrás de Fauquissart. "E no ano passado, embora não tivesse havido conversa
e encontros entre *tommies* e *jerries,* também não houve combates, apesar de ter ocorrido alguma actividade de artilharia. De
qualquer modo, e no que diz respeito à infantaria, quase se
pode dizer que não foram disparados tiros nos três Natais desta
guerra."

Ficaram os três oficiais sentados no topo do parapeito, de
olhar perdido na neblina da terra-de-ninguém, perscrutando as
linhas inimigas, adivinhando intenções, procurando sinais. Um
bando de aves irrompeu com fragor sobre as trincheiras. Era uma
visão rara, nunca os pássaros vinham visitar aquele vulcão de
fogo e morte. Afonso suspirou, quase feliz, admirando as pequenas aves a pousarem nas árvores calcinadas e a quebrarem o
silêncio com as suas alegres canções de enamoramento.

"Estou cheio de curiosidade para saber o que vai acontecer
esta noite", comentou Afonso.

"Você está querendo conversar com os boches", riu-se Cook,
em tom de provocação.

"Bem... e por que não?", admitiu o português. "Deve ser interessante conhecer assim o inimigo, falar com ele. Os únicos
boches que vi ao natural ou eram prisioneiros ou eram vultos
distantes que desapareciam num ápice."

"Mas olhe que o Alto Comando não vai querer isso."

"O Alto Comando que vá para o raio que o parta. O que é que
eles fazem se eu, na noite de Natal, conversar com o inimigo?
Mandam-me para as trincheiras?"

"Se você fosse britânico, levava com o tribunal de guerra em
cima."

"O quê? Não me digas que prenderam toda a malta que con-
fraternizou em 1914?"

"Não, claro que não. Mas houve oficiais que sofreram sanções
disciplinares em 1915, e os regulamentos tornaram-se, desde então, mais duros no que diz respeito à confraternização com o
inimigo."

"Pois entre nós não há essa preocupação", sorriu Afonso. "Vantagens de ser português."

"O que tenciona você fazer?"

"Eu? Nada. Mas, quando vierem as cantorias, a gente não se cala, vai ser um concerto do camano. Se os boches se puserem a cantar o *O Tannenbaum,* a malta responde com o *Malhão, Malhão,* vais ver. E, se eles mandarem para cá o *Wacht am Rhein,* o pessoal do 8 atira-lhes com um vira do Minho. E, se os tipos ainda vierem com o *Stille Nacht,* vamo-nos a eles com um fadinho da Severa." Esfregou as mãos, antecipando com impaciência o espectáculo que se montava na sua imaginação. "Vai ser uma beleza."

O tenente Cook explicou ao capitão Gleen as intenções de Afonso. Gleen abanou a cabeça.

"Você não pode fazer isso."

"Porquê?"

"Porque os *jerries* não podem ver o estado em que se encontram as tropas portuguesas."

"Porquê?"

"Se eles vos virem assim como vocês estão, todos rotos e esfarrapados, cansados e ansiosos por saírem daqui, magros, sujos e por barbear, eu é que não quero aqui ficar. Eles saltam-vos em cima com toda a força que têm."

"Quebram a trégua?"

"Não. Saltam-vos em cima depois da trégua. Depois."

"Ah", exclamou Afonso, ficando a matutar nesta observação.

"É imperativo que não haja contacto entre portugueses e *jerries,* o Alto Comando faz muita questão nisso. Se houver confraternização, o inimigo percebe num instante que vocês são uma potencial vulnerabilidade no nosso sistema defensivo."

"Combatemos mal?"

"Não é bem isso", atenuou Gleen. "Digamos que dá a impressão de que os vossos homens começam a estar há demasiado tempo nas trincheiras. Quando é que chegaram cá?"

"Onde? A França?"

"Às trincheiras."

"Bem, a 1.ª Divisão ocupou as suas posições na frente de combate no final de Maio e a nossa brigada, que pertence à 2.ª Divisão, entrou nas trincheiras exactamente no dia 23 de Setembro."

"Hum, Maio e Setembro...", repetiu Gleen, fazendo as contas de cabeça e enumerando os dedos como se fossem meses. "Portanto, se bem compreendo, a 1.ª Divisão está a combater há sete meses consecutivos e a 2.ª Divisão há três. Olhe, se fossem forças britânicas, já tinha chegado a hora de regressarem à retaguarda para um descanso prolongado, em especial a 1.ª Divisão. Nenhum soldado aguenta estar tantos meses seguidos enfiado em poças de lama com bombas a explodirem em redor e balas a voarem constantemente sobre a cabeça. Ora veja os *jerries* ali em frente, por exemplo. Há pouco tempo estavam naquelas trincheiras, do outro lado, os homens da 50.ª Divisão. Pois os últimos prisioneiros que capturámos revelaram-nos que esses já foram descansar. Estão agora ali os tipos da 44.ª Divisão, também pertencentes ao VI Exército de von Quast. Ou seja, de um lado estão *jerries* frescos e do outro encontram-se portugueses fatigados." Fungou. "Se quer que lhe diga, isto cheira mal."

"O que quer que nós façamos?"

"Arranjem reforços, *for Christ's sake*", retorquiu. Fungou novamente e lançou um escarro para a neve. "Vocês precisam de tropas frescas e ainda não receberam nenhumas. O cansaço acumula-se, o moral ressente-se e isso começa a notar-se na forma como os homens se apresentam."

Sentiram movimento na trincheira, mesmo atrás, e voltaram as cabeças para verem o que era. Passava um lãzudo enregelado, envolvido num pelico roçado e com as mangas rasgadas da farda a sobrarem-lhe, maiores do que os braços, mas o que nele mais se destacava eram as botas abertas na frente, a sola a descolar-se do cabedal, parecia uma boca escancarada com a língua de fora, a língua eram os pés, claro, as meias rotas e apodrecidas encontravam-se cobertas de trapos imundos na extremidade, de modo a protegerem os dedos. O cabedal fora confeccionado sem gordura, o que era normal em Portugal e adequado às amenas condições climatéricas do país, mas ali era diferente, o clima da Flandres revelava-se bem mais húmido e, naquelas condições, o calçado português tornava-se largamente permeável à água e à lama, o que facilitava o apodrecimento dos fios de ligação da sola à gáspia e provocava aquele lamentável e ridículo espectáculo.

O capitão Gleen apontou com o polegar para a miserável praça que se arrastava com dificuldade pelas tábuas da trincheira e que tão oportunamente os brindara com a sua inspiradora aparição.

"*You see?* É justamente por causa disto que não podemos deixar que o *Fritz* vos veja."

Afonso ficou a olhar para o esfarrapado soldado, pobre e engelhado, que se afastava, cabisbaixo, trincheira a cima, em direcção a Hun Street.

"Compreendo."

"De qualquer modo, todos os oficiais britânicos que fazem ligação com as forças portuguesas receberam ordem para permanecerem todo o dia nas primeiras linhas deste sector", indicou Gleen. "Se os *jerries* fizerem alguma gracinha do género de 1914 e 1915 aqui em Neuve Chapelle e em Laventie, teremos de passar logo a informação para o quartel-general."

Afonso lançou um derradeiro olhar para a neblina que tapava as posições inimigas e, apoiando-se no bengalão de ponta metálica, saltou de volta para a trincheira, onde o aguardava Joaquim.

"Não sei da vossa vida, rapazes", disse, despedindo-se dos dois britânicos. "Mas eu tenho uma ronda para fazer. Até logo."

"*Cheerio.*"

O capitão foi pela trincheira fora dar a volta por todo o sector ocupado por Infantaria 8, descendo pela Rue du Bois até Richebourg Avoué, depois virou à direita em Factory e subiu pela Edward Road, aqui tropeçou em duas gordas ratazanas junto ao Páteo das Osgas, achou-as repugnantes com as suas caudas longas e os corpos tão anafados que até tinham dificuldade em correr, e decidiu voltar novamente à direita, em Windy Corner, apanhando a Forresters Lane até chegar a Lansdowne, o seu abrigo, habitualmente o complexo que albergava o comando do batalhão, mas que desta vez se contentava em acolher o responsável pela companhia e mais umas dezenas de homens. O tenente Pinto aguardava-o.

"Viva, Afonso, por onde tens andado?"

"Encontrei o Tim com outro bife e ficámos à conversa ali em Pope's Nose", retorquiu Afonso, entrando no abrigo e sentando-se no catre de arame. Pinto imitou-o e instalou-se no banco, junto ao caixote de munições que servia de mesa. O capitão tirou o capacete e fitou o amigo. "Os bifes estão preocupados com a possibilidade de confraternizarmos com os boches."

"Disparate!"

"Olha que não é disparate nenhum. Estiveram-me a contar que os boches costumam ser especialmente simpáticos no Natal e os camones receiam que a malta vá na conversa deles e exiba as nossas misérias ao inimigo."

"Ah é? Ainda não vi acontecer nada..."

"Então não reparaste que não se disparou hoje um único tiro?"

"Isso é verdade", concordou o Cenoura. "Aliás, comentei isso contigo logo pela manhã."

"E já viste o pessoal a esticar-se acima dos parapeitos? Isto até parece uma excursão."

"Afonso, isto *é* uma excursão", devolveu o tenente Pinto com especial ênfase na palavra "é", a costela monárquica anti-intervencionista sempre presente. "A malta não devia estar aqui, já te disse milhões de vezes. O Sidónio tem que nos tirar..."

"Ó Cenoura, poupa-me", cortou Afonso, levantando as mãos para o céu com um gesto de impaciência. "Hoje não quero ouvir essa conversa, não tenho pachorra. Dá-me uma trégua, é Natal."

Um correio apareceu no posto e espreitou pela entrada.

"Meu capitão, dá licença?"

"O que é?"

"Mensagem da brigada."

O homem estendeu um envelope amarelo. Afonso pegou nele, rasgou-o e leu-o. Um rubor de irritação subiu-lhe à face, e Pinto notou.

"Alguma coisa grave?"

"Estes gajos são uns cabrões", rosnou Afonso. "Uma coisa destas não se faz."

"O quê?"

"Ora ouve lá", disse, lendo a mensagem em voz alta. "'Tomar todas as medidas para combate. Toda a artilharia bombardeará durante meia hora o inimigo às dezassete, às dezanove e às vinte e uma horas.'" Levantou a cabeça e acenou com a mensagem. "Já viste isto?"

"Na véspera de Natal?"

"Estes gajos são doidos."

"Mas que bicho lhes mordeu?"

"Eu sei o que é", suspirou Afonso, erguendo-se do catre e saindo do posto. "Eles querem garantir que não haverá confraternização e decidiram oferecer aos boches ameixas como prendas da consoada. E a malta é que se lixa."

"E agora?"

"E agora vamos avisar o pessoal para se preparar para a festa. Vai ser um bailarico e peras."

Matias Grande acomodou-se o melhor que pôde junto aos sacos de terra da linha B, em Copse Post, entre Port Arthur e Richebourg Avoué. O sargento Rosa tinha passado por ali a avisar que iria haver sarilho, a artilharia ia entrar em acção e era inevitável a retaliação inimiga, pelo que deviam tomar as precauções necessárias. No Verão e no Outono, um aviso sobre a iminente entrada em acção da artilharia conduziria toda a gente para os abrigos, mas agora no Inverno, com a água e a lama a tudo invadirem, os abrigos não ofereciam qualquer segurança. Construídos em terras argilosas e com as paredes lamacentas, tornara-se comum desmoronarem-se por inteiro quando atingidos por uma granada alemã. Não era a primeira vez que morriam assim vários homens, afogados na vaga de lama que se abatia sob o impacto de uma explosão próxima. Daí que, no Inverno, o último sítio para onde os soldados iam durante um bombardeamento inimigo eram justamente os abrigos, a menos que fossem construídos em betão. Preferiam ficar ao ar livre, colados às paredes das trincheiras, rezando à Virgem para que os protegesse das bombas e dos estilhaços.

"Ó Manápulas", interpelou Matias. "Passa-me aí um xagrego."

Vicente foi ao bolso do casaco, sacou uma caixa de cigarros franceses, os *Gauloises Bleues*, e ofereceu um a Matias.

"Queres lume?", perguntou Baltazar Velho, o veterano do grupo.

"Sim."

"Então espera que a artilharia abra fogo", devolveu o serrano com uma gargalhada boçal.

Matias abanou a cabeça, paternalista.

"És mesmo ribaldeiro."

Baltazar tossia e ria-se ao mesmo tempo, divertido com a graçola e sentindo os efeitos da sua tuberculose emergente. Abel Lingrinhas acendeu um fósforo e Matias colou-lhe a ponta do cigarro, aspirando com força.

"Qu'horas são?", quis saber Vicente.

Matias consultou o relógio.

"Falta um minuto."

Ficaram calados, receando a aproximação da trovoada.

"Será que vão mesmo dar bacalhau p'ró jantar?", interrogou-se Vicente, quebrando o silêncio tenso.

"Fui à cantina e o Matos confirmou", disse Matias. "Bacalhau com batatas e azeite. E vai haver vinho."

"Aposto qu'é patreia", resmungou Vicente, desconfiado da qualidade do tinto. "E p'rá sobremesa?"

"Arroz doce."

"Não há rabanadas?", perguntou Abel, coçando a cabeça piolhosa. "Cá para mim, Natal sem rabanadas não é Natal."

"Porra, Lingrinhas, andas mesmo exigente", cortou Baltazar, já recuperado do ataque de riso e de tosse. "Daqui a um bocadinho vais exigir cama com lençóis lavados, almofadas e pijama. E, se estiveres agarrado a uma sansardoninha com um valente par de catrinas e um surrasco peludo, ainda melhor."

Um violento rugido interrompeu abruptamente a conversa. O ar estoirou e abanou, agitando-se em vagas sucessivas, medonhas, e a terra pôs-se a tremer sob o impacto das deflagrações.

"Começou", gritou Vicente, mais para si do que para os outros.

As detonações vinham de trás, seguindo-se um zumbido a sobrevoar as linhas e explosões a sucederem-se do lado alemão. As baterias portuguesas encontravam-se disseminadas pela linha das aldeias, lá para a retaguarda, e disparavam furiosamente sobre as posições inimigas. Eram peças de 75, de tiro tenso, e obuses de 4,5 polegadas, com fogo mais alongado. Cada canhão descarregava quatro tiros por minuto nos primeiros dez minutos, o que provocava um caos assustador.

"Vocês já viram esta merda?", perguntou Baltazar por entre o rugido da artilharia portuguesa. "Que falta de categoria, bombardear desta maneira o inimigo na consoada. O que é que os boches vão pensar?"

"É", concordou Matias Grande. "Não é nada católico. Vão julgar que somos uns selvagens."

"Isto é mesmo um golpe baixo."

"Bombardear os boches na véspera de Natal vai dar azar", vaticinou Vicente, impressionado com o canhoneio.

"Cala-te, Manápulas."

"Esperem p'ra ver", repetiu Vicente, erguendo o indicador como quem faz um aviso. "Isto vai dar azar."

Ao fim de dez minutos, o bombardeamento diminuiu de intensidade. De quatro tiros por minuto, a artilharia portuguesa passou a dois tiros por minuto. A trovoada permaneceu violenta, mas notava-se que se tornara agora um tudo menos cerrada. Quando se esgotou meia hora, o batimento foi abruptamente suspenso.

O silêncio voltou às trincheiras e os lãzudos permaneceram encostados às paredes de lama, os sons das baterias ainda a ressoarem nos tímpanos, todos a aguardarem nervosamente a resposta dos alemães.

"Eles devem estar todos nicados", sussurrou Baltazar, receando que falar alto fosse a gota de água que fizesse transbordar o copo da paciência do inimigo. "Isto vai escacholar, vão ver."

Continuaram a aguardar, mas nada, os alemães não se mexeram, nem um tiro. Nada. Aguardaram e esperaram, mas apenas o silêncio respondeu.

"Manducaram e calaram", comentou por fim Vicente, no íntimo não acreditando que isso fosse mesmo verdade; era talvez um desejo, uma súplica, uma esperança.

Ao cabo de quinze minutos, contudo, começaram finalmente a acreditar que não haveria retaliação imediata e descontraíram-se um pouco, fumando cigarros em catadupa. Inesperadamente, Baltazar lançou um grito de alarme.

"Atenção, gás!"

Os companheiros deram um pulo e olharam com ansiedade em redor, assustados, procurando em vão a receada nuvem colorida enquanto as mãos buscavam freneticamente as máscaras.

"Gás? Onde?"

Baltazar fez pressão com a barriga e, com aparatoso ruído, libertou a flatulência retida nos intestinos.

"Gás feijão", exclamou o Velho antes de se perder em novas gargalhadas. "Categoria, categoria."

Os homens entreolharam-se, agastados, e voltaram a sentar-se. Matias suspirou e ficou a abanar a cabeça, um sorriso condescendente desenhado nos lábios.

"Ribaldeiro."

Instantes depois, o sargento Rosa apareceu no local e sentou-se de cócoras junto aos homens. Vinha ofegante, o receio da retaliação alemã forçava-o a correr curvado, o que era cansativo. Aproveitou a pausa na ronda para recuperar o fôlego.

"Então?", arfou. "Novidades?"

"Os boches estão quietos, meu sargento", informou Matias.

"Já reparei."

"Por que razão há tão poucos homens nossos aqui nas trinchas, meu sargento?"

"A brigada deu ordem para espalhar a malta pelos campos, lá atrás, na linha das aldeias, por causa da retaliação dos boches."

"Então e nós?"

"Alguém tinha de ficar nas trinchas, não é? Coube-vos a vocês e a mais uns quantos."

"É sempr'a mesma porra", resmungou Vicente Manápulas. "Os maiorais decidem distribuir castanhas pelo Natal e a malt'é que se nica c'o troco. Puta qu'os pariu!"

"Não vale a pena mandares vir porque os boches, pelos vistos, não escacholaram", admoestou-o o sargento Rosa.

"Por enquanto, meu sargento, por enquanto", insistiu Vicente. "Espere pela volta do correio."

"Mas que ave mais agoirenta!", comentou Matias reprovadoramente, o cabo sabia que os presságios do Manápulas tinham um efeito negativo no pelotão.

"Quando é que servem o bacalhau?", perguntou Baltazar, igualmente preocupado com o efeito dos maus agoiros de Vicente e decidido a aligeirar a conversa e levá-la para outros rumos. Como tinha sempre a cabeça no rancho, para mais com a ementa especial de Natal a aguçar-lhe o apetite, achou que este era um magnífico tema para distrair o grupo. "Ouvi dizer que esta noite, para a consoada, era coisa de categoria e eu já estou cá com uma larica..."

"Não vai haver bacalhau para ninguém", atalhou o sargento secamente.

"Como?", admirou-se Matias. "Mas o Matos disse-me..."

"O rancho na cantina foi suspenso."

"O quê?"

"Desculpem lá, malta, mas são ordens superiores", explicou Rosa, embaraçado por ser portador daquelas notícias. "Eles querem toda a gente a postos durante a noite, a borrasca vai continuar."

"Oh, não!", protestou Baltazar. "Mas que merda essa."

"Lamento, mas, como eu disse, são ordens. Vão ter de se contentar com o *corned-beef*."

"Eu quero qu'o corno-bife vá p'rá puta qu'o pariu!", rugiu Vicente, furioso e inconformado, aplicando um intempestivo pontapé num saco de areia e mais um chorrilho de palavrões. "Aposto com quem quiser qu'a merda do bacalhau vai parar à mesa dos oficiais!"

Ninguém quis apostar; era evidente para todos que o bacalhau seria destinado aos cachapins da retaguarda.

"Mas que borrasca é essa de que falou, meu sargento?", perguntou Matias, atento às anteriores palavras de Rosa.

"Vai haver novo bombardeamento às sete da noite."

"Outra vez?"

"Outra vez", confirmou o sargento, erguendo-se para prosseguir a ronda, não queria ficar ali a aguentar com os protestos. Deu um passo para se ir embora, hesitou, olhou para trás e esboçou um tímido sorriso. "Feliz Natal, pessoal."

IX

A manhã prolongava-se, agradável e modorrenta, no tranquilo quartel-general do CEP, em Saint-Venant. Agnès olhou melancolicamente pela janela da mansão, admirando os enormes ulmeiros que se erguiam como torres no jardim, o chilrear amoroso dos pardais a encher de melodia aquele bucólico quadro. Com os olhos pensativamente perdidos na verdura, a francesa achou estranho estar ali, no centro de comando de uma das forças envolvidas naquela guerra terrível, e ver-se rodeada por tal paisagem paradisíaca. Como era possível que os homens que mandavam outros para a frente de batalha vivessem num ambiente tão pacífico, tão recatado, tão escondido dos horrores resultantes das ordens que dali emitiam? Agnès suspirou, arquivou numa enorme pasta a carta que tinha na mão e encetou um novo envelope.

Sentiu a porta a abrir-se à esquerda e voltou a cabeça. Era o tenente Trindade que entrava na sala de dactilografia, momentaneamente deserta, ou quase, e ia ter com ela.

"Quer um chá?", perguntou o oficial português.

"Não, obrigada."

"Nem um café?"

"Não, não quero nada, obrigada. Estou bem."

O tenente hesitou, olhou em redor; não estava lá mais ninguém, o resto do pessoal tinha ido almoçar e as máquinas de escrever encontravam-se mergulhadas no silêncio.

"Tem a certeza de que não quer ir esta noite dançar um *fox- -trot* comigo?"

"Agradeço-lhe de novo o amável convite, mas não pode ser."

"Ia-se divertir..."

"Tenho a certeza, senhor tenente, mas infelizmente não posso."

"Oh, não me chame senhor tenente, imploro-lhe. Já lhe pedi tantas vezes que me tratasse por Cesário. Vá lá, seja simpática. Cesário."

"Peço desculpa, tentarei lembrar-me."

Agnès sentia-se já cansada de todas as atenções com que o tenente Trindade a brindava desde que, havia quase uma semana, começara a trabalhar no quartel-general. Ir para Saint-Venant tinha sido uma ideia de Afonso, agora que saíra de casa ela precisava de trabalho e o centro de comando do CEP era uma alternativa interessante. Tratava-se de um lugar tranquilo, não era por acaso que os soldados conheciam o quartel-general como Grande Canja. O amante tinha-a apresentado ao seu amigo Trindade Ranhoso logo na manhã em que se reconciliaram e a coisa ficou resolvida; havia necessidade de uma pessoa que fizesse o atendimento aos cidadãos franceses que contactavam o CEP por isto ou por aquilo, e Agnès acabou por preencher a vaga. O problema é que Afonso foi de imediato enviado para as trincheiras e o seu amigo tenente mostrava pela bela recém-chegada uma inusitada atenção. Tornara-se crescentemente claro que Trindade não lhe manifestava toda aquela gentileza por mero sentido de dever para com Afonso, havia antes um evidente e indisfarçável interesse do rapaz. O tenente passara os últimos dias a visitar a sala de dactilografia, sempre com pretextos para conversa, e das falas galantes passara agora aos convites melosos.

"Nem quer ir ao cinematógrafo comigo?", insistiu ele, após uma pausa embaraçada.

"Seria fantástico, mas não posso."

"Não sabe o que perde. Vão mostrar um filme de Max Linder que é de rir até às lágrimas e depois a *Joana d'Arc* com a Geraldine Farrar."

"Prefiro a Sarah Bernhardt."

"Também gosto. Mas olhe que a Farrar tem uma belíssima voz, dizem que na ópera é magnífica."

"Não interessa que ela tenha uma grande voz", riu-se Agnès. "O filme é mudo."

"Com efeito", reconheceu Trindade, um rubor a subir-lhe à cara. "Mas venha, vai gostar."

"Obrigada, mas não posso."

"Mas porquê? Tem alguma coisa assim de tão importante para fazer?"

"*Alphonse* chega esta noite."

O tenente Trindade Ranhoso sentiu o golpe, forçou um sorriso, murmurou uma desculpa imperceptível e, irritado, deu meia volta e saiu da sala de dactilografia. Divertida com esta reacção, Agnès riu-se baixinho e regressou ao envelope que abrira havia alguns minutos. Era um agricultor de Lestrem a protestar porque os soldados lhe haviam roubado todas as maçãs que tinha amontoado numa carroça junto ao mercado e exigia agora uma compensação. A francesa tomou nota da queixa num formulário próprio e endereçou o assunto ao major Ezequiel, o encarregado das questões entre o CEP e os civis. Agnès sorriu ao pensar nos francos que teriam de ser desembolsados para pagar por estes furtos. Pelo volume de queixas que recebia, verificou que o roubo de comida era comum entre os soldados, em especial batatas e nabos. Mas muitos furtavam também roupa interior, como camisolas, ceroulas e meias, sobretudo de lã, e ainda luvas, coletes, impermeáveis, botas de borracha, tudo o que os pudesse proteger do frio e da lama.

Quando Agnès se preparava para abrir o envelope seguinte, o tenente Trindade espreitou pela porta e interrompeu-a.

"*M'dame*", chamou.

"Sim?"

"Está ali uma senhora para si."

"Para mim?"

"Quer dizer, não é bem para si", atrapalhou-se o oficial. "É uma civil e acho que é melhor ser você a falar com ela."

Agnès levantou-se, intrigada, e seguiu Trindade até à porta de entrada da mansão. Um soldado tapava o acesso, e do lado de fora vinham uns gritos histéricos em francês, era uma rapariga claramente perturbada. Agnès aproximou-se, o soldado deixou-a passar e ela deu com a rapariga lavada em lágrimas.

"O que se passa, *mademoiselle?*"

Vendo uma francesa à frente, a rapariga acalmou-se ligeiramente, embora tremesse de nervosismo.

"Vou-me matar, *m'dame.*"

"Disparate. Venha daí e conte-me o que tem."

Agnès agarrou a rapariga pelos ombros e levou-a para a sala de dactilografia. Trindade, desconfortável com a situação, optou por ficar para trás, detestava cenas de choradeira feminina.

"Então conte lá como se chama e o que a apoquenta", disse--lhe Agnès quando a rapariga se instalou numa das várias cadeiras vazias da sala.

"Chamo-me Germaine e trabalho no LG3, a papelaria da *madame* Faës."

Pausa.

"E o que se passa?"

"Vou ter um filho."

"Ah bom", percebeu Agnès. "Tem a certeza?"

"Sim, foi o que o doutor Roche me disse."

"E o pai é um soldado português."

"Sim", assentiu, baixando a cabeça.

"E onde está ele?"

"Não sei, desapareceu." Germaine agarrou a mão de Agnès com força desesperada. "Tem de me ajudar a encontrá-lo, *m'dame*. Tenho de casar com ele. Se não me casar, o meu pai mata-me. Eu própria me mato."

"Tenha calma. Quem é ele?"

"Chama-se Carlos."

Agnès levantou-se, foi à porta e espreitou.

"Senhor tenente, por favor. O senhor..."

"Cesário, por favor. Chame-me Cesário."

"Perdão. Cesário. O senhor conhece algum soldado chamado Carlos?"

"Carlos quê?"

Agnès olhou para trás e repetiu a pergunta a Germaine, que abanou a cabeça; não conhecia outro nome, apenas aquele. A baronesa voltou a encarar o tenente Trindade.

"Só Carlos."

"Há milhares de Carlos no CEP, *m'dame*. Sabe ao menos a que batalhão pertence esse Carlos?"

Germaine não sabia. Agnès agradeceu ao tenente e voltou para junto da rapariga, explicando-lhe que, sem qualquer identificação mais precisa, seria impossível localizar o rapaz, Carlos era tão comum entre os portugueses como Charles entre os franceses. Germaine tapou o rosto com as mãos e chorou desconsolada-mente. Agnès tentou animá-la e para a convencer de que algo seria feito tomou nota da ocorrência, endereçando-a ao major Ezequiel. Dez minutos depois acompanhou Germaine à porta e viu-a partir, abatida, desesperada, entregue ao seu destino.

"Isto é muito comum", comentou negligentemente o tenente Trindade, encostado à porta a acabar um cigarro. "Ainda na semana passada tivemos aqui uma velha corcunda, avó de uma outra rapariga, a insultar-nos a todos." Largou uma baforada de fumo. "Que bruxa, irra!"

Agnès ouviu-o em silêncio, simulou um sorriso ténue e retirou-se. Voltou à sua secretária, mas já não foi capaz de prosseguir o trabalho. Sentia-se cansada e deprimida e desejou ardentemente o reencontro com Afonso, que mais logo, se Deus quisesse, viria das trincheiras.

A Brigada do Minho abandonou as primeiras linhas na noite de 28 de Dezembro, substituída pela 2.ª Brigada da 1.ª Divisão.

Infantaria 8 recebeu ordem de marcha e partiu de Ferme du Bois II, ao abrigo da escuridão, até Upton Road, virou à direita na Queen's Mary Road, passou por Senechal Farm, em Lacouture, cruzou o canal La Lawe até Vieille Chapelle, atingiu a linha férrea em Zelobes e estacionou em Paradis South, em plena linha das aldeias. Depois de acompanhar os homens até às suas posições de descanso, Afonso foi à brigada levantar a licença que lhe tinha sido prometida por Trindade. Com o documento na mão, seguiu, muito fatigado, para o Hôtel Métropole, em Merville.

Agnès estava havia duas horas sentada no sofá da recepção à sua espera, ansiosa e nervosa, com o coração nas mãos e muitos medos a corroerem-lhe a alma. Teria corrido tudo bem? Estaria ele são e salvo? E se aconteceu algo nesta última semana e ninguém disse nada? Trincou as peles das unhas e sentiu o estômago doer-lhe; a ansiedade que a consumia contrastava com o seu aspecto sofisticado. A francesa embelezara-se com primor para o receber condignamente, mostrava-se exuberante num vestido malva de *mousseline de soie* e perfumada, como sempre, com os deliciosos aromas de *L'heure bleue*. Quando por fim o viu entrar no *foyer* do hotel, enlameado e de olhar vidrado e fatigado, grandes olheiras escuras a ensombrarem-lhe o rosto sujo, saltou-lhe para os braços, feliz e aliviada, ele voltara vivo e isso era tudo o que interessava. O abraço foi intenso, mas o cheiro nauseabundo exalado pelo capitão levou-a a abreviar a expansividade.

"Estou esfaimado", confessou-lhe o capitão ao ouvido, sentindo-se fraco.

"Sim", sorriu Agnès, fazendo uma careta por causa do odor fedorento que ele libertava. "Mas primeiro um banho."

Afonso resistiu, queria comer. A francesa ordenou um jantar aos empregados e aproveitou para lhes pedir que primeiro aquecessem água. Uma vez esta entregue no quarto dentro de um grande jarro, ela própria despiu o português e o meteu na banheira, sentando-o na longa bacia em ferro fundido assente em pés com forma de garra, despejou-lhe a água quente sobre o corpo e esfregou-o com sabão de mel, incluindo na zona genital, o que o despertou do torpor da fadiga, provocando-lhe uma erecção e fazendo-o lançar-lhe um olhar malicioso.

"Agora não", disse Agnès com um sorriso que era, na verdade, uma promessa, quem diz "agora não" deixa subentendido que "depois sim", o brando *pas maintenant* da francesa continha o gérmen de um ardente *oui*.

Foi nessa mesma noite que, pela primeira vez, Agnès teve a verdadeira noção de que os homens, ao regressarem das primeiras linhas, vêm uns autênticos animais. Quando saiu do banho, Afonso agarrou-se a ela, ainda molhado de água, mas o som de alguém a bater na porta obrigou-o a travar o comboio em marcha, o que não foi fácil. Agnès foi à porta e uma empregada entregou-lhe um tabuleiro com o jantar e ficou com a farda imunda do capitão, mais as cuecas e as meias, para lavar, e as botas para engraxar. A refeição era um *cassoulet* de cordeiro que Afonso, sentado na cama, devorou sofregamente com a ajuda de um *pain de campagne,* enchendo o pão com as salsichas, o feijão e a carne do *cassoulet* e regando abundantemente a refeição com um *vin ordinaire,* um tinto seco satisfatoriamente saboroso. Agnès encontrava-se impressionada com a voracidade com que o português atacava o prato, parecia que não comia havia alguns dias. Enquanto engolia o *cassoulet,* Afonso não conversava e apenas emitia uns grunhidos de apreciação. Arrotou no final, enfartado, pôs o tabuleiro no chão e, tremendo de antecipação, arrancou apressadamente o vestido de *mousseline* de Agnès e penetrou-a sem demora, com abandono, com urgência, ela por baixo ainda mal lubrificada, ele logo a urrar, depressa o seu corpo acalmou, veio o silêncio, ela deixou-se ficar durante alguns segundos, sentiu a respiração do homem tornar-se profunda, ouviu um ronco, admirou-se, seria o que ela estava a pensar? Puxou-lhe a cabeça e constatou, decepcionada e já sem surpresa, que ele dormia como uma pedra.

Afonso esteve quinze horas mergulhado num sono profundo. Agnès passou toda a manhã só, vendo-o ressonar pesadamente. Por vezes ele agitava-se, conturbado. Falava sozinho e chegou a dar um grito. Nessas alturas a francesa aconchegava-o e beijava-o, sussurrava-lhe *"tout va bien, tout va bien"* enquanto lhe passava os dedos pelo cabelo castanho e acalmava o sono agitado. Agnès encomendou o almoço e comeu junto à janela, determinada a não perturbar o descanso do soldado. Não havia dúvida de que ele tinha vindo exausto, *le pauvre petit.*

O capitão só acordou a meio da tarde, os olhos inchados de sono e sujos de ramela preta, era a poeira das trincheiras que as pálpebras expulsavam. Foi lavar a cara e atirou-se ao que restava do almoço, um *canard à l'orange* servido com arroz, nada ralado com o facto de o prato estar frio, a isso já ele se habituara havia muito. Com ar descansado, mostrou-se bem mais falador do que na véspera, fazendo perguntas sobre o que se tinha passado durante a semana.

"Esse Natal?"

"Senti-me só, fizeste-me falta", lamentou-se Agnès. "E o teu?"

"Nem quero falar nisso", indicou Afonso, com um gesto nervoso. "Bombardeámos os boches na véspera de Natal e eles responderam à granada e com tiros de morteiro no dia 25. Morreram três homens e houve uma dezena de feridos."

"Lamento", balbuciou a francesa, afagando-lhe o cabelo.

"C'est la guerre", comentou o capitão, com um resignado encolher de ombros enquanto engolia mais um pedaço do seu suculento *canard.*

"Sabes que tiveste um sono muito agitado?"

"Eu?"

"Sim, tu. Lembras-te do que sonhaste?"

"Não", disse ele, trincando o pato. "Não me lembro."

"Foi com a guerra?"

"Não me lembro."

"Costumas sonhar com a guerra?"

Afonso suspirou.

"Sim, isso costumo. Tenho muitos pesadelos."

"Que tipo de pesadelos?"

"Sei lá, sonho com a morte de soldados que conheço, sonho que fico mutilado, sem pernas e sem braços, sonho que me mandam avançar pela terra-de-ninguém e não consigo correr, as pernas pesam-me como chumbo, sonho que vou matar um boche e descubro que ele é o meu pai. É esse tipo de sonhos."

"Hum", murmurou Agnès, pensativa. "Todos os teus sonhos estão relacionados com a guerra?"

"Sim, creio que sim."

"Todos?"

"Todos."

"Tens de ter cuidado", aconselhou-o. "Esses pesadelos concentrados num único tema indiciam que estás num processo de desenvolver um trauma emocional. Isso pode ter consequências a prazo."

"Olha lá, estás a fazer-me uma consulta de psicanálise, é?"

"Não, *Alphonse*. Estou a ajudar-te."

Afonso beijou-a.

"És amorosa", sorriu. "Mas não há nada que eu possa fazer, não posso chegar ao pé do major Montalvão, o meu comandante, e dizer-lhe: ó major, tire-me lá da guerra que eu já ando a ter pesadelos. Isso não é possível."

"Mas tens de ter cuidado contigo, ouviste? Percebo que não possas impedir-te de estar na guerra, é evidente que isso não depende de ti, mas deves saber gerir as tuas emoções. Por exemplo, o processo de pôr em palavras os sentimentos dolorosos contribui para diminuir o sofrimento psíquico. Além do mais, é importante que compreendas o significado dos teus sonhos, dos teus sentimentos e dos teus pensamentos, isso ajuda-te a resolver esses traumas que estás a desenvolver."

"Sim, senhora doutora", retorquiu, fazendo continência.

"Oh, lá estás tu na brincadeira, não se pode falar a sério contigo."

"Pronto, pronto", disse, conciliador. "Não te preocupes, meu amor, lembra-te de que eu agora trabalho sobretudo na área administrativa."

Agnès franziu o sobrolho.

"Olha lá, *mon mignon,* existe mesmo trabalho administrativo nas primeiras linhas?"

"Então não existe? Há imensa papelada de relatórios, abastecimentos, logística, é um inferno de burocracia." Afonso mexeu-se na cama, novamente desconfortável por estar a mentir sobre as suas funções nas trincheiras, e decidiu afastar-se daquele tema o mais depressa possível. "A propósito de burocracia, como é que te deste no quartel-general de Saint-Venant?"

"Assim assim."

"O Trindade Ranhoso tratou-te bem?"

"Não me queixo", devolveu ela, decidida a não relatar os avanços do tenente em relação a si, não queria ser fonte de atritos entre homens. "Mas acho que vou tentar outra coisa, penso que posso ser mais útil noutro sítio."

"Ah é?", surpreendeu-se Afonso, as palavras abafadas. Tinha a boca cheia porque estava a trincar um pedaço de peito de pato. "Onde?"

"Tenho andado a pensar que é minha obrigação aplicar os conhecimentos que adquiri em medicina."

"Mas tu não completaste o curso."

"Eu sei, mas mesmo assim posso ser útil. Como enfermeira, por exemplo."

"Ah bom. Já me esquecia de que querias ser a Florence Nightingale."

"Desde pequena", assentiu ela. "Além do mais, ficar aqui no hotel é demasiado caro, tenho de encontrar um sítio mais em conta."

"Queres que eu veja se há vagas em algum hospital?"

"Não sejas tonto, *mon petit mignon,* claro que há vagas. Estamos numa guerra, não te esqueças, há sempre falta de gente."

"Tens razão", reconheceu Afonso, pensativo, chupando os dentes para extrair um pedaço de carne. "Vou ver o que pode ser mais interessante para ti. Temos os hospitais de sangue, os depósitos de convalescentes, os hospitais da base..."

"Sim, é uma hipótese. Ou posso ir para um hospital francês, ou mesmo para um inglês."

"Podes, embora num português ficássemos mais perto um do outro."

"Sim, mas acho que os portugueses se dão a demasiadas liberdades com as mulheres."

"Por que é que dizes isso?", perguntou Afonso, suspendendo a garfada seguinte no ar e fixando-a nos olhos, inquisitivo. "Tiveste algum problema?"

"Não", mentiu ela. "Mas ouvi algumas histórias que não me agradaram."

"Pois", riu-se o capitão, retomando o interesse no *canard* e engolindo o conteúdo do garfo suspenso. "Nós, os portugueses, somos assim, meu amor. Uns garanhões."

Para provar o que dizia, e alegando que era seu dever patriótico de oficial cimentar a fama dos machos portugueses junto da comunidade feminina francesa no campo de batalha do amor, Afonso engoliu apressadamente o que restava do almoço, arrumou o tabuleiro e estendeu-se na cama com a amante. Começou a explorar Agnès com os lábios, com a língua, com os dedos, muito devagar, contornando-lhe as curvas macias, procurando-lhe os pontos erógenos, excitando-a, lubrificando-a. Arrancou-lhe a roupa com suavidade, peça a peça, as mãos e a boca sempre a explorá-la, foi lento e metódico até entrar dentro dela, depois ganharam velocidade, os dois juntando-se como corpos em fogo, navegando um no outro em vagas turbulentas de paixão, as águas a agitarem-se com fragor, revoltas, imparáveis, até que a tempestade atingiu o auge da fúria e logo amainou, e a francesa, abandonada por entre os lençóis num torpor inebriante de sentimentos e sensações, se declarou satisfeita, tão satisfeita quanto na véspera ficara frustrada. Dormitaram durante alguns minutos, acabando por despertar com vagarosa lentidão da suave letargia em que tinham mergulhado.

"Vamos a Paris?", perguntou-lhe ele finalmente, num murmúrio, quebrando o doce silêncio que pairava sobre os corpos saciados.

"A Paris?", soprou Agnès, os olhos cerrados em plácida modorra. "Mas não tens de te apresentar na brigada?"

"Não te lembras de que consegui cinco dias de licença?", sorriu Afonso com preguiçoso vagar. "Vamos a Paris."

Ela abriu os olhos, subitamente muito desperta.

"Mas isso é fantástico", exclamou com entusiasmo e excitação, apoiando-se nos cotovelos. "E quando começa a licença?"

"Já começou."

"Já começou? Então vamos embora", decidiu Agnès, levantando-se da cama com um salto vigoroso. "Vamos, seu preguiçoso, fora da cama, vamos embora."

Ele ergueu a cabeça, atarantado.

"Agora?"

"Sim, agora. Tens cinco dias de licença e mais de metade de um já passou."

"Mas..."

"Não há mas nem meio mas. Daqui a três horas passa um comboio para Paris e vamos apanhá-lo. Anda, despacha-te. *Vite, vite.*"

Afonso fez um esforço e arrastou-se com indolência para fora da cama, quase contrariado. Foi barbear-se e pôr a farda lavada, entregue essa manhã pelos serviços de limpeza do hotel, enquanto Agnès escolhia para vestir a imitação de um *Poiret,* uma elegante túnica negra em estilo quimono com bainha armada, a cintura alta apertada por um lenço de seda rosa e um turbante preto na cabeça. Afonso olhou-a do quarto de banho como quem olha para uma princesa, inatingivelmente bela e insuportavelmente distante, mas ela piscou-lhe o olho verde, brincalhona, e logo a distância se quebrou, o capitão sentindo-se infinitamente afortunado por ser amado pela mulher mais atraente e meiga que alguma vez conhecera.

"Isso que te brilha aí na cara não são olhos", disse-lhe, embevecido. "São esmeraldas."

O tempo escasseava e tiveram de se apressar. Ele calçou as botas, engraxadas com impecável meticulosidade, e ajudou-a a fazer as malas. Meia hora depois abandonaram o quarto. Afonso pagou a conta e o gerente comprometeu-se a guardar o malão maior até ao regresso da senhora, daí a alguns dias. Apanharam um táxi e, com apenas uma mala a servir de bagagem, seguiram para a estação de Aire-sur-la-Lys a tempo do comboio para Paris.

Chegaram essa noite à grande cidade e um táxi levou-os até Les Halles, onde Agnès conhecia um simpático hotel, localizado na Place Sainte-Opportune. O *Citroën* parisiense entrou no largo e imobilizou-se junto ao passeio, Afonso ajudou Agnès a sair do automóvel, pagou ao *chauffeur* e admirou a praça num longo relance, era um sítio pequeno e tranquilo.

Num canto, quase escondido, erguia-se o Hôtel de Savoie, um edifício estreito de cinco andares, ao lado uma loja a anunciar *Vins Liqueurs*, com uma carroça estacionada à porta, por cima o Hôtel de Venise, apertado e envelhecido, um cartaz a informar que aquele era um *Hôtel meublé*. O esguio prédio deste hotel encontrava-se encaixado entre o Hôtel de Savoie e um edifício coberto de cartazes publicitários, todos colados de cima a baixo da longa parede caiada. Afonso fez um esforço para ler os anúncios; um fazia propaganda a uma tal de *Moussoline des Alpes*, outro anunciava novidades nas Galeries Lafayette, um terceiro fazia publicidade aos sensacionais salões de fotografia Dufayel. O capitão pegou na mala e a sua atenção regressou ao Savoie e ao Venise.

"Qual é o nosso?", perguntou, os olhos fixos nos hotéis colados um ao outro.

"É o Savoie."

"Parece-me bem", aprovou Afonso, que já decidira ser este o que tinha melhor aspecto.

O quarto do Savoie, no terceiro andar, era dominado por uma imponente cama *Nenúfar*, feita essencialmente de mogno e com remates em bronze folheado a ouro. Imagens florais inspiravam os engastes e a madeira escura alongava-se nas vigorosas curvas típicas do formato esparguete que caracterizava a *art nouveau*.

Os recém-chegados comeram uma simples *baguette* com queijo e presunto e beberam um copo de leite antes de mergulharem na esplêndida cama do hotel e se amarem sucessivamente com tal intensidade e desprendimento que, no final da terceira vez, Agnès se interrogou em voz alta, languidamente estendida sobre os lençóis, já exausta, mas saciada e por entre gargalhadas, se não estaria a transformar-se numa debochada.

Paris foi uma descoberta para Afonso. Agnès levou-o aos locais da sua juventude, a universidade, o apartamento de estudante na Rue de Montfaucon, o Champ-de-Mars e a Torre Eiffel, a Brasserie Lipp, onde conhecera Serge, e os cafés Le Procope, Stohrer e Tortini, onde estudara horas a fio, mais todo o bairro de Saint-Germain-des-Prés e os elegantes edifícios da Sorbonne, numa emocionante viagem ao seu passado estudantil. O curioso é que ela é que conhecia Paris, mas, apesar disso, perdia-se com frequência, e era ele quem acabava por se orientar nas ruas da cidade. Porém, quando também Afonso se perdia, o que era raro, recusava-se teimosamente a pedir indicações a quem quer que fosse, insistindo em que encontraria o caminho por si mesmo.

Foi, aliás, depois de uma dessas teimosias que acabaram acidentalmente por passar pela galeria Kahnweiler, na Rue Vignon, onde Agnès tomara conhecimento do cubismo quando era estudante. A galeria estava fechada e um vizinho informou-a, com evidente satisfação, de que *herr* Kahnweiler se tinha exilado logo que a guerra começara.

"O boche meteu o rabo entre as pernas e foi-se embora, *le salaud*", exclamou o vizinho, um velho magro e ossudo. "Devia ter culpas no cartório e é certamente por isso que a loja está sequestrada pelas autoridades."

O encontro de Afonso com a grande arte não se produziu assim na singela galeria Kahnweiler, e tentaram então o imponente Museu do Louvre. Mas o enorme palácio encontrava-se igualmente encerrado, as obras de arte tinham sido retiradas para Toulouse logo que a guerra começara, para desgosto de Agnès, que não se conformava com a má sorte.

"É uma pena", lamentou-se, abanando a cabeça. "Queria tanto mostrar-te as grandes obras, a *Vénus de Milo,* o *Gladiador Borghèse,* o Código de Hammurabi."

"Deixa lá, fica para a próxima."

"O Código de Hammurabi é muito importante", insistiu ela. "Serge, que tirou Direito, explicou-me que o Código é a primeira tábua de leis conhecida, regulou a justiça da Babilónia há quase quatro mil anos. Ele foi precedido pelos Códigos de Ur e pelo Código do rei Ishtar, da Suméria e Acádia, mas é o de Hammurabi a única tábua de leis que sobreviveu intacta ao tempo. O Código estabelece umas trezentas leis e está redigido em caracteres cuneiformes cravados numa estela de diorite, uma espécie de pedra escura que foi trazida aqui para o Louvre. É um pouco como a pedra de Rosetta, dos egípcios, que se encontra em Londres. O Código de Hammurabi é algo realmente impressionante, único, extraordinário, é mesmo lamentável que não o possamos ver."

"O que eu queria mesmo era ter a *Gioconda* à frente."

"Oh, isso tem mais fama do que proveito", atalhou Agnès com uma careta de desprezo, decepcionada com a atenção desproporcionada que todos teimavam em dar à minúscula pintura de Da Vinci. "A *Gioconda* é uma coisa pequenininha, insignificante, ridícula até. Não se compara, em importância, ao Código de Hammurabi, acredita em mim. Mas, sabes, no meu tempo de estudante aconteceu uma coisa engraçada." Sorriu. "A *Gioconda* foi roubada. Foi um grande escândalo na época, com os jornais cheios de acusações de negligência e de incompetência. Demoraram dois anos a localizá-la. Tinha sido furtada por um italiano, que levou a pintura para Itália. Quando o quadro voltou para o Louvre, foi montado um enorme dispositivo policial para o proteger, até parecia que a *Gioconda* era a rainha de Inglaterra."

A vida nocturna de Paris revelou-se surpreendente, sobretudo porque permanecia tão activa em tempo de guerra. Passaram uma noite no Moulin Rouge e foram dar um pé-de-dança ao animado Moulin de la Galette. Afonso derreteu aqui uma parte significativa do seu pé-de-meia, mas não se importou, ganhava 478 francos por mês e raramente os gastava; as trincheiras faziam pouco apelo ao consumo, de modo que ao longo dos meses foi acumulando os salários. A verdade é que a experiência da guerra relativizara-lhe a importância do dinheiro, encarava agora todos aqueles francos como apenas um meio para viver o presente, saborear o momento, fruir a vida e esquecer tudo o resto.

Foi por isso que, na penúltima noite, a do *réveillon,* decidiu proporcionar a Agnès uma inesquecível festa de passagem do ano. Levou-a às Folies-Bergère, cuja cabeça de cartaz era um espectáculo com duas das grandes estrelas francesas do momento, a bela Mistinguett e o charmoso Maurice Chevalier.

"Chama-se Chevalier mas não é da família", esclareceu Agnès com uma gargalhada, durante o intervalo. "Nós somos Chevallier com dois eles, ele é Chevalier com apenas um ele."

A principal canção do espectáculo era *Pas pour moi,* que cantaram novamente quando soou a meia-noite. Brindaram a chegada de 1918 com *champagne* e fizeram juras de amor eterno num longo abraço de ano novo. Após o *réveillon,* e já terminado o espectáculo e a festa, Agnès saiu das Folies-Bergère agarrada ao braço de Afonso e a trautear a melodia popularizada por Mistinguett e Chevalier:

> *Y a des gens veinards*
> *Qui mang'nt des huîtr's et des z'homards*
> *Des pâtés d'foi'*
> *C'est pas pour moi.*

Paris permitiu-lhes conhecerem-se melhor. Deram longos passeios pelas margens do Sena, pelas Tulherias e pelos Champs-Elysées, sempre de mãos dadas e a desafiarem o frio, e no quarto do Savoie aprofundaram a sua intimidade e aprenderam as manhas de cada um, ela cheia de graça feminina, ele repleto de vigor masculino. Para Agnès, Afonso representava um tipo de companheiro que ia de encontro às suas necessidades. Era sensível, atencioso, compreensivo, preocupado com os pequenos pormenores.

Detalhe importante, revelou-se o único homem que ela conhecera que tinha paciência para a acompanhar nas compras, mostrou mesmo algum prazer quando Agnès o arrastou para as Galeries Lafayette e ali gastou uma tarde inteira.

"Porque não experimentas este?", perguntou-lhe ele, exibindo um vestido ostentado por um manequim.

Agnès observou o traje, era um vestido creme, longo e apertado nas ancas, com uma saia sobre a saia principal, uma espécie de túnica que ficava abaixo do joelho. Em vez das habituais golas altas, porém, tinha o pescoço aberto em V, pormenor que de imediato chamou a atenção da francesa.

"*Oh la la,* vais ser excomungado", comentou ela com um sorriso malicioso.

"Eu? Porquê?"

"Não te faças sonso, meu maroto", riu-se. "Então não vês que o vestido se abre à frente, por baixo do pescoço?"

Afonso observou com atenção.

"Ah, pois é!", exclamou. Olhou para ela. "Então é melhor não o comprares, é um bocado atrevido."

"Oh, isto para nós já não é nada de especial. Mas, há uns três anos, a Igreja denunciou estes vestidos por serem escandalosos e indecentes e até houve médicos que disseram que eles constituíam uma ameaça à saúde pública, vê lá tu."

"Pois, pois", assentiu Afonso. Virou-se imediatamente para outro vestido, mais conservador, procurando desinteressá-la do anterior. "Olha, este também é bonito."

Para além de a ajudar a escolher as roupas, os chapéus e os sapatos, dando opiniões e resistindo estoicamente às suas indecisões, Afonso chegou até a arrastá-la para outras áreas das galerias que nunca visitara com atenção. O português sentia-se fascinado com aquele gigantesco estabelecimento, nunca vira coisa igual. Aproveitou para adquirir novidades para si próprio, comprou produtos de uso corrente, como uma lata de *Crème Eclipse* para polir botas, o creme *Dianoir* para sapatos e um sabão de barbear *Erasmic*. Além disso, presenteou Agnès com o último grito da moda parisiense, o badalado *Chypre*, miraculoso perfume acabado de entrar no mercado e que levava milhares de francesas à loucura com os seus deliciosos aromas de bergamota, jasmim e musgo de cedro, combinados com um leve tom de feno libertado pela cumarina.

"Estás a insinuar que *L'heure bleue* não te agrada?", perguntou a francesa, mirando o delicado frasco de *Chypre*.

"O que é isso?"

"*L'heure bleue* é o meu perfume."

"Oh não, o teu perfume é fantástico", assegurou-lhe Afonso. Cheirou o frasco que ela segurava nas mãos e cerrou os olhos, deliciado com a fragrância. "Mas deves acompanhar a moda, *n'est-ce pas?*"

Foi fora das Galeries Lafayette, todavia, que Afonso efectuou as duas aquisições que o deixaram mais entusiasmado. Uma foi uma grande inovação importada do outro lado do Atlântico, a pasta de dentes *Colgate's Ribbon Dental Cream*, que os *doughboys*, como eram conhecidos os soldados americanos, tinham trazido para Paris. Como toda a gente, Afonso estava habituado ao pó para dentes que normalmente comprava em potes de faiança, e achou graça quando descobriu, num quiosque de Saint-Germain-des-Prés, a caixa vermelha de papelão a anunciar que o pó dos dentes vinha agora em creme, contido num tubo maleável, as instruções na caixa a mostrarem que bastava dobrar o tubo para a pasta ir saindo.

A outra compra que o empolgou foi a que fez numa pequena loja do Trocadéro. Iam os dois a passar em direcção à Torre Eiffel quando Afonso notou uma pequena máquina fotográfica exposta na montra do estabelecimento.

"Olha esta câmara", apontou. "Os bifes têm muitas iguais nas trincheiras."

Era uma *Vest Pocket Kodak*. Depois de a namorar com os olhos, Afonso entrou na loja e perguntou pelo preço.

"*C'est combien?*"

"São sessenta e cinco francos, *m'sieur*", disse o comerciante.

O vendedor mostrou-lhe como podia prender o estojo da máquina ao cinto, um pormenor de utilidade prática que fez a diferença na decisão de Afonso. Tirou a carteira, contou as notas e entregou-as ao homem. O resto da tarde foi passado em brincadeiras no Champ-de-Mars, ambos divertindo-se como garotos, rolando na relva, correndo por entre os arbustos, rindo e gritando, a minúscula máquina fotográfica a disparar *clichet* atrás de *clichet* para registar a felicidade do casal de namorados.

Nem tudo era perfeito, claro. Agnès agastava-se um pouco com a forma como o português punha tudo em pantanas, as roupas sempre desarrumadas no quarto de dormir, negligentemente amontoadas num canto, e o quarto de banho transformado num verdadeiro campo de batalha. Sempre que ia tomar banho, o capitão deixava a banheira repleta de pelos e o soalho inundado de água, era um verdadeiro selvagem. Cantava alto e desafinado na banheira, mas mantinha um desconcertante pudor sempre que ela entrava no quarto de banho. Cobria-se com uma toalha, envergonhado e tímido, o que a fazia rir.

"Olha lá, achas que nunca vi isso, é?", perguntou-lhe ela certa vez, provocando-o ao entrar no *cabinet de toilette* para ir buscar uma escova. Divertia-se por vê-lo com tantos pudores. "Ora mostra lá."

Um rubor embaraçado encheu-lhe a face.

"Oh, não sejas assim", resmungou Afonso, encolhido na toalha. "Despacha-te e deixa-me à vontade, vá."

"*Mon Dieu*, uma vez seminarista, sempre seminarista!", exclamou Agnès, rolando os olhos numa careta trocista. Pegou na escova, deu meia volta e dirigiu-se à porta para sair. "Quem te visse nunca diria que és um garanhão na cama." Riu-se e espreitou pela frincha antes de fechar a porta. "Até já, fornicador pudico!"

Noutros instantes era ele que a provocava. Evitava as vulgaridades, preferia floreados mais românticos, com um toque platónico e eloquente.

"Mon petit chou", disse-lhe numa ocasião, preparavam-se para sair. "És uma santa, és bela como uma flor de Primavera."

Era um piropo banal, um pouco fatela até, mas Agnès sentiu-se agradada.

"Tão querido", agradeceu com ar meigo, devolvendo-lhe o cumprimento nos termos que sabia serem irresistíveis para o ego de qualquer homem. "Pois tu, *mon mignon*, o teu maior atributo é essa potência incansável." Revirou os olhos e fez um ar *cocotte*. *"Oh la la."*

"Achas?", questionou ele com falsa modéstia, baixando momentaneamente os olhos, algo envergonhado.

"Ah oui!"

Sempre que ela o testava, perguntando, por exemplo, se tinha o rabo gordo ou os seios demasiado pequenos, coisas que sabia não serem verdadeiras, ele dava sempre a resposta certa e insistia em que Agnès era linda, perfeita, suprema, única.

Quando se aconchegavam na cama, depois de se saciarem no amor e antes de repousarem no sono, Afonso segredava-lhe palavras apaixonadas ao ouvido, enaltecia-lhe a beleza e a generosidade, soprava-lhe ternuras meigas e acariciava-a com um toque suave. Abraçados no quarto do Savoie e à sombra da noite, o capitão jurou-lhe que iria fugir das trincheiras só para lhe cantar uma serenata à chuva. Embalava-a num turturilhar de amor com promessas doces e sussurros melosos, dizia-lhe que a amava, que a adorava, que a idolatrava, que ela era a melhor coisa que lhe tinha acontecido, que iriam envelhecer juntos, que Agnès era uma deusa, a mulher dos seus sonhos. Ela era uma rosa, uma jóia, um raio de Sol, um aroma florido, uma ária sublime, uma brisa pura da Primavera. A francesa cerrava os olhos e bebia com avidez aquelas palavras encantadas que a faziam sentir-se tão especial, tão única, bebia-as até ficar tonta, até se sentir embriagada de amor e inebriada de paixão, até achar que, na verdade, Afonso não tinha comparação, era o melhor dos homens.

Mas a licença depressa se esgotou no fulgor daquele intenso e inesquecível passeio por Paris, e o momento do regresso aproximou-se, implacável, inexorável, como uma nuvem negra correndo com rápida e traiçoeira lentidão em direcção ao Sol, correndo até o ocultar e sobre os amantes lançar a sua sinistra e triste sombra, arrancando-os da sobressaltada felicidade em que viviam mergulhados e arrastando-os penosamente para o pesadelo da assustadora fornalha em que se transformara a Flandres. Agnès e Afonso apanharam o comboio de regresso a Aire-sur-la-Lys como escravos resignados ao seu amaldiçoado destino, a sombria nuvem solitária que os perseguia sempre a crescer, a alargar, a encher o horizonte, ameaçadora e sufocante, cinzenta e carregada, até se tornar, perto do indesejado destino, uma vasta e tenebrosa tempestade de guerra.

X

Afonso não deixava de se sentir surpreendido com a engenhosa capacidade de camuflagem da artilharia portuguesa. Os canhões escondiam-se em buracos espalhados pelos campos atrás do seu sector e a dissimulação era tão eficaz que havia já dois meses que o inimigo não conseguia detectar e atingir uma única peça do CEP. Infantaria 8 encontrava-se de apoio à linha das aldeias no sector de Laventie, por detrás de Fauquissart, e o capitão aproveitou a manhã tranquila para ir admirar um canhão *Schneider-Canet* de 7,5 centímetros que tinha sido ocultado perto do seu posto, atrás da Rue de Paradis. A peça de artilharia permanecia disfarçada dentro de um abrigo a que os soldados chamavam Elefante, um buraco protegido por chapas de ferro onduladas e espessas, de forma cilíndrica, ligadas por cantoneiras e tapadas por terra e vegetação, a boca do buraco parecendo um curto túnel que emergia do solo.

"Macacos me mordam se os boches conseguem topar esta bisarma", murmurou Afonso para si mesmo, contemplando com admiração aquele trabalho de perfeita camuflagem.

Sentiu passos à direita e viu Joaquim aproximar-se em corrida com uma folha de papel na mão esquerda, a *Lee-Enfield* a balouçar a tiracolo. O capitão fixou os olhos na folha e reconheceu o *Folhetim de Guerra*, um impresso que os alemães atiravam regularmente para as linhas portuguesas em tiro de morteiro e que caía do lado de cá em pacotes inseridos nos projécteis que a rapaziada apelidava de *ananazes*.

"Então, Joaquim?", saudou Afonso. "Trazes aí o *Diário de Notícias de Berlim?*"

"Sim, meu capitão", confirmou a ordenança, ofegante, estendendo o impresso. "Eles atiraram isto esta manhã."

"Vamos lá ver se é melhor do que o *almocreve das petas*", comentou o capitão com ironia, referindo-se à forma como era conhecido o boletim diário das operações emitido pelo CEP. Pegou na folha, o título *Folhetim de Guerra* bem visível no topo, em baixo todo o texto redigido em português. "Ora deixa cá ver isto."

Corria o dia 25 de Janeiro de 1918 e a folha assinalava a data de 30 de Dezembro. Era antiga, mas trazia novidades. O primeiro título anunciava sensacionalmente que havia uma "demobilização das tropas em Portugal" e que a excepção era apenas das "tropas portuguezas que se acham nos diversos theatros de guerra". O capitão estudou o estilo de escrita, o que fazia sempre que punha os olhos num exemplar daqueles, e reforçou a sua convicção de que o texto tinha sido redigido por alguém que vivera em Portugal. Ou era um português ou então tratava-se de um alemão que conhecia profundamente a língua portuguesa. O assunto era muito discutido entre os oficiais, divididos entre as duas hipóteses. Afonso achava que se tratava de um compatriota, provavelmente um prisioneiro de guerra, mas também podia ser um monárquico, era conhecida a simpatia que muitos monárquicos nutriam pela Alemanha. Sem chegar a grandes conclusões naquele instante, mas sempre atento aos detalhes que lhe pudessem dar indicações, o capitão passou à segunda notícia, a qual, sob o título de "Portugal e os Alliados", dava nota da existência de más relações entre o novo governo de Sidónio Paes e os executivos de Londres e Paris, indicando que "a Inglaterra se oppõe com todos os meios á tudo quanto o novo governo resolver". A suspeita de que o autor do texto era um monárquico português saiu enfraquecida da leitura de outro trecho desta mesma notícia, designadamente a referência à restauração da monarquia, projecto que, segundo a folha alemã, "nem os próprios monarchistas portuguezes apoiarião, sabendo, como consta, que o jovem rei Dom Manuel se acha completamente nas mãos dos Inglezes e avassallado por elles". Este ambíguo trecho indiciava que o autor do texto poderia não ser um monárquico. É certo que muitos monárquicos simpatizavam com os alemães e se mostravam críticos para com o rei no exílio, mas acusá-lo de ser um vassalo dos ingleses parecia ser forte de mais. Ora, se o autor do panfleto não era um monárquico, reflectiu Afonso, então só poderia tratar-se de um prisioneiro, certamente um oficial. Meditou um breve instante sobre o que levaria um militar a trair daquela forma o país e, percebendo que não tinha resposta porque não conhecia as circunstâncias em que o traidor se encontrava, voltou à folha. A terceira notícia, "um successo allemão na África", referia um combate em Moçambique entre forças alemãs e portuguesas, e a última informação do *Folhetim de Guerra* era a de que tinham sido presos em Lisboa dois antigos ministros portugueses da Guerra, o general Barreto e o coronel Pereira.

"E esta?", admirou-se Afonso, depois de soltar um longo assobio logo que leu os nomes. "O Pereira foi de cana. Sim senhor, isto está bonito."

O capitão deu meia volta e seguiu em direcção ao posto com o impresso na mão, havia ali suficiente informação para alimentar uma manhã de conversa com o Cenoura ou mesmo com Tim. Ninguém ignorava que aquilo era material de propaganda, mas o que é certo é que tais "notícias" tinham geralmente algum fundamento; o problema era analisar os textos e saber interpretá-los, procurar a verdade por detrás da retórica. Todos sabiam que existiam notícias que o CEP jamais deixava transpirar e que a melhor maneira de a elas ter acesso era através daqueles boletins de propaganda inimiga. Entre os militares prevalecia a convicção

de que a verdade se situava algures entre as duas versões, a dificuldade era localizá-la com exactidão na imensa distância que
separava ambas as propagandas.

Absorto nos seus pensamentos, o oficial nem deu pela chegada
do capitão Resende, o lisboeta-que-era-gordo-e-emagreceu, a
quem Afonso e Mascarenhas tinham oferecido dois meses antes
uma memorável recepção ao caloiro nas trincheiras.

"Ora viva, capitão Brandão", saudou Resende, muito sorridente, proveniente da direcção de Laventie.

"Hã? Ah, olá, capitão Resende", devolveu Afonso, como se
estivesse a despertar.

"Olá e adeus, digo eu."

"Ah sim? Então adeus, adeus."

"Ó homem, quando digo adeus é mesmo adeus. Vou-me embora."

"Ah é? Para onde? Vai a Paris?"

"Qual Paris, qual carapuça!", riu-se Resende, realmente bem-
-disposto. "Vou para Lisboa, caraças, vou para casa."

Afonso abrandou, admirado com tal revelação.

"Para casa? Como?"

"De comboio, como é que havia de ser? De comboio, porra."

"Mas o senhor acabou de chegar! A que propósito é que vai
para casa? Que eu saiba, a guerra ainda não acabou."

"Eu quero lá saber da guerra! Pode não ter acabado para si,
capitão Brandão, mas olhe que acabou para mim. Vou-me embora
e cago nesta merda toda!"

Afonso estacou, ainda indeciso quanto ao significado daquelas
palavras.

"Desculpe, capitão, mas não estou a entender. Quem é que
está a autorizar a sua partida?"

"O Sidónio, caraças, quem é que havia de ser?"

"O Sidónio Paes?"

"Sim, claro. Vou eu, vai o Almeida, o Cabral, o Carriço e mais
uma data de malta que se dava com o Sidónio. Vamos fazer umas
comissões em Lisboa, coisas importantes, embora não sejam de

natureza militar. De qualquer modo, já estava na hora de o país reconhecer o nosso valor."

Tudo se tornou claro para Afonso. Um rubor de irritação encheu-lhe o rosto, sobretudo ao ouvir o nome do capitão Cabral, aquele que em Tancos o tentou aliciar a juntar-se ao general Machado Santos para se revoltar contra os embarques para França. Juntamente com os outros oficiais sediciosos, Cabral foi detido e enviado à força para a Flandres e era agora premiado com um regresso antecipado a casa. Baixando a voz e cerrando as sobrancelhas, Afonso formulou a pergunta seguinte num tom acusatório.

"O senhor meteu uma cunha para sair daqui?"

"Ó capitão!", devolveu o outro com ar escandalizado, ofendido até. "Eu não fujo das minhas responsabilidades. Vossemecê não me conhece, mas eu sou um homem de bem, cumpridor dos meus deveres, fiel à pátria e à República. É com relutância, digo-lhe sinceramente, é com muita relutância que eu regresso a Portugal. Sabe, a verdade é que eu nunca quis ir, mas o Sidónio..." Fez um gesto vago, como se procurasse a palavra adequada. "Olhe, o Sidónio é um tipo formidável, um gajo às direitas, amigo do seu amigo. Ele mandou dizer que precisava de mim. Que ele precisava, não. Que a pátria precisava de mim. Ainda resisti, garanto-lhe, meu caro capitão Brandão, ainda resisti. Mas aquele manganão é tramado, tem um poder de persuasão que só visto, aquilo é uma força, um arrebatamento. De modo que, ai de mim!, deixei-me convencer. Parto de coração destroçado, vossemecê pode crer, pode crer, mas parto com o sentimento de dever cumprido. E, se a pátria precisa de mim em Lisboa, o que quer? Quem sou eu para dizer o contrário? De modo que, meu caro capitão Brandão, eu e mais alguns amigos lá recebemos guia de marcha e vamos agora regressar."

"E todos os oficiais que se vão embora consigo, como o capitão Cabral e os outros, estão também a responder a um apelo da pátria?"

"Sabe, eu quero crer que sim", disse o capitão Resende, assumindo uma postura de confidência. "Mas suspeito que haja alguns casos, esses sim, de cunha." Cerrou os olhos e fez um olhar entendido. "Cunha, digo-lhe eu."

Afonso ficou a analisá-lo, agastado. Estaria o homem a fazer pouco dele? Era evidente que sim, aquela conversa não era normal, a postura um tudo-nada teatral de mais, mas decidiu não dar parte de fraco.

"Pois sim, capitão Resende, então vá lá prestar o seu serviço à pátria", disse, em tom cordial, antes de despejar a farpa. "Sempre é mais útil estar lá corajosamente sentado num gabinete do que aqui a esconder-se nas trincheiras. Ao menos em Lisboa não tem que andar sempre a fugir do inimigo."

O capitão Resende fulminou-o com o olhar, despeitado e ofendido, virou-lhe as costas e seguiu estrada fora em passo rápido e com modos bruscos. Afonso ficou ali parado, no meio da lama, em silêncio, a vê-lo partir, um peso na alma por assistir àquele abandono, sempre era mais um oficial que se ia embora, em boa verdade aquilo só tinha um nome, era uma deserção, aqueles oficiais serviam-se das suas relações com o novo regime e fugiam, deixavam para trás os seus homens, entregues a si mesmos, nas mãos do destino.

Baltazar Velho fixou os olhos no documento e leu-o com esforço, letra a letra, sílaba a sílaba, palavra a palavra. O serrano era o único do grupo que sabia ler, e mesmo assim mal, mas ninguém se podia queixar: o pároco de Pitões das Júnias dera o seu melhor quando o Velho era novo, mais não se podia exigir das poucas aulas que o jovem padre Augusto, com a melhor das boas vontades, ministrara muitos anos antes ao pequeno Baltazar, durante as breves lições de catequese nas frias manhãs de domingo. Baltazar era então um miserável pastorinho que vinha de um lugar ermo perdido lá na serra do Gerês, algures entre Tourém e Outeiro, mais habituado ao balir das ovelhas e ao pipiar das perdizes do que ao estranho latim das missas ou aos sons inteligíveis que as folhas escritas libertavam. Foi difícil, mas a catequese entreabriu-lhe as portas da literacia.

Nesse princípio de tarde, num buraco triste e lamacento da Flandres, Baltazar recompensava o pároco de Pitões com uma leitura gaguejante. Mas mesmo hesitante, cheio de falhas e de dúvidas, somando as letras com dificuldade para reproduzir sons e formar sentidos, o Velho lia o suficiente para ser capaz de extrair daquele texto rebuscado a informação que todos ansiosamente aguardavam.

"Então, Baltazar?", impacientou-se Vicente Manápulas. "Iss'é p'ra hoje ou p'rá'manhã?"

"Calma, Manápulas, calma lá", disse o Velho, levantando a mão. Arrastou-se mais uns instantes até perceber o significado do que tinha em frente, um telegrama do documento assinado por Sidónio Paes apenas quatro dias antes. "Então é assim. Aqui diz que a malta tem direito à primeira licença cento e vinte dias depois de chegar."

"Depois de chegar às trincheiras?"

Baltazar releu o texto, titubeante. Parou ali. Hesitou, voltou a arrancar e descobriu.

"Não. Depois de chegar a França."

"Quatro meses?", exclamou Matias Grande, após fazer as contas. "Já passou, já passou."

"Pois, os quatro meses já lá vão", reforçou Vicente, coçando o couro cabeludo irritado pelos piolhos. "E que mais?"

"Calma", pediu Baltazar, sempre concentrado no documento. Passou os olhos pelas letras, fungou, murmurou sons imperceptíveis e, após mais uma eternidade a decifrar o texto, captou finalmente o sentido. "Diz aqui que temos direito a trinta dias de licença."

Um murmúrio de satisfação encheu o abrigo, todos se entreolharam e sorriram. Já se imaginavam no Minho, com a família, a ajudar na lavoura, a banharem-se no Cávado, no Este, no Lima, a dançar o vira, a cavar a terra, a apanhar a uva, a encher os espigueiros, a comer um cozido regado com um verde de Melgaço, mas que grande naça iriam apanhar na primeira noite entre os seus.

"Um mês", repetiu Vicente, sonhador.

"Ah se eu me apanho no Minho, a cheirar os carvalhos e os teixos do Gerês, ou a respirar aquele ar das brandas, lá no alto da serra, nunca mais me põem os olhos em cima", sentenciou Baltazar, cerrando as pálpebras com sentida nostalgia. "Que categoria. Escondo-me lá no mosteiro de Pitões e a tropa que se pine."

"És tu e eu", disse Vicente, imaginando-se na sua carpintaria de Barcelos e nos passeios por entre os seixos do Cávado. "Vou e não volto, vocês vão ver."

"Eu cá só quero é a sopa seca que a minha mãe faz lá em casa", desabafou Matias, sentindo-se salivar. "Hum, só de pensar que vou emalar o salpicão, o presunto, a vitela, a galinha e a couve lombarda que ela mistura na sopa!" Suspiro. "Só vos digo, um pitéu. Depois molho um bolacho na sopa." Passou a mão pelo estômago vazio. "Ah! Vou manducar até ficar inçado que nem um marrano."

"A minha patroa também faz uma sopa seca levada da breca", comentou Baltazar, que não perdia uma oportunidade para falar de comida. "Mas o melhor é o coração de porco com vinho tinto, cortado em cubos e servido com batatas e vagens cozidas. Ah, rapazes, vocês haviam de ver! Aquilo é que é um prato de se lhe tirar o chapéu! Uma categoria, só vos digo. Uma categoria!"

"E eu já me estou a imaginar a dar uma pinadela na primeira sansardoninha que me aparecer pela frente", exclamou Abel Lingrinhas, que até aí se mantivera timidamente calado, como era seu feitio. "Começo assim como quem não quer a coisa, com uma bocaringa aqui e outra ali, e depois pino-a toda, os dois agafanhados num espigueiro. No estado em que me encontro, até um almazem marchava."

Todos fizeram sinal de aprovação. Sentiam o mesmo, sabiam bem o que cada um queria dizer, o ar da terra, a comida de casa e uma boa minhota era tudo o que desejavam da vida. Não passavam afinal de homens simples à procura de coisas simples.

"Agora o que é que temos de fazer?", perguntou Matias, ainda inebriado com os apetites a satisfazer quando regressasse a Palmeira.

"Apresentar o pedido de licença, acho eu", retorquiu Baltazar, encolhendo os ombros e dobrando o documento com as informações sobre o novo sistema de licenças acabado de aprovar pelo governo de Sidónio Paes. "Vamos ter com os cachapins da brigada e metemos os papéis."

"Mas isso já nós fizemos um porradal de vezes", queixou-se Vicente. "E não deu em nada."

Um zumbido familiar encheu o ar, em crescendo, e todos se encostaram às paredes do abrigo, quase instintivamente. A *minenwerfer* explodiu lá fora, o chão tremelicou, as paredes abanaram e libertaram algum pó, mas aguentaram. Depois ouviram um som diferente, como o gorgolejar de um peru, seguido de explosões surdas, com um *pop* seco, semelhante ao barulho de uma rolha a saltar de uma garrafa de *champagne*. Depois, mais nada. Os soldados aguardaram um instante, certificaram-se de que não havia consequências de maior e voltaram a sua atenção ao assunto que tinham entre mãos como se não tivesse havido interrupção.

"Com'é qu'a malta sabe que não nos 'tão outra vez a passar a perna?", retomou Vicente, o coração carregado de suspeitas quanto ao novo sistema de licenças agora aprovado por Sidónio Paes. "Já não é a primeira vez qu'esses cabrões nos enganam. Ou vocês não se lembram das promessas qu'eles nos fizeram nos últimos meses? E 'inda cá 'tamos..."

O grupo despertou do seu torpor e a desconfiança instalou-se, insidiosa.

"Se calhar, tens razão", meditou Baltazar. "Quando a esmola é grande, o pobre desconfia..."

"Querem saber a minha opinião?", perguntou Matias. O cabo raramente tecia comentários sobre este tema, mas havia já algum tempo que achava terem sido ultrapassados todos os limites. "Pois eu penso que, bem espremidas as coisas, é tudo conversa, tudo conversa."

"S'é conversa, olha qu'é só p'r'alguns", cortou Vicente, levantando o indicador. "Aos oficiais já 'tão a ser dadas licenças, pois claro. Suas senhorias 'tão sempr'em primeiro."

"É", confirmou Baltazar. "Há uns quantos que foram passar férias a Portugal, já lá vai tempo, e nunca mais deram notícias."

"Até hoje", comentou Vicente, que nunca deixava escapar uma observação sobre o comportamento dos oficiais.

"Chama-lhes burros", considerou Baltazar. "Se vocês fossem de licença, voltavam?"

"Só s'eu fosse parvo", admitiu Vicente, abanando a cabeça. "Mas nós já'qui 'tamos há mais de seis meses seguidos, já tivemos a nossa conta, n'é? Nem os bifes s'aguentam tanto tempo na frente, não viram agor'os camones da esquerda, em Fleurbaix, que já foram retirados p'ra descansar? E nós 'ind'aqui. Eles que mandem outros cá p'ró açougue."

"Além do mais", meditou Matias, "essa merda dos trinta dias de licença nem é novidade, já antes do Sidónio nos disseram o mesmo e a verdade é que a malta não viu nada."

O ambiente entre os homens do CEP não era dos melhores e deteriorava-se de dia para dia. O cansaço desgastava-os e o exemplo que vinha de cima não era encorajador. Os lãzudos viam os aliados a rodarem regularmente as tropas; ainda dias antes a 38.ª Divisão britânica, a vizinha da esquerda do CEP, tinha sido substituída pela 12.ª Divisão após ter permanecido apenas três meses na linha. Matias podia ser um homem respeitador da hierarquia, mas não era tolo e tirou as suas conclusões quando começou a ver os próprios oficiais portugueses a passarem à frente dos soldados. A verdade é que todos gozavam licenças que, na prática, estavam vedadas às praças. O sentimento de injustiça, que crescia havia algum tempo entre os soldados, começou a afectar profundamente o estado de espírito nas trincheiras. Onde alguns instantes antes predominava a euforia, sucedeu-se a angústia, a incerteza, a dúvida.

"Os tipos em Portugal 'tão-s'a cagar p'ra nós, não percebes?", exclamou Vicente, gesticulando com profusão, frustrado e zangado, ansiava desesperadamente por regressar a casa. "O Sidónio fez o golp'e abandonou-nos, não mand'ós reforços, não mand'á terceira divisão prometida pelo Afonso Cost'ós camones."

"Mas afinal com quem é que a Alemanha está em guerra, hã?", quis saber Baltazar, erguendo a voz. "Está em guerra com Portugal ou apenas com o CEP? Hã? Está em guerra com quem? É que parece que Portugal não tem nada a ver com esta merda, porra, parece que a guerra é só connosco!"

"Os boches é que têm razão", declarou Vicente, abanando a cabeça, desanimado. "Os políticos tramaram-nos e 'tão agor'a lavar as mãos."

Vicente referia-se aos folhetos lançados pelos alemães, informando os homens do CEP sobre a nova política de guerra de Sidónio Paes. O *Folhetim de Guerra* distribuído pelos morteiros inimigos sublinhava nas suas sucessivas edições que Sidónio, antigo ministro plenipotenciário de Portugal em Berlim, era um germanófilo que sempre se opusera à entrada de Portugal no conflito mundial e que, após derrubar o governo de Afonso Costa, tinha travado o projecto de constituição de uma terceira divisão para o Corpo Expedicionário Português. Na versão alemã, o novo governo decidira deixar as forças na Flandres entregues a si mesmas e o melhor era mesmo os soldados renderem-se.

"Vocês não viram o que se passou com o major Gomes?", atalhou Baltazar. "Pediu licença para ir para Portugal, passou à frente do pessoal e partiu. Depois alegou doença e por lá ficou."

"E o coronel Antunes?", acrescentou Vicente. "Disseram-me qu'o tipo meteu os papéis em Aveiro a jurar que 'tava com problemas de saúde."

"Problemas de saúde?", questionou Matias com um sorriso irónico, voltando a quebrar o seu silêncio. "Deve ser diarreia. Então não se lembram de que o homem se borrou todo naquela noite em que as marmitas quase atingiram o abrigo onde ele estava escondido, lá em Marmousse?"

Riram-se todos, deliciados, a relembrarem a cena então relatada pela ordenança do coronel, o Alfredo, que assistira a tudo.

"Categoria", exclamou Baltazar, dando uma palmada na coxa.

"S'o gaj'é d'Aveiro é porqu'é cagaréu", atalhou Vicente, sempre ácido nos seus comentários em relação aos oficiais. "Com'é cagaréu, n'hora do regresso também se deve ter cagado, coitado."

Vários entre eles já tinham passado pelo mesmo, defecaram nas calças uma ou duas vezes durante um bombardeamento, sobretudo depois das primeiras mortes, no início, quando o som da tempestade de fogo a desabar em torno de si lhes gelava o sangue e libertava os intestinos, problema que, com o tempo e a experiência, aprenderam a controlar. Defecar nas calças não era, consequentemente, algo vergonhoso entre as praças, mas apenas um sinal de inexperiência. No grupo, aquele passou a ser considerado um fenómeno natural. Afinal de contas eles eram lãzudos, viviam na lama como toupeiras, partilhavam o rancho com ratazanas e o sono com piolhos e passavam os dias a fintar a morte, a fugir aos *snipers*, a esconder-se das *Minenwerfers*. Acima de tudo, eram a carne que os canhões esquartejavam. Mas o coronel Antunes era diferente, ele era um cachapim, como quase todos os altos oficiais estava habituado a dar ordens para outros morrerem e a pregar sobre o sacrifício que terceiros deveriam fazer pela pátria, mas desconhecia o que era sofrer de medo, aquele medo da morte que subia pelas pernas fracas e secava a garganta, aquele horror paralisante que se espalhava pelo corpo e penetrava no coração, a tempestade de granadas a explodirem na alma e a despedaçarem a vontade. Era por isso que, quando um cachapim se borrava, todo o lãzudo gozava.

Matias recostou-se no seu canto.

"É tudo verdade", assentiu o cabo, mirando as unhas sujas. "Mas a maior verdade é que o coronel Antunes se passeia agora em Portugal no bem-bom e nós ainda aqui estamos."

Os sorrisos desfizeram-se e todos se calaram, pensativos e resignados. Foi nessa altura que Baltazar começou a farejar o ar com inspirações curtas e fortes, como um perdigueiro.

"Vocês não sentem este cheiro a alho?"

"Já 'tás com larica, Velho?", perguntou Vicente.

"Por acaso estou."

"Mas comemos há uma hora..."

"O que é que queres? Tenho fome e este cheirinho não ajuda."

"Tens aqui uma lata de *corned-beef.*"

"Qual corno-bife qual quê. Um bifinho frito em vinha d'alhos é que vinha mesmo a calhar."

E espirrou.

O capitão Afonso Brandão abriu a cigarreira prateada que Agnès lhe tinha oferecido depois do seu primeiro encontro amoroso, tirou um *Kiamil,* acendeu-o e ficou de olhar perdido no horizonte.

"Já viste isto, Cenoura?", desabafou, sem se voltar para o amigo. "Já metem cunhas para saírem daqui. Cunhas."

O tenente Pinto passou a mão pelo bigode ruivo e sorriu.

"És mesmo ingénuo, Afonso. Do que é que estavas tu à espera?"

"Até o capitão Cabral!"

"Quem me dera ir com ele..."

Afonso largou uma baforada do seu *Kiamil* e baixou a cabeça.

"Sabes o que é que eu não percebo?"

"O quê?"

"É que não haja uma decisão."

"Que decisão?"

"Uma decisão qualquer, caraças, mas uma decisão." Olhou para o amigo. "Se o Sidónio acha que é de sair da guerra, então que assuma e vamo-nos todos embora, não estamos cá a fazer nada. Se o Sidónio acha que é de ficar, então que nos envie reforços, que crie as condições para podermos combater com eficácia. Agora isto? Isto não, isto não é nada, isto é não querer decidir, isto é fugir às responsabilidades."

Pinto suspirou.

"Ai, Afonso, Afonso, parece que nasceste ontem, homem. Há quanto tempo te ando eu a dizer que nos metemos numa embrulhada, que não estamos aqui a fazer nada? Andamos nós aos tiros e aqueles gajos a gozarem com a malta..."

"A questão não é essa, Cenoura", disse Afonso, dando meia-volta para entrar no posto, fazia demasiado frio cá fora. "A questão é que andamos aos ziguezagues, ora estamos empenhados, ora não estamos, ora estamos outra vez...", desabafou, gesticulando imenso, irritado, o tenente Pinto a segui-lo para dentro do abrigo. "Assim ninguém se entende. Por exemplo, olha para a palhaçada do sistema de licenças."

"O que é que tem?"

O capitão sentou-se pesadamente no caixote de munições que servia de banco e o tenente acomodou-se no catre de arame.

"O que é que tem? O que tem é que é uma vergonha pegada. Primeiro eram quinze dias. Depois passou para vinte. A seguir para trinta. Feitas as contas, estamos em zero porque só os oficiais é que as gozam."

"Ainda te queixas? Que eu saiba, ainda noutro dia foste gozar uma licença a Paris..."

"Mas o problema, Cenoura, não é os oficiais gozarem licenças, isso é normal e merecido. O problema é que as praças não gozam a porra de licenças nenhumas, e isso é que é desmoralizante para os homens."

"Estás preocupado com eles?"

"Claro que estou, caraças, e tu também devias estar. Como é que nós, os oficiais, vamos comandar soldados que se sentem gozados, esquecidos e humilhados? Que moral temos nós para os mandarmos para o combate quando, na hora das licenças, lhes passamos todos à frente? O que acharão eles destes oficiais que fazem uns arranjinhos para se porem na alheta e que, uma vez em Portugal, vão a uma junta médica efectuada por uns amigalhaços quaisquer e arranjam mil e uma desculpas para não voltarem para cá? É evidente que os magalas podem ser analfabetos, mas não são totalmente estúpidos e percebem muito bem que são os únicos que não arranjam maneira de sair daqui."

"Problema deles."

Afonso atirou o *Kiamil* esgotado para o chão lamacento do posto e esmagou a beata com a bota, certificando-se de que o lume se extinguia.

"Não é problema deles, não senhor. É um problema nosso, já te disse. Como é que eu vou comandar em combate soldados que se sentem deste modo esquecidos? Qual o moral das tropas quando a coisa der para o torto? Achas que consegues lutar sozinho contra os boches? Quando a coisa aquecer, tu precisas dos homens, Cenoura. Se eles não estiverem lá ou não quiserem combater, chapéu, estás tramado, quilhado. Não te esqueças disso."

"Afonso, cada um faz pela vida..."

"Porra, Cenoura, mete na cabeça que, com essa mentalidade, ninguém vai longe. Temos um quadro de oficiais que é uma vergonha, sempre a conspirarem, a falarem mal de tudo, no bota--abaixo, a verem quando é que se põem ao fresco..."

"Não são os oficiais que são uma vergonha", cortou o tenente Pinto, erguendo a voz. "São os políticos que nos venderam, esses Afonsos Costas..."

"Quem é pior? O Afonso Costa, que pôs Portugal no mapa..."

"... esses Bernardinos Machados..."

"... ou o Sidónio Paes, que abandonou a malta?"

"... essa canalha toda dos republicanos e do Partido Democrático."

Já não se ouviam, um e outro aos berros, cada vez mais alto, ambos nervosos, até que a voz de Afonso acabou por se impor; afinal de contas, embora amigos, era ele o capitão.

"Deixa a política de parte", disse finalmente, fazendo um gesto para acalmarem a conversa e evitarem aquela parte controversa sobre a qual nunca chegariam a acordo. "Se calhar, os políticos são todos culpados, não sei e não interessa para o caso. O que interessa é que para aqui fomos mandados e aqui estamos. E, se aqui estamos, só temos duas opções: ou cumprimos bem a nossa missão ou ficamos de braços cruzados a dizer mal de tudo e de todos. Não sei o que é que tencionas fazer, mas eu sei qual o meu dever."

"Vais cumprir bem a tua missão", adiantou o tenente com desdém.

"Exacto", assentiu Afonso, optando por ignorar a ironia colocada pelo amigo no tom de voz. "Não posso aceitar o comportamento que vejo em muitos oficiais que se estão pura e simplesmente a cagar para os homens, não querem saber se eles estão bem, não mostram qualquer interesse em partilhar as suas privações e sacrifícios, nem sequer em correr os mesmos riscos. Apenas se mostram preocupados com o bota-abaixo, em comer as *demoiselles,* em andar nas passeatas, em emborcarem cerveja nos *estaminets...*"

"Tem graça tu dizeres isso, Afonso", atalhou Pinto com frieza. "Ainda há uma semana estavas tu com uma *demoiselle* numa passeata..."

"Não é a mesma coisa", corrigiu Afonso, embaraçado.

"... em Paris. Agora, o que é mais curioso, meu caro, é que tu falas em partilhar privações, o que é muito bonito, mas a verdade é que já andas a dormir em palacetes. E, quanto a correr riscos ao lado dos homens, eu gostava de saber para que missões já te candidataste tu?"

"Estive a chefiar a operação para expulsar os boches que nos atacaram as trincheiras em Novembro."

"Isso foi quando eles atacaram, que remédio tiveste tu senão combater. Mas o que eu quero saber é para quantas missões de patrulha e para quantos raides já te candidataste?"

"Sabes muito bem que não tem havido raides nossos."

"Mas tem havido patrulhas todas as noites. Quantas integraste tu?"

"Não calhou."

"Não integraste nenhuma. Nenhuma, Afonso. As patrulhas são quase exclusivamente constituídas por praças, fazem-se dezenas de patrulhas por noite e raramente há um oficial que as comande. Portanto, não me venhas com tretas e a falar nos nossos oficiais que são uma merda, porque tu também és um deles. Também tu passeias *demoiselles* pela retaguarda enquanto as praças têm de pagar pelas putas do *Drapeau Blanc,* também tu dormes em palacetes enquanto as praças se ficam pelos palheiros, também tu te abrigas no posto de betão enquanto as praças se aguentam à bronca com as marmitas dos boches a caírem-lhes nos buracos de lama, também tu ficas a ver da primeira linha enquanto as praças tropeçam em boches nas crateras traiçoeiras da Avenida Afonso Costa. No fundo, meu caro, és como eu e o resto do pessoal. Só falas é de maneira diferente."

Afonso fitou o amigo nos olhos e permaneceu um instante em silêncio. Quando falou, falou com intensidade, com convicção, a voz tranquila e segura, o olhar sereno e determinado.

"Estás enganado, Cenoura", disse. "Não sou como vocês e hei-de prová-lo."

Levantou-se e abandonou o posto, seguindo em passo firme para a ronda da tarde. Mas a certeza de que iria provar a diferença foi-se esbatendo à medida que caminhava e reflectia sobre o pouco que sabia de si. Bem lá no íntimo não fazia ideia de como quebrar o medo que lhe tolhia os movimentos nos instantes de puro terror. Tinha consciência de que uma coisa era falar e outra executar, sabia que, nos momentos de aflição, as suas reacções eram imprevisíveis e incontroláveis, a emoção toma conta da mente e a animalidade sobrepõe-se à humanidade. Quantos homens passavam a vida a falar de heroísmo e a preparar-se para o grande teste e fraquejavam quando o momento chegava, enquanto outros, tímidos e calados, na hora das dificuldades tudo pareciam superar? O que era afinal a temeridade senão fingimento? O que era a coragem senão o medo de se ser considerado cobarde? O que era o heroísmo senão um acto resultante do medo social que se sobrepõe ao medo animal? E o que era a bravura senão um momento de pura loucura, um gesto insano feito para benefício alheio e prejuízo nosso?

O major Botelho aproximou a vela para observar melhor os olhos do soldado. Passava das três da manhã quando o grupo de praças lhe apareceu no posto de socorros avançados a queixar-se de mal-estar, e o major era o médico militar de serviço. Analisou superficialmente os soldados, somavam quatro homens e alguns gemiam. Começou com o caso que lhe pareceu mais agudo.

"Como é que você se chama?", perguntou, estudando os olhos inflamados do homem.

"Baltazar, meu major."

"Como é que você apanhou isto, Baltazar?"

"Não sei, meu major. Estava no abrigo com os meus maradas e comecei a espilrar, a espilrar..."

"A espirrar", corrigiu o médico.

"Isso. E aqui os meus maradas no mesmo. Depois sentimos o nariz e a garganta assim a arder, uma sensação cada vez mais forte, percebemos que estávamos com gripe. Há pouco, começaram-nos a doer muito os olhos e a sair ranho do nariz. Vieram-me também umas dores na barriga e vomitei antes de chegar aqui ao posto."

"Quando é que começaram a espirrar?"

"Foi aí há umas doze horas, ao início da tarde, meu major."

"E vocês?", perguntou aos outros, sem tirar os olhos da inflamação de Baltazar.

"Nós o mesmo, meu major", disse Matias. "Foi na mesma altura. A diferença é que não vomitámos."

"A mim, para além da barriga, dói-me também a cabeça", adiantou Vicente.

Abel Lingrinhas apontou para uns pontos na cara e no pescoço.

"Eu tenho aqui umas borbulhinhas."

O médico ponderou o caso enquanto limpava os olhos de Baltazar com um algodão molhado.

"Hum", murmurou pensativamente. "Vocês por acaso não apanharam um ataque de gás?"

"Não, meu major", negou Matias, enfatizando com um abano da cabeça. "É gripe."

"Hum", voltou o médico a murmurar. "Abra a boca." Baltazar abriu e o major Botelho analisou a garganta irritada. "Não sentiram um cheiro a mostarda?"

"Não, meu major."

"Nem a alho?"

Os soldados entreolharam-se.

"Bem..."

"Sentiram um cheiro a alho?"

"Sim, meu major."

O médico parou de inspeccionar Baltazar e mirou o grupo.

"E não puseram as máscaras?"

Os soldados baixaram a cabeça.

"Não, meu major."

O médico suspirou.

"Burros. Vocês são uns burros. Então não sabem que têm de pôr as máscaras logo que sentem um cheiro a químicos? Não sabem?"

"Meu major", disse Baltazar, a voz submissa. "Nós não cheirámos químicos. Cheirámos comida."

"Qual comida, qual quê! Vocês apanharam foi com gás em cima. Onde é que estavam quando vos cheirou a alho?"

"No abrigo, meu major."

O major Botelho largou os olhos de Baltazar e sentou-se num caixote, junto a uma mesa. Tirou uns formulários de uma gaveta, colocou-os sobre a mesa e começou a tomar notas.

"Quando saíram do abrigo, repararam em algumas granadas intactas?"

"Sim, meu major."

"Como é que elas eram?"

Os homens entreolharam-se, não percebendo a pergunta.

"Bem, eram granadas de ferro, meu..."

"Não é isso", impacientou-se o médico. "Estavam pintadas com alguma cor?"

"Sim, meu major", adiantou Matias, o mais observador do grupo. "Eram granadas de 7,7 centímetros, de modelo comprido, pintadas a azul e com a cabeça amarela. Lembro-me de que tinham duas cruzes, acho que uma era verde e a outra amarela."

"Mau, não percebo nada. Verde e amarela ou azul e amarela?"

"As cruzes eram verde e amarela, mas as granadas estavam pintadas a azul e amarelo."

"Azul e amarelo", repetiu o médico, pegando num grosso *dossier* que se encontrava numa estante, a capa a indicar tratar--se dos relatórios dos Chemical Advisers do XI Corpo britânico. Abriu a pasta e folheou as páginas. "Azul e amarelo." Virou uma folha. "Azul e amarelo." Outra folha. Passou os olhos de relance por cada relatório, apenas atento ao segundo ponto de cada documento, intitulado *nature of the shells*. "Azul e amarelo." Mais uma. "Azul e amarelo." Mais outra. "Azul e amarelo... cá está." Pousou o dedo na linha que procurava e leu. *"Painted blue with yellow on top."* Tirou a folha e estudou-a com atenção. Levou um minuto a analisar o relatório e a tirar as suas conclusões, mais para si do que para os homens. "Pois, estou a ver, isto é um derivado do enxofre com uma elevada percentagem de clorina", murmurou, coçando o queixo. Consultou demoradamente o último ponto do documento, referenciado como *symptoms of personnel*. Mais um longo minuto de leitura e voltou enfim a quebrar o silêncio. "Pois, pois, está aqui tudo. Vómitos, olhos inflamados, irritações na garganta." Sem levantar a cabeça, arrancou uma folha do formulário e começou a preenchê-la. "Vou mandar-vos para um hospital de sangue." Agora, sim, ergueu a cabeça e fitou os homens. "Nomes e números?"

"É grave, meu major?"

"É grave, é", confirmou o médico, o olhar carregado. "É grave que vocês sejam casmurros que nem umas portas e não ponham as máscaras conforme diz o regulamento."

"Mas é muito grave?", insistiu Baltazar, ansioso e com os olhos a lacrimejarem profusamente por causa da inflamação.

"A única coisa que é grave é que o CEP vai ter de sobreviver sem vocês durante dois dias", retorquiu o médico, prolongando o *suspense*. "Quanto às vossas miseráveis pessoas, vão ficar toda a noite aflitos, mas amanhã, pelo meio-dia, deverão estar melhores. Este é um gás tramado porque quase não se sente o cheiro, mas a vantagem é que não faz demasiado mal. Vou dar-vos uma baixa de quarenta e oito horas e depois regressam às trinchas."

"Obrigado, meu major", disseram todos quase em coro, aliviados e momentaneamente sorridentes. Não havia melhor coisa do que ter uma baixa devido a um mal que não era permanente.

"Vamos lá, vamos lá", impacientou-se o major Botelho. "Nomes e números?"

"Matias Silva, meu major. Número 216."

XI

Passava do meio-dia e a manhã, como de costume, tinha sido calma. As actividades de ambos os lados das trincheiras foram intensas desde o pôr do Sol da véspera, com legiões de homens a repararem passadeiras, a consertarem o arame farpado e a drenarem as passagens inundadas sob a protecção do manto escuro da noite, enquanto outros patrulhavam a terra-de-ninguém ou procuravam alvos na mira das *Lee-Enfield,* se eram portugueses, ou das *Mausers,* no caso dos alemães. Quando os raios de Sol espreitaram por fim, o astro erguendo-se lenta e majestosamente por detrás das linhas inimigas, já tinha decorrido o primeiro *A Postos* desse dia 8 de Fevereiro e muitos homens foram-se deitar. Afonso e Pinto acordaram pelas onze, lavaram a cara numa bacia cheia de água barrenta e imunda, urinaram num canto húmido da trincheira, junto ao seu posto de Picantin, e sentaram-se sobre o caixote de munições para comerem o pequeno-almoço que Joaquim lhes trouxera. Engoliram rapidamente a omoleta e as torradas com manteiga, regadas pela tapioca com açúcar e uma chávena de café forte. Quando estavam prestes a terminar, chegou o tenente Timothy Cook.

"*What oh*, Afonso, *old bean*", cumprimentou.

O capitão ergueu-se, esfregou as palmas das mãos nas coxas para as limpar das migalhas das torradas e da gordura da manteiga e apertou a mão ao oficial inglês de ligação.

"*Old bean?*", interrogou-se, abafando um arroto. "Por que é que me estás a chamar velho feijão, meu sacripanta?"

Tim riu-se.

"Você não ligue, é uma forma amigável de nos exprimirmos."

O inglês cumprimentou Pinto com um aceno.

"*Breakfast?*", perguntou Afonso, indicando o que restava do pequeno-almoço.

"Não, obrigado, já comi", indicou Tim. "*Bacon* com *scrambled eggs and baked beans*." Fez um ar satisfeito. "*Capital breakfast. Capital.*"

"Então, se é assim, vamos lá para a ronda."

O capitão e os tenentes, com a ordenança atrás, desceram pela Picantin Road até à Rue Tilleloy, viraram à direita para apanharem Picantin Avenue, foram chapinhando na lama até chegarem à linha B, entraram nela junto ao posto avançado Flank Post e seguiram para sul em direcção a Rifleman's Avenue, circundando o seu sector em Fauquissart. Um ronco distante no céu despertou-lhes a atenção. Pararam e ergueram os olhos. Do lado inimigo vinha o que parecia ser, lá longe, uma mosca incómoda, zumbia como uma varejeira, era um avião alemão, as cruzes negras visíveis na fuselagem apesar da distância.

"Um *Taube*", disse Pinto.

"Que mania que vocês têm de chamarem *Taube* a todos os aeroplanos *jerries*", notou Tim. "Aquilo é um *Fokker.*"

O tenente Pinto olhou-o, desconfiado.

"Como é que sabe?"

"*I know, lad. I know.*"

"O Tim sabe distingui-los", explicou Afonso. "Andou no *Royal Flying Corps* e conhece os aeroplanos todos. Se o Tim diz que é um *Fokker,* então, meu caro Cenoura, é porque é mesmo um *Fokker.*"

O monoplano voava alto, como se quisesse passar despercebido. De repente, e de forma inesperada, alterou o seu comportamento. O avião picou em direcção às linhas portuguesas, sobre
Fauquissart, parecia que iria abrir fogo.

"Vai largar uma abóbora", exclamou Pinto.

Mas nenhuma bomba foi lançada. Já perto do solo, endireitou-
-se e sobrevoou as posições do CEP no sentido norte-sul a baixa
altura. As *Vickers* e as *Lewis* desataram a matraquear, tentando
atingir o aparelho, mas o *Fokker* ganhou altitude logo que cruzou Ferme du Bois, lá ao fundo. Subiu, deu uma pirueta e voltou
a descer sobre as posições portuguesas, desta vez no sentido
inverso, de sul para norte, embora não disparasse um único tiro;
encontrava-se claramente em missão de observação. Um segundo
aparelho irrompeu nessa altura sobre as linhas, agora proveniente
do lado aliado.

"Um dos nossos", comentou Pinto com satisfação.

"Que aeroplano é?", quis saber Afonso, olhando para o tenente britânico.

"Um *Sopwith Camel*", identificou Tim, de olhos fixos no céu.

"Um camelo?"

"Right ho", sorriu o inglês. "Está vendo o formato da carlinga
do aeroplano? Há quem ache que aquilo parece uma bossa, embora eu não enxergue como. De qualquer modo, é por isso que
lhe chamam *camel*."

Os três oficiais e a ordenança ficaram pregados ao chão, na
expectativa quanto ao que se iria passar. Os combates aéreos
eram altamente apreciados nas trincheiras, sendo considerados o
mais emocionante espectáculo da guerra. Em vez da morte impes-
soal e industrial no meio da lama, com massas de soldados a
caírem varados por balas ou esfrangalhados por granadas e bombas lançadas por inimigos invisíveis e distantes, os confrontos no
ar estavam envolvidos numa aura romântica, os pilotos eram os
modernos cavaleiros do céu, cheios de galanteios cavalheirescos e
elegantes actos de nobreza, os seus embates aéreos transforma-

vam-se em emocionantes duelos por entre as nuvens, um contra o outro, coragem contra coragem, perícia contra perícia, um vencedor e um vencido.

As trincheiras agitaram-se em antecipação, viam-se indicadores apontados para cima, soldados e oficiais chamaram-se uns aos outros, mais homens abandonaram os abrigos e juntaram-se aos que permaneciam especados a aguardar o duelo. Mas um "oooh!" desapontado percorreu as linhas quando o avião alemão deu meia volta e fugiu para as suas posições, recusando o combate. O *Sopwith Camel* ainda o perseguiu durante alguns minutos, mas voltou para trás e ficou a patrulhar os céus sobre Ferme du Bois, Neuve Chapelle e Fauquissart.

"Os *jerries* têm medo dos *Sopwith Camel*", comentou Tim com um sorriso orgulhoso.

"Porquê?"

"O *Sopwith Camel* é um aeroplano muito bom", disse. "Mas, atenção, não é para qualquer um. É difícil de pilotar, costuma... como se diz, *spin out of control*..."

"Ficar descontrolado?"

"*Yes*, fica *out of control* nos... *tight turns?*"

"Curvas apertadas."

"*Right ho*", confirmou o inglês. "Muitos aviadores pouco experientes morreram nestes aeroplanos. Mas os bons pilotos acham que o *Sopwith Camel* é o melhor aeroplano que existe. É muito ágil e sobe em grande velocidade. É por isso que os grandes ases do *Royal Flying Corps* os pilotam. Os *jerries* sabem isso. Daí que tenham medo e fujam."

Quando já ninguém esperava mais novidades, eis que emergiu do sector de Bois du Biez, nas linhas alemãs, um segundo avião. Os homens do CEP, muitos dos quais tinham já desmobilizado, voltaram a posicionar-se para assistirem ao grande espectáculo, agora com a certeza de que o combate era inevitável.

"*Oh, blast it!* Este é um *Albatros D-type*", exclamou Tim, referindo-se ao novo aparelho alemão.

"E então?"

"É o melhor aeroplano *jerry*. Voa a cento e setenta quilómetros por hora, tem uma excelente velocidade de subida e está equipado com duas metralhadoras sincronizadas."

"O que é isso?"

"Metralhadoras sincronizadas? *Well*, o sincronismo é um mecanismo que permite aos pilotos disparar as metralhadoras através do... *propeller?*"

"Hélice."

"*Right ho*. Dispara através do... hélice, sem atingir as pás do hélice."

"Da hélice."

"*Sorry*. Da hélice. A hélice está ligada ao gatilho da metralhadora de uma forma que a impede de disparar sempre que uma pá fica à frente do cano da metralhadora, de modo a evitar que a pá seja destruída pelos tiros. No caso deste aeroplano, ele não tem apenas uma, mas duas metralhadoras sincronizadas com os movimentos da hélice."

"O aeroplano inglês não tem essas metralhadoras?"

"Tem."

"Então qual é o problema?"

"*None whatsoever*", disse Tim. "Aqueles são os melhores aeroplanos dos dois lados. Vai ser *a jolly good fight*."

O *Albatros* alemão mergulhou em direcção ao *Sopwith Camel*. O confronto parecia iminente, mas o avião britânico deu subitamente meia volta e, claramente em fuga, começou a ganhar altitude. Os oficiais e os soldados voltaram a suspirar de desapontamento, afinal iam mesmo ser privados daquele grande espectáculo.

"O bife está a pisgar-se", protestou Pinto.

"Não percebo", admirou-se Afonso.

"O gajo acagaçou-se, o que é que queres?"

O tenente inglês permaneceu calado, um rubor envergonhado a encher-lhe a cara enquanto via o *Sopwith Camel* em fuga. O aparelho britânico escondeu-se numa nuvem, mas o alemão não desistiu e, sempre no encalço, foi procurá-lo lá em cima. Quando o *Albatros* passou pela nuvem, o *Sopwith Camel* saiu disparado na sua direcção, como se se fosse esmagar no inimigo, endireitou-se no último instante, mesmo por cima do alemão, e largou uma bomba. O *Albatros* explodiu em pleno ar, foi envolvido pelas chamas e começou a cair. Um novo "oooh!", agora emocionado, ergueu-se das trincheiras. O avião atingido mergulhava velozmente em direcção ao solo, libertando um rasto de fumo negro, mas, quando todos esperavam o impacto, eis que o piloto alemão conseguiu controlar o aparelho e, apesar de ele estar envolto em línguas de fogo, curvou para leste e tentou levá--lo de volta para as linhas alemãs. Os homens nas trincheiras sustiveram a respiração, colados ao esforço titânico do piloto inimigo. Já perto do solo, ainda sobre as linhas aliadas, os soldados viram uma figura tombar do aparelho fumegante, parecia uma bala disparada para baixo, a corrida abruptamente interrompida quando se esmagou no chão. Logo a seguir, o avião, já sem piloto, inclinou o nariz, desceu com rapidez e embateu violentamente na terra, rolando e rolando, era agora uma bola de fogo a desconjuntar-se, uma massa ardente a esfrangalhar-se, um bloco de lava a rodar no chão, incandescente. O silêncio abateu-se momentaneamente sobre as trincheiras, os homens mostravam-se petrificados com a cena. Quando os destroços flamejantes do *Albatros* se imobilizaram junto às paredes de umas ruínas, levantou-se uma salva de palmas das linhas portuguesas; eram os lãzudos, não a festejarem a morte do inimigo, mas a homenagearem-no no seu último voo de valente.

"O bife enganou-o bem", comentou o tenente Pinto, dando meia volta para prosseguir a ronda.

"Enganou-o a ele e a nós", corrigiu Afonso, os olhos pregados no chão à procura das partes menos enlameadas onde assentar os pés. "Pensámos que se ia pôr ao pira, e afinal..."

A actividade recomeçou nas trincheiras. Uma metralhadora alemã abriu fogo à esquerda, o matraquear claramente audível, e a artilharia portuguesa respondeu com dois disparos de um morteiro pesado, pelo som todos identificaram um calibre de quinze centímetros, provavelmente um morteiro *Hadfields*. Os três oficiais e a ordenança encolheram-se um pouco mais na linha B, mas, tirando essa postura reflexiva, prosseguiram como se nada se passasse.

"O boche não estava nada à espera de levar com a bomba", considerou Pinto. "Teve uma morte chata, a cair assim ao chão."

"A alternativa era pior, *believe me*", explicou Tim. "Os pilotos morrem normalmente por três razões." Ergueu três dedos da mão esquerda à medida que enumerava as razões. "Ou são metralhados pelo inimigo, ou se esmagam no solo, ou morrem carbonizados vivos dentro dos aeroplanos. A morte pelas chamas é a pior." Fez uma careta. "*Ghastly!*" Bateu com a palma da mão direita no coldre. "Muitos pilotos levam sempre uma pistola à cintura e, se o aeroplano se incendeia e eles vêem que não podem escapar, dão um tiro na cabeça."

"A sério?"

"*No shit.*"

Sempre a comentar as incidências do emocionante duelo aéreo, ainda mais dramático do que aqueles a que assistiam todos os dias das linhas, chegaram a Rotten Row e viraram para dentro, cruzando a Rue Tilleloy e prosseguindo pela Regent Street até à Rue du Bacquerot, donde voltaram para a direita até Picantin Road, regressando ao posto depois de passarem pelas redes de arame farpado. Picantin Post era um pequeno reduto de perfil elevado, com duas posições descobertas para metralhadoras e um paiol e ainda três abrigos pequenos. Tinha capacidade para uma guarnição de cem homens e era defendido exteriormente por três abrigos para metralhadoras pesadas *Vickers*, construídos em tijolo e ferro e à prova de estilhaços, com seteiras viradas para a estrada e para Picadilly Trench. A sua importância era enorme, uma vez que defendia o acesso mais curto e directo das primeiras linhas até Laventie, sendo por isso normal que se vissem ali bastantes homens. Mesmo assim, Afonso notou um estafeta que se encontrava sentado à entrada do abrigo de Picantin. Quando os viu aproximarem-se, o soldado ergueu-se num pulo e fez continência.

"Capitão Afonso Brandão?"

"Sim?"

"Com a sua licença, meu capitão, o tenente-coronel Mardel deseja falar consigo."

Eugénio Mardel era um dos mais altos oficiais da Brigada do Minho, o homem que assumia o comando da brigada sempre que o comandante se ausentava. Se Mardel o chamara, raciocinou Afonso, era porque havia novidades, e das grandes.

"Onde está o senhor tenente-coronel?"

"Em Laventie, meu capitão."

Afonso entrou no abrigo, pegou na máquina de escrever e colocou-a sobre o caixote que lhe servia de mesa, sentou-se no banco, colocou duas folhas com papel químico no meio para fazer uma cópia e redigiu apressadamente o relatório da sua companhia sobre as últimas vinte e quatro horas no sector de Fauquissart. Sabia que Mardel iria querer ver o documento e não tencionava desapontá-lo. A redacção do texto obedecia a um formato previamente estabelecido e o capitão apenas precisou de meia hora para o concluir. Quando acabou de dactilografar o texto, releu tudo, fez duas pequenas correcções com a caneta, assinou, dobrou o documento, meteu-o no bolso do casaco e saiu.

"Vamos lá", disse ao abandonar o abrigo. "Pinto, substitui-me no posto. Até logo, Tim."

"*Cheerio, old bean.*"

Não eram as dores nos músculos que incomodavam Matias, mas o cansaço e sobretudo a indisposição geral que o deixavam prostrado. O cabo permaneceu encostado ao parapeito e aspirou com força o *Woodbine* que tinha nas mãos, tratava-se do mais baratucho dos cigarros ingleses, embora servisse perfeitamente para o fim em vista. Sentiu o fumo invadir-lhe os pulmões, tentou descontrair as costas e expirou devagar, libertando um acre sopro cinzento.

"Como é que achas que ficou o corpo do tipo?", perguntou Baltazar, sentado ao lado a limpar a *Lee-Enfield.*

"Quem? O gajo do aeroplano?"

"Sim."

"Deve estar esfrangalhado, não é?"

Matias sentiu a acidez do vómito ainda presente na garganta e voltou a chupar o *Woodbine* para tentar tirar aquele gosto azedo da boca. A noite não tinha sido fácil. Três dias antes, um homem do 8 fora abatido na terra-de-ninguém, junto a Bertha Trench, durante uma patrulha nocturna, e os companheiros fugiram desordenadamente, deixando-o para trás. Nas noites seguintes foram organizadas patrulhas para o localizar, mas apenas na madrugada anterior conseguiram enfim detectá-lo. Matias integrou esta última patrulha e foi o cheiro nauseabundo de um cadáver em putrefacção, um odor que lhe lembrava a pestilência libertada por batatas podres, que o atraiu para o local onde afinal se encontrava o corpo do homem perdido. Deu com ele dentro de uma cratera, semimergulhado em águas fétidas, à esquerda do sector português, já na área patrulhada habitualmente pelos ingleses estacionados em Fleurbaix. Depois de atingido, deve-se ter desorientado e arrastado até aqui, raciocinou Matias, reconstituindo mentalmente o itinerário do soldado moribundo. Não admira que as patrulhas não o tenham encontrado, pensou ainda, está muito longe do sítio onde se deu a escaramuça. O cabo inclinou-se sobre o cadáver para o levantar, mas congelou o gesto ao ouvir um ruído e sentir actividade a seus pés. Levou um instante a perceber que eram ratazanas a arrancar pedaços de carne do morto. O cheiro revelava-se aqui forte, imundo, repugnante. Afugentou os roedores com a coronha da espingarda, colocou a *Lee-Enfield* a tiracolo e, vencendo o nojo, pegou no corpo, sentiu-o hirto e endurecido, caminhou umas dezenas de metros na escuridão, sempre a tentar conter a respiração, não conseguiu, o peso do cadáver fê-lo arfar, a pestilência invadiu-lhe as narinas, sentiu o estômago revoltar-se, deixou cair o morto, inclinou-se para a frente e vomitou. O barulho atraiu as atenções do resto da patrulha. Com sussurros mal contidos, os outros soldados vieram ajudá-lo a transportar o corpo pelo caminho de lama até às linhas portuguesas. Disseram a senha à sentinela e caíram na linha da frente portuguesa, aliviados. Pousaram o cadáver no chão e sentaram-se no parapeito, derreados e arquejantes, a recuperar o fôlego. Minutos depois um dos homens levantou-se e foi à procura dos maqueiros, deixando os restantes a descansar. A certa altura, já recuperados, veio-lhes a curiosidade de conhecerem o rosto do morto que tinham resgatado à terra-de-ninguém. Acenderam uma lanterna e Matias observou de relance a figura estendida no estrado da trincheira. O cadáver estava inchado, a pele amarelo-acinzentada, um braço voltado para cima, hirto, congelado naquela posição, os olhos vidrados e revirados para cima, partes dos lábios e da face tinham sido arrancadas, presumivelmente pelas ratazanas, revelando a dentição, via-se ali o início da caveira. O cabo vomitou uma segunda vez.

"Não vai estar pior do que o tipo que foste buscar", comentou Baltazar.

Matias olhou-o sem compreender.

"Quem?"

"O boche do aeroplano, caraças!", exclamou o Velho, enervando-se com o ar ausente do amigo. "Se acabou de morrer, não deve cheirar tão mal como o outro, pois não?" Admirou a sua *Lee-Enfield*, já limpa e oleada. "Bem, a verdade é que, estando esfrangalhado no chão, deve ter as tripas de fora. E as tripas cheiram a merda, não é?"

O cabo mirou o parapeito com o olhar perdido no infinito e acabou o *Woodbine*. Enterrou a ponta do cigarro na lama e atirou a beata para longe.

"Sabes qual foi o primeiro morto que eu vi, Baltazar?"

"Hum?"

"Quando eu era miúdo, tinha uns catorze anos, havia uma gaja lá no bairro, em Palmeira, que era casada com um marinheiro." Afagou as patilhas. "Chamava-se Maria do Céu. Era mulher aí para uns trinta anos. Tinha uma cara larga e muito rosada, com uma verruga debaixo do olho. Não era bonita, mas tinha umas mamas do camano. Aquilo é que eram umas valentes catrinas!"

"Era um almazem?"

"Um almazem, não direi, mas tinha um ar bem constituído." Fez uma pausa, como se estivesse a recordar algo. "Um dia, a tipa veio ter comigo. Eu já era um matulão e na altura trabalhava na terra para quem me pagasse. Pois ela veio e disse que me queria contratar para trabalhar todas as manhãs no seu quintal, tinha uma horta para tratar e o marido andava lá nos barcos. De modo que fui." Coçou o nariz. "Aquilo não tinha nada que saber. Havia para lá umas batatas, umas couves, uns tomates, uma macieira, tudo com trementelos à volta, e no canto estava uma cerca com uns marranos e umas galinhas. Era tudo um pouco acanhotado. Fui para lá trabalhar naquilo e a tipa não me largava, abacou ali e ficou a topar-me. Pensei que era desconfiada. Olé, disse cá para mim. Então não é que a gaja me está a vigiar? Senti-me um bocado escamado, caraças, a coisa abuzinou-me um pedacito. Ao segundo dia pôs-se-me a fazer perguntas. Queria saber se eu tinha namorada, se era muito ribaldeiro, se já tinha dado bocaringas a alguém, coisas assim. Fiquei assim um bocado envergonhado, aquilo não eram conversas para ter com uma mulher, não é? Passado um pedaço desta conversa, a gaja disse que queria mijar. Levantou a saia à minha frente e pôs-se a reinar, via-se a breixa e tudo."

"Categoria."

"Enquanto reinava, ela olhava para mim. Gostas de me ver a mijar?, perguntou-me a tipa. Fiz que sim com a cabeça e senti a minha mingalha crescer dentro das calças, foi como se o mazápio

449

tivesse acordado ao ouvir aquela pergunta. Acho que percebi ali o que a gaja queria. Era uma rifeira bem melada. Ela topou que a minha mingalha estava toda bazulaca e aproximou-se. Despiu a camisola e deixou as catrinas ao léu, aquilo é que eram uns melões do catano, nunca tinha visto coisa tão boa. Estavam um pouco descaídos e tinham uns mamilos muito largos, avermelhados, com a ponta tesa. Tirou-me as calças devagarinho e agarrou-se com a boca ao mazápio."

"Ena! Categoria! Só eu é que nunca tive vizinhas assim, caraças."

"De modo que, sempre que eu ia trabalhar para casa da Maria do Céu, era para a brincadeira. Ela ensinou-me tudo o que havia para aprender e era danada para as pinadelas, não havia dia nenhum que não pedisse o saçarugo. Mesmo quando andava chanfanada queria ir ao castigo, largava sangue por todo o lado, parecia um marrano em dia de matança, mas a tipa não se ficava, gozava o prato todo. Só havia ali uma coisa que era estranha. Ela fazia questão de que eu só lá fosse de manhã. À tarde, não. Só de manhã. De maneira que andei um ano na vadiagem todas as manhãs por conta da fome da Maria do Céu." Matias cuspiu para o chão, tentando expulsar os últimos traços do sabor ácido do vómito. "Um dia, o marido voltou e eu deixei de lá ir. O homem veio para ficar uns dias. Ao fim de uma semana houve um grande rebuliço, as vizinhas a chamarem ó da guarda, ó da guarda. O tipo tinha morto a mulher."

"Ah!", exclamou Baltazar, quase chocado. "Não me digas que ele soube que a gaja andava metida contigo."

"Comigo, não. Mas, pelos vistos, percebeu que havia homens a irem ali a casa. O marinheiro foi preso e eu fui lá pela última vez. Encontrei uma multidão à porta, as mulheres todas na conversa, pareciam umas galinhas tontas, e o corpo da Maria do Céu deitado no chão, numa poça de sangue. O tipo esfaqueou-a toda, viam-se golpes no peito e na barriga, uma tristeza."

"E depois?"

"E depois, nada. Foi a primeira pessoa que eu vi morta, só isso." Ouviram um sibilo crescente, encolheram a cabeça e sentiram a explosão da granada duzentos metros atrás. Voltaram-se para verem o penacho de fumo e poeira ascender ao céu e, após uma hesitação, Matias mirou o amigo de novo. "Fez-me um pouco impressão vê-la assim morta, parecia uma boneca, custava até imaginar que aquele corpo parado, que agora não reagia à minha presença, era antigamente uma fogueira esfaimada, nunca ficava quieto. Mas o que achei mais estranho é que não senti coisa alguma cá dentro. Tive pena, claro, até rezei por ela, era boa moça. Uma rifeira do camano, mas boa moça. Só que a gaja finou-se e isso não me abuzinou, nem sequer fiquei agónico." Tirou das calças o maço de *Woodbine*. "Vai um xagrego?"

"Dá cá."

Matias estendeu um cigarro ao amigo e tirou um outro, que colocou na boca.

"Um ano depois, à conversa com um rapaz meu vizinho, o Lourenço, vim a descobrir uma coisa do caraças."

"O quê?"

"A certa altura falámos, nem sei porquê, mas falámos na Maria do Céu. O tipo fez um ar comprometido e, assim meio a medo, contou-me que foi ela quem o levou pela primeira vez ao castigo." Raspou um fósforo e acendeu o cigarro, libertando a primeira nuvem de fumo. "Era sempre às tardinhas."

Afonso e Joaquim seguiram o estafeta, o capitão algo nervoso com a convocatória que acabara de receber. Percorreram de novo a Picantin Road e foram apanhar a Rue du Bacquerot, flectiram para sul e, logo junto a Red House, viraram à direita para Harlech Road. Antes de chegarem à Rue de Paradis, voltaram à esquerda e entraram em Laventie, dirigindo-se para o edifício onde se encontrava sediado o quartel-general da brigada durante o período em que a força minhota permanecesse naquele sector de Fauquissart, na ponta norte das linhas portuguesas. O estafeta foi à sua vida e Afonso dirigiu-se ao graduado do edifício e indicou que vinha falar com o tenente-coronel Mardel. O graduado pediu-lhe a identificação, mandou-o esperar e voltou instantes depois, apontando-lhe a porta entreaberta. Afonso espreitou e viu Mardel.

"O senhor tenente-coronel dá licença?"

"Meu caro capitão", exclamou Mardel efusivamente, erguendo-se da cadeira onde trabalhava e vindo ter à porta. "Bons olhos o vejam."

Afonso fez continência e depois apertaram as mãos.

"Vim assim que fui convocado."

"Obrigado, obrigado", agradeceu Mardel, indicando outra cadeira. "Sente-se, sente-se. Esteja à vontade."

O capitão acomodou-se na cadeira, disfarçando o nervosismo e tentando acomodar-se o melhor possível. Mardel instalou-se no lugar donde se erguera.

"Quer café?", perguntou o tenente-coronel, recostando-se na sua cadeira.

"Sim, se faz favor."

Mardel voltou-se para a porta do abrigo.

"Duarte", chamou.

A cabeça do graduado assomou à entrada.

"Sim, meu tenente-coronel?"

"Traz aí dois cafés. Quentinhos, hã?"

"Imediatamente, meu tenente-coronel."

O graduado retirou-se e Mardel voltou-se para Afonso.

"Então como vão as coisas?"

"Vai-se andando", respondeu Afonso. Pôs a mão no bolso e retirou o relatório das últimas vinte e quatro horas. Sabia que era um documento lido com muito interesse pelo Alto Comando. "Quer o relatório?"

"Afirmativo", disse Mardel, estendendo a mão. "Mostre lá."

O tenente-coronel pegou na folha, abriu-a e leu-a com atenção.

"Pelos vistos, uma patrulha detectou problemas no arame dos boches", disse com um sorriso.

"Sim, meu tenente-coronel", assentiu Afonso. "No sector de Wick Salient."

"Uma coisa a explorar", comentou cripticamente.

O graduado entrou no gabinete com duas chávenas fumegantes e uma caixinha de açúcar numa prateleira, colocou o café na mesa e retirou-se. Os dois oficiais mergulharam o açúcar no café, mexeram-no e tragaram um golo.

"Ah, maravilha", exclamou Mardel.

"Uma delícia", concordou o capitão, sentindo o travo quente e açucarado do café a adoçar-lhe a boca.

Mardel pousou a chávena.

"Viu o combate aéreo de há pouco?"

"Sim, meu tenente-coronel. Foi renhido."

"Afirmativo. Lá renhido foi", concordou Mardel. "Mas sabe o que é verdadeiramente relevante no que vimos no céu?"

"A vitória do aeroplano inglês, meu tenente-coronel?"

"Negativo, capitão. Isso foi agradável, mas não o mais importante. O mais significativo foi o comportamento do primeiro aeroplano boche. Não reparou em nada de estranho, capitão?"

"Ele fugiu quando viu o aeroplano inglês."

"Negativo. Isso é relevante, mas não é o mais estranho. O que é verdadeiramente insólito é que ele não abriu fogo sobre as nossas linhas. Sabe certamente o que isso significa."

Afonso ajeitou-se na cadeira, desconfortável com o método de questionário sucessivo. Sentia-se de regresso à escola primária de Rio Maior, onde era forçado a responder às perguntas do professor, só que desta vez não era Manoel Ferreira a testá-lo com a cartilha de João de Deus, mas o seu superior hierárquico.

"Estava em observação", disse finalmente, esperando acertar.

"Afirmativo. A sua missão era observar as nossas linhas do ar, provavelmente tirando fotografias. E foi certamente por isso que evitou o combate, o confronto não era a sua missão. Mas sabe o que é que me anda realmente a perturbar, a mim e a todo o comando do CEP?"

"Não, meu tenente-coronel."

"O que nos anda a perturbar é que estamos a notar um crescente interesse dos boches em nós. Aumentaram as patrulhas inimigas, aparecem cada vez mais aeroplanos de observação, vêem-se oficiais boches a observar-nos de binóculos. Enfim, estão a estudar-nos e nós começamos a ficar nervosos."

"Os boches estão a estudar o CEP?"

"Afirmativo, capitão."

"E sabe qual o objectivo?"

"Negativo. Presumimos que queiram fazer um raide, mas isso somos nós a falar. A verdade é que não sabemos."

Bebericaram mais um golo do café, o capitão estranhando a linguagem telegráfica que preenchia o colorido léxico do seu superior hierárquico. Afonso pousou a chávena e pronunciou aquela que suspeitava ser a frase-chave da conversa.

"Vamos ter de saber o que se passa."

"Afirmativo, capitão", concordou Mardel, desta vez com solenidade, acentuando a palavra "afirmativo" e pronunciando-a de forma pausada. O tenente-coronel inclinou-se então para a frente e cravou os olhos no seu interlocutor. "Há já alguns dias que andamos a pensar nisto, mas o comportamento do primeiro aeroplano boche desfez todas as dúvidas e tomámos uma decisão final. Temos de efectuar um raide às linhas inimigas e quero que você prepare o plano."

"Eu, meu tenente-coronel? Porquê eu?"

"Por que não você? Tem medo?"

A pergunta foi formulada em tom de desafio, de provocação, de teste à sua masculinidade, e Afonso percebeu que não tinha opções. O capitão suspirou.

"Medo temos todos, meu tenente-coronel. Mas terei muito gosto em preparar esse plano e executá-lo."

O rosto de Mardel abriu-se num sorriso largo.

"Sabia que podia contar consigo, capitão Brandão", disse. "Irei comunicar ao general Simas a sua disponibilidade, ele vai ficar satisfeito."

O general Simas Machado era o comandante da 2.ª Divisão e, a par do general Gomes da Costa, da 1.ª Divisão, respondia apenas perante o general Tamagnini Abreu, o comandante do CEP.

"E o major Montalvão?", perguntou Afonso, preocupado em não passar por cima do comandante de Infantaria 8, não queria problemas com o seu superior hierárquico.

"Falei com ele há pouco e pedi-lhe que me desse a honra de ser eu a convidá-lo para preparar o raide", disse Mardel. "Como vê, ele acedeu."

"Muito bem", disse o capitão. "Qual o objectivo táctico da operação?"

"O plano tem três objectivos", enumerou Mardel, sempre telegráfico, levantando os dedos um a um. "Um, capturar prisioneiros para obter informações. Dois, mostrar ao inimigo capacidade de combate. Três, elevar o moral das nossas tropas."

"O moral das tropas?"

"Afirmativo. Como sabe, o pessoal anda há demasiado tempo nas linhas e está a ficar saturado. Lisboa não manda reforços e não temos maneira de dar descanso aos homens. À falta de melhor, pode ser que um golpe de mão espectacular anime a malta."

"Estou a ver", disse Afonso sem grande convicção. Engoliu o último trago de café e pousou indolentemente a chávena. "Para quando quer esta operação?"

"Para daqui a um mês", indicou Mardel. "Não tenha pressa, estude bem as coisas, observe o terreno, procure os pontos fracos do inimigo, estabeleça procedimentos. Estamos no final da primeira semana de Fevereiro e você tem de preparar bem os pormenores do raide, a executar na primeira semana de Março, mais coisa menos coisa. Quando tiver tudo estudado, venha ter comigo para ratificação."

O tenente-coronel ergueu-se da cadeira e Afonso imitou-o. Mardel estendeu a mão, despediram-se e o capitão saiu do posto de Laventie e regressou pensativamente ao seu abrigo de Picantin, os olhos perdidos num ponto infinito de preocupação.

XII

Agnès sentia-se cansada. Apesar disso, fez um esforço para manter um ar sorridente ao passar pela enfermaria. Tinha permanecido a noite toda de serviço e o seu turno aproximava-se do fim, mas havia que manter uma aparência fresca perante os pacientes, era importante para o moral dos convalescentes. Além do mais, gostava do trabalho que fazia; desde que a guerra começara nunca se sentira tão útil, tão necessária, tão empenhada na vida. Abraçava o cansaço com fome de trabalho, com a alma inteiramente dedicada à tarefa em mãos, o sonho de infância concretizava-se, era finalmente Florence Nightingale, um anjo de conforto a pairar num antro de dor e sofrimento.

A mudança que se operara na sua vida devia-a ao seu capitão. Graças a uns cordelinhos mexidos por Afonso, entrara havia uma semana ao serviço no Hospital Misto de Medicina e Cirurgia, bem na retaguarda, escapando ao tédio do quartel-general de Saint-Venant e aos incómodos avanços do tenente Trindade Ranhoso. O capitão tentou inicialmente colocá-la num dos dois hospitais de sangue, o hospital n.º 1, em Merville, ou o hospital n.º 2, em Saint-Venant, ambos constituídos por oito tendas e com capacidade para duzentos pacientes, mas Agnès tinha feito questão de ir para

o mais longe possível do Ranhoso e o Hospital Misto parecera-
-lhe adequado. Adaptara-se facilmente ao trabalho, e os pacientes
a ela. Não era comum ver uma mulher daquela beleza a cirandar
entre a soldadesca, uma palavra amável aqui, uma festinha ali,
um sorriso cativante acolá, a sua simples passagem pela enfermaria era um tónico maravilhoso para os acamados. Embora tivesse
estudado para ser médica, via-se no papel de enfermeira e desem-
penhava-o com gosto e dedicação. Não falava português, mas os
soldados desembrulhavam-se no patusco *patois* das trincheiras e
isso parecia chegar. *Moi pas bonne, mademoiselle bonne, boches
méchants,* eram frases que faziam agora parte do seu quotidiano
de diálogos.

Agnès cruzou apressadamente a enfermaria nessa manhã porque tinha sido informada pelo contínuo de que um oficial se
apresentara à porta do hospital para falar com ela. Presumiu que
se tratava de Afonso, que o seu português estava de regresso das
trincheiras, mas havia também a pavorosa possibilidade de ser
uma má notícia, um amigo do amante com a terrível novidade.
Temia todos os dias que o que se passara com Serge viesse a
repetir-se com Afonso, um correio desconhecido com um telegrama negro a destruir-lhe a vida, e o pensamento encheu-a de
ansiedade, de inquietação. Quase correu até à porta, o coração
aos pulos, em sobressalto.

Ao chegar à entrada, estacou debaixo da aduela e suspirou de
alívio. Viu-o sentado num degrau, o boné nas mãos, os olhos
fechados e a cabeça inclinada para trás de modo a melhor receber
o ar fresco da manhã, deixando-se embalar pelo meloso ruflar
dos beija-flores e pelo cantarolante gorjear das cotovias que esvoaçavam pelas tílias do jardim. Murmurou de olhos cerrados uma
breve prece de agradecimento e correu finalmente para ele, abraçou-o e beijou-o, dividida entre o alívio de o ver são e salvo e o
dever de manter uma postura respeitável no perímetro hospitalar.

"*Tu m'as manqué*", soprou-lhe ao ouvido.

"*Mon petit chou*", foi tudo o que ele conseguiu dizer no calor
do abraço.

"*T'es bien?*"

Ele fez que sim com a cabeça. Sentiu-lhe a delicada fragrância de *Chypre* e sorriu; era o perfume que lhe tinha oferecido em Paris. A francesa afagou-lhe os cabelos e, desprendendo-se devagar, pegou-lhe na mão e puxou-o.

"*Viens*, anda ver a minha enfermaria."

Afonso deixou-se levar, deslizando pela porta de entrada atrás de Agnès. O suave aroma de *Chypre* desapareceu de imediato e, em sua substituição, o capitão notou o cheiro a éter e a desinfectante a pairar no ar. O hospital pareceu-lhe feio e frio, feito de compridos corredores de chapa zincada e canelada, tudo metálico e negro, pintado a piche. O soalho, constituído por madeira encerada ou envernizada, rangeu quando o pisou; a luz entrava a jorros por janelas abertas em pestana na chapa de zinco. As mobílias eram de ferro e vidro, num estilo *art nouveau* rudimentar, aqui um jarro de begónias ou de rosas perfumadas, ali uma revista pregada na parede com uma beldade estampada na capa. Via-se muito movimento pelos corredores, uma azáfama de enfermeiros, um punhado de médicos e muito pessoal auxiliar, uns para aqui e outros para ali, atarefados e apressados, observados por pacientes silenciosos. Alguns tossiam aflitivamente, cinco ou seis balouçavam nas cadeiras os cotos amputados das pernas e dos braços.

"Hoje é dia de evacuação", explicou ela. "Vamos mandar pacientes para o hospital de Hendaya, de modo que isto está agora um pouco caótico."

"Se calhar, era melhor eu vir visitar isto noutro dia..."

"Não, fica. Só daqui a duas horas é que vão aparecer os camiões para levarem os pacientes à estação."

"Estação?"

"Sim, claro. Hendaya fica junto à fronteira espanhola."

"Mas isso é longe."

"*Oui*. Não se percebe bem por que razão o exército português colocou em Hendaya o seu principal hospital. Mas, *voilà*, é mesmo assim."

Chegaram a uma porta e ela largou-lhe a mão.

"Esta é a minha enfermaria", anunciou com intensidade. "Todos os pacientes que aqui estão são tuberculosos." Levantou o indicador. "Agora presta atenção. Nesta enfermaria, eu não sou a tua Agnès, sou a enfermeira que não só ajuda os acamados como até alimenta os seus sonhos, as suas fantasias, sobretudo a sua vontade de ficarem bons. Portanto, nada de intimidades à frente dos doentes, ouviste?"

"Bem..."

"Ouviste?"

"Uh... sim."

Feito o aviso, e parecendo dar-se por satisfeita com a resposta titubeante, empurrou a porta e entrou na enfermaria com Afonso no encalço. Era uma sala grande e bem iluminada, com camas dispostas em fila, lado a lado, de uma ponta à outra, um corredor de passagem pelo eixo central da enfermaria. Agnès seguiu por esse corredor, o capitão quase encostado a ela, ao lado. O ar enchia-se de tosse, tosse persistente nuns casos, tosse seca noutros, alguns doentes com pequenas bacias na mesinha-de-cabeceira para aí deitarem a expectoração, uns poucos a gemerem fracamente. A enfermeira francesa, com ar muito profissional, indicou um paciente que dormitava à esquerda.

"Este está muito fraco, tem febres constantes, não sei se se safa." Apontou para o do lado direito, que tossia consecutivamente. "Aquele vai um pouco melhor, mas também parece tremido." O seguinte da esquerda, com uma perna engessada. "Este é um caso curioso. Foi para a ala dos traumatizados, um estilhaço quase lhe levou a perna. Quando estava a recuperar, apanhou a tuberculose. Vai-se aguentando."

"*Mademoiselle*", chamou um, do lado direito. "*Moi pas bonne. Massage*, sirv'ó puré."

"*S'il vous plaît*", corrigiu Agnès.

"Sirva o puré", insistiu o paciente.

"*Après*, Luís, *après*", retorquiu a enfermeira. Voltou-se para Afonso e riu-se. "Este é um brincalhão, diz que vai casar comigo quando a guerra acabar."

"Ah é?"

"Não fiques com ciúmes, *mon petit mignon*", sorriu Agnès. "Ele está quase bom e vai ter alta em breve, de modo que não volta a pôr-me os olhos em cima."

O capitão não gostou, mas permaneceu calado. Sabia que era inevitável que a sua francesa, bonita como era, atraísse piropos num mundo de homens famintos de fêmeas. Custou-lhe mais ver isso acontecer à sua frente, mas aguentou-se, não teve outro remédio, estava fora de questão ir esbofetear o paciente atrevido.

"O que não falta por aqui são brincalhões", acrescentou ela, após uma breve pausa. Tirou do bolso um papel bem dobrado e exibiu-o a Afonso. "Estás a ver isto? É uma carta que um paciente me entregou há dias para mandar ao irmão." Sorriu. "O rapaz fez questão de escrever em francês para mostrar lá na terra que fala bem, quer impressionar." Agnès estendeu a carta ao capitão. "Ora lê, *c'est rigolo*."

Afonso desdobrou o papel. A carta estava escrita com letras mal desenhadas, as linhas a descaírem, mas o conteúdo era bizarro:

France, 2-2-1918.

Ma chere frére:

Te participe que muá parlè tré bian le franciú.
Ha bocú de madamuaseles joli.
Mangè tujur cornobife è une cigarrete à jur.
Camones tré simpatiques, muá acheté á un anglé un par de palhetes até ô genú aveque cordons è muá doné á lui une garrafe de picles.
Muá émé agore un madamuasele è apré la guerre fini partir Portugal aveque muá fiancé. Les mules du Parque bone santé.

Bocú de sovenires de ta frere

José Papagaio.

Com ar divertido, Afonso devolveu a carta, que Agnès prontamente guardou no bolso.

"Até parece inventada", comentou o capitão.

A enfermeira continuou a caminhar pelo corredor central da enfermaria e, já no final, abrandou e foi observar um paciente deitado na cama da esquerda. Pôs-lhe a mão na testa e afagou-lhe os cabelos. O sorriso que lhe dançava nos lábios desfez-se. O soldado respirava com dificuldade, arquejante e cansado, os olhos mortiços por entre olheiras profundas e escuras, a pele seca como um pergaminho, os malares sobressaídos no rosto magro e macilento, parecia uma múmia. Afonso espreitou para o bacio colocado na mesinha de cabeceira e constatou que o recipiente estava sujo de expectoração com laivos de sangue. A enfermeira olhou resignadamente para o capitão.

"Não se safa, *le petit pauvre*", murmurou. "Não deve passar de hoje."

Depois de dar de beber ao paciente moribundo, Agnès saiu da enfermaria com o oficial sempre atrás.

"Morrem muitos?", quis saber Afonso.

"Alguns, não demasiado", disse Agnès. "Um terço dos mortos por doença é vitimado pela tuberculose, este é o mal que mais mata. Lá mais para trás vêm a meningite e a pneumonia. Mas temos muitos casos de astenia e anemia que tornam os soldados incapazes de regressar às linhas."

"São essas as doenças mais comuns?"

"Sim", disse a francesa. Fez uma pausa, hesitou e acrescentou em voz baixa, apressadamente: "Há também as doenças venéreas, mas esses pacientes vão para outro hospital."

"Pelas vossas contas, os soldados morrem mais por doença ou por combate?"

"Combate. Pelo que já vi, em cada quatro mortos, três resultam de ferimentos em combate e apenas um de doença."

"E os feridos?"

"Também os temos, claro. Estão noutra enfermaria ou então são mandados para os hospitais ingleses, como o 39th Stationary

Hospital e o General Hospital 7, e depois ficam no depósito de convalescentes."

Um enfermeiro passou por eles, empurrando uma cama de rodas com um homem sem o braço esquerdo, o coto engessado pelo ombro, manchas de sangue seco a sujarem o pano branco.

"Qual é o tipo de feridos mais comum?", perguntou Afonso, sem tirar os olhos do rapaz mutilado.

Agnès fez uma pausa para pensar.

"Os gaseados andam aí pelos quarenta por cento dos feridos, aparecem muitos, muitos. Morre-se pouco de gás, mas os soldados ficam com lesões incuráveis nos pulmões e até noutros órgãos. Tudo porque não põem as máscaras, ou põem-nas mal, ou tiram-nas cedo de mais." Fez nova pausa. "Há ainda uns dez por cento de feridos em acidentes. Mas não há dúvida de que metade dos feridos que aqui vêm parar foi atingida por projécteis em combate. A maior parte apanha estilhaços, são feridas horríveis, já vi um que ficou sem o queixo, apareceu aí vivo sem metade da cara..."

Afonso começou a sentir-se maldisposto, tudo aquilo não era uma mera abstracção, mas um futuro possível para si, uma realidade que o poderia atingir em breve, irreversível, final. Angustiado, decidiu subitamente ir-se embora do hospital, não queria ver nem saber mais, sentiu um pânico a crescer-lhe na alma, uma claustrofobia a estrangular-lhe a respiração, estar ali naquele sítio de sofrimento era de mau agoiro. Que péssima ideia ter entrado, tinha de se ir embora, sair, fugir, balbuciou uma desculpa esfarrapada e despediu-se apressadamente com um beijo fugidio, quase correu para a porta, lá fora correu mesmo, correu com medo, com ansiedade, correu como se de correr dependesse a sua vida. Só parou, ofegante, quando chegou ao *Hudson* que lhe tinham emprestado no quartel-general da 2.ª Divisão, em La Gorgue, e ali ficou à espera, sentado ao volante, com gotas de suor frio a brotarem-lhe na testa, os olhos fixos nos portões do Hospital Misto de Medicina e Cirurgia, aguardando o final do turno da mulher que amava.

Afonso conseguiu em La Gorgue uma dispensa para poder elaborar o plano do raide sem se preocupar com os deveres do dia-a-dia. Nada revelou a Agnès sobre as ordens que recebera, justificando a sua súbita liberdade de movimentos com uma licença especial que lhe fora atribuída para tratar de papéis, no âmbito das funções burocráticas que desempenhava. Não via razões para lhe aumentar a ansiedade e destruir a felicidade que ela sentia por tê-lo mais tempo consigo.

O capitão passou vários dias a estudar mapas e a analisar fotografias aéreas, identificando todas as linhas de comunicação no sector inimigo, incluindo bifurcações e cruzamentos, mais a posição conhecida de minas, postos de atiradores, ninhos de metralhadoras, posições de morteiros e artilharia. Este foi, de resto, um exercício particularmente difícil, uma vez que, do ar, a leitura do terreno se revelou complicada, só se viam crateras, manchas e linhas dentadas. A confusão era tal que decidiu pedir ajuda a Tim Cook.

"Você sabe", explicou o tenente inglês, "quando são vistos de cima, os objectos têm um aspecto diferente daquele que apresentam quando os vemos do solo."

"Mas como é que eu entendo isto?", desesperou Afonso, exibindo uma ininteligível fotografia aérea da terra-de-ninguém e das posições alemãs diante de Fauquissart.

Tim agarrou na fotografia e analisou-a com cuidado.

"Nós temos especialistas que passam a vida visitando as linhas que conquistamos aos *jerries* e comparando a perspectiva do solo com a perspectiva aérea", murmurou o inglês, sempre a estudar a fotografia. "Aprendem assim a perceber qual o aspecto que uma coisa apresenta quando vista de cima". Apontou para uma linha dentada. "Está vendo isso? São trincheiras."

Afonso suspirou de impaciência.

"Obrigadinho, ó Tim", disse com ironia. "Até aí já eu tinha chegado. O problema é o resto."

O tenente apontou para uma cratera.

"Essa aí é uma posição de metralhadora e essa outra de artilharia", garantiu.

"Como é que sabes?", admirou-se Afonso, que perscrutava intensamente a fotografia. "Só vejo aí uma cratera, não vislumbro metralhadora nenhuma, nem qualquer canhão."

"Você não esqueça que eu estive muito tempo envolvido na fotografia aérea quando voava no *Royal Flying Corps*." Apontou para um ponto na imagem. "Está vendo essa linha mais clara que está saindo da cratera?"

"Sim?"

"Isso é a prova de que essa não é uma cratera qualquer. Essa linha é um caminho e significa que a cratera tem uso. E não me estou referindo a um uso para plantar batatas, não. Estou-me referindo a metralhadoras e artilharia."

"Hum", foi tudo o que Afonso conseguiu dizer.

"E isso aí, está vendo?", perguntou Tim, apontando para outras manchas. "São abrigos e latrinas. E ali está arame farpado."

Com as fotografias devidamente interpretadas e a respectiva informação passada para o mapa, Afonso foi visitar as linhas para observar a área onde tencionava desencadear a operação. Tomou nota do sítio onde se encontravam os drenos, os pontos de passagem difícil, os renques de árvores, as posições de arame farpado e a localização de crateras para abrigo em caso de necessidade. Munido de um telémetro, mediu distâncias através de um engenhoso sistema de triangulação ocular, os olhos fixos no óculo, e foi registando as coordenadas. Inspeccionou postos de artilharia e ninhos de metralhadora, estudando as suas posições de tiro, e consultou os relatórios sobre as anteriores operações lançadas contra as posições inimigas, procurando extrair lições dos sucessos e fracassos.

A vida com Agnès assumiu entretanto aspectos de verdadeira vivência conjugal. A francesa já não estava hospedada no hotel de Merville. Tinha alugado um anexo de um casarão nos arredores de Béthune, a importante povoação mesmo a sul do sector do CEP. Encontrava-se aí instalado o quartel-general do I Corpo do I Exército britânico, que guarnecia as linhas à direita das forças portuguesas, a sul de Ferme du Bois. Beneficiando da sua licença especial, Afonso passou a pernoitar em Béthune, quase fazendo vida conjugal com a francesa. Levava para o anexo delícias portuguesas que comprava na Cantina Depósito e que lhe transportavam para a Flandres os sabores da sua terra. Apresentou a Agnès o *Ermida* tinto maduro, o *Bucellas* branco e o *Amarante* verde, todos a menos de dois francos, mais um porto de 1870 que adquirira por oito francos. Também lhe deu a experimentar a ginja, que comprou a cinco francos, e ainda a bolacha *Maria,* cuja lata de um quilo lhe custou a astronómica quantia de dezoito francos. Beberam água *Vidago-Sabrozo* e o capitão entregou-lhe bacalhau, que comprou a quatro francos e cinquenta cêntimos o quilo, ensinando-a a cozinhá-lo segundo uma receita que lhe rabiscara o Matos, o cozinheiro do batalhão.

Por vezes iam os dois visitar as tendas da YMCA para uma sessão de cinematógrafo. Nesse final de Inverno assistiram ao sensacional *Le mystère d'une nuit d'été,* um melodrama romântico com Yvette Andreyor lavada em lágrimas do princípio ao fim, e ao exótico *Cleopatra,* com a sensual Theda Bara no principal papel. Mas a *pièce de résistance* era, inevitavelmente, o grande Charlie Chaplin, que emergia depois do *newsreel,* o bloco de notícias da Pathé, para desencadear um terramoto de gargalhadas na tenda sobrelotada de soldados.

Durante este período, o capitão encontrou-se várias vezes com Mardel e com Montalvão para fazer um ponto da situação. O tenente-coronel foi-o mantendo a par da evolução dos acontecimentos, e a verdade é que cada vez havia mais coisas a relatar. Os diversos batalhões davam conta de um aumento da actividade das patrulhas e da artilharia inimiga, aumento que começou a ser notado sobretudo a partir do final de Fevereiro.

"Os boches sabem que estamos de rastos", confidenciou Mardel com preocupação, exibindo uma mão-cheia de relatórios de operações e informações. "Capitão, preciso dessa operação para breve."

"Daqui a alguns dias apresento-lhe o plano", prometeu Afonso. "Acha que este aumento da actividade inimiga traz água no bico?"

"Afirmativo. Eles estão a preparar alguma. O quê, não sei, mas lá que os tipos andam a preparar alguma, isso andam."

Afonso voltou às linhas para ultimar o plano. Sabia que, antes de o apresentar, teria ele próprio de efectuar uma patrulha pela terra-de-ninguém para reconhecer o terreno. Essa era uma actividade geralmente reservada aos soldados; todas as noites as forças portuguesas efectuavam mais de uma dezena de patrulhas e era relativamente raro ver oficiais a acompanhá-las. Mas, impertigado pelos confrontos verbais com o Cenoura e preocupado em elaborar com cuidado um plano para o raide, o capitão decidiu chefiar uma patrulha daí a três noites. Foi ter com o sargento Rosa e ordenou-lhe que preparasse um grupo de homens para a acção.

"Quero aquele matulão que consegue carregar a *Luísa*", fez questão de indicar.

"Quem, meu capitão?"

"Aquele matulão, o grandalhão..."

"O cabo Matias Grande, meu capitão?"

"Esse mesmo. O que acha dele?"

"O Matias é bom homem, bom soldado. É forte como um touro e esconde o medo. Com ele os boches não fazem farinha. O pessoal gosta dele, sente-se seguro com o gajo por perto, os homens até combatem melhor quando estão ao lado do Matias."

"Então esse que venha. Esse e mais uns quantos."

"Exactamente quantas praças ao todo, meu capitão?"

"Ó homem, sei lá, umas cinco ou seis, não mais. Isto não é um raide, é uma patrulha de reconhecimento do terreno, tem de ser coisa discreta. Olhe, vou eu, vai você, vai o cabo latagão e mais uns três." Somou com os dedos. "Seis."

"Vou chamar os homens do Matias, meu capitão."

"Eles são bons?"

"Sim, meu capitão. O meu capitão chegou a comandá-los quando houve aquele ataque dos boches no ano passado ali em Neuve Chapelle."

"Ah, já me lembro", exclamou Afonso, fazendo uma expressão de reconhecimento. "Eram bons, eram. Como é que eles se chamam?"

"São só três, meu capitão. O pelotão está muito desfalcado, temos de meter mais homens. Mas Lisboa não manda ninguém..."

"Adiante, homem", impacientou-se o capitão. "Diga lá como é que eles se chamam."

"Tem lá o Vicente Manápulas, que é um bocado refilão, protesta muito, é daqueles homens que fervem em pouca água e passa a vida a agoirar, até enerva. Mas na hora do aperto é teso que se farta, pode estar certo. O Baltazar Velho é uma espécie de paizinho do grupo, preocupa-se com o conforto e dá-lhes estabilidade. O problema é que é um lambuzão, só pensa em comida, e com esta dieta de *corned-beef* isso às vezes é mau para o moral. E o Abel Lingrinhas é do tipo calado, metido consigo. Não tem muita iniciativa, embora faça tudo o que lhe dizem. Pode estar borrado de medo, mas não se pira quando as coisas escacholam."

"Está bem, esses que venham."

Afonso passou dois dias em nervosa actividade, preparando em pormenor a patrulha na terra-de-ninguém. Na manhã de 2 de Março, um estafeta foi chamá-lo e o capitão apresentou-se no quartel-general da 2.ª Divisão, em La Gorgue, onde o mandaram sentar numa cadeira junto à entrada. Ficou quatro horas à espera, sem que ninguém lhe dissesse o que quer que fosse. Pela uma da tarde, Eugénio Mardel irrompeu apressadamente no edifício. Afonso ergueu-se num salto e fez continência. O tenente-coronel emitiu um grunhido maldisposto e fez-lhe sinal com a cabeça para o seguir. Percorreu o corredor em silêncio, entrou no gabinete e caiu pesadamente sobre a cadeira. Suspirou e ficou a aguardar que Afonso se sentasse.

"Então já sabe da merda que houve esta manhã?", perguntou-lhe finalmente, com ar cansado.

"Não, meu tenente-coronel", admirou-se Afonso. "O que aconteceu?"

"Os boches fizeram-nos um raide em Neuve Chapelle e a coisa correu mal." Abanou a cabeça com ar desanimado. "Caíram-nos com tudo em cima. Artilharia, gases, morteiros, metralhadoras. Depois assaltaram as nossas posições em Chapigny em vagas sucessivas, ocuparam a primeira linha, chegaram às linhas de suporte e andaram para ali a passear-se durante duas horas, até a nossa artilharia os obrigar a retirar."

"Sofremos muitas baixas?"

"Muitas." A cabeça abanou afirmativamente. "Muitas. Perdemos mais de cem homens."

"Porra!"

"Os gajos caíram em cima de Infantaria 4, de Faro, e de Infantaria 17, de Beja. Fala-se até em cento e cinquenta baixas, entre mortos, feridos e prisioneiros." Fez uma pausa. "É uma merda!"

Afonso mirou o mapa das trincheiras, pregado na parede do posto.

"Conheço bem Chapigny. Já estive no Dreadnought Post e no Grants Post, mesmo atrás."

"Passei a manhã numa reunião do comando para analisar a situação e discutir as nossas opções", disse Mardel, como se não tivesse escutado Afonso. "Tenho boas e más notícias para si. Quais quer ouvir primeiro?"

O capitão fez um trejeito nervoso com a boca.

"Se calhar, é melhor começar pelas más."

"Muito bem", assentiu Mardel. "O general Simas esteve a discutir o seu raide com o general Tamagnini e decidiram não avançar."

Afonso suspirou profundamente. Parecia um suspiro contrariado, feito de desilusão e frustração, mas era na verdade um suspiro de alívio, o capitão não tinha vontade nenhuma de avançar a peito descoberto pela terra-de-ninguém, debaixo de uma chuva de balas e estilhaços, nem alimentava ambições de grandes actos de bravura. Queria era viver, sobreviver se necessário, mas sobretudo saborear todos os momentos, deleitar-se com cada instante, procurava apenas os prazeres simples que a vida lhe concedia, os pequenos nadas, comer um bacalhau, beber umas cervejolas, dormir numa cama de palha, amar Agnès. O projecto de raide não o entusiasmava, era uma mera obrigação de militar, um risco estúpido e desnecessário, o capricho de um cachapim da retaguarda que fantasiava feitos de glória arriscando a vida alheia. Mas não o podia confessar. Por isso, simulou desapontamento.

"É pena", lamentou com disfarçada satisfação. "Sabe dizer-me por que razão decidiram assim?"

"Afirmativo", exclamou Mardel. "Foi emitida há dias uma ordem do I Exército britânico a pôr em prática um acordo de Janeiro entre os governos de Portugal e da Grã-Bretanha. O acordo prevê a dissolução do CEP como corpo autónomo e a sua integração num corpo de exército britânico, sendo tratado como se fosse uma formação inglesa. O CEP ficará com uma divisão nas primeiras linhas e a outra irá para o descanso. Como a 1.ª Divisão está há mais tempo nas trincheiras, será ela a descansar. Ora, à luz dos acontecimentos de hoje, o comando decidiu lançar mesmo um raide e, uma vez que a 1.ª Divisão está de saída, o comando entendeu que ela deveria sair em grande. Tendo de escolher entre um raide de Infantaria 8 e outro de Infantaria 21, o comando optou pela proposta do 21, uma vez que essa unidade pertence à 1.ª Divisão."

"Que sorte esses gajos tiveram", comentou Afonso, já descontraído. "O 21 é donde?"

"É malta da Covilhã."

"Mas que grande vaca! Vê-se mesmo que nasceram com o cu virado para a Lua."

Mardel sorriu pela primeira vez.

"Mas, ó capitão, tenho também boas notícias para si."

"Ah pois", exclamou. Se as más notícias tinham sido assim tão boas, Afonso ficou com curiosidade para saber se as boas poderiam ser ainda melhores. "Então conte lá."

"O general Simas intercedeu veementemente por si e obteve uma concessão do general Tamagnini e do general Gomes da Costa."

"Uma concessão?"

"Afirmativo. O general Gomes da Costa aceitou que um pelotão do 8 fosse incluído no raide do 21."

"Como assim?"

"Ó homem, será que tenho de lhe explicar tudo? Você também vai participar no raide, caraças!" Estendeu-lhe a mão. "Parabéns!"

Agnès veio nessa noite algo diferente. Afonso estava sentado na cama a fumar um *Tagus* e a consumir-se com o pensamento de que iria mesmo participar no raide quando sentiu a porta abrir-se e viu a sua francesa entrar. Vinha com um elegante *jersey* de malha e um casaco de lã azul sem gola e abotoado à frente. Agnès sorriu fracamente, sem convicção nem espontaneidade. Os lábios esboçaram o sorriso, mas os olhos verdes mostravam-se carregados de preocupação. Pousou dois sacos à entrada, fechou a porta e veio dar-lhe um beijo.

"Salut, mon mignon", saudou-o.

Afonso devolveu-lhe distraidamente o beijo e ficou sentado na cama a vê-la dirigir-se à banca da cozinha e preparar o jantar. Em circunstâncias normais, teria de imediato notado que havia algo de estranho naquele comportamento, que ela não estava em si. Mas aquelas não eram circunstâncias normais. O capitão passou o último mês angustiado com a perspectiva do raide que andava a preparar e dividido quanto ao que poderia contar-lhe. Deveria dizer-lhe que iria participar num ataque às linhas alemãs? O mês esgotara-se rapidamente, e agora, com o raide na iminência de ser efectuado, a angústia tornara-se profunda e deixara-o cego ao mundo em redor. O tenente-coronel Mardel revelara-lhe que a operação fora marcada para 9 de Março, daí a exactamente uma semana, e que ele teria de se articular com os homens do 21. O anúncio significava que o capitão teria de tomar uma decisão em relação ao que dizer a Agnès. Passou as últimas horas a ponderar o assunto e sentia-se inclinado a nada lhe contar. De que serviria mortificá-la com a notícia? O que tinha a ganhar com isso, a não ser uma semana de ansiedade partilhada? Por outro lado, considerou que talvez aquela fosse a sua derradeira semana juntos, talvez não a voltasse a ver, e interrogou-se sobre se teria o direito de lhe ocultar essa informação.

Embrenhado nos seus pensamentos, Afonso demorou a perceber que Agnès se encostara à banca num pranto silencioso. Os olhos viam-na, mas o cérebro não registava. Até que, sem que o esperasse, uma imagem das lágrimas da francesa se intrometeu na complicada cadeia de raciocínio que lhe consumia a mente. O capitão estremeceu, como se acabasse de despertar, e viu-a com olhos de ver, viu-a curvada na banca a chorar baixo, uma mão diante da boca, os olhos cerrados de onde brotavam gotas delicadas que deslizavam devagar até ao queixo. Ergueu-se num salto, surpreendido e alarmado, e foi abraçá-la.

"O que se passa, *mon petit chou?*"

Ela soluçou e fixou os olhos no soalho.

"*C'est rien, c'est rien.*"

Afonso suspeitou que ela tinha sido informada do raide. Admirou-se por constatar que uma informação tão secreta estivesse já a circular entre os civis, parecia impossível, mas depois lembrou-se de que Agnès trabalhava no hospital, e num hospital sabe-se tudo.

"Tem calma", soprou-lhe ao ouvido. "Tem calma."

Ela encostou-se ao seu corpo e Afonso sentiu-a tremer. Pegou-a ao colo e levou-a para a cama, deitou-a com delicadeza e limpou-lhe as lágrimas. Agnès estava vermelha, a face molhada, os olhos verdes a brilharem com intensidade, mais bela do que nunca. Esboçou um sorriso doce, confortado.

"*Merci, mon mignon.*"

O capitão sentiu-se derreter com o calor suave daquelas palavras. Beijou-a nas bochechas e nos lábios húmidos, passou-lhe os dedos pelos cabelos longos e encaracolados, deslizou o indicador pelo nariz arrebitado e molhado.

"Diz-me o que te apoquenta."

Agnès ergueu-se lentamente na cama, sentou-se e fixou em Afonso os seus olhos cristalinos e enamorados, mas neles via-se também preocupação, vislumbrava-se receio. Pegou-lhe na mão.

"*Alphonse,* tu amas-me?"

"*Bien sûr,* minha fofa."

"Mas amas-me mesmo, *Alphonse?* Amas-me de verdade?"

Afonso franziu o sobrolho, espantado com a intensidade dos sentimentos que nela detectava.

"Claro, minha santa. O que se passa?"

"Amas-me como um soldado que amanhã me esquecerá ou como um homem que nunca me deixará?"

"Que pergunta, meu amor! Claro que nunca te deixarei, só se fosse louco. Amo-te com todas as minhas forças."

"*Vraiment?*"

"Sim, amo-te acima de tudo, acima do meu ser. Tu és o ar que eu respiro, a alma que me preenche, a luz que me guia, a vida que me faz viver."

"E o que vai ser de nós quando a guerra acabar?"

"Quando a guerra acabar, *ma petite,* eu fico aqui contigo. Fico aqui ou levo-te comigo. Nunca nos separaremos."

A francesa fez um *hum hum* com a garganta, afinando a voz.

"*Alphonse*", disse ela.

Hesitou e deixou a frase suspensa no ar. Fez-se silêncio.

"Sim?"

"*Alphonse*", recomeçou Agnès. "Fui hoje ao doutor Almeida."

"Quem?"

"Fui ao doutor Almeida, um médico lá do hospital."

"Ah, sim."

"*Je suis enceinte.*"

"Como?"

"Estou grávida."

XIII

Os bocejos pareciam contagiosos, sucedendo-se uns atrás dos outros, em sequência. Os homens abriam a boca sucessivamente, aspirando o ar frio e húmido daquela madrugada de 9 de Março e expelindo-o num longo e vaporoso suspiro. Afonso invejou o sono desses homens, só podia bocejar assim quem não tinha medo, quem não era consumido pela ânsia, quem não iria participar na operação. A artilharia trovejava havia quase uma hora, regando as posições inimigas, o horizonte acendera-se em fogo e, em pleno caos, pasme-se, havia homens a bocejar. O capitão olhou em redor e achou curiosa a diferença de postura dos soldados. As praças e os maqueiros da segunda companhia de Infantaria 21, serranos da Covilhã, encostavam-se modorrentamente aos parapeitos de Copse Trench, os olhos ensonados, era evidente que não iriam saltar para a terra-de-ninguém, cabia-lhes outra missão, os soldados iam guardar a primeira linha e cobrir os flancos da força de ataque e os maqueiros ficariam a assegurar a retirada dos feridos.

Mas já os outros, os que integravam a força de assalto, os que iam enfrentar a morte, esses agitavam-se bem despertos, nervosos e expectantes, os olhos dançando temerosamente em todas as direcções, as gargantas secas, a adrenalina a contaminar-lhes o sangue, a força a faltar-lhes nas pernas, um tremor invisível a devorar-lhes o ânimo perante o vulcão de fogo que se estendia à sua frente e para o qual se iriam lançar. Afonso sentia-se desgastado pelo medo, cansado da espera, desejava que tudo começasse depressa, não suportava mais a angústia de saber que iria combater. Se esse momento era inevitável, pensou, então que viesse já. Olhou para Matias e admirou-se com o ar tranquilo que o cabo exibia; dir-se-ia estar convencido de que ia apenas dar um passeio até às linhas alemãs. Já o Lingrinhas agitava-se nervosamente, o corpo franzino a balouçar na penumbra como um pêndulo, irrequieto, os olhos saltitando por entre os clarões da artilharia, receosos, assustando-se com as sucessivas detonações que faziam trepidar o ar, parecia um pardal a tremer diante dos predadores. Baltazar tinha as pálpebras cerradas, rezava decerto, os lábios agitando-se num leve murmúrio dirigido aos céus, o pensamento nos filhos que deixara em Pitões das Júnias. O capitão virou o pulso e consultou pela enésima vez o seu *Patek Philippe* de pulso, os ponteiros incandescentes indicavam agora as quatro e cinquenta e cinco.

"Faltam cinco minutos", disse Afonso. "Vamos ao conhaque."

Os homens desenroscaram os cantis, satisfeitos por ocuparem a mente, por a distraírem da cacofonia de explosões e da enervante espera, alguns engoliram o rum em golos sucessivos, sôfregos, deixando gotas escaparem-se-lhes pelo canto das bocas e deslizarem até ao queixo, outros saborearam o álcool com forçada lentidão, muito compenetrados, como se aquela fosse a última bebida das suas vidas, o derradeiro prazer antes do extertor final. A cada trago faziam uma pausa para expirarem o calor que lhes crescia pelo ventre a cima; o medo ainda por saciar, engoliam mais um golo ardente.

"Aaaah!", exclamou Baltazar Velho. "Valente murrilha!"

Sentiram-se gradualmente mais calmos, tranquilos e descontraídos. O álcool subiu-lhes rapidamente à cabeça e dominou o medo, deixou-os serenos, invadidos por um sentimento de irreali-dade, como se estivessem num sonho, o tempo abrandou, as bati-das cardíacas desaceleraram e alguns esboçaram mesmo um sorriso.

"Esta bodega é porreira", comentou Afonso, piscando o olho a Matias.

"Vamo-nos a eles, meu capitão, vamo-nos a eles!", devolveu o enorme cabo, esfregando as mãos de impaciência, era a espera que mais o afligia. "Temos de lhes dar a paga de anteontem."

Matias Grande referia-se a um raide efectuado dois dias antes pelos alemães sobre Neuve Chapelle e Ferme du Bois, rechaçado por Infantaria 15, de Tomar, e Infantaria 22, de Portalegre. Ape-sar de a operação ter redundado num fracasso para o inimigo, aos oficiais portugueses não passou despercebido o facto de se ter tra-tado do segundo raide alemão no espaço de apenas uma se-mana e do primeiro a envolver um assalto simultâneo a dois sectores portugueses.

"Estás parv'ou quê?", cortou Vicente, olhando para Matias. "Ist'inda vai dar azar. Ai vai, vai."

"Ó Manápulas, pára lá com os agoiros."

Afonso voltou a consultar o relógio. Faltavam dois minutos. Um sargento de Infantaria 21 aproximou-se dos homens do 8.

"Meu capitão, é melhor tomarem posição."

O oficial assentiu com a cabeça, fez sinal ao sargento Rosa e o pequeno grupo do 8 escalou o parapeito. Tacteando o terreno, os homens aninharam-se junto ao arame. O sargento do 21 jun-tou-se a eles e indicou um ponto invisível na escuridão.

"Não se esqueçam, vão por ali", disse. "O arame já está todo cortado e a via aberta."

"Por ali?", perguntou Afonso, preocupado em não se enganar.

"Sim, por ali. Boa sorte."

O sargento voltou à trincheira, contente por não fazer parte da força de ataque. Afonso ficou colado ao chão lamacento, os olhos fixos no relógio de aviador que Tim lhe tinha oferecido pelo Natal. Sorriu ao lembrar-se de que aqueles mesmos relógios de pulso foram durante anos considerados meras peças de joalharia, adornos semelhantes a pulseiras só adequadas a senhoras. Se os irmãos o vissem ali naquela figura, pensou, chamar-lhe-iam rabicho. Mas a verdade é que a guerra tinha mostrado que esta era a forma mais prática de transportar um relógio, e ali estava ele, com um rude *Patek Philippe* suíço, tornado mais feio pela grelha de metal que protegia a montra dos estilhaços. Suspirou e assinalou o tempo.

"Um minuto."

O ponteiro dos segundos iniciou a última volta, progredindo inexoravelmente. Alguns homens rezavam baixinho, os olhos cerrados, os canhões rugiam, o ponteiro dos segundos começou a subir, tiques atrás de tiques, ponto a ponto para cima, Vicente fechou os olhos, Abel suspirou fundo, Matias desentorpeceu os braços, Baltazar fez o sinal da cruz, Rosa manteve-se hirto, o ponteiro subiu ainda mais e atingiu o cume, o fatídico 12.

"Vamos!", ordenou Afonso.

O grupo do 8 ergueu-se da lama e desatou a correr, primeiro com prudência, procurando o caminho aberto por entre o arame, depois mais rápido, mais rápido, todos em correria pela terra-de-ninguém, às escuras, as pernas moles de pavor, o grupo a tentar chegar o mais longe possível antes de os alemães darem pela sua presença, mais rápido, força, força, os soldados seguiam pelo itinerário previamente estudado, o terreno inclinava-se para cima, ressoavam os cliques e claques metálicos das *Lee-Enfield* embaionetadas, dos cintos, das munições, das *Mills,* das botas, mais o arfar ofegante dos homens em esforço, alguns tropeçavam na escuridão, as pernas sempre moles, Afonso caiu num charco invisível e logo se levantou, desengonçado, interrogou-se mil vezes sobre o que estava ali a fazer, que disparate era aquele. O torpor do álcool desaparecera, aniquilado pela adrenalina fulminante, mas o sentido de irrealidade permanecia, a sensação de sonho ainda os invadia a todos quando soou o primeiro tiro de espingarda. Ouviram-se gritos do lado alemão, era o alerta, surgiram mais tiros, quatro, cinco, dez, vinte tiros, um foguete ergueu-se em Sally Trench e explodiu no ar, era um *very light* a iluminar a terra-de-ninguém. A luz fantasmagórica do foguete encheu as trincheiras como um pequeno sol, resgatando da penumbra minúsculas figuras em movimento. Viam-se agora os soldados portugueses a correr em direcção às linhas inimigas, tropeçando em buracos, caindo em crateras, esbarrando em obstáculos, mais de cem homens da primeira companhia do 21 e um punhado do 8 vinham de Ferme du Bois e avançavam a descoberto pela terra-de-ninguém em direcção ao inimigo, a Sally Trench, a Sapper Trench, a Mitzi Trench, as linhas alemãs aguardavam-nos. Mais *very lights* foram lançados para o ar, os alemães iluminaram o campo de batalha com sóis sucessivos, a noite fez-se dia, os tiros isolados das *Mausers* cresceram e misturaram-se à cacofonia da artilharia, as *Maxims* juntaram-se à festa e começaram a ladrar por toda a parte, voavam granadas e surgiram as primeiras explosões na terra-de-ninguém. E os portugueses sempre a correr, a correr, a correr.

A primeira linha alemã apareceu-lhes inesperadamente em frente, por detrás de uma derradeira vedação de espesso arame farpado.

"Alicates!", gritou Afonso logo que caiu junto ao arame com os seus homens.

Uma praça do 21 aproximou-se rapidamente e, as mãos protegidas por umas luvas muito grossas, começou a cortar o arame com urgência, claque aqui, claque ali, claque, claque, os fios metálicos contorciam-se, as agulhas do arame balouçavam com maldade, procurando rasgar a pele de quem as mutilava, mas o homem evitava-as com perícia e ia abrindo o caminho, devagar, devagar, todos impacientes, o homem do alicate não havia meio de se despachar, claque, claque, todos deitados no chão, cada um a vigiar o inimigo, um olho nos alemães, o outro no homem do alicate, claque, claque, o alicate sempre a cortar o arame, o céu iluminava-se com foguetes e no solo dançavam as sombras, *zzziiimm, zzziiimm,* as balas a cortarem o ar em zumbidos sucessivos, em sibilos metálicos, em assobios de morte, traiçoeiros e enervantes, claque, claque, *zzziiimm, zzziiimm,* claque, claque, *zzziiimm, zzziiimm.*

"Já está", anunciou por fim a praça, banhada em suor naquela madrugada gelada.

Os portugueses ergueram-se, penetraram temerosamente pelo caminho aberto pelo alicate, alguns rasgaram a pele nas pontas soltas do arame mas avançaram na mesma, saltaram à pressa para o buraco da primeira linha inimiga, as espingardas apontadas, os olhos atentos, procurando vultos ameaçadores, a trincheira parecia deserta mas o ar era sempre cortado por zumbidos, sibilos, assobios.

"Abriguem-se!", ordenou Afonso, sentindo as balas a zurzirem como moscas em redor.

Os homens anicharam-se às paredes. O capitão olhou em volta e viu praças do 21 misturadas com o seu pelotão do 8. Matias esticou a cabeça acima do nível do parapeito para lobrigar o inimigo, detectou clarões de armas a serem disparadas e logo se encolheu.

"Estão naquela direcção", indicou entre duas arfadas, apontando com a mão para a direita.

O cabo ajeitou a *Lewis,* respirou fundo para recuperar o fôlego, ergueu-se num ímpeto, apontou a metralhadora para o sector que identificara e começou a vomitar rajadas. Os outros homens, encorajados pelo exemplo de Matias, ergueram-se igualmente e dispararam as *Lee-Enfield* na mesma direcção. Os *very lights* continuavam activos, iluminando a batalha, e os portugueses viram os alemães lá ao fundo a fugir.

"Fogo à vontade!", exclamou Afonso, a pistola na mão.

A *Lewis* e as *Lee-Enfield* despejavam balas e balas sobre os fugitivos, alguns tombaram no chão, um ou outro ainda se levantou e retomou a corrida em dificuldade, a coxear, o fogo permaneceu intenso até os alemães que ainda se encontravam em pé saírem do campo de visão. Afonso chamou então o sinaleiro do seu grupo. O homem aproximou-se com o telefone na mão, o fio esticado desde as linhas portuguesas. Afonso fez sinal ao sargento Rosa.

"Larga o foguete de chegada."

O sargento pegou num *very light* e disparou-o para o céu. O foguete explodiu em luz vermelha lá em cima, lançando uma claridade de sangue sobre as linhas. Outros *very lights* vermelhos explodiram à direita e à esquerda. Era o sinal convencionado para anunciar às linhas portuguesas que a primeira linha alemã se encontrava ocupada pelo CEP. Satisfeito com a indicação de que as coisas estavam a correr bem com os outros pelotões, Afonso pegou no telefone.

"Aqui pelotão do centro", anunciou o capitão pelo bocal. "Estamos em posição. Henrique. Repito. Henrique."

"Henrique" era o nome de código para a artilharia portuguesa alongar o tiro para a retaguarda alemã. A ideia era fustigar o inimigo e evitar atingir as tropas portuguesas instaladas na primeira linha alemã.

Logo que a artilharia corrigiu o tiro, Afonso fez sinal aos homens e o grupo progrediu cautelosamente por uma trincheira de comunicação com o intuito de limpar o terreno, os soldados avançando curvados e de espingarda em riste. Matias ia à frente, a pesada *Lewis* nos braços, seguido do sargento Rosa e de Abel, atrás vinham Afonso, Vicente e Baltazar, mais os homens do 21. Viram um buraco à direita e hesitaram.

"Um abrigo", murmurou Matias para trás, a metralhadora apontada para um buraco aberto na base de um maciço bloco de cimento.

Afonso aproximou-se e verificou a entrada do abrigo sem se atrever a expor-se.

"Façam-me a limpeza disso."

O sargento Rosa disparou dois tiros para o interior e ficou a aguardar. Nada. Matias avançou, colocou o cano da *Lewis* pelo buraco e espreitou. Estava tudo escuro.

"Lanterna."

Afonso deu uma lanterna eléctrica ao sargento Rosa, que a colocou nas mãos do cabo. Matias acendeu a luz e verificou o abrigo. O clarão percorreu as paredes, viam-se estantes com livros nas paredes, fios eléctricos e lâmpadas penduradas no tecto. A luz da lanterna desceu pelo chão, iluminaram-se sofás, cadeiras, camas duplas com grossos cobertores, o soalho parecia seco. Ao fim de algum tempo, Matias deu-se por satisfeito e voltou a cabeça para trás.

"Não está cá ninguém", disse aos companheiros.

De seguida, o cabo mergulhou no buraco e desceu para inspeccionar melhor o abrigo. Atrás dele seguiram os outros homens do 8 e alguns do 21, todos embasbacados com o *bunker* alemão.

"Ena, caraças, já me toparam isto?", exclamou Baltazar. "Isto é um abrigo de reis! Porra! Que categoria!"

"É do camano", confirmou Vicente, sentando-se com visível prazer na superfície fofa do sofá. "Andamos nós a viver na lama e estes gajos a refastelarem-se nestes palacetes. Sim senhor, ist'é qu'é vida! A eles tratam-nos bem. Já connosco é o qu'a malta sabe..."

"Se o pessoal tivesse um hotel destes, até nem me importava de andar nas trinchas", gracejou Baltazar. "Categoria!"

Afonso sentia-se igualmente surpreendido com a qualidade do abrigo. Era, de longe, superior a qualquer coisa existente no CEP ou mesmo nas posições britânicas que visitara. Mas a estupefacção durou pouco. Tinha pressa em sair dali, completar a missão e regressar à segurança relativa das trincheiras portuguesas. Constatou que não havia documentos para apreender e decidiu abandonar o local.

"Vamos, vamos embora daqui!", ordenou. "Vamos lá, vamos lá, rápido!"

Os homens saíram do abrigo e regressaram à trincheira de comunicação, restabelecendo-se a hierarquia anterior. Matias à frente, Rosa logo a seguir, os restantes atrás. A trincheira fez uma leve curva à esquerda e, no meio daquela escuridão iluminada pelos clarões da artilharia e pelos sucessivos *very lights,* o cabo detectou um vulto a desaparecer ao fundo.

"Boches!", avisou.

O grupo parou por momentos e, após uma ligeira hesitação, retomou a marcha, Matias muito atento a qualquer movimento.

Trinta metros mais à frente, perto do sector onde tinha visto o vulto, deparou com novo buraco, desta feita à esquerda, na base do parapeito.

"Abrigo."

Mais uma paragem. Rosa repetiu o procedimento anterior e disparou dois tiros para o esconderijo. Ouviu-se barulho lá dentro e um tiro respondeu ao fogo português.

"Granadas", pediu Matias.

Rosa entregou-lhe duas *Mills*, Matias pegou numa, premiu a alavanca, puxou pela argola e arrancou a cavilha de segurança, atirou-a pelo buraco e repetiu a operação com a outra. Ouviram--se gritos em alemão, *"achtung!"*, *"was ist das?"*, *"Granate!"*, sucederam-se duas explosões, veio o silêncio, ouviu-se um gemido e Matias aproximou-se da entrada do abrigo, apontou a lanterna e viu estantes partidas, um corpo estendido de bruços, uma perna decepada, um outro corpo pendurado numa cadeira, um terceiro a mexer-se no chão, barriga para o ar, o ventre aberto e os intestinos a escorregarem-lhe pelas mãos, o homem a olhar surpreendido para as suas entranhas expostas. Ergueu os olhos e mirou Matias.

"Entschuldigen... Sie bitte!", disse, arfando. *"Können Sie... mir helfen?"* Respirou fundo. Gemeu. *"Bitte... Kamerad."*

Matias olhou para trás, para os seus companheiros.

"O abrigo está limpo."

"Os boches?", quis saber Afonso.

"Estão dois mortos e um ferido."

O capitão espreitou pela entrada e viu o alemão estendido no chão, a gemer.

"Coitado", comentou. "Já viram que ficou com as tripas de fora?"

Matias assentiu com a cabeça.

"Não se safa. Está a bombar."

O alemão insistiu, o esgar perdido.

"Bitte." Arfou. *"Kamerad."* Gemeu. *"Können... Sie mir... helfen?"*

Afonso entendeu.

"Está a pedir ajuda", explicou. "Se calhar, é melhor dar-lhe um tiro, acaba-se-lhe já o sofrimento."

O capitão procurou em redor, como que a pedir voluntários. Matias baixou os olhos, os que estavam atrás fizeram-se desentendidos. Afonso voltou a mirar o alemão, ergueu a pistola, apontou-a à cabeça do homem, deixou-a apontada, aguardou, hesitou terrivelmente, pensou que era um acto de caridade, de misericórdia, mas logo outro pensamento contrapôs, lembrando-lhe que ia matar alguém, que ia pecar, era talvez a sua reprimida consciência de seminarista a revoltar-se, pensou e hesitou, a hesitação prolongou-se, o alemão agonizante devolveu-lhe o olhar, percebeu tudo, os olhos azuis miravam-no aterrorizados, viam o abismo, encaravam o fim. Afonso suspirou e baixou a pistola. Não era capaz.

"Vamos embora", disse pesadamente, regressando à trincheira de comunicação.

O grupo avançou pelas linhas abandonadas pelo inimigo e chegou à Mitzi Trench. Mais abrigos desertos foram inspeccionados, todos revelando condições de habitabilidade infinitamente superiores às existentes do lado aliado. Afonso chamou os sapadores-mineiros da terceira companhia, igualmente envolvidos na operação, e os abrigos foram arrasados. Pouco depois, um *very light* verde iluminou o céu à direita. Era o sinal de retirada dado pelo comandante da operação, o capitão Ribeiro de Carvalho. Os homens regressaram à primeira linha alemã e Afonso voltou ao telefone do sinaleiro.

"Aqui pelotão do centro", anunciou. "António. Repito. António."

Tratava-se da palavra de código a informar que ia retirar. Devolveu o telefone ao sinaleiro e deu ordem de retirada. O grupo meteu pela brecha aberta no arame farpado, atravessou a terra-de-ninguém e regressou a Copse Trench, o ponto de Ferme du Bois donde tinham partido duas horas antes.

XIV

Afonso abandonou as linhas num estado de total exaustão e, tal como todos os homens que participaram no raide, beneficiou de uma dispensa de dois dias. Depois de apresentar um relatório ao major Montalvão, o comandante de Infantaria 8, requisitou um cavalo e foi até Béthune, ao anexo que se tinha transformado no seu lar. Deixou a montada amarrada a um carvalho, junto a um bebedouro, e caminhou ansiosamente para o cubículo alugado por Agnès. Estacou frente à porta de madeira tosca, procurou a chave no bolso, meteu-a na fechadura e entrou.

"Agnès?"

Ninguém respondeu. Olhou em redor e verificou que tudo se encontrava bem arrumado e o anexo relativamente aquecido. A sua francesa tinha provavelmente ido trabalhar, mas deixara o anexo impecável antes de sair. Afonso fechou a porta, despiu o casaco, foi até ao bacio, mirou-se ao espelho, tinha o ar cansado, a barba por fazer, olheiras a ensombrarem-lhe os olhos. Pegou no jarro, despejou água fria nas mãos, lavou a cara, despiu a roupa imunda, tirou as botas enlameadas e as meias sujas, mergulhou os pés no bacio, a água estava tão fria que até os ouvidos lhe doe-

ram, passou água pelo corpo, esforçando-se por retirar a lama
seca que lhe cobria a pele, esfregou com sabão, voltou a passar
água, depois mergulhou a cabeça na água barrenta, mais lama
saiu, passou ainda uma toalha molhada pelo corpo, a tremer de
frio secou-se apressadamente, calçou meias limpas, vestiu um pijama lavado, atirou-se para a cama e enroscou-se nos cobertores.

Uma superfície húmida, quente e macia colada às bochechas e
um agradável e familiar aroma perfumado fizeram-no abrir os
olhos. Viu uns lábios enormes à sua frente e levou dois segundos
a compreender. Era Agnès que o beijava.
"*Ça va, mon mignon?*"
A voz era suave, quase uma carícia, e Afonso sentiu-se bem.
"Olá *mon petit chou*", disse com voz de sono.
Reparou então que estavam na penumbra, tudo se encontrava
escuro, a noite caíra, passara todo o dia a dormir. A francesa
passou-lhe a mão carinhosamente pelo rosto.
"Então como foi a guerra hoje?"
Afonso hesitou. Quis contar-lhe tudo, relatar-lhe o raide, os
mil perigos, o medo, os mortos e a história do alemão moribundo, ainda abriu a boca mas interrompeu-se a tempo, pensou
que era pouco avisado estar a relatar-lhe a operação, ela ficaria
assustada e passaria a viver em sobressalto mais do que já vivia,
mais valia que continuasse a acreditar que o seu capitão estava
agora unicamente encarregado de tarefas burocráticas nas trincheiras.
"Tudo normal", devolveu, fingindo-se despreocupado. "Muita
papelada, muita papelada."
"Não fizeste *des bêtises?*"
"*Non.*"
"Não andaste atrás de *demoiselles?*"
"Nas trincheiras?"
Ela riu-se.
"*Oh la la!* São as piores!", exclamou, piscando o adorável
olho verde.

"Ah sim, o que para lá mais há são mesmo *demoiselles!*", comentou Afonso com um sorriso amargo. "Parvinha."

Disse "parvinha" em português, e ela arregalou os olhos.

"*Quoi?*"

"Parvinha."

"*C'est quoi, ça?*"

"Parvinha? Uh... sei lá, é tipo... uh... *parvalhone.*"

"*Parvalhone?*"

Afonso riu-se. Quando não sabia qual a exacta palavra francesa, afrancesava uma palavra portuguesa, mas nem sempre saía bem.

"Não interessa", disse, desistindo de procurar a palavra exacta. "Como vai o pequerrucho?"

Agnès olhou para o ventre. A protuberância da gravidez era ainda minúscula.

"Oh, tem-se portado bem, é um amor."

"Temos de lhe escolher um nome. Já pensaste?"

"*Oui*", disse ela, fazendo-se séria. "Por que não *Alphonse*, como o seu papá?"

"Afonso? Não, vamos pensar noutro..."

"Temos sempre a hipótese do nome do meu pai. Como se diz Paul em português?"

"Paulo."

"Hum, parece italiano." Fez um ar meditativo, apreciando a sonoridade do nome. "Paolo. Gosto."

"Paulo", corrigiu Afonso. "Parece-me bem." Deu-lhe um beijo. "Mas, olha lá, e se for menina?"

"Se for menina, temos duas hipóteses. Ou Michelle, como a minha mãe, ou então o nome da tua mãe. Como é que ela se chama mesmo?"

"Mariana."

"Mariana então. Um desses dois."

"Por que não Inês?"

"Inês? Que nome é esse?"

"É Agnès em português."

Agnès fez um trejeito de boca, pensativa.

"É uma ideia. Vamos amadurecer isso, afinal de contas temos tempo. O doutor Almeida disse-me que o parto só deve ser lá para Outubro."

Afonso fez nessa noite amor com inquietação, as imagens do raide, do alemão desventrado, da correria tresloucada, dos projécteis a sibilarem, tudo sempre na sua mente. Olhava Agnès e via a guerra, os mortos, as explosões, os disparos, os *very lights*, os gritos, a crueldade, o medo. Teve dificuldade em concentrar-se. Depois de saciarem os corpos, agarrou-se a ela como se a fosse perder dentro de instantes. Emocionado, pegou-lhe na mão e fitou-a nos olhos.

"Queres casar comigo?"

Agnès estremeceu e abraçou-o com força.

"*Oui, oui*", soprou. "Pensei que nunca irias perguntar."

Ele beijou-a nos lábios e sentiu-lhe a face molhada.

"Casamo-nos, temos o filho e vens comigo para Portugal. Vais ver aquele sol..."

Ela fungou.

"*Oui.*"

"Vou pedir uma licença para casar. Que dizes de final de Abril?"

"Parece-me difícil."

"Porquê?"

"*Alphonse*, não te esqueças de que eu ainda estou casada. Já meti os papéis do divórcio, mas acho que só lá para o Verão serei uma mulher livre."

Afonso suspirou, conformado.

"Então será no Verão. O problema é que a Igreja não aceita divórcios..."

"Não sejas *bête*. Não vês que eu não me casei pela Igreja?"

"Como assim, não te casaste pela Igreja?"

"Com Serge casei-me na igreja, mas ele morreu. Com Jacques, que é ateu, casei-me na Conservatória de Armentières. Portanto, para a Igreja nem sequer sou casada, sou viúva."

"Mas isso resolve tudo", exclamou Afonso com entusiasmo. "Assim sendo, casamos mesmo pela Igreja, *comme il faut*. Pedi-

mos ao capelão do Exército e fazemos a cerimónia ali na paróquia de Aire ou de Merville."

"Não, aí não, é demasiado vulgar. Sempre sonhei com um
casamento grandioso. Porque não na Catedral de Amiens?"

"Na Catedral de..."

"A Catedral de Amiens é a maior de França, uma coisa magnífica."

"Muito bem, será na Catedral de Amiens", concordou. "Só é
pena que a minha família não possa assistir."

Ficaram algum tempo agarrados um ao outro, em silêncio. De
repente, Afonso pegou na vela que estava na mesinha-de-cabeceira, levantou-se, foi sentar-se à mesa, nu, cobriu-se com uma
manta e rodeou-se da caneta, do tinteiro e de um papel de carta.

"O que estás tu a fazer?", perguntou ela, apoiada sobre o
cotovelo, na cama, admirada por vê-lo a escrever àquela hora.

"Vou escrever uma carta", limitou-se a dizer.

Agnès ficou a observá-lo, o seu homem curvado sobre a folha
de papel a desenhar as letras com a língua entre os lábios, relendo
baixinho o que escrevera naquele idioma desconhecido; volta e
meia molhava a ponta da caneta no tinteiro e voltava a escrever.
Finalmente dobrou a folha, inseriu-a no envelope, passou a língua
húmida pela cola, fechou o envelope e entregou-lho. A francesa
analisou o sobrescrito, surpreendida.

"Escreveste-me a mim?", perguntou sem compreender.

"Não, escrevi à minha mãe."

"Mas o que é que queres que eu faça com isto? Queres que a
vá pôr no correio?"

"Não, não, isso seria mau sinal", disse-lhe ele. "Só deves
mandar essa carta se me acontecer alguma coisa, entendeste?"

A francesa fitou-o com alarme e ansiedade.

"Se te acontecer alguma coisa?"

"Não te preocupes, é uma mera medida de prevenção. Estamos
em guerra, eu ando nas trincheiras, em princípio não acontece nada
porque estou encarregado da papelada, não de combater, mas
nunca se sabe, não é? De modo que, se me acontecer alguma coisa,

o que não penso que venha a acontecer, mas, se acontecer, tens aí o contacto da minha mãe com todas as minhas explicações."

"Que explicações?"

"As coisas normais em tais circunstâncias. Quem tu és, que eu te amo, que quero casar contigo, que tens o meu filho no ventre, que ela deve dar-te toda a assistência de que precisares, que as minhas poucas posses vão para ti... tudo."

Agnès voltou a mirar a carta, atrapalhada.

"E a que propósito é que tu te lembraste disso agora, a esta hora?"

Ele abraçou-a.

"Sei lá, lembrei-me, pronto." Deu-lhe um beijo. "Mas não te preocupes, *ma mignonne,* já te disse que não morro nem que me matem, vais ver. Nem que me matem. Aqui o teu Afonso é rijo como um carapau, está para lavar e durar."

Depois de Agnès ter adormecido, o capitão permaneceu ainda longas horas desperto, a rever os acontecimentos da madrugada, segundo a segundo, imagem por imagem, emoção atrás de emoção. Sentia-se exausto mas, quando se foi deitar, tardou a adormecer, era a consciência que o apoquentava, a imagem do alemão com as entranhas de fora, a voz numa súplica de moribundo a ecoar-lhe na memória.

Teve vários pesadelos durante a noite, chegou a acordar transpirado, Agnès a acalmá-lo, *"tout va bien, mon petit, tout va bien",* sussurrou-lhe ela, mas quando acordou da última vez viu que a luz do sol lhe entrava pela janela. Apalpou a cama, procurando a francesa ao lado, mas a mão apenas encontrou o lençol, percebeu que ela já lá não estava, tinha ido trabalhar. Deixou-se ficar ainda uma meia hora na cama, meio para lá, meio para cá, no quentinho, na sorna, numa modorra gostosa, até que sentiu fome, bocejou e levantou-se. Era meio-dia. Vestiu uma farda lavada, colocou o sobretudo e saiu à rua.

Choviscava cá fora, mas o boné de oficial protegia-lhe a cabeça. Deu de comer e de beber ao cavalo, que permanecia atado à árvore, e seguiu a pé pela vila. A trovoada da artilharia mostrava-se nesse dia particularmente intensa e Afonso agradeceu aos céus por não se encontrar de serviço nas trincheiras. Cirandou pelas ruas de Béthune e foi a um *estaminet* muito frequentado pelos oficiais do CEP. A proprietária era *madame* Cazin, uma normanda rechonchuda e bem-disposta, boa compincha dos portugueses. Afonso sentou-se numa mesa à janela e a senhora Cazin trouxe-lhe uma *marmite Dieppoise,* um suculento prato da sua Dieppe natal, servido num tacho onde se misturavam peixe, mariscos e molho de natas, com uma *tarte normande* a rematar, tudo regado a *poiré,* uma bebida tradicional normanda feita a partir de peras. Estava já ele a trincar a maçã da tarte quando viu um rosto familiar entrar no *estaminet.*

"Psst, Mascarenhas", chamou. "Ó Mascarenhas! Mascarenhas!"

O seu amigo transmontano da Escola do Exército, o sportinguista dos cinco costados que era segundo comandante de Infantaria 13, veio ter consigo.

"Ora viva, Afonso! Com que então por aqui?"

"Cá vamos. Senta-te, homem."

O major Mascarenhas acomodou-se na cadeira em frente, a claridade do dia a penetrar pela janela e a iluminar-lhe o lado direito do rosto.

"O que andas aqui a fazer?", perguntou o recém-chegado. "Desertaste ou quê? Que eu saiba, o 8 está nas linhas e aquilo anda hoje bem quentinho."

"Pois anda, mas eu estou de licença, graças a Deus."

"Ah sim? Quem é que tiveste de subornar, meu sacripanta?"

"Não me digas nada, homem. Participei ontem de madrugada num raide à Mitzi."

"O quê? O raide do 21? Tu estiveste lá?"

"Estive pois."

"Mas o que é que tu andavas a fazer no raide do 21? Mudaste de batalhão ou quê?"

"É muito complicado, Mascarenhas, muito complicado. Coisas de política dentro do CEP. Era uma operação da 1.ª Divisão, mas o pessoal da 2.ª também quis um quinhão e quem serviu de carne para canhão foi aqui o teu amiguinho."

"Ena, caramba", riu-se Mascarenhas. "Não me digas. Conta lá como foi aquilo."

"Correu mais ou menos."

"Mais ou menos? Fala-se num grande êxito, nos objectivos todos alcançados e numa catadupa de cruzes de guerra e promoções a caminho..."

Afonso encolheu os ombros, cansado.

"Sim, sob esse ponto de vista não correu mal. No conjunto de todos os pelotões que participaram no raide, matámos um porradal de boches, fizemos um prisioneiro, destruímos um *decauville* e uma data de abrigos, não foi mal."

"Vocês sofreram muitas baixas?"

"No meu pelotão, nenhuma. Mas nos outros pelotões mais de uma dezena de homens ficaram feridos, incluindo um alferes e um tenente. Acho que encontraram um abrigo que era um verdadeiro vespeiro de boches, mas mataram-nos todos. Ou melhor, quase todos, ainda prenderam um, vá lá."

"Ouvi dizer que os nossos dois oficiais que ficaram feridos estão mal", comentou Mascarenhas em voz baixa. Fez-se, por um momento, um silêncio embaraçado, mas o transmontano depressa relançou a conversa em tom mais animado. "E tu? Viste muitos boches?"

"Nem por isso. Os gajos pisgaram-se, ainda apanhámos uns quantos em fuga e outros escondidos nos abrigos, mas nada de especial."

"Espero que o raide tenha posto os tipos em sentido. Andam a ficar cada vez mais atrevidotes, com os ataques que nos lançaram nos dias 2 e 7. Já reparaste que os gajos intensificaram as operações?"

"É, está a chegar a Primavera, a lama começa a secar e a coisa vai aquecer."

"Mas não são só os raides", insistiu o major. "Estive a ler os relatórios e reparei que os tipos intensificaram também as patrulhas. Este mês já tentaram entrar várias vezes à socapa na nossa primeira linha. Ora isso raramente acontecia antes."

"Ah sim? Não sabia disso..."

"E já notaste que a artilharia boche tem estado mais activa do que o normal?"

"Isso eu já tinha reparado. Interrogo-me sobre o que andam eles a congeminar. Aliás, o próprio Mardel anda preocupado, daí o raide que ontem fizemos."

"Pois hoje as coisas voltaram a aquecer. O comando teve informações de que os gajos iam atacar a todo o momento e emitiu uma ordem para a nossa artilharia bombardear Piètre, Ligny le Petit e alguns sectores da retaguarda por alturas de Illies. De modo que, neste momento, vai para lá uma actividade danada."

Ficaram os dois a ouvir o rumor distante da artilharia, os canhões portugueses e alemães em fogo e contrafogo. *Madame* Cazin aproximou-se entretanto da mesa com a ementa. Mascarenhas consultou a lista e pediu umas *andouilles* com maçã. A dona do *estaminet* afastou-se e o major piscou o olho a Afonso.

"Não sei que treta é esta das *andouilles*, mas pelo nome parece uma ave. Será que são andorinhas?"

Afonso sorriu.

"Chouriço em tripas", disse.

"Tripas?"

"Recheadas de chouriço. E maçãs. Os normandos põem maçãs em tudo."

"Normandos?"

"Sim, homem, normandos. Não sabias que a dona deste *estaminet* é normanda?"

"O quê? Aquela? Uma viking?"

"Não, homem, a Normandia é uma região de França aqui perto, junto à costa. Ela veio de lá, é só isso."

"Ah", exclamou. Fez uma pausa e ficou a pensar no prato que encomendara. "Não desgosto de tripas, nem de chouriço. Lá em Vila Real comemos isso e muito mais."

Permaneceram os dois calados, a olhar pela janela que se encontrava ao lado da mesa. Afonso bebeu o último trago do *poiré*.

"Sabes o que mais me admirou quando andámos ontem a passear lá pela Mitzi?"

"O quê?"

"As trinchas dos gajos."

"O que é que têm?"

"São de um luxo do caraças. Tudo bem tratado, o chão seco, sofás, beliches, livros, iluminação eléctrica, gramofones, relógios de pêndulo, tapetes, eu sei lá. Até vi um abrigo decorado com papel de parede, vê lá tu."

"Estás a reinar."

"A sério. Aquilo é incrível, parece que estão em casa, é tudo muito asseado, muito organizadinho. Além do mais, são de uma segurança a toda a prova. Os abrigos da linha B estão cavados em profundidade, defendidos por paredes de betão e ligados uns aos outros por uma rede de túneis subterrâneos. Não dá para acreditar."

"Mas isso é mesmo assim?"

"É como te digo. O Tim já uma vez me tinha dito isso, só que eu não acreditei, achei que eram balelas. Mas agora que vi..."

"Como é que eles conseguem ter isso tudo assim tão arranjadinho?"

"Investiram muito nas instalações de defesa. Ao que parece, enquanto nós consideramos as trincheiras um local de passagem, um abrigo efémero enquanto não os obrigamos a recuar, eles consideram-nas um posto de permanência a longo prazo, um sítio donde nunca sairão. Os nossos comandos acham que temos de permanecer desconfortáveis para que tenhamos vontade de os expulsar, dizem eles que é para mantermos o espírito ofensivo. Já os comandos dos tipos pensam que a sua tropa tem de permanecer confortável para não ter vontade de recuar. De modo que, enquanto a malta está na pocilga, os gajos refastelam-se em sumptuosas mansões cavadas na terra."

Mascarenhas abriu as mãos com as palmas para cima, num gesto conformado.

"*C'est la vie!*"

XV

A mão direita curvou-se em garra, as unhas encardidas da sujidade preta da lama escura da terra, aquela lama viscosa e peganhenta que tudo invadia e tudo impregnava, insidiosa e tão omnipresente que a ela todos se tinham resignado. Vicente meteu a mão por baixo da camisa e coçou o ombro esquerdo.

"Porra p'rás pulgas!", exclamou, voltando o pescoço para o lado onde sentiu a comichão. Ergueu ligeiramente a camisa, pela gola, e espreitou a borbulha vermelha nascida da picada do parasita. Acto contínuo, a mesma mão foi coçar o couro cabeludo, irritado pelos piolhos. Vicente passou os olhos pelo abrigo e suspirou de enervação. "Só mesm'a nós é que nos põem neste galinheiro", resmungou. "Quem viu os boches a viverem como fidalgos, lá nos seus palacetes subterrâneos, e quem nos vê p'rá'qui, neste buraco cheio de lam'e merda, deve pensar que somos parvos." Calou-se por instantes, a reflectir. "E sabem que mais? Somos mesmo. Somos parvos, som'uns grandes parvos por nos sujeitarmos a estas condições, e todos caladinhos, enquant'os cabrões dos oficiais s'abotoam c'as melhores instalações, os bons ranchos, as grandes vinhaças e as gajas boas, e s'estão a cagar p'ra nós. A cagar."

"Podes crer, Manápulas", concordou Baltazar, deitado no seu catre, os braços abertos e as mãos cruzando-se na nuca, a sustentarem a cabeça como almofadas. "Isto não é vida, não é vida. Andamos para aqui a arrastar-nos, manducamos umas rações mal amanhadas e, ainda por cima, temos de aguentar com estes bombardeamentos da porra que não há meio de pararem."

Lá fora, a artilharia dos dois lados encontrava-se nesse dia muito activa, mais do que o normal. É verdade que a actividade crescera nas duas últimas semanas, mas parecia agora prolongar-se para além do costume. Os canhões vomitavam granadas a um ritmo regular, sucedendo-se explosões em ambos os lados das trincheiras, não muito intensas, mas permanentes, uma detonação aqui, depois outra ali, e outra ainda. Não era uma barragem de ataque, mas um martelar de desgaste.

"Dizes bem, não param", queixou-se Abel, os nervos em franja. "Isto para mim é o pior. Há dois dias que não durmo. Não sei que bicho mordeu os gajos, mas a verdade é que, desde que há umas semanas lhes deu para nos chatearem a toda a hora e nos atirarem com as garrafas de litro, os copos de meio litro, as abóboras e eu sei lá que mais, eu não prego olho."

"P'ra mim, o pior são os barris d'almude", comentou Vicente, referindo-se aos projécteis de grosso calibre. "Quand'eles estouram, até os tomates se me tremem, caraças!"

Todos esboçaram um sorriso fatigado. A canhoada prosseguia, incansável.

"Os bombardeamentos são tramados, é verdade", insistiu Baltazar. "Mas a paparoca é que dá cabo de mim." Sentou-se no catre e mirou os companheiros, num esforço para desviar as atenções do violento bombardeamento que se desenrolava no exterior. "Então não é que eu fui comprar um queijinho lá à Cantina Depósito, um queijinho que era uma categoria, hã?, uma categoria de queijo flamengo, trouxe-o aqui para as trinchas e já me desapareceu todo?"

"Desapareceu, como?", quis saber Matias, até ali entretido a limpar a *Lewis*.

"Desapareceu. Pendurei-o ali, apagámos a luz, fui bater uma sorna e, quando lá voltei, foi-se."

"Estás parvo ou quê? Então deixas o queijo para aí e depois surpreendes-te que ele tenha desaparecido?"

"Sim, claro que me surpreendo. Nunca imaginei que os meus maradas me gamassem comida, caraças."

"A malta? Gamar-te o farnel?" Matias pôs o pano de limpar numa pedra e bateu com o indicador na testa. "Ó homem, tem mas é juízo! Não vês que isto está cheio de ratos?"

"E o que é que os ratos têm a ver com o meu queijo?"

Matias ficou baralhado.

"O que é que têm a ver? Mas, se são ratos..."

"Quais ratos, qual porra! Estás a reinar comigo ou quê?" Baltazar levantou-se bruscamente, com grandes gestos, irritado. "Pois se eu pendurei o queijo! Pendurei-o, percebes? Aqui." Indicou com as mãos o sítio. "Estás a ver este gancho no tecto?" Tocou no gancho. "Amarrei o queijo e pendurei-o aqui no gancho. Como é que queres que os ratos tenham vindo buscar o queijo, hã? Como é que queres? Só se forem ratos voadores..."

"Ó Baltazar, tem mas é tino nessa cabeça!"

"Tino? Eu?"

"Sim, tino! Então não sabes que os ratos se penduram nos ganchos para chegarem à comida?"

"Penduram-se nos ganchos? Os ratos? Nos ganchos? Vai-te cardar!"

"Estou-te a dizer que se penduram em tudo, Baltazar. Tudo. Até nos ganchos."

"Já viste?"

"Por acaso, já."

Baltazar olhou-o com incredulidade.

"Estás a reinar."

"Estou-te a dizer que já vi. Uma vez, quando vocês estavam a trabalhar nas drenagens das trinchas e eu voltei sozinho de um serviço de sentinela, deixei uma *baguette* pendurada num saco pregado ao tecto. Fui-me deitar e, quando comecei a dormir, senti ratazanas a correrem em cima de mim. Passado um bocado, quis ir mijar. Acendi a vela e vi os ratos todos pendurados no pão, pareciam um cacho, as caudas pretas suspensas no ar. Ao verem a luz, largaram a *baguette,* caíram no chão e pisgaram-se todos, mas o certo é que eles estavam lá pendurados. Andei a investigar, a meter o bedelho nas coisas, vi-lhes os olhinhos a brilharem nos buracos e topei tudo. Eles montaram um sistema de túneis nas paredes das trincheiras e põem-se à coca. Quando a luz se apaga, vai de saírem e atirarem-se à doida para a comida. À doida. Sentem--lhe o cheiro e saltam de todos os lados. Portanto, foi de certeza assim que eles também te limparam o queijo."

"Homessa!", exclamou Baltazar, surpreendido. "Ora querem lá ver isto? É verdade que eles andam sempre por aqui a escara- funchar e à noite, quando a luz está apagada, aparecem mais. Mas nunca imaginei que conseguissem apanhar farnel pendurado no ar, caraças. É do camano!"

"Os ratos são uma merda!", grunhiu Vicente, ainda a coçar as borbulhas das picadas das pulgas. "Também já não sei onde poss'esconder a comida. E fic'aqui quilhado quand'os sint'anda- rem por cima de mim durant'a noite. Os mais pequenos saltitam, s'estivermos ferrados nem se dá por ela, 'inda vá que não vá. Mas há os outros, aqueles gordos e anafados, 'tão a ver? Esses são mesmo pesados, catano, é difícil ignorá-los. Ainda por cim'às vezes escond'o pão debaixo d'almofada, p'ra eles não lhe chega- rem, mas os cabrões não me largam, põem-se-m'a cheirar o cabelo."

"É, parecem lontras", assentiu Abel com ar conhecedor. "Já repararam que depois dos combates os gajos andam mais gordos? Já repararam nisso, hã?"

Calaram-se todos e ficaram momentaneamente a matutar nesta perturbadora observação do Lingrinhas, embalados pelo som das explosões. Matias lembrou-se do cadáver que semanas antes tinha resgatado da terra-de-ninguém, meio comido pelas ratazanas, e estremeceu. Na altura não comentou o assunto com ninguém e preferia não o fazer agora.

"Mas por qu'é que não se faz um extermínio dos ratos?", perguntou Vicente, também ele arrepiado com a ideia de os ratos se alimentarem de carne humana. "Sempre s'acabava c'o esta praga..."

"O comando não deixa", respondeu Baltazar. "Consta que os maiorais acham que os ratos são úteis."

"Úteis? Os ratos? Úteis p'ra quê?"

"Os tipos acham que os ratos não deixam apodrecer a carne dos mortos, são úteis para a higiene ali da Avenida Afonso Costa", disse o Velho, projectando a mão direita vagamente em direcção da terra-de-ninguém.

"Porra, caraças!", vociferou Vicente, elevando a voz. "Só mesm'a mente dos porcalhões dos oficiais p'ra pensar numa nojeira dessas! Cabrões de merda! Marranos d'um raio! E o qu'é qu'eles diriam se lhes atirássemos umas ratazanas esfaimadas p'ra cima dos cornos, hã? Isso também não seria útil p'rá higiene das trinchas? Se calhar era melhor, livrávamo-nos d'uma vez por todas dessa corja de chupistas e paneleiros e íamos mas é todos p'ra casa!" Era nos momentos de irritação que Vicente mais se atrapalhava a falar e mais sílabas engolia. "Puta qu'os pariu!"

A artilharia calou-se nesse momento e os soldados respiraram de alívio. Matias arrumou a *Lewis* a um canto, sacudiu as mãos e ergueu-se, decidido.

"Malta", disse então. "Vamos lá tratar da saúde aos ratos."

"Como assim, tratar-lhes da saúde?", admirou-se Baltazar.

O cabo ignorou a pergunta.

"Abel e Vicente, vão lá fora buscar quatro pás."

Os dois soldados ergueram-se, sem nada compreenderem, penduraram as máscaras antigás ao pescoço, não fosse o diabo tecê--las, e saíram do abrigo para executarem a ordem. Matias acocorou-se junto às provisões, tirou uma lata de *corned-beef* e abriu-a. As praças regressaram, entretanto, com as quatro pás e ficaram a aguardar instruções. O cabo pegou em duas pás, manteve uma na mão e entregou a outra a Baltazar. De seguida, espalhou um pouco de *corned-beef* pelo chão húmido do abrigo e olhou para os seus homens.

"Vamos apagar a luz. Quando os gajos aparecerem e vierem para aqui manducar a carne, à minha ordem começamos a aviá--los com as pás. Entendido?"

Todos murmuraram que sim e foram apagar os candeeiros. Logo que o abrigo mergulhou na escuridão, ouviu-se o habitual som das patinhas a percorrerem o soalho molhado e a convergirem para o local onde se encontrava a comida. Escutaram-se pequenos corpos a roçar uns nos outros, atarefados e gulosos, certamente que se amontoavam, sôfregos, esfaimados, disputando com ferocidade o mísero pedaço de carne.

"Agora!", exclamou Matias.

Os quatro homens despejaram as pás sobre o molho invisível de ratos, acertaram no sítio onde estava a carne e ouviram guinchos a escaparem-se do chão. Sempre às escuras, reergueram as pás e voltaram a bater, desta vez usando o perfil da concha da pá como uma lâmina gigante, e bateram ainda mais uma e outra vez, por vezes as pás atrapalhando-se umas às outras, mas batendo na mesma. Ouviram os ratos a espraiarem-se pelo abrigo, em pânico, e a violência terminou tão depressa como começara. Sentindo a calma restabelecida, Baltazar reacendeu os candeeiros. A luz revelou pequenos corpos negros e castanhos estendidos no chão, ensanguentados, mutilados, contaram sete, dois mortos, três moribundos, dois feridos. Os que ainda mexiam foram prontamente aniquilados pelas vingativas pás. Terminada a matança dos sobreviventes, os soldados encheram as pás de corpos desfeitos de ratos e ratazanas e levaram-nos para as trincheiras. Chovia lá fora. Atiraram os corpos para poças de lama que se encontravam para além do parapeito e repararam que nesses charcos havia outros ratos, vivos, a nadar, os narizinhos espetados à superfície, todos a convergirem para os cadáveres recém-chegados.

"Que se comam uns aos outros!", disse Baltazar com um esgar de nojo. "Bom proveito."

Soaram nesse instante as buzinas *Strombos*. O soldado colocou a máscara no rosto e apressou o passo em direcção ao abrigo. Vinha aí gás.

Afonso e Pinto foram na manhã de 18 de Março ao Laventie East Post para coordenarem o apoio às primeiras linhas. O regresso da Primavera tinha sido turbulento, com as posições portuguesas a enfrentarem sucessivos vendavais de bombardeamentos alemães. O inimigo lançou novos raides a 12 e nesse dia 18, reflectindo um aumento de actividade que provocou uma razia entre os depauperados efectivos portugueses. Quando o último raide terminou e os alemães retiraram, os dois oficiais seguiram pela Harlech Road em direcção a Red House, na Rue du Bacquerot. A meio da estrada, perto de Harlech Castle, cruzaram-se com o tenente Cook, que vinha em sentido contrário.

"*What ho*, Afonso, *my lad!*", cumprimentou o inglês, fazendo continência. Olhou para o Cenoura. "Como está, seu Pinto?"

"Viva Tim", saudou Afonso. "Por aqui?"

"É mesmo, estou preparando um *report* para o meu *boss*."

"Isto está mau, hem?"

"*Right ho*", assentiu o tenente Cook sombriamente. "*Not good, not bloody good.*"

"Anda, vamos ali tomar um chazito."

O inglês aceitou o convite e juntou-se aos dois portugueses. Caminharam pela Harlech Road, apanharam a Rue du Bacquerot junto a Red House e viraram à esquerda até Picantin Road, indo instalar-se em Picantin Post.

"Joaquim, chá para três", disse Afonso à sua ordenança ao entrar no posto.

O soldado foi aquecer a chaleira enquanto os três oficiais recém-chegados se instalavam dentro do abrigo do capitão, sentados em caixotes de munições. Cook retirou do bolso um cachimbo e um saquinho com o que parecia ser erva escura.

"Tabaco de Aleppo", explicou, notando o olhar inquisitivo dos portugueses.

O tenente inglês colocou o tabaco no cachimbo e juntou-lhe o lume de um fósforo. Afonso pigarreou.

"O que é que achas que os tipos estão a preparar?"

"Quem? Os *jerries?*"

"Sim."

O tenente inglês aspirou forte, com o fósforo aceso sobre o tabaco, e conseguiu puxar uma baforada de fumo. O aroma agradável do cachimbo perfumou o abrigo.

"Hard to say", disse finalmente. Aspirou mais um pouco e largou uma nova nuvem de fumo. "Não há dúvidas de que os *jerries* vão atacar em breve. *No doubts whatsoever.* O próprio Alto Comando já comenta isso abertamente. A questão é saber onde."

"Achas que será aqui?"

"Hardly." Ergueu-se e aproximou-se do mapa que se encontrava na parede. "Temos informações fidedignas que apontam para algures no sector de Arras, mais para o sul." Indicou com o cachimbo o ponto que referenciava Arras no mapa. "Aqui."

"Então porque é que estão a bombardear-nos desta forma todos os dias e a lançar estes raides?"

"O Alto Comando pensa que são manobras de diversão. Os *jerries* querem manter-nos no escuro, a tentarmos adivinhar qual o ponto que vai ser atacado. Por isso, reactivaram esta frente."

"Mas sabes o que é que nós já notámos?", perguntou Afonso, remexendo-se desconfortavelmente sobre o caixote onde se encontrava sentado. "Os boches puseram-se a regular o tiro sobre nós."

Cook fez um ar intrigado.

"What do you mean?"

"O fogo de artilharia não está a cair aleatoriamente. Antes pelo contrário, eles começaram a disparar com muita precisão sobre determinados alvos. Por exemplo, andam a regular o tiro sobre estradas, cruzamentos e postos de comando." Estreitou os olhos. "Dá a impressão de que estão a ensaiar. Para que é que lhes serve bombardearem estradas, a não ser para as referenciarem de modo a que, se lançarem um grande ataque, possam impedir a circulação de reforços?"

"Isso é curioso", reflectiu Cook, sentando-se no seu caixote. "Confesso que me vou inclinando para a possibilidade de eles estarem tentando criar uma manobra de diversão, mas isso que você diz me deixa na dúvida." Aspirou o cachimbo e soltou mais uma lufada de fumo aromático. "Sabe, dá a impressão de que esses raides todos estão servindo para os sujeitos testarem as vossas defesas. Admito que eles lancem uma operação por aqui, mas olhe que vai ser coisa limitada, será só para nos xingarem, entendeu?"

Afonso e Pinto entreolharam-se. O capitão ergueu-se, foi buscar uma pasta que guardava debaixo do catre e voltou a sentar--se no caixote. Abriu a pasta e exibiu uma resma de folhas dactilografadas em papel químico, eram cópias de documentos.

"Estás a ver isto?", perguntou, levantando as folhas e agitando-as à frente do inglês. "São os nossos relatórios diários. Foram elaborados pelos oficiais da Brigada do Minho e referem-se à actividade aqui em Fauquissart, o sector à nossa guarda." Afonso pôs-se a folhear os documentos, lendo aqui e ali, mudando de folha, lendo mais um pouco, mudando novamente, e assim por diante. A certa altura parou numa folha, voltou para a folha anterior, de novo a seguinte, outra vez a anterior. "Cá está", exclamou finalmente. Apontou para o meio da página. "Olha para isto."

"*What?*"

Afonso leu o documento.

"Este é o relatório do dia 7 de Março, há menos de duas semanas. Nessa noite saíram várias patrulhas para a terra-de--ninguém, e diz aqui o seguinte." Fez uma pausa para ler o texto. "'Foi notado bastante ruído de viaturas à retaguarda das linhas inimigas.'" Ergueu a cabeça e fixou o inglês. "Ouviste? É a primeira vez que um relatório menciona a existência de ruído de viaturas na retaguarda alemã." Mudou para a folha seguinte. "Agora é o relatório de 8 de Março." Começou a ler o trecho que lhe interessava. "'Ouviu-se o rodar de vagonetas à retaguarda da primeira linha inimiga.'" Sem levantar a cabeça, passou à folha seguinte. "Este é o relatório de 9 de Março." Uma ligeira pausa. "'Durante toda a noite foi ouvido o rodar de vagonetas à retaguarda da primeira linha inimiga.'" Nova folha. "Relatório de 12 de Março." Hesitou, surpreendido. "Olha, falta-me o de 10 e o de 11." Procurou na resma, foi para trás e para a frente, mas não encontrou. Encolheu os ombros, resignado. "Não faz mal, vamos ver o de 12." Curta pausa. "'Todas as patrulhas informam que durante a noite houve grande movimento de viaturas à retaguarda das linhas inimigas e rodar de vagonetas.'" Folha seguinte. "Relatório de 13 de..."

All right, all right, I got it", interrompeu Cook. "Já entendi que há grande movimento de viaturas nas linhas alemãs."

Afonso ergueu a cabeça e fixou-lhe os olhos.

"Exactamente. Eles estão a movimentar tropas à nossa frente."

"Pode ser muita coisa."

"Pode ser."

"Pode ser que estejam movimentando forças para outros pontos da frente."

"Pode ser. Mas também pode ser que estejam a movimentar forças de outros pontos para aqui. Aliás, tudo isto coincide com o aumento dos bombardeamentos e dos raides inimigos sobre as nossas linhas. Basta somar dois e dois."

Joaquim entrou no abrigo com a chaleira a ferver e copos de latão. Os dois oficiais portugueses serviram-se, mas o inglês preferiu concentrar-se no cachimbo. Cook aspirou forte, os lábios a envolverem o bocal, mas não saiu fumo nenhum.

Damn!", praguejou, inspeccionando o tabaco inserido no cachimbo. "Se apagou."

Pôs o cachimbo de lado, irritado, e serviu-se de chá.

"O problema é que esta actividade dos boches está a reflectir--se negativamente no moral das tropas", disse Afonso.

"Eu notei", devolveu Cook. "Enxerguei sentinelas cochilando nas trincheiras, munições espalhadas pelo chão, à toa, parapeitos por reparar. Isso não é bom, não."

Afonso suspirou.

"Andamos aqui há demasiado tempo, demasiado. Olha, Tim, quando a nossa brigada entrou nas linhas, em Setembro, os boches tinham diante de nós a 219.ª Divisão. Em Novembro, essa divisão foi rendida pela 50.ª Em Janeiro saiu a 50.ª e entrou a 44.ª E este mês a 44.ª foi descansar e temos agora pela frente a 81.ª Divisão alemã. Ou seja, em seis meses eles colocaram ali quatro divisões diferentes, rodando os homens e deixando-os descansar. Pois nesses seis meses nós nunca descansámos e tivemos sempre de enfrentar tropas frescas." Bebeu um golo de chá. "Mesmo as vossas forças têm estado sempre a ser rendidas. À nossa esquerda, desde Setembro, estiveram sucessivamente a 38.ª Divisão britânica, a 12.ª Divisão e agora a 57.ª Divisão. E à direita sucederam--se, no mesmo período, a 25.ª Divisão, a 42.ª Divisão e agora a 55.ª Divisão. E nós sempre na mesma, parece que criámos raízes. Como é que queres que o moral das nossas tropas permaneça elevado? Hã?"

Cook assentiu com a cabeça.

"Vocês têm de ser substituídos, não tenho dúvida nenhuma. Nem eu, nem o Alto Comando. Aliás, essa é a minha recomendação ao meu *boss*." Engoliu de assentada o resto do chá e ergueu-se. "*Look,* Afonso, tenho de ir andando para fazer meu *report*. Se eu tiver novidades, eu te digo, tá?" Fez continência. "*Cheerio, old chap.*"

Começou por ser apenas um rumor, alguém que disse que alguém ouviu dizer, e a palavra foi circulando de boca em boca, esvoaçando pelas trincheiras, saltitando pelos abrigos. No posto de sinaleiros, porém, o boato transformou-se em certeza.

"Sim, meu capitão, os boches lançaram uma grande ofensiva", confirmou o oficial de serviço aos sinais, um tenente.

"Onde?", quis saber Afonso.

"Entre Arras e Saint-Quentin, meu capitão."

Afonso dirigiu-se ao mapa.

"Hum, isso é em frente de Amiens", verificou, medindo as distâncias em relação a Armentières e em relação a Paris. "E como é que estão as coisas?"

"Acho que mal, meu capitão. Temos poucas informações, mas dizem que é o maior bombardeamento de sempre e que há uma maré de boches a avançarem sobre os camones."

"Os gajos avançaram até onde?", quis saber Afonso, sempre com os olhos pregados ao mapa.

"Isso não sei, meu capitão."

Afonso sentiu um peso a sair-lhe dos ombros. Corria o dia 21 de Março e aquela era certamente a grande ofensiva da Primavera. Os alemães davam tudo por tudo para quebrarem as linhas aliadas e, mais importante do que o resto, não escolheram o sector do rio Lys para o fazerem. O capitão quase sorriu de contentamento; o pior cenário, aquele que mais temera e que mais o consumira, não se confirmara. Tim tinha razão quando dizia ter informações seguras de que os alemães iriam antes avançar no sector de Arras.

Reforçando a convicção de que já não havia motivos para recear uma grande operação alemã contra o CEP, a actividade do inimigo sobre as posições portuguesas diminuiu drasticamente de intensidade nos dias que se seguiram ao grande ataque do dia 21. As patrulhas continuaram a registar enorme movimento de viaturas na retaguarda das linhas alemãs, mas a partir do dia 25 instalou-se a tranquilidade.

Afonso suspirou de alívio.

XVI

"O quê? Atacas com trunfo?", perguntou Afonso, olhando surpreendido para o sete de copas deitado sobre a mesa de madeira tosca.

"É a manilha. Vá, vê lá se cobres isso, anda", desafiou o tenente Pinto com ar de troça.

O capitão retirou uma carta do seu jogo e lançou-a para a mesa. Era o ás de copas.

O tenente sorriu.

"Estás a ver como tinhas o ás, hã?"

"Tinha, pois", disse Afonso, recolhendo as cartas. "Tinha o ás e fiquei-te com a manilha."

Pinto mirou o seu jogo. Sem levantar os olhos das cartas, voltou ao assunto que lhe interessava.

"Não percebo como é que eles planearam a ofensiva." Abanou a cabeça. "Não percebo."

"Quem? Os boches?", perguntou Afonso, sabendo muito bem que era sobre os alemães que o tenente falava. "Se calhar, os nossos homens também deram uma ajuda, afinal de contas não os íamos deixar vir por aí em passeio, não é?"

"Mesmo assim."

Os dois oficiais jogavam às cartas ao princípio da tarde de 3 de Abril, sentados em sacos de terra junto a um dos postos de metralhadora de Picantin Post, a comentarem o fim da ofensiva alemã. O inimigo tinha chegado a tomar Ham e Bapaume, aproximando-se perigosamente de Amiens e Arras e lançando o pânico entre os aliados. Mas uma muralha improvisada, constituída inclusivamente por artilharia proveniente do sector do CEP, conseguiu travar o caminho aos alemães e a ofensiva esgotou-se.

Afonso preparava-se para lançar o três de copas e, desse modo, destrunfar o adversário quando um estafeta chegou de bicicleta e tirou um envelope do saco que levava a tiracolo. O capitão assinou o papel a acusar a recepção, pegou no envelope, rasgou a extremidade, tirou a folha que estava lá dentro e desdobrou-a. Era a Ordem R.O./23. Começou a lê-la e um sorriso aflorou-lhe aos lábios.

"O que é, Afonso?", quis saber Pinto, a quem não passou despercebida a reacção do amigo.

"Cenoura, meu caro, cheira-me que em breve vamos passear a Paris."

"Estás a reinar comigo", excitou-se o tenente, inclinando-se para a frente e estendendo a mão para pegar na ordem. "Mostra lá isso."

O capitão deu uma gargalhada e atirou o braço para trás, mantendo a folha fora do alcance do amigo, que se esticava para a alcançar.

"Calma", riu-se. "Calma."

"És indecente. Mostra lá..."

Pinto voltou a sentar-se, embora relutantemente, e Afonso leu de novo a ordem.

"Então é assim", disse, perante a expectativa do tenente. "Amanhã à noite, a 1.ª Brigada sai da linha e vai descansar, sendo substituída pela 2.ª Brigada. Depois de amanhã, a 3.ª Brigada sai da linha e as que cá ficam esticam as suas forças para ocuparem o espaço que ela deixou. A 2.ª Divisão, reforçada pela 1.ª Brigada, vai tomar conta de todo o sector, enquanto a 1.ª Divisão irá finalmente repousar. E daqui a três dias passamos a ficar integrados no XI Corpo dos bifes."

O tenente hesitou.

"Não percebo por que é que estás assim tão contente", desabafou, decepcionado. "Quem vai descansar é a 1.ª Divisão, esses é que devem estar aos pulos. Nós ficamos aqui a amochar, qual é a piada?"

"A piada, meu caro Cenoura, é que isto significa que também nós iremos em breve descansar. Então não percebes que a 2.ª Divisão, mesmo reforçada por uma brigada da 1.ª Divisão, não pode ficar eternamente a aguentar um sector que antes era defendido por duas divisões? Os camones não vão nisso. Quando passarmos a integrar o XI Corpo, os gajos ficam a controlar-nos e, zás!, substituem-nos logo." Fez um gesto rápido com a mão, a acompanhar o "zás". "Eles sabem que estamos a dar as últimas."

Foi a vez de Pinto sorrir.

"Sim, talvez tenhas razão", admitiu. "E onde é que fica a nossa brigada?"

"Essa, meu caro Cenoura, é a cereja em cima do bolo. A 2.ª Brigada vai para Ferme du Bois, a 6.ª para Neuve Chapelle e a 5.ª para Fauquissart. E a Brigada do Minho, meu caro, a nossa Brigada do Minho sai daqui de Fauquissart e fica gloriosamente de reserva!"

O tenente deu uma entusiasmada palmada na coxa e riu-se.

"Boa, boa! Boas decisões! É assim mesmo! Adeus Brigada do Minho, viva a Barrigada do Minho."

Uma hora depois, a Ordem R.O./23 foi completada pela Ordem de Operações n.º 19, emitida pela Brigada do Minho com instruções detalhadas sobre o processo de rendição de forças. Este segundo documento, assinado pelo comandante interino da brigada, o tenente-coronel Mardel, estabelecia que a rendição ficaria completa em três dias, com Infantaria 8 a ser colocada em apoio e, logo a seguir, em reserva. O ambiente entre os minhotos desanuviou-se consideravelmente e Afonso mal podia conter a ansiedade por voltar a ver Agnès. O dia seguinte, 4 de Abril, voltou a ser tranquilo. Os homens quase só falavam nas rendições que se anunciavam, pressentindo nelas o prelúdio de um descanso mais prolongado, quem sabe o regresso a casa. Viam-se soldados a sorrir, a brincar, o pesadelo aproximava-se do fim.

Na manhã do dia 5, o capitão foi chamado a Laventie para uma reunião com o tenente-coronel Mardel. Os comandantes dos quatro batalhões do Minho e os restantes comandantes de companhias juntaram-se na sala de conferências do quartel-general, havia muitos sorrisos, algumas gargalhadas no burburinho animado da conversa, os oficiais estavam descontraidamente agarrados aos cigarros, vivia-se um ambiente festivo, alegre, aliviado.

O suave rumor das vozes foi interrompido quando a porta se abriu e Mardel entrou na sala. O comandante interino da Brigada do Minho vinha com o rosto fechado e ar grave. Cumprimentou--os com um gesto seco e mandou-os sentar. Os oficiais calaram--se e acomodaram-se em torno da grande mesa, subitamente inquietos. Pressentiam problemas no olhar sombrio de Mardel.

"Oh diacho!", disse Afonso a Montalvão entre dentes. "Vem com ar de caso."

Mardel aguardou que todos se instalassem. Afonso notou que ele tinha as sobrancelhas carregadas e um tique nervoso no nariz; não era bom augúrio.

"Meus senhores", disse enfim o tenente-coronel, olhando lentamente em redor. "Na noite passada, os homens de Infantaria 7 pegaram em armas e revoltaram-se."

Um murmúrio tenso percorreu a mesa. O 7, de Leiria, pertencia à 2.ª Brigada e todos sabiam que essa era a única brigada da 1.ª Divisão que não iria descansar. Mardel deixou a notícia assentar.

"As praças do 7 não aceitaram ficar na linha enquanto as outras brigadas retiravam. Segundo informações que agora me chegaram, os soldados recusaram-se a marchar para Ferme du Bois, o sector que lhes estava destinado. Puseram-se aos tiros e impediram que Infantaria 23 e Infantaria 24 seguissem para as suas posições." O 23 e o 24 também pertenciam à 2.ª Brigada. "De modo que, meus senhores, lamento ter de vos comunicar que recebi ordens de Saint-Venant no sentido de que a Brigada do Minho terá de se manter em Fauquissart."

Os oficiais entreolharam-se, decepcionados. Todos pensaram no efeito que a notícia teria nos homens, já felizes por saírem da linha e serem colocados de reserva.

"Meu tenente-coronel, qual será a nossa disposição?", perguntou o major Xavier da Costa, comandante de Infantaria 29, o outro batalhão de Braga.

"Fica tudo como está. Nas primeiras linhas permanecerão Infantaria 8, à esquerda, e Infantaria 20, à direita. Atrás teremos Infantaria 29 e Infantaria 3."

"E a 5.ª Brigada vai para Ferme du Bois?", quis saber o major Montalvão, comandante do 8.

"Afirmativo. Irá substituir a 2.ª Brigada. Para além de nós, quem se trama é a 3.ª Brigada, que ia descansar e já não vai, fica de reserva por causa da revolta na 2.ª Brigada."

Como era de prever, os homens não receberam bem a notícia. Ouviram-se insultos e protestos, mas no fundo todos compreendiam que o pessoal da 1.ª Divisão tinha mais direito ao descanso do que o da 2.ª Divisão, uma vez que se encontrava havia mais tempo nas linhas.

A preocupação de Afonso adensou-se nessa noite. O capitão mandou o sargento Rosa e o seu pelotão efectuarem uma patrulha de reconhecimento e ficou na linha da frente, junto à Great Northern Trench, a aguardar o regresso dos homens. Ouviu várias rajadas de metralhadora enquanto a patrulha se encontrava na terra-de-ninguém, o que o fez recear pela segurança dos homens. Ao fim de duas horas, porém, a voz de Matias, com a senha do dia, devolveu-lhe a tranquilidade. O enorme cabo saltou de regresso à primeira linha, seguido de Abel, do sargento Rosa, de Vicente e de Baltazar.

"Então? Tudo calmo?", perguntou Afonso ao sargento.

"Meu capitão, eles tiveram as costureiras muito activas, foi um pouco agitado."

"Eu ouvi-as. E quanto ao resto?"

O sargento fez um trejeito com a boca e olhou de relance para o resto da patrulha, o olhar ensombrado de apreensão.

"Não sei, meu capitão. Não sei."

"Não sabes o quê?", admirou-se Afonso.

Rosa suspirou.

"Sabe, meu capitão, estão a passar-se coisas estranhas do outro lado..."

"Coisas estranhas? Que coisas estranhas?"

"A malta ouviu o som de motores na retaguarda dos gajos, eram camionetas e camiões a passarem uns atrás dos outros, um movimento danado." Rosa coçou a barba rala. "E ouvimos também um som diferente, assim catacá-catacá-catacá, parecia, sei lá, parecia um comboio..."

"Um comboio?"

Rosa olhou para Matias.

"Era ou não era um comboio?", certificou-se o sargento.

Matias fez que sim com a cabeça, sem dizer nada, e os outros homens imitaram-no.

"Um comboio?", interrogou-se Afonso, verdadeiramente intrigado. Olhou para Rosa. "E foi tudo?"

"Não, houve mais", indicou o sargento. "Vimos também muitos homens desarmados, lá ao fundo, e um grupo a consertar fios telefónicos."

Afonso regressou pensativo e preocupado ao seu posto de Picantin. Foi falar com o tenente Pinto, comunicando-lhe as novidades, e decidiram ir ambos conversar com os homens que haviam participado nas patrulhas dos dias anteriores. Localizaram os soldados na manhã seguinte, 6 de Abril, e o que ouviram deixou-os verdadeiramente inquietos. As praças envolvidas nas acções de reconhecimento revelaram ter recomeçado no dia 2 a escutar o barulho de camiões a circular na retaguarda alemã. Os soldados falavam excitadamente num grande movimento de tropas inimigas e diziam ter visto homens a consertar fios telefónicos, a colocar tabuletas, a transportar madeira, a carregar sacos e caixotes, a montar crateras artificiais, a melhorar as vias de comunicação. Uma das praças afirmou mesmo ter observado um oficial alemão a estudar de binóculos as linhas portuguesas e a tomar notas, enquanto outras detectaram o uso de periscópios.

Imensamente alarmado, Afonso requisitou um cavalo e seguiu pela Harlech Road até Laventie. Apresentou-se no quartel-general da brigada e pediu para falar com o tenente-coronel Mardel. Após uma espera de apenas cinco minutos, o comandante interino da Brigada do Minho recebeu-o e Afonso comunicou-lhe todas as informações que tinha recolhido. Quando concluiu a exposição, Mardel sorriu.

"Você preocupa-se demasiado, caro capitão Brandão."

Afonso corou, embaraçado.

"O senhor acha, meu comandante?"

"Então não hei-de achar?"

"Mas não pensa que estes sinais são preocupantes?"

"Afirmativo. Penso que são preocupantes, capitão, muito preocupantes até."

O capitão ficou atrapalhado, sem entender a desconcertante reacção de Mardel.

"Mas então..."

"Os sinais são preocupantes, mas não para nós", cortou o comandante. "São preocupantes é para os bifes."

"Para os bifes?", admirou-se Afonso. "Mas olhe que isto está tudo a passar-se à nossa frente, meu comandante, isto vai cair-nos em cima."

"Negativo, capitão. Negativo. Vai cair em cima dos bifes."

Afonso hesitou.

"Mas... como é que..."

"Tenha calma, capitão, tenha calma", adiantou Mardel. Abriu uma gaveta da sua secretária e tirou umas folhas dactilografadas. "Está a ver isto?" Exibiu-lhe a primeira página e Afonso percebeu que era um documento redigido em inglês. "Isto é a Ordem de Rendição n.º 328, emitida esta manhã pelo general Haking, o comandante do XI Corpo britânico, e que me chegou há pouco aqui à brigada, há coisa de uns vinte minutos. E sabe o que é que diz?" Mardel fixou os olhos em Afonso, procurando captar-lhe a expressão quando pronunciasse a frase seguinte. "A Ordem de Rendição n.º 328 determina a retirada da frente de combate de todo o corpo português." Fez uma pausa dramática. "Todo."

Afonso abriu a boca, tentando digerir o impacto da notícia.

"Todo o corpo português? Vamos retirar?"

"Afirmativo, capitão Brandão. Vamos ser rendidos."

"Mas ainda há dias..."

"O general Haking veio visitar as nossas linhas", apressou-se Mardel a esclarecer. "Viu o estado das tropas e concluiu que os homens não podem continuar na frente, já não estão em condições. De modo que, meu caro, saímos nós e entra a 50.ª Divisão britânica."

"Mas isso é magnífico, meu comandante. Magnífico!"

Afonso não se conteve de alegria. Efusivo, o capitão levantou-se da cadeira e, com entusiasmo, estendeu a mão para cumprimentar Mardel. O tenente-coronel devolveu o cumprimento e o sorriso.

"Daqui a dias, capitão, vamos a Paris, caramba, vamos às gajas!"

Afonso olhou pela janela e sentiu um aroma suave a encher-lhe os pulmões, respirou aquela fragrância leve que lhe anunciava a liberdade há muito desejada. Era um sentimento inexprimível e inefável, o coração dançava-lhe no peito, teve ganas de pular, de cantar, de correr, de sair porta fora e ir contar a Agnès a grande novidade; apeteceu-lhe abraçar Mardel e cheirar as flores, quis rir e chorar, dizer poemas e amar. As cores pareciam-lhe mais vivas, o ar mais perfumado, os sons mais melodiosos. Porém, a inesperada sombra de uma suspeita, furtiva e traiçoeira, toldou-lhe momentaneamente o espírito.

"Quando é que será a rendição?", perguntou, desconfiado.

"Começamos a sair na noite de 9 de Abril e completamos a retirada na noite seguinte."

"9 de Abril?"

"9 de Abril."

Afonso contou mentalmente.

"Estamos a 6 de Abril." Sentiu os dedos com o polegar. Sete, oito, nove. "Três dias." Descontraiu-se. "Faltam três dias."

O capitão Afonso Brandão estava entretido a arrumar as coisas no abrigo de Picantin Post, dois dias depois, quando Joaquim assomou à porta.

"Meu capitão, recebemos uma comunicação da brigada a dizer que o tenente Cook deseja falar consigo com urgência, pelo que se deve apresentar ainda hoje no quartel-general da 40.ª Divisão britânica, em Fleurbaix."

Afonso olhou para a sua ordenança, intrigado. Mas que raio de coisa teria Tim para lhe dizer com tanta urgência? Corria o dia 8 de Abril, tudo permanecia calmo, na noite seguinte as forças portuguesas iriam ser rendidas, o que haveria assim de tão importante que não pudesse esperar mais vinte e quatro horas? O capitão ainda hesitou e admitiu a hipótese de ignorar o pedido, mas reflectiu melhor e considerou que era um excelente pretexto para dar um salto à retaguarda e ir ver Agnès.

Requisitou um cavalo, na verdade uma égua, e abandonou Fauquissart. Quando chegou a Laventie, em vez de virar para norte, rumo a Fleurbaix, prosseguiu para oeste. Foi ter ao Hospital Misto de Medicina e Cirurgia, desmontou, deixou a égua junto ao portão e mandou chamar a enfermeira Agnès Chevallier. A francesa correu para ele mal o viu. Tinha uma bata branca, um uniforme concebido para reprimir a feminilidade das enfermeiras, mas naquele corpo o uniforme era manifestamente incapaz de lhe retirar a sensualidade. Agnès abraçou-o com força, beijaram-se na face, no pescoço, nos lábios.

"*Salut mon mignon*", disse ela finalmente, segurando-lhe o rosto com as duas mãos. "Estás bem? Já vieste da guerra?"

"Ainda não, mas tenho uma novidade para te dar", anunciou--lhe.

"*Vraiment?* Boa ou má?"

"Boa, boa", sorriu ele, tranquilizando-a. "Amanhã saímos das trincheiras e vamos para um longo descanso na retaguarda. Para mim, a guerra acabou. *C'est fini! Zut!*"

"*Oh la la!*", exclamou Agnès, os olhos verdes incendiados. Abraçou-o novamente com muita força. "*Merci, merci, mon Dieu!* Estou tão contente, não imaginas como estou contente."

Soprou-lhe beijos nos ouvidos, dos lábios rosados saíram-lhe carícias e sussurros, palavras suaves e melosas.

"Meu amor", murmurou ele, os olhos cerrados, o corpo a senti-la comprimida a si.

"Estou tão aliviada!", suspirou Agnès. "*Ah, oui,* que bom, terminou o pesadelo."

Tiveram enorme dificuldade em despedir-se. Agnès acompanhou Afonso até ao portão, beijaram-se e abraçaram-se, sentiam--se radiantes. O capitão lá acabou por se encher de coragem e saltou para a sua montada. Afastou-se lenta e relutantemente. Ao fundo da rua, antes da curva, voltou-se uma derradeira vez para trás, viu Agnès pregada ao chão, as mãos cruzadas no coração, os cabelos castanho-claros a reluzirem ao sol, trigueiros e cristalinos, um sorriso feliz desenhado nos lábios. Ergueram ambos os braços e disseram adeus. Afonso esporeou a égua e desapareceu na curva.

Uma hora e meia depois, o capitão português apresentou-se no quartel-general da 40.ª Divisão britânica, em Fleurbaix, e pediu para falar com o tenente Timothy Cook. Tim apareceu pouco depois, descendo as escadas e indo ter com Afonso ao *lobby*.

"*What ho,* Afonso. *Jolly good to see you!*"

"Olá, Tim, estás bom?"

"*Come on*", convidou Tim, conduzindo Afonso pelas escadas.

"És mesmo um camone", sorriu o português. "Então que coisa urgente é essa que me fez vir até aqui?"

O tenente inglês estacou num degrau.

"Temos informações... *disturbing*... como se diz?"

"Preocupantes."

"*Right ho*, preocupantes. Temos informações preocupantes." Recomeçou a subir as escadas, os olhos fixos nos degraus. "Desde o dia 31 de Março que a nossa aviação tem registado um movimento geral de tropas e artilharia alemãs para norte, congestionando estradas e caminhos-de-ferro. No dia 1 de Abril, um único aeroplano contou, em apenas duas horas, cinquenta e cinco comboios a convergirem para o sector imediatamente diante das vossas posições. Essa observação foi confirmada nos dias seguintes por outros aeroplanos." Olhou de relance para o português. "Anteontem os aeroplanos verificaram que as estradas e linhas férreas mesmo à frente do sector português se encontravam engarrafadas com camiões e camionetas, e as nossas patrulhas viram os *jerries* a transportarem caixas e caixas de munições para as suas linhas de apoio."

"Isso não é grande novidade para nós, Tim", retorquiu Afonso. "Há já algum tempo que percebemos que os gajos estão a montar um grande ataque neste sector. Mas esse, se queres que te diga, já não é um problema nosso. É vosso. Amanhã à noite, meu amigo, saímos das linhas." Fez sinal de adeus com a mão direita. "*Goodbye!*"

"*Wrong*, Afonso, esse é um problema vosso", disse Tim, acentuando a palavra "é". Chegaram ao segundo andar e meteram por um corredor. "É um problema vosso e é um grande problema."

O capitão olhou-o, perturbado.

"O que queres dizer com isso?"

"Quero dizer que os nossos especialistas acham que os preparativos terminaram e que os *jerries* vos vão atacar agora com toda a força que têm."

Afonso sentiu o ar a faltar-lhe.

"Como... como é que eles podem prever isso?", gaguejou. "Os boches podem só atacar daqui a alguns dias. Porquê justamente amanhã?"

"Por causa do que se está a passar hoje."

"E o que é que se está a passar hoje?"

"Nada."

"Nada? Então qual é o problema?"

"O problema é que nada significa tudo."

"Olha lá, estás parvo ou quê? O que queres tu dizer com isso?"

"Quero dizer que hoje não se passou nada nas linhas alemãs. Nada."

"E então?"

Chegaram junto a uma porta e Tim imobilizou-se.

"Afonso, quando estão decorrendo preparativos para um ataque, há sempre uma grande azáfama por detrás das linhas. No momento em que a azáfama pára, isso significa que os preparativos terminaram." Ergueu o indicador. "Eles estão prontos e vão atacar."

O capitão voltou a respirar com dificuldade. Suspirou pesadamente e olhou para o amigo com ar de súplica.

"Está bem, terminaram os preparativos, já percebi. Mas o que é que nos garante que eles vão mesmo atacar amanhã? Por que não noutro dia?"

Tim não respondeu imediatamente. Rodou a maçaneta da porta e abriu-a, convidando Afonso a entrar. Era uma sala larga, cheia de actividade. Havia mesas encostadas às paredes com enormes aparelhos em cima e homens sentados com auscultadores a tomarem notas. Tim aproximou-se de um deles e disse-lhe para vagar o lugar. O homem ergueu-se, fez continência e saiu, e o tenente fez sinal ao capitão para se sentar.

"Este é um sistema que nós temos que nos permite interceptar as comunicações telefónicas entre os *jerries*", explicou, estendendo-lhe os auscultadores. "Se chamam *Listening Sets*. Como você fala alemão, estou certo de que achará essas conversas muito interessantes."

Afonso sentou-se na cadeira e colocou os auscultadores. Os ouvidos encheram-se-lhe de sons estranhos, metálicos, apenas se escutava estática, estalidos e assobios. O capitão aguardou um minuto, o barulho era permanente. Fez sinal ao tenente Cook, como quem diz que não havia ali nada para ouvir, mas Tim pediu-lhe paciência com um gesto. Afonso não teve outro remédio senão permanecer com os auscultadores colocados. Passaram--se dez minutos, quinze, vinte, as pálpebras começaram a pesar--lhe, tinha sono, ia-se deixando embalar pelo som da estática. De repente, uma voz ressoou-lhe aos ouvidos.

"*Hallo, Spandau*", chamou a voz.

"*Jawohl*", devolveu uma outra.

"*Bleiben Sie am Apparat.*"

"*Was ist das?*"

"*Bleiben Sie am Apparat. Geben Sie mir das Kennwort.*"

"*Jawohl.*"

Ouviu-se um sinal eléctrico.

"*Hallo. Ist die Verbindung in Ordnung?*"

"*Jawohl.*"

"*Also, jetzt gut aufpassen, auf keinen Fall von dem Apparat weggehen.*"

Fez-se silêncio, mas Afonso permaneceu agarrado aos auscultadores, tenso, na expectativa, totalmente desperto, preso a cada palavra que fora pronunciada. O silêncio prolongou-se por cinco minutos, até que a primeira voz voltou à linha.

"*Spandau. Passen Sie auf... 5 Uhr 36. Ruben Sie Oberhalb an und geben Sie es weiter. Passen Sie auf... 5 Uhr 36. Muss aber genau stimmen.*"

Afonso retirou os auscultadores, horrorizado, os olhos vidrados de medo.

"Meu Deus!", murmurou. "Eles estão a sincronizar os relógios."

PARTE TRÊS

Tempestade

I

Foi como se alguém tivesse ligado o interruptor. Num instante estava tudo calmo, sereno, silencioso. Ouviam-se rãs a coaxar junto aos charcos imundos e grilos a estridular nos descampados devastados. No momento seguinte, porém, a tempestade foi desencadeada com uma violência inaudita. Não se tratou de um primeiro tiro, seguido de outro e de mais outro ainda. Foram os canhões em simultâneo a metralhar explosivos com uma intensidade brutal, numa cerrada barragem de fogo, como uma brusca maré que, sem aviso, galga terreno e invade a praia numa fúria destruidora, como uma orquestra que de repente rasga o silêncio e irrompe furiosamente numa infernal sinfonia.

Desde que regressara de Fleurbaix que o capitão Afonso Brandão tinha mergulhado num grande estado de ansiedade. Comunicou ao major Montalvão tudo o que soubera no quartel-general da 40.ª Divisão britânica, mas o comandante de Infantaria 8 não se mostrou muito preocupado, provavelmente pensou que era mais um de muitos falsos alarmes dados por mais um oficial demasiado nervoso. Sentindo-se impotente para travar o rumo dos acontecimentos, Afonso resignou-se ao seu destino e regressou ao Picantin Post ainda com a íntima esperança de que os seus receios fossem realmente infundados. Não conseguiu dormir. Passou a noite irrequieto, a inspeccionar as trincheiras, a mandar limpar as armas e a verificar os paióis. Fixava por vezes os olhos nas linhas inimigas, tentando lobrigar movimento, procurando adivinhar o que ali se tramava, mas nada via; era como se ali estivesse erguido um muro negro, ameaçador e sinistro, insondável e impenetrável. Pelas quatro da manhã, algo cansado, recolheu ao posto e sentou-se junto ao ninho de metralhadoras a beber um chá com dois homens de serviço à *Vickers*.

Apesar de já estar de sobreaviso, Afonso quase entornou a caneca de chá com o susto provocado por aquela enorme vaga de explosões que de súbito acendeu o horizonte e iluminou as sombras. Um fragor tumultuoso encheu a noite. O solo tremia como se fosse abalado por um tremendo terramoto, brutal e medonho, de uma intensidade alucinante, colérica. O ar vibrava e trepidava ao ponto de baralhar os olhos, a barulheira era tanta e tão cerrada que o capitão teve dificuldade em entender o que lhe gritava um dos homens da metralhadora situada a uns meros dois metros de distância.

"... á... ra... go."

"Como?"

"... á... ra... go."

Afonso olhou para o soldado, perplexo. Não conseguia entender o que ele lhe gritava. Deu um passo e encostou o ouvido direito à boca da praça.

"Vá para o abrigo!", berrava o homem.

O capitão fez que não com a cabeça. A intenção do soldado era boa, mas ali quem dava ordens era ele. Olhou para o relógio e verificou que os ponteiros marcavam quatro e um quarto da madrugada. Esticou a cabeça acima do monte de sacos de terra que protegia o ninho e viu o horizonte incendiado à frente e atrás de si, uma claridade de vermelho do inferno erguia-se das trincheiras enquanto clarões luminosos cruzavam o céu às centenas, aos milhares, todos a assobiarem, eram os projécteis incandescentes que os alemães lançavam como chuva sobre as linhas portuguesas, batendo inicialmente a área do comando, na retaguarda. Os tiros de canhão eram tantos que não se ouvia nenhum isoladamente, antes formavam todos um urro único, surdo, brutal, sinistro. Pelo sentido das detonações, tornara-se evidente que o bombardeamento não era aleatório, mas dirigido com precisão para as estradas, cruzamentos e pontos de comando. Clarões de fogo brilhavam no sector onde se situava Laventie; era provavelmente o quartel-general da brigada que ardia.

O major Gustavo Mascarenhas acordou em sobressalto e viu pedaços de tijolo, terra e caliça espalhados pela manta que o aquecia. Deu um salto na cama, surpreendido, os ouvidos ainda a zunir, e, já em pé, olhou para além da janela despedaçada. A noite acendera-se, iluminada por sucessivas explosões, a planície tremia sob uma barragem de fogo jamais vista pelas tropas portuguesas. O segundo comandante de Infantaria 13 despiu atabalhoadamente o pijama e colocou a farda num tropel. Uma vez vestido e armado, saiu do quarto e desceu à sala que servia de secretaria, para onde convergiram também os outros oficiais do batalhão transmontano.

"Meu major, já viu isto?", perguntou-lhe o alferes Veiga, ainda a calçar uma bota. "Nem no último dia os boches nos deixam em paz. Nem no último dia, caraças."

"É", assentiu Mascarenhas, bem-disposto. "Acho que já estão com saudades nossas e resolveram mandar-nos estes simpáticos postais de despedida."

Todos se riram nervosamente, incluindo dois sargentos que executavam tarefas de amanuenses na secretaria do batalhão. O comando de Infantaria 13 encontrava-se instalado num edifício designado por Senechal Farm, em Lacouture, um posto que estava para Ferme du Bois como Laventie para Fauquissart.

Lá fora, o barulho das detonações era ensurdecedor. A casa tremia com a vibração das explosões, mas os oficiais mostravam-se calmos.

"Sabem o que isto é?", perguntou o capitão Ambrósio depois de mais um estremeção dos alicerces da casa.

"Uma retaliação pelo nosso bombardeamento de ontem?", arriscou Veiga.

"Nem mais. Os gajos estão a dar-nos o troco."

A artilharia portuguesa tinha, na véspera, bombardeado as posições alemãs em Bois du Biez, frente a Neuve Chapelle, e todos concordavam que estavam a assistir à resposta inimiga.

"Ó Veiga, vê lá se este bombardeamento é só em nossa honra ou se está também a atingir outros batalhões", ordenou Mascarenhas.

O alferes era o sinaleiro de Infantaria 13 e foi ao telefone comunicar com a brigada. Pegou no aparelho, colou-se ao bocal e colocou o auscultador junto ao ouvido esquerdo.

"Está lá? Está lá?", chamou. Fez uma pausa. "Ouve bem? Está lá? Está lá?" Tentou durante mais um minuto até se convencer de que a ligação não era possível. Olhou para Mascarenhas e abanou a cabeça. "Não há resposta, meu major. As granadas devem ter cortado os fios."

"Pega aí em dois homens e vão lá fora reparar as linhas", ordenou o major.

Veiga vestiu a gabardina, chamou duas praças, pegou numa caixa de ferramentas e saiu, mergulhando na noite turbulenta.

Havia já uma hora que o pelotão comandado pelo sargento Rosa se encolhia na linha da frente, vendo a trincheira da primeira linha a ser metodicamente despedaçada pelas granadas e bombas que ululavam em aproximação. As primeiras salvas tinham sido dirigidas para a retaguarda, mas a artilharia alemã foi pouco a pouco encurtando o tiro, arrasando as posições portuguesas de trás para a frente como um rolo compressor, até se concentrar na primeira linha. Vicente tinha já sido atingido de raspão no ombro esquerdo por um estilhaço de bomba quando se ouviu mais um zumbido e todos se encolheram, instintivamente perceberam que a granada ia mesmo cair por cima deles.

A explosão ocorreu em cheio na linha da frente, numa zona guarnecida por alguns homens do pelotão. Foi uma deflagração terrível, seguida de um sopro quente de ar e de uma chuva de destroços, pedras e poeira. Era como se um bafo dos infernos por ali estivesse a passar. Matias Grande ergueu-se, os ouvidos a zumbirem, inspeccionou o corpo, confirmou que escapara ileso apesar de a farda ter sido rasgada nas mangas, e olhou para a cratera onde a granada tinha caído. No lugar dos seus camaradas encontrava-se apenas aquele sinistro buraco fumegante, era evidente que os corpos tinham sido cortados aos bocados ou mesmo se haviam evaporado pela acção do calor da explosão. O sargento Rosa levantou-se com igual dificuldade, sentia-se tonto, e olhou para cada um dos homens do pelotão, contabilizando-os.

"Faltam três", concluiu. Olhou de novo, buscou os rostos que não via e chamou-os. "O Ribeiro?" Procurou ainda. "Ribeiro! Ribeiro!" Todos permaneceram calados, o olhar pesado, tenso. "O Parente? O Oliveira?"

Não houve resposta e o grupo presumiu, sem grande margem para dúvidas, que os três estavam mortos. Na cratera viam-se alguns pedaços de carne solta e reconheciam-se mesmo dois dedos, um deles um polegar. Havia mais vestígios, mas ninguém os quis analisar. Outros dois homens encontravam-se feridos e gemiam encostados ao que restava do parapeito, uns sacos de terra já rasgados. Um dos feridos sangrava abundantemente da cabeça e o segundo tinha um estilhaço cravado na perna.

"Pedroso", chamou Rosa. "Ajuda esses dois e leva-os ao posto médico."

"Sim, meu sargento."

Pedroso pôs a *Lee-Enfield* a tiracolo, agarrou no braço do que ficara ferido na perna, que se apoiou nele, e pegou na mão do outro, seguindo trincheira a cima até onde lhes pudesse ser prestada ajuda.

O pelotão encontrava-se agora reduzido a uns meros quatro homens estendidos na primeira linha a vigiarem a terra-de-ninguém. Ao longo da trincheira abrigavam-se outros pelotões da companhia, mas não estavam à vista. Dez minutos mais tarde, duas outras granadas caíram de seguida em plena linha da frente, a uns quinze metros de distância dos restos do pelotão do sargento Rosa, e os homens entreolharam-se.

"Meu sargento", chamou Matias, encostado ao ouvido de Rosa. "É melhor irmos para uma trincha de comunicação, senão estamos quilhados. Esta linha não se aguenta."

Rosa analisou a parte da linha da frente que se estendia ao alcance dos seus olhos e verificou que a trincheira ficara totalmente desmantelada, havia partes em que já não existia parapeito, apenas uma amálgama de terra e lama e tábuas quebradas e sacos rebentados. Os homens encontravam-se todos deitados no chão, as mãos a taparem os ouvidos, era a única maneira de se defenderem das sucessivas explosões. Rosa ergueu-se, tocou nas costas de cada um para lhes chamar a atenção, fez sinal com a cabeça, agarrou no telefone e foi a correr, curvado, até Burlington Arcade, a primeira trincheira de comunicação que lhe apareceu à frente; o que restava do pelotão seguiu-o. Uma vez na nova trincheira, que se encontrava mais composta e oferecia melhor protecção às detonações de flanco, os homens anicharam-se, as *Lee-Enfield* embaionetadas, Matias sempre agarrado à sua *Lewis,* e aguardaram.

Afonso olhou mais uma vez para o relógio. Eram seis da manhã, havia quase duas horas que se encolhia no abrigo, esmagado pela violência daquele fogo cerrado. O capitão interrogou-se quanto à duração do bombardeamento. Convicto de que se encontravam perante uma grande ofensiva, admitiu a hipótese de a chuva de bombas se prolongar por mais de um dia e questionou-se se, naquelas condições, seria possível fazer a rendição do CEP pelas novas forças britânicas destinadas àquele sector. Era desejável que isso acontecesse antes do avanço da infantaria alemã, raciocinou, mas Afonso sabia que tal se tornara improvável, jamais os ingleses efectuariam uma rendição de forças sob semelhante bombardeamento.

"Eu acho que eles vão fazer um raide", opinou o tenente Pinto com a voz trémula.

Todos os oficiais que se encontravam no abrigo de Picantin concordaram. Aquele só poderia ser o bombardeamento preliminar de mais um raide alemão. Afonso tinha outra opinião, mas inibiu-se de a manifestar, sabia que ela só iria corroer a determinação e o moral das tropas.

"André, liga aí para a linha da frente", ordenou ao telefonista de serviço.

O sargento André agarrou-se ao telefone e chamou.

"Está lá? Está lá? Primeira linha?" Fez uma pausa. "Um momento, o capitão Brandão quer falar."

Afonso foi ao telefone.

"Está lá? Aqui capitão Brandão. Quem fala?". Pausa. "Sargento Rosa, o que se passa na primeira linha?". Pausa prolongada. "Sim, fizeram bem." Mais uma pausa. "Pois." Pausa. "Sargento, a ordem é resistir, entendeu? Se vir necessidade, recuem para a linha B. Mas resistam, ouviu? Resistam." Pausa. "Até logo, sargento. Até logo."

Pousou o auscultador e olhou para os seus companheiros no abrigo.

"Então?", quis saber Pinto.

"A linha da frente está toda destruída", disse. "Caíram umas granadas em cima do pelotão do Rosa, matando três praças e ferindo duas, já retiradas para o posto médico. O resto do pelotão colocou-se na Burlington." Olhou para o telefonista. "André, passa-me aí os outros postos da primeira linha."

O sargento agarrou-se ao telefone, mas Joaquim chamou Afonso antes de a nova ligação ser estabelecida.

"Meu capitão, está aqui uma ordenança da companhia do centro", anunciou, mostrando um soldado magrinho, com ar assustado.

"O que é, rapaz?"

"Meu capitão, o meu comandante manda comunicar que retirou parte da companhia para a direita e outra parte para a esquerda porque não se pode estar no ponto onde nos encontrávamos. A barragem é muito forte e já temos dois mortos e seis feridos."

"Muito bem", retorquiu Afonso. "Diz ao comandante que eu tomei nota e vou passar essa informação." Voltou-se para o tenente Pinto. "Cenoura, chama-me aí o Augusto. Quero que ele vá ter com o major Montalvão para lhe transmitir estas informações e pedir instruções."

"Meu capitão", interrompeu André, agarrado ao telefone. "Tenho aqui o cabo Veloso na primeira linha."

Afonso olhou para todos os rostos voltados para ele, ansiosos, multiplicando-se em solicitações, e pensou que ia ter um dia bem difícil.

A Senechal Farm era abalada por sucessivas detonações e os seus ocupantes começaram agora a ficar seriamente preocupados. O alferes Veiga tinha saído havia quase três horas para consertar as linhas telefónicas, mas a verdade é que os telefones permaneciam mudos.

"São sete da manhã, já lá vão três horas de bombardeamento", impacientou-se Mascarenhas. "Isto não deve ser retaliação."

"É um raide, meu major, só pode ser mais um raide", alvitrou o capitão Ambrósio. "E que raide!"

A porta de entrada abriu-se com brusquidão e entrou um soldado esbaforido, outros vinham atrás.

"Meu major, dá licença?"

"O que é?"

"Temos feridos, meu major."

"Entrem, entrem", disse.

Pela porta passaram quatro homens levando aos ombros outros três com as roupas esfarrapadas, manchas de sangue nos braços, nas pernas, na cabeça. O capitão Ambrósio levou-os para os quartos e ajudou a pôr-lhes os pensos. O sargento Cacheira, um dos amanuenses que se encontravam na sala, encostara-se junto de uma janela a observar as explosões quando lançou o alarme.

"Acabaram de cair invólucros vazios", anunciou. "Têm fumo lá dentro!" Esticou a cabeça para ver melhor. "Atenção! É gás! É gás!"

Colocaram todos as máscaras, mesmo os feridos. Os militares sentiram a respiração pesada, o ar a rarear, os óculos a embaciarem-se, mas resistiram à vontade de arrancar as máscaras e assim se deixaram ficar.

O Sol ergueu-se por detrás das linhas alemãs, mas ninguém o conseguia ver. A claridade do dia emergia palidamente do nevoeiro cerrado que se abatera sobre as trincheiras, uma neblina tão densa e opaca que apenas permitia uma visibilidade de trinta metros, cinquenta no máximo. Afonso cansou-se de usar os binóculos para tentar observar o que se passava. Os seus olhos embatiam numa barreira nublada que as lentes não logravam penetrar. O bombardeamento diminuíra sensivelmente de intensidade sobre as primeiras linhas, com a artilharia alemã concentrada agora na retaguarda do sector português. Esta evolução, por um lado encarada com alívio, era, na verdade, muito preocupante porque significava que o inimigo, com alta probabilidade, fazia avançar a sua infantaria. O problema é que o denso nevoeiro impedia que se observasse o que se passava na terra-de-ninguém, dando assim uma enorme vantagem às forças atacantes.

"André, não me arranjas a primeira linha?", perguntou Afonso.

O sargento abanou a cabeça.

"Acho que os fios telefónicos foram cortados, meu capitão. Ninguém responde."

Afonso suspirou. Precisava urgentemente de falar com a linha da frente para saber se tinham sido avistados soldados inimigos, mas sem comunicações era difícil determinar a situação da companhia. Os telefones não funcionavam e o nevoeiro não permitia ver os *very lights* lançados pelos diferentes pelotões e companhias a solicitarem socorro ou a informarem o abandono de linhas. Percebendo que não podia operar sem dispor de qualquer informação, o capitão foi à porta do abrigo e chamou a sua ordenança.

"Joaquim! Joaquim!"

O soldado saiu do seu *bunker* e aproximou-se em passo rápido.

"Sim, meu capitão?"

"Quero que vás à primeira linha ver o que se está a passar. Se vires algum boche, não quero cá tiroteios. Voltas a correr e informas-me, percebeste?"

"Sim, meu capitão."

"Vai lá, anda."

Afonso regressou ao abrigo, pensativo. Se o bombardeamento abrandara, raciocinou novamente, era certamente porque a infantaria alemã avançava. O nevoeiro só servia para ocultar a progressão das tropas.

"Cenoura", disse, dirigindo-se ao tenente Pinto. "Vai dizer aos homens das metralhadoras que quero que reguem a terra-de--ninguém com rajadas sucessivas. Eles que disparem para lá, mesmo que não enxerguem nada."

Matias agitava-se na trincheira, preocupado por não conseguir ver a terra-de-ninguém. Ouviam-se disparos de metralhadora e espingardas, mas nada se podia observar, eram apenas sons que vinham de algures. O problema é que não era só aquele nevoeiro denso que lhe toldava a visão. Era também a posição onde o pelotão se encontrava. A Burlington Arcade podia até ser mais segura do que a primeira linha durante um bombardeamento pesado, mas, devido ao seu enfilamento perpendicular, não constituía certamente o melhor sítio para observar qualquer eventual avanço da infantaria inimiga. Não era por acaso, de resto, que a Burlington não fora concebida como trincheira de combate, mas apenas de comunicação.

"Meu sargento", chamou para trás.

Já não havia necessidade de gritar, as granadas continuavam a estourar por ali, mas sem a intensidade das três primeiras horas.

"O que é, Matias?"

"A infantaria boche deve estar a avançar a qualquer momento, se é que não avançou já", indicou o cabo. "Aqui nesta trincha não os conseguimos topar. Ouvimos os tiros, mas não vemos nada. Temos de nos mudar."

"E onde queres ir tu, Matias?", admirou-se o sargento Rosa. "Não vês que a primeira linha ficou inutilizada? Aliás, já nem há primeira linha."

"Eu sei, meu sargento. O melhor é irmos para a linha B."

"O capitão Brandão mandou resistir até ao fim."

"Sim, meu sargento", assentiu Matias. "Mas aqui não resistimos nada. Se os boches aparecerem, do ponto que ocupamos só os topamos quando eles nos caírem em cima. Além do mais, como a artilharia boche já abrandou o tiro sobre esta zona, é muito possível até que eles nos estejam a tentar envolver, apanhando-nos por trás. É por isso que temos de ir para a linha B. Lá resistimos melhor."

"Ele tem razão, meu sargento", concordou Baltazar, deitado atrás de Matias.

Rosa ficou a matutar no assunto. Ergueu a cabeça, olhou para um lado e para outro, constatou que, de facto, não conseguia ver o que se passava nem à direita nem à esquerda e voltou-se para o pelotão.

"Está bem", exclamou finalmente. "Vamos lá."

Eram oito da manhã quando o pelotão do sargento Rosa abandonou a sua posição na Burlington Arcade, junto à linha da frente, e recuou por aquela trincheira de comunicação rumo à linha B. Os homens avançaram em passo rápido, sempre curvados, e foram dar com a Rue Tilleloy, onde se formava a segunda linha. Continuaram a correr para atravessarem a grande estrada, mas, quando iam a meio, sentiram o ar a ser cortado por projécteis rasantes, estacaram surpreendidos, ouviram o matraquear de uma metralhadora à direita, desorientaram-se, um deles caiu no chão com um som seco, foi atingido, Rosa saltou em frente e atirou-se para a berma, o resto do pelotão recuou e ficou do outro lado.

"Boches!", berrou Matias, ofegante, cosido ao chão. "Estão boches aqui na Tilleloy!"

Os homens ergueram a cabeça e observaram o companheiro que tombara em plena estrada, atingido pela metralhadora inimiga. Era Abel, o rapaz magrinho e calado que viera de Gondizalves. O ferimento era sério, a sua situação parecia desesperada. O Lingrinhas agarrava-se ao pescoço, donde saíam, em pavorosas golfadas, esguichos de sangue escuro, as mãos pintadas de vermelho a tentarem estancar a hemorragia, o buraco na garganta a emitir horríveis ruídos de ar a tentar entrar e sair. Abel asfixiava em silêncio, incapaz de proferir um gemido que fosse, e ninguém o podia ajudar. Vicente ergueu-se para saltar para a estrada e ir socorrer o amigo, a metralhadora abriu fogo e Matias placou-o pelas pernas e atirou-o ao chão.

"Deixa-me!", debateu-se Vicente, tentando libertar-se. "Deixa-m'ajudá-lo!"

"Está quieto, Manápulas!", rugiu o cabo. "Não o podes ajudar. E, se fores para ali, eles matam-te também."

Matias era muito mais forte do que o companheiro e manteve-o firmemente preso nos seus enormes braços. Vicente percebeu que não conseguiria libertar-se, esticou a mão esquerda em direcção de Abel, que ainda se contorcia em plena Tilleloy, e começou a chorar, desesperado, impotente. Já tinha visto outros camaradas morrerem, mas este era diferente, fazia parte do seu mais restrito núcleo de amigos do pelotão. O Lingrinhas torcia-se agora em convulsões, era evidente que vivia os seus últimos instantes, e todos os homens, à excepção de Matias, voltaram a cara para o lado ou fecharam os olhos, não queriam assistir à morte do rapaz. Apenas o cabo viu o estertor final, as pernas a tremerem num violento espasmo, os olhos a revirarem-se para o branco, o corpo a estremecer na derradeira convulsão, um suspiro cavado e tenebroso, a carne a imobilizar-se finalmente, o sangue a estancar e a deixar de jorrar pela garganta.

Os homens do pelotão permaneceram um longo minuto calados. Vicente tinha recuperado o controlo das emoções e manteve-

-se igualmente silencioso. Mas os homens sabiam que se encontravam numa situação bem mais difícil do que tinham antecipado. Matias interrogava-se sobre o que estava uma metralhadora alemã a fazer na Rue Tilleloy, no sector de Fleurbaix, à esquerda das linhas portuguesas, uma área que supostamente estava guarnecida pelas tropas britânicas da 40.ª Divisão.

"Meu sargento", chamou.

"O que é?", respondeu a voz do outro lado da Tilleloy.

"Não vê os camones?"

"Não."

Matias ficou pensativo.

"Devem ter cavado", cogitou em voz alta para Rosa. "Os camones cavaram e os boches estão a entrar por ali." Fez uma pausa para prosseguir o seu raciocínio. "Isto significa que eles nos começaram a flanquear, meu sargento, estão a dar a volta para nos apanharem por trás. Estamos quilhados!"

"Temos de recuar mais", disse o sargento. "O que sugeres?"

Matias olhou para o pelotão. Vicente e Baltazar permaneciam deitados atrás de si, muito imóveis. O cabo rastejou até uma árvore calcinada, a dez metros de distância, ergueu a cabeça, devagar, e espreitou pela berma do tronco para a sua direita. Viu homens lá ao fundo. Olhou com atenção para os capacetes e confirmou que eram alemães. Baixou-se e rastejou de volta para junto dos homens.

"Os boches estão mesmo ali ao fundo, a vigiar a Tilleloy", disse, suficientemente alto para Rosa o ouvir. "Vamos fazer assim." Fez uma pausa para recuperar o fôlego. "Eu já os topei e vou abrir fogo sobre os gajos aqui com a minha *Luísa*. Quando eu mandar as rajadas, vocês saltam para o outro lado", ordenou, falando agora para os dois soldados ao seu lado. "Depois, é a vez de vocês os três dispararem sobre os boches e de eu saltar. Compreendido?"

Os homens assentiram com a cabeça e Rosa confirmou de viva voz. Matias fez sinal aos companheiros para se aprontarem, agarrou a *Lewis* com firmeza, respirou fundo, ergueu-se e abriu fogo.

Acto contínuo, Vicente e Baltazar levantaram-se e atiraram-se para o outro lado da estrada. Os alemães responderam e o cabo baixou-se de imediato. Aguardou um instante.

"Está tudo bem?"

"Sim", confirmou Rosa. "Aguenta um pouco, vamos agora aprontar-nos nós. Ao meu sinal, abrimos fogo e saltas tu." Fez-se um compasso de espera para os três homens prepararem as *Lee-Enfield*. Mais uns instantes e ouviu-se a voz do sargento. "Agora!"

Os três homens ergueram-se e dispararam as espingardas. Ao mesmo tempo, Matias atirou-se para o outro lado da Tilleloy e rebolou pela berma, enquanto a *Maxim* alemã voltava a bater a estrada, os repicos da rajada a levantarem nuvens de terra e lama.

"Estás fino?", perguntou Rosa, novamente agachado.

"Sim, eu..."

Um ruído por trás deixou-os momentaneamente paralisados. Voltaram as armas para a Picadilly Trench, a trincheira de comunicação que prolongava a Burlington Arcade, e prepararam-se para carregar nos gatilhos, mas o azul da farda do homem que viram emergir da linha fê-los suspender os disparos. O recém-chegado era português.

"Então, malta?", saudou o desconhecido.

Os elementos do pelotão suspiraram.

"Ó homem, íamos dar-te cabo do canastro, caraças", exclamou o sargento Rosa. "O que estás aqui a fazer?"

"O capitão Brandão mandou-me ver o que se passa na linha da frente", disse o soldado, erguendo-se para prosseguir. "Tenho de ir até lá."

"Como é que te chamas?"

"Joaquim."

"Pois bem, Joaquim, a linha da frente é aqui."

"Aqui? Mas isto é a Tilleloy. Eu tenho é de..."

"Joaquim", cortou Rosa. "A primeira linha já não existe, está arrasada. Percebes? Há boches ali à esquerda com uma costureira pronta a limpar-nos o sebo. Por isso já não podes avançar, esta é agora a linha da frente. Entendeste?"

Joaquim olhou para os quatro homens com desconfiança. Mas o seu ar sério e cansado, mais o corpo estendido em plena estrada, convenceram-no de que, por incrível que parecesse, estavam a falar verdade. Os alemães tinham mesmo chegado à Rue Tilleloy.

"Os boches estão aqui?"

"Sim", confirmou Matias, apontando para a esquerda. "Ali ao fundo."

"Vocês viram-nos?"

"Nós vimo-los, disparámos sobre eles, eles dispararam sobre nós e mataram-nos um marada."

Joaquim deu meia volta.

"Então é melhor acompanharem-me até ao Picantin Post. O capitão Brandão vai querer falar convosco."

À mesma hora, oito da manhã, o alferes Viegas entrou na casa de Senechal Farm com um soldado atrás dele. O homem vinha ofegante, coberto de pó e lama, e, pormenor muito notado pelos oficiais de Infantaria 13, encontrava-se desarmado.

"Meu major", disse Viegas. "Apanhei este desertor a correr pela estrada, feito galinha tonta. Traz novidades da frente."

O major Mascarenhas aproximou-se do homem, que parecia absolutamente aterrorizado.

"Identificação?"

"Sou o soldado Fonseca, meu major." Arfou. "Praça n.º 173, contramestre de corneteiros de Infantaria 17."

"Infantaria 17?", repetiu Mascarenhas, reconstituindo mentalmente a disposição das forças no terreno. "Se não me engano, devias estar em Ferme du Bois. Creio que o teu comando é no Lansdowne Post. O que é que andas aqui a fazer, hã? Quem é que te autorizou a ausentares-te do teu posto?"

O homem olhou-o com horror.

"Mas, meu major... não está a compreender", exclamou de forma atabalhoada. "Os boches... os boches entraram de roldão... um mar deles, pareciam formigas... prenderam tudo, o comando do 17, o comando do 4, mais os homens todos... está tudo a cavar, tudo a cavar... o cavanço é geral, meu major... eles vêm aí, temos de fugir."

"Mas tu estás a reinar comigo ou quê?", perguntou Mascarenhas com ar duro. "Quais boches, qual quê! Tu és um desertor, abandonaste os teus camaradas, é o que é!"

"Meu major... por favor." O homem gaguejava, arquejava, revirava os olhos, as palavras saíam-lhe num tropel, hesitantes e trapalhonas. Mostrava-se agitado e parecia à beira de um ataque de nervos. "Temos de cavar... por favor, deixe-me cavar daqui!"

Uma sentinela do 13 entrou na sala.

"Meu major, apareceram mais desertores na estrada, vêm a fugir das primeiras linhas. O que fazemos?"

Mascarenhas hesitou. Olhou para o contramestre dos corneteiros do 17, percebeu que a história era verdadeira, só podia ser verdadeira dado o seu estado de nervos e o aparecimento de mais fugitivos, e voltou-se para a sentinela.

"Arrebanhem-me esses desertores todos e recolham a informação que eles têm para dar", ordenou. "Depois preparem-nos para resistirem. Está na hora de esses tipos deixarem de cavar e irem combater." Apontou para o soldado Fonseca. "E levem-me também este gajo daqui."

O major fez sinal aos oficiais do seu estado-maior para se aproximarem e foi buscar um mapa, que estendeu sobre uma das mesas da sala. Pegou num lápis e assinalou a situação no terreno antes do ataque.

"Portanto, na linha de Ferme du Bois estava o 17 em Lansdowne Post e o 10 em Path Post, com o 4, atrás, em Chavattes Post", disse, escrevendo os números dos respectivos batalhões no ponto por eles supostamente guarnecido. "Ora, a acreditar naquele idiota, e tudo indica que ele está mesmo a falar verdade, o 17 e o 4 deixaram de combater. Não temos notícias do 10, mas, se o 4, que está atrás, foi aniquilado, o 10 também já deve encontrar-se fora de combate." Assinalou cruzes sobre Lansdowne, Path e Chavatte, assumindo que não podia contar com essas forças.

Ergueu a cabeça e fitou os seus oficiais. "Isso significa que somos nós agora a linha da frente e que os boches vêm aí." Fez-se silêncio. "Alguma sugestão?"

O capitão Ambrósio pigarreou.

"Meu major, não deveríamos aplicar o plano de defesa?"

"Sim", concordou Mascarenhas. "O problema é que não temos plano de defesa. Pedimo-lo ontem ao major Passos e Souza e ele disse que ia tratar do assunto, mas não nos comunicou mais nada. Portanto, não há plano e temos de ser nós a inventar um." Olhou de novo para o mapa e suspirou. "Só vejo um caminho. Temos de avançar no terreno e estabelecer contacto com o inimigo." Voltou a mirar os seus oficiais. "Voluntários?"

"Eu, meu major", exclamou de imediato o tenente Alcídio de Almeida, comandante da segunda companhia.

"Muito bem, Alcídio", disse Mascarenhas em tom de aprovação. Voltou com o lápis ao mapa. "A segunda companhia vai ocu-par aqui a trincheira 5 e enviar patrulhas para explorar o terreno em frente. A missão dessas patrulhas é localizarem o inimigo, ligarem-se a quaisquer homens nossos que venham a encontrar e resistirem até ao limite." O major ergueu a cabeça e mirou o alferes Martins, ajudante do batalhão. "Aliás, o mesmo devem fazer a primeira e a terceira companhias. Por isso, senhor alferes, transmita estas ordens ao tenente Gonçalves e ao capitão Magno." Endireitou-se, dando sinal de que a reunião estava concluída. "Meus senhores, vamos resistir até virem os reforços. Está previsto que os ingleses nos rendam esta tarde. Uma hora, uns dez minutos apenas, podem fazer a diferença. Temos de esperar por eles para depois, e de forma compacta, empurrarmos os boches lá para o inferno. Por isso, meus caros, conto convosco para aguentarem o impossível, aguentarem até os ingleses chegarem. Boa sorte a todos."

Os oficiais destroçaram. Mascarenhas acompanhou o tenente Alcídio até junto dos homens da segunda companhia e constatou que as munições eram um ponto crítico. Faltavam cartuchos, cada soldado apenas estava munido da sua dotação individual.

Além disso, não havia granadas de mão nem de espingarda. O major lembrou-se então de que os homens de Infantaria 24, que antes ocupavam Senechal Farm, deixaram várias caixas de cartuchos abandonadas, espalhadas pelo acantonamento de Lacouture, e foi com os soldados buscar essas munições, entretanto recolhidas e guardadas na secretaria. Os cartuchos foram distribuídos a todos. E, quando a segunda companhia partiu finalmente, Mascarenhas saiu à procura de mais munições.

Foi ao fazer a *toilette* da manhã que Agnès pela primeira vez se apercebeu de que algo de anormal estava a passar-se. Ao aproximar-se da janela do anexo reparou que o rumor da artilharia tinha recrudescido de intensidade em relação ao habitual. Deteve-se a meio de um movimento e ficou estática, atenta aos sons distantes. Em vez dos costumados estampidos que caracterizavam os longínquos tiros de canhão, notou agora um rolar permanente, um marulhar ininterrupto e assustador. Abriu a porta e esticou a cabeça para fora, confirmando essa impressão. Ficou apreensiva e pensou imediatamente num raide. Para se acalmar lembrou-se repetidamente de que Afonso desempenhava funções de secretaria e não ocupava as primeiras linhas. Além do mais, nada garantia que, a ser um raide, se tratasse de um raide inimigo. Podia muito bem ser uma operação dos portugueses. Acalmou-se. O pânico deu lugar a um nervosismo miudinho.

Saiu à rua quinze minutos depois, num estado de grande inquietação, ansiosa e perturbada. Pegou na bicicleta e dirigiu-se apressadamente ao hospital para assegurar o turno que lhe fora destinado. Pedalou com os olhos voltados para leste, para a fonte do fragor da batalha, e percebeu pela reacção dos transeuntes que também estes achavam que o barulho da artilharia era mais intenso do que o habitual. Igualmente o tráfego de viaturas militares parecia anormalmente elevado, o que contribuía para o estado de nervosismo geral que se apossara de todos.

Logo que entrou no hospital, Agnès notou que o ambiente era caótico, o movimento intenso, o pátio encontrava-se pejado de feridos e pairava no ar uma inquietação indefinível. Com um mau pressentimento a pesar-lhe na alma, a francesa passou pela secretaria.

"Ó *mademoiselle!*", chamou a enfermeira-chefe portuguesa quando a viu pela porta do seu gabinete. "Hoje precisamos de si nos traumatizados, vai para lá um rebuliço que só visto!"

"Nos traumatizados? Porquê?"

A enfermeira-chefe estacou, surpreendida.

"Porquê? Ora, que pergunta! Então não vê que hoje temos muitos feridos?"

Agnès sentiu-se paralisada. Queria formular a pergunta que tinha em mente, a pergunta crucial, a pergunta que a consumia desde que pela primeira vez ouvira o anormalmente intenso marulhar da artilharia. Experimentava, porém, um pavor que a imobilizava, receava a resposta, temia a verdade. Hesitou um longo segundo, angustiada e indecisa, mas acabou por pronunciar as palavras que a sufocavam.

"O que se passa?"

A enfermeira-chefe preenchia o registo das admissões da última hora e nem levantou a cabeça.

"Então não sabe? Os boches lançaram uma grande ofensiva."

O coração de Agnès disparou.

"Onde?"

"Em todo o sector português. Ferme du Bois, Neuve Chapelle, Fauquissart. É uma catástrofe, há muitos mortos e os feridos estão sempre a chegar, são às centenas."

Agnès olhou apavorada para o registo que estava a ser feito pela enfermeira-chefe, arrancou-o com brusquidão das mãos da sua superiora hierárquica, deixando-a boquiaberta, e procurou com sofreguidão e em grande estado de ansiedade o nome do capitão Afonso Brandão. Percorreu a lista três vezes. Depois de se certificar de que ele não constava do registo, deixou cair o documento no chão e foi a correr para o pátio. Com os olhos marejados de lágrimas e a mão direita colada à boca, ficou vidrada a mirar o horizonte.

"*Alphonse*", murmurou, abalada.

Quis gritar, mas as forças faltavam-lhe, apenas um soluço lhe assomou à garganta. Ali permaneceu especada, de olhar perdido, invadida por pressentimentos tumultuosos, o desespero a apossar-se-lhe da alma, a esperança atirada para um recanto, acossada e esquecida. Sentia-se perdida, amedrontada, abandonada pelo destino, cercada pelo sinistro fragor da batalha, esmagada pelas tenebrosas colunas de fumo negro que se estendiam para o céu num pavoroso augúrio de morte, eram afinal o oráculo, a profecia de uma terrível tragédia.

Pouco passava das nove da manhã e Afonso sabia que a situação era muito crítica. O sargento Rosa tinha-lhe trazido a notícia de que os alemães estavam a flanquear o batalhão, entrando pelo sector inglês de Fleurbaix, o que significava que o posto corria o risco de ser cercado.

"Não entendo por que motivo os bifes não disseram nada", desabafou para Pinto. "Então os gajos recuam e não avisam?"

O tenente Pinto encarou-o com ar alucinado.

"Devíamos fazer como eles, Afonso", disse. "Se os tipos cavaram, temos também de cavar, é perigoso estar aqui."

Afonso ficou siderado com este comentário proferido diante das praças.

"Ó tenente, componha-se!", rugiu o capitão, assumindo com firmeza o seu papel de superior hierárquico. "Não quero ouvir aqui esse tipo de conversa! Temos um dever a cumprir e vamos cumpri-lo. Faça o favor de garantir que os homens sob este comando se mantêm com espírito de combate."

O tenente nada mais disse e foi sentar-se junto ao telefonista, cabisbaixo. Afonso olhou-o com preocupação. Pinto parecia-lhe muito assustado. Recusava-se a sair do abrigo, alegando os mais variados e absurdos pretextos, transpirava abundantemente e mantinha-se alheado das funções de comando a que, por ser oficial, estava obrigado. O capitão considerou que, dadas as circunstâncias, isso era normal, ele próprio se encontrava terrivelmente amedrontado, mas o Cenoura não deveria deixar transparecer de modo tão visível o seu medo, sobretudo à frente dos homens. Mais do que afectar o prestígio dos oficiais, essa atitude era, naquelas circunstâncias, tremendamente perigosa.

Uma intensa fuzilaria eclodiu nesse momento no posto. As metralhadoras e as espingardas desataram a disparar, e ouviam--se zumbidos por todo o lado. Afonso saiu do abrigo de comando e foi a correr até um dos três ninhos de *Vickers* existentes no posto. O operador da metralhadora disparava furiosamente para a frente, enquanto o ajudante preparava uma segunda cinta de balas para encaixar na arma. O capitão colou-se-lhe à orelha, tentando fazer-se ouvir no meio da cacofonia.

"O que se passa?"

"Boches, meu capitão", gritou o ajudante de volta. Apontou em frente e Afonso viu capacetes a movimentarem-se nas linhas, centenas e centenas. "Estão ali."

O capitão olhou em redor e viu os soldados que defendiam o posto de Picantin a abrirem fogo para leste e para norte. Voltou ao abrigo de comando para pegar, também ele, numa espingarda e coordenar a defesa. Assomou à porta e deu as suas ordens.

"André, vais com uma praça até Red House pedir socorro. Diz-lhes que estamos a ser cercados e precisamos de reforços e munições."

"Imediatamente, meu capitão", exclamou o telefonista, saltando da cadeira e agarrando numa arma.

Afonso olhou em redor.

"Onde está o tenente Pinto?"

André encarou-o com embaraço.

"O tenente... saiu, meu capitão."

"Saiu? Foi para onde?" O telefonista encolheu os ombros e baixou os olhos. O capitão percebeu que ele não estava a dizer toda a verdade. "André, vai chamá-lo, vá." Afonso foi ao armário do abrigo e agarrou na última *Lee-Enfield* que lá se encontrava. Deu meia volta para sair e viu André especado no mesmo sítio. "Então? O que estás aí a fazer?"

"Meu capitão", gaguejou o telefonista, calando-se de imediato.

"O que é, homem?", impacientou-se Afonso, cheio de pressa. "Desembucha, vá!"

"Meu capitão, o tenente Pinto não está cá", disse André com grande esforço.

"Isso já eu sei. Vai buscá-lo."

O telefonista hesitou.

"Meu capitão, o tenente Pinto cavou."

O major Gustavo Mascarenhas olhou para as caixas de munições que conseguira reunir. Eram agora dez horas da manhã e o segundo comandante de Infantaria 13 juntara apenas três mil cartuchos, mendigados junto do comandante de um batalhão de ciclistas ingleses que se encontrava no *blockhaus* de Lacouture, ao lado da igreja. Não eram muitas balas, pensou, mas teriam de viver com o que tinham. O problema era agora fazer chegar estas munições às companhias que partiram à procura do inimigo.

"Meu major, dá licença?"

Mascarenhas virou-se e viu o alferes Viegas.

"O que é, Viegas?"

"Apareceram ali tropas do 15, meu major."

O major seguiu o alferes e encontrou os elementos de Infantaria 15, de Tomar, junto à igreja. Esse batalhão mantinha-se de reserva atrás de Vieille Chapelle e o seu aparecimento era a primeira boa notícia do dia. Mascarenhas foi ter com o comandante do 15, o major Peres, que se encontrava na cave de uma casa das redondezas, e expôs-lhe o problema da falta de munições.

"Não tenho cartuchos para lhe dar", retorquiu Peres.

Mascarenhas suspirou, desalentado.

"Então não sei como resista", desabafou. "Sem balas não temos como nos opor ao avanço do inimigo."

O major Peres ficou pensativo, desdobrou um mapa sobre a mesa e indicou um ponto.

"Major Mascarenhas, o melhor que podemos fazer é montar um serviço de remuniciamento através de postos até aqui, a Vieille

Chapelle. Vocês vão aos postos buscar as munições e distribuem-nas pelas tropas. Serve?"

"É melhor do que nada", consolou-se Mascarenhas. "Mas precisava também de reforços."

O major Peres tamborilou com os dedos sobre a mesa onde se estendia o mapa, pesando as opções. Acabou por se decidir.

"Dou-vos uma companhia", disse. "A do capitão Brito."

O alferes Viegas entrou nesse momento na cave, acompanhado por um soldado ofegante.

"Meu major, dá licença?", disse, dirigindo-se a Mascarenhas.

"Diz lá."

"Está aqui o soldado Camacho, da segunda companhia, que acabou de chegar com informações."

"O que se passa?"

O soldado fez continência, o peito arfando pesadamente, viera a correr.

"Meu major, os desertores estão a dizer que os boches avançam pelos intervalos dos postos, cercando-os e prendendo toda a gente." Fez uma pausa para respirar. "O tenente Alcídio pergunta o que fazer." Alcídio era o comandante da segunda companhia. "Ele também pede munições."

"Muito bem, Camacho", disse Mascarenhas. "Vais voltar para as linhas e levar algumas munições contigo. Diz ao tenente Alcídio que lhe vamos enviar forças do 15 para o apoiarem. Já tiveram contacto com o inimigo?"

"Ainda não, meu major."

"Quando tiverem, as ordens são as de resistir, resistir sempre. Percebeste?"

"Sim, meu major."

"Então vai lá."

Vicente Manápulas sentia os músculos do braço direito cansados de tanto repetir o movimento. Apontava para um alemão, disparava, abria a culatra, puxava-a, deixava a bala entrar no cano, fechava a culatra, apontava, disparava, abria a culatra,

puxava-a, deixava a bala seguinte entrar no cano, fechava a culatra, apontava, disparava, e assim sucessivamente, até esgotar, no
espaço de dois minutos, as dez balas do depósito da *Lee-Enfield*.
Nessa altura substituía o depósito e recomeçava o processo de
abrir a culatra, puxá-la, deixar a bala entrar no cano, fechar a
culatra, apontar e disparar. Na verdade, o processo de esvaziar
um depósito durava dois minutos porque o capitão Brandão tinha
dado ordens para se pouparem balas e só dispararem pela certa.
Caso contrário, os soldados eram capazes de despender as dez
balas em apenas cinquenta segundos, uma vez que o processo de
carregar a espingarda durava uns meros cinco segundos.

"A equipa da costureira caiu!", gritou alguém. "Acudam!"

Vicente percebeu, pela alteração na cacofonia que o rodeava,
que uma das *Vickers* tinha deixado de disparar. Seguiu-se alguma
confusão, apenas com as espingardas e uma outra *Vickers* a abrir
fogo, até que alguém lhe tocou no ombro. Manápulas virou-se e
viu Afonso com o alarme estampado nos olhos.

"Sabes usar a *Vickers?*", perguntou-lhe o oficial.

"Mais ou menos, meu capitão."

"Então vai lá. O Sérgio ajuda-te com as cintas de munições."

Vicente correu curvado até ao ninho da metralhadora e viu os
dois homens que a operavam estendidos no chão. Um jazia inerte,
o outro mexia-se e estava a ser visto por um companheiro. Num
olhar de relance, percebeu que tinham sido atingidos por balas,
presumivelmente de metralhadora. Espreitou pela seteira, a brecha aberta entre os sacos de terra, e procurou a arma inimiga que
varrera os homens da *Vickers*. À esquerda, encostada a um tronco
de árvore, posicionava-se de facto uma *Maxim*, provavelmente
acabada de ser colocada pelos alemães sem que a equipa da
Vickers a tivesse referenciado. O Manápulas agarrou as pegas
da metralhadora pesada, apontou para a *Maxim*, esperou que
Sérgio viesse juntar-se a ele para o remuniciar e, já confortável,
premiu o gatilho. Sucessivos penachos de terra e poeira ergueram-
-se junto ao tronco. A *Maxim* respondeu, Vicente insistiu, largou
rajada sobre rajada e a metralhadora inimiga calou-se. Quando a

poeira assentou, a *Maxim* apareceu voltada ao contrário. Claramente, tinha sido atingida.

"Apanhámo-los!", congratulou-se Vicente, sorrindo para Sérgio.

O ajudante devolveu o sorriso.

"Boa, Manápulas."

Vicente viu umas dezenas de homens a correrem perto do sítio onde se encontrava a *Maxim* e voltou a premir o gatilho, largando novas rajadas que atingiram mais alguns alemães. De repente, a metralhadora portuguesa passou a disparar em seco. Vicente ficou admirado, olhou e viu que a cinta de balas se esgotara.

"Mete-me mais munições", pediu a Sérgio. "Depressa, depressa!"

O ajudante pegou numa nova cinta e encostou-se ao tambor da *Vickers* para a encaixar na metralhadora. Ao tocar na arma, porém, gritou de dor.

"Caramba, esta merda está a ferver!", exclamou, sacudindo a mão.

Vicente experimentou a temperatura do metal com um leve toque dos dedos e verificou que a metralhadora estava efectivamente a escaldar.

"Água", pediu, olhando freneticamente em redor. "Ond'é qu'há água?"

Não encontraram água para arrefecer o tambor e Sérgio foi ter com Afonso para ver se arranjava alguma. O capitão deu um salto ao ninho de metralhadora e, após verificar igualmente a temperatura da *Vickers,* mirou Vicente.

"A pouca água que temos tem de ser racionada e está destinada unicamente a dar de beber aos homens", disse.

"Mas, meu capitão, com'é qu'arrefecemos a costureira? Ela 'tá a escaldar e, se continuar assim, o cano vai derreter."

Afonso fixou-lhe os olhos.

"Olha lá, não tens vontade de mijar?"

O rosto de Vicente congelou-se numa expressão interrogativa, mas em dois segundos abriu-se-lhe um sorriso, tinha compreendido. O Manápulas foi buscar uma vasilha, puxou a *Vickers*, retirando-a da seteira aberta entre os sacos de terra, colocou a vasilha por baixo da parte dianteira da manga, desenroscou a tampa e do interior da manga começou a jorrar água a ferver para a vasilha. Quando a água deixou de correr, recolocou a tampa enquanto Afonso desenroscava outra tampa, esta situada na parte superior da manga, logo a seguir à mira da arma. Os dois homens, aos quais se juntou Sérgio, ergueram-se, mantendo o tronco curvado para não se exporem ao fogo inimigo, abriram as braguilhas e fizeram pontaria à abertura situada no topo da manga. Quando a urina tocou no ferro escaldante produziu-se de imediato um *ffzzzz* de arrefecimento, parte do líquido evaporou--se, a outra parte acumulou-se na manga cilíndrica. Cada um esvaziou a bexiga no interior da manga e Afonso foi chamar mais homens para urinarem na *Vickers*. Quando a manga ficou cheia, Sérgio enroscou a tampa e Vicente experimentou com os dedos a temperatura do metal.

"Ainda 'tá quente, mas 'tá muito melhor", disse. "Aguenta mais uns cinco minutos, dez no máximo."

"Quando estiver outra vez a ferver, voltas a esvaziar a manga e metes-lhe a água da vasilha", instruiu-o Afonso, consultando o relógio. Eram dez da manhã.

"Sim", concordou Vicente. "C'o briol que p'rá'qui vai, por ess'altura a água já deve ter arrefecido."

Afonso espreitou pela seteira para as posições inimigas.

"De qualquer modo, tenta poupar munições, hã? Não te esqueças."

O capitão retirou-se, deixando Vicente e Sérgio a operar a *Vickers*. O Manápulas recolocou a metralhadora na seteira, viu mais alemães a correrem lá ao fundo, largou uma rajada e outra logo a seguir. Alguns alemães tombaram, os restantes foram procurar refúgio. Vicente girou a *Vickers* para a esquerda e para a direita, procurando novos alvos. Pelo canto do olho sentiu um objecto metálico a cair-lhe ao lado, parecia uma garrafa. Sérgio ergueu-se de repente, como se tivesse sido impelido por uma mola.

"Granada!", gritou.

O ninho da *Vickers* explodiu.

Os sons da guerra ecoavam intensos à volta de Senechal Farm. Eram já onze da manhã e o major Mascarenhas mostrava-se surpreendido com a persistência do nevoeiro. Começou a suspeitar que todo aquele fumo não resultava de uma mera neblina matinal, mas era também fruto do emprego de granadas de fumo destinadas a ocultarem o movimento da infantaria atacante. Colocou os binóculos nos olhos e inspeccionou o nevoeiro. À esquerda apenas se via vapor branco e à frente também. Girou os binóculos para a direita e, por entre as nuvens baixas, observou vultos a esgueirarem-se pelo terreno. Baixou os binóculos e mirou a olho nu aquele sector. Havia ali, de facto, alguns pontos minúsculos a movimentarem-se. Presumiu que se trataria de uma das companhias que enviara para estabelecerem contacto com o inimigo, embora não pudesse ter a certeza. Olhou de novo pelos binóculos, mas a imagem tremia em excesso, devido aos ligeiros movimentos das suas mãos, tremendamente amplificados pelas lentes. Para estabilizar os binóculos assentou-os sobre uma pedra e acocorou-se atrás dela, espreitando pelos óculos. A imagem apresentava-se agora muito melhor e Mascarenhas distinguiu com clareza o contorno dos capacetes. Eram alemães.

"Maciel!", gritou, chamando o alferes que o acompanhava.

O homem aproximou-se a correr.

"Sim, meu major?"

"Estás a ver aqueles pontos ali?", perguntou Mascarenhas, apontando para a direita.

O alferes Maciel virou-se na direcção indicada, esticou a cabeça para a frente, estreitou os olhos e, após uma breve hesitação, assentiu.

"Estou a vê-los, meu major."

"São boches. Façam fogo nutrido sobre aquele sector, mas depois tenham cuidado porque há também para ali homens nossos."

As metralhadoras e as espingardas portuguesas abriram uma barreira de fogo sobre a direita, varrendo a área onde os alemães tinham sido avistados. O inimigo respondeu ao fogo com fogo, generalizando-se o tiroteio à direita de Senechal Farm. Os defensores distribuíram as tarefas, com os ciclistas ingleses a defenderem a esquerda, que permanecia calma, Infantaria 13 a vigiar o centro e Infantaria 15 na direita. Uma hora depois foram avistados alemães igualmente à esquerda e as tropas portuguesas varreram o sector com duas metralhadoras e muitas espingardas. Vários soldados inimigos tombaram no solo, apanhados pela saraivada, mas Mascarenhas não tinha ilusões. Os alemães apareciam à esquerda e à direita, em breve Senechal Farm ficaria cercada. Vendo-se momentaneamente impedidos de progredirem, os atacantes fixaram-se no terreno. Depressa Mascarenhas ficou apreensivo, não apenas por causa da fragilidade da sua posição, como sobretudo devido ao crescente isolamento das companhias que enviara para fazerem frente ao inimigo.

"Maciel!", voltou a chamar.

"Sim, meu major?"

"Manda-me ordenanças com cunhetes para as companhias da frente."

O alferes Maciel foi executar a ordem e Mascarenhas voltou aos binóculos.

O posto de Picantin já só tinha um punhado de homens a resistirem. Afonso contou-os, eram uns vinte, e as três *Vickers* estavam fora de serviço, uma destruída pela granada que matara Vicente Manápulas e Sérgio, outra bloqueara e a terceira tinha o cano derretido. Como metralhadoras, apenas funcionavam duas *Lewis*, uma delas operada por Matias Grande.

"Meu capitão", gritou o cabo. "Já só tenho um disco."

A *Lewis* era alimentada por um disco com noventa e sete balas. A guarnição de Picantin já tinha saqueado um paiol e levado todos os discos para as *Lewis*, cintas para as *Vickers* e depósitos para as *Lee-Enfield*, mas as munições chegavam agora ao fim e a defesa do posto tornava-se insustentável. Afonso sabia que era impossível resistir com baionetas. Sem balas não valia a pena permanecer em Picantin.

"Vamos evacuar o posto!", gritou. "Toda a gente ajuda os feridos a saírem. Carreguem-nos às costas, se for preciso." Apontou para Matias. "Cabo, você fica aí a dar-nos cobertura com a *Luísa* e só sai quando o último homem abandonar o posto." Apontou para a sua ordenança. "Joaquim, ajuda-o."

Joaquim posicionou-se no ninho da *Vickers* bloqueada com a *Lee-Enfield* a espreitar pela seteira e Matias Grande colocou-se num ponto donde podia observar em simultâneo a esquerda e a direita. Quando o resto da guarnição deixou de disparar e começou a retirar, Joaquim passou a alvejar os vultos que se moviam em frente, enquanto Matias abria fogo em diversas direcções com rajadas muito curtas. O objectivo dos dois portugueses já não era agora o de abaterem soldados inimigos, mas simplesmente criarem a impressão de que aquela posição tinha ainda muitos homens a defendê-la.

Afonso registou a hora em que o posto foi abandonado. Eram onze da manhã. A guarnição de Picantin Post fez-se às trincheiras quase sem munições e carregando duas dezenas de feridos. A maior parte seguiu pelo próprio pé, alguns apoiando-se nos camaradas quando os seus ferimentos eram numa perna e os impediam de andar normalmente. Três seguiram em macas improvisadas, não estavam em condições de caminhar. Com a coluna a caminho, Afonso olhou uma derradeira vez para o posto e interrogou-se quanto ao tempo que Matias e Joaquim conseguiriam resistir sozinhos.

Dançando numa direcção e noutra, o cabo continuava a manter o inimigo ocupado, enquanto Joaquim se conservava fixo no ninho da *Vickers*. Mas a ilusão de que o posto permanecia guarnecido durou apenas cinco minutos, findos os quais se esgotou o derradeiro disco da metralhadora de Matias. A *Lewis* aquecera até ao rubro, o cano prestes a fundir-se, e o cabo largou no chão a arma que tanto o servira nos últimos meses, agarrou numa

Lee-Enfield abandonada por um companheiro, estranhou já não ouvir disparar a espingarda de Joaquim, foi ao ninho da *Vickers* e viu o seu camarada estendido no chão, varado pelo tiro certeiro de uma *Mauser* inimiga. Sentiu-lhe o pulso e verificou que estava morto. Afagou-lhe o cabelo, numa breve carícia de despedida, e, sem perder mais tempo, largou a correr no encalço da coluna que fugia para Red House.

Os aviões alemães irromperam em voo baixo sobre Senechal Farm. Os *Gotha,* os *Halberstadt,* os *Roland* e todos os outros desceram sobre as posições portuguesas, regando-as com metralhadoras e bombas e enviando sinais luminosos para regularem o fogo da artilharia. Mascarenhas começou a convencer-se de que não conseguiria manter Senechal Farm por muito mais tempo. Nenhuma das ordenanças enviadas para remuniciarem as companhias da frente tinha regressado. Além disso, o facto de aparecerem cada vez mais soldados alemães pela frente deixava supor o pior. A confirmação de que Senechal Farm era agora, literalmente, a linha da frente foi dada quando surgiu no local um punhado de sobreviventes da primeira companhia e alguns homens das restantes.

"Meu major", disse um cabo acabado de chegar, o olhar alucinado. "Eles varreram-nos quando os atacámos com uma carga de baioneta. Há ainda algum pessoal do 13 a resistir nas trincheiras, mas estão cercados e não vão durar muito."

Mascarenhas olhou em redor.

"Maciel!", chamou. "Distribui cartuchos por estes homens."

O fogo inimigo tornou-se mais nutrido quando era meio-dia e meia; os alemães dispunham visivelmente de mais soldados no sector. Os aviões pareciam moscardos a polvilharem o céu. Mascarenhas observou-os um a um e apenas identificou enormes cruzes negras desenhadas nas asas e na carlinga.

"Mas onde é que estão os camones?", interrogou-se em voz alta, abrindo os braços com frustração. "Só se vêem aeroplanos boches!"

Infantaria 13 e uma companhia de Infantaria 15 resistiam ali com apenas duas *Lewis* e as *Lee-Enfield* de cada praça. Os portugueses batiam os alemães de flanco, procurando retardar a sua progressão. À uma da tarde, a resistência dos defensores estava circunscrita, na esquerda, ao *blockhaus,* onde se refugiava o batalhão de ciclistas ingleses, e ao cemitério, onde permaneciam outros ingleses. No meio permaneciam os portugueses, ocupando Senechal Farm, e, à direita, junto a King George's Street, outra força portuguesa. A certa altura, o alferes Sevivas, que empunhava uma das *Lewis* em Senechal, desapareceu, e a resistência ficou ali circunscrita a uma única metralhadora ligeira. O alferes Maciel, visivelmente consternado, aproximou-se do seu segundo comandante.

"Meu major, vamos ser envolvidos", disse.

"Eu sei, já reparei." Mascarenhas olhou para o compacto abrigo de cimento que se encontrava junto à igreja de Lacouture. "Temos de retirar para o *blockhaus*." Observou a disposição das suas forças. "Quem é aquele?", perguntou, apontando para o soldado que tinha a única *Lewis* operacional nas mãos.

"É o sargento Carvalho, meu major."

"Ele que nos cubra."

A ordem de evacuação foi dada de imediato. Dezenas e dezenas de soldados portugueses convergiram para o sector da igreja, correndo curvados por entre o arvoredo, saltando sobre as crateras, contornando o arame farpado, cruzando a ribeira Loisne, e entraram no *blockhaus.* O sargento Carvalho ficou para trás, sozinho, a *Lewis* a manter as formações alemãs em respeito naquele terreno acidentado e coberto de verdura. Quando verificou que os companheiros tinham todos retirado de Senechal Farm, Carvalho esgueirou-se pelos arbustos, correu, correu, correu e entrou enfim, também ele, no maciço abrigo de betão.

Havia quase duas horas que a coluna chefiada por Afonso errava pela labiríntica rede de trincheiras, tentando desesperadamente evitar o contacto com o inimigo. As munições encontravam-se praticamente esgotadas e o volume de feridos fazia daqueles homens uma força de combate ineficaz. A coluna estava reduzida a metade desde que abandonara o Picantin Post. Os alemães flagelavam implacavelmente a unidade, que foi perdendo homens à medida que os sobreviventes de Infantaria 8 deparavam com as forças inimigas. A ideia inicial de Afonso era retirar para Red House, onde se encontrava o comando de Infantaria 29, mas por esta altura esse plano estava totalmente desbaratado. Todos os caminhos se mostravam bloqueados, as posições e postos portugueses tinham caído nas mãos do inimigo e a coluna que evacuara Picantin já só procurava recuar, fosse para onde fosse, mas recuar.

Pelas duas da tarde, os homens do 8 foram alvejados simultaneamente à frente e na retaguarda. Afonso percebeu que já só tinha uma carta na manga, uma carta frágil, incerta, fraca. Mas era a única.

"Os feridos que podem caminhar vão prosseguir a retirada", gritou, deitado no chão enquanto as balas zumbiam sobre as cabeças dos portugueses. "Serão escoltados pelo cabo Esperança e mais um homem. Os restantes ficam comigo para atrair o inimigo e cobrir a retirada. Quando os feridos estiverem longe, retiraremos igualmente. Entendido?"

"E os feridos que não podem andar, meu capitão?", perguntou Rosa, apontando para os três homens deitados nas macas.

"Vão ter de se render, não vejo outra hipótese."

Os homens assentiram, sabiam que não restavam alternativas. O cabo Esperança rastejou para junto dos feridos que conseguiam andar e daí, à distância, chamou Afonso.

"Meu capitão, qual é o homem que levo comigo?"

"Sei lá", devolveu Afonso, encolhendo os ombros com indiferença. "Um à sua escolha, tanto me faz."

O cabo escolheu uma praça da sua confiança e ambos foram puxando os feridos até chegarem a uma zona de trincheira com os parapeitos altos. Puseram-se aí todos de pé e partiram, os que tinham uma perna inutilizada apoiados em espingardas, usadas como bengalas. Deitado na lama, Afonso contou os seus efectivos. Tinha ali o cabo Matias, o sargento Rosa, o soldado Baltazar e mais um outro que só conhecia de vista. Somavam cinco homens.

"Quantas balas temos?", perguntou Afonso.

Os soldados contaram os cartuchos. Eram, ao todo, vinte e duas balas.

"Ainda dá para aviarmos vinte e dois boches", gracejou Baltazar. "Categoria, hã?"

Ninguém se riu.

"Quando eles vierem, só disparem pela certa, no momento em que eles estiverem mesmo perto. Entenderam?" Afonso fechou ruidosamente a culatra da sua espingarda. "Cada tiro, cada melro."

Os alemães disparavam furiosamente sobre a posição portuguesa, protegida por sacos de terra, e a ausência de fogo de resposta deu-lhes atrevimento. Começaram a aproximar-se, devagar, devagarinho. Quando se encontravam a cinquenta metros, Afonso mandou disparar e vários alemães rolaram por terra. Os restantes abrigaram-se e voltaram a regar os portugueses com tiros de *Mauser*. A certa altura, uma *Maxim* juntou-se ao tiroteio. Logo à segunda rajada, por sinal certeira, o sargento Rosa foi atingido na cabeça e tombou morto, o outro homem sofreu vários tiros nas costas e deixou igualmente de dar sinal de si. Um dos feridos que se encontravam deitados nas macas também foi atingido e agonizava, moribundo. Afonso, Matias e Baltazar entreolharam-se. Perceberam que tinham chegado ao fim da linha. Antes que fosse disparada a terceira rajada, Afonso esticou o pescoço e gritou:

"Kamerad!"

O primeiro a levantar-se, os braços bem erguidos, foi Baltazar. O Velho pôs-se de pé e foi imediatamente abatido por vários tiros de espingarda. Matias viu-o tombar ao seu lado sem soltar um gemido, os olhos a rolarem para cima e a ficarem brancos, um buraco na testa e outros presumivelmente no tronco, a nuca aberta pela saída da bala, via-se a matéria branca e esponjosa da massa encefálica a escorregar para fora do crânio. O cabo observou-o, estupefacto; mal queria acreditar que aquele era o seu amigo Baltazar, que ele caíra morto, abatido como um cão quando se rendia. Parecia a Matias que vivia um sonho, experimentou uma sensação de profunda irrealidade, de uma estranheza dormente, teve a impressão de que nada daquilo estava a acontecer, via e não acreditava. Primeiro tinha sido o Lingrinhas, depois o Manápulas, agora o Velho, o seu desfalcado pelotão já não existia, tinha sido dizimado em poucas horas, os amigos transformados em pedaços de carne inerte. Cerrou os olhos, abanou a cabeça e abriu-os novamente, na ilusão de que despertaria assim do sonho, mas Baltazar permanecia deitado, o olhar vidrado. Estava mesmo morto. Fitou-o aparvalhado, atordoado, perdido numa incredulidade embasbacada.

A voz do capitão, rouca e gutural, despertou-o da letargia. *"Kamerad!"*, gritou Afonso, a plenos pulmões. *"Kamerad!"* O tiroteio foi enfim suspenso. Aproveitando a pausa, o capitão voltou a berrar. *"Ich bin Kamerad!"*

Ouviu-se um burburinho à distância e uma voz respondeu a Afonso.

"Ergebt euch!", gritou. *"Legt die Waffen nieder! Los! Los!"* Depois, uma segunda voz adoptou o francês das trincheiras.

"Armes pas bonnes. Portugais prisoniers, bonnes. Portugais guerre, pas bonnes! Jetez les armes!"

Afonso olhou para Matias. O cabo encontrava-se em estado de choque, embora já estivesse a sair do breve transe em que mergulhara. A sensação de irrealidade permanecia forte, ainda acreditava que tudo aquilo podia não passar de um sonho mau, mas, à cautela, algo dentro dele decidiu que se deveria portar com prudência, afinal de contas o que estava a acontecer em seu redor começava a parecer muito real.

"Eles querem que atiremos as armas fora", explicou-lhe Afonso.

Os dois pegaram nas respectivas *Lee-Enfield* e projectaram-nas para a frente, suficientemente alto para serem vistas à distância. A seguir, devagar, a medo, ergueram-se com as mãos levantadas. Primeiro permaneceram curvados, esperando a todo o momento o pior, e depois, mais confiantes, endireitaram o tronco, os braços sempre esticados para o céu.

Mascarenhas espreitou pela seteira e olhou na direcção que lhe indicava o alferes Veiga. Lá ao fundo circulavam camionetas a transportarem soldados e viam-se homens com bandeirolas a regularem o trânsito, eram os alemães a enviar reforços para aproveitarem as brechas abertas pela ofensiva dessa manhã. O céu cobrira-se de aviões inimigos, o que consternava os sitiados.

"É impressionante!", exclamou Mascarenhas. "Não se vê um único aeroplano nosso."

Veiga assentiu.

"Estamos totalmente isolados, meu major. Somos uma ilha num mar de boches."

Já passava das quatro da tarde e o major decidiu inspeccionar o *blockhaus*. O abrigo de cimento onde se encontrava encerrado estava camuflado por uma casa. Era constituído por dois andares, ambos com seteiras por onde os ciclistas britânicos colocavam as suas metralhadoras pesadas e regavam as posições inimigas. Mascarenhas contou os efectivos, contabilizando setenta ingleses e quase cento e setenta portugueses, a maior parte do 13, mas alguns do 15. Muitos dos portugueses estavam feridos e tinham pensos espalhados pelo corpo. Dentro do *blockhaus* havia ainda uma zona de segurança adicional, um abrigo de betão com câmara de rebentamento, onde se entrincheirara o comandante britânico com a maior parte das munições. Mascarenhas foi lá implorar um remuniciamento e o major inglês cedeu-lhe cinco mil cartuchos. O major do 13 distribuiu as balas pelos homens e, já sem nada para fazer, voltou às seteiras.

A sombra da noite emergiu no horizonte como um vulto umbroso, sobretudo do lado donde vinha o inimigo, mas os aviões mantinham-se no ar com os seus voos rasantes.

"Parecem moscas", comentou Mascarenhas junto do cabo Guedes.

"Gostava de apanhar um com a minha *Luísa*", comentou o cabo.

"Daqui não é possível", explicou-lhe o major. "Precisavas de estar num ponto alto."

O cabo franziu o sobrolho.

"O meu major está-me cá a dar uma ideiazinha", disse, com um sorriso malicioso. "Vou lá acima, ao telhado. Pode ser que tenha sorte."

Guedes pegou na *Lewis* e subiu ao telhado da casa erguida por cima do *blockhaus*. Encostou-se à chaminé e ficou a aguardar, observando a evolução dos aparelhos sobre Lacouture. Um avião aproximou-se finalmente pela frente, baixou e, quase em voo rasante, começou a metralhar o abrigo de betão. O cabo ergueu a *Lewis,* apontou e largou uma rajada. O aparelho flectiu para a direita e ganhou altura, esquivando-se ao fogo do telhado. Desapontado, Guedes regressou ao *blockhaus*.

Afonso e Matias Grande caminhavam lado a lado sem trocarem palavra. Sentiam-se demasiado cansados para isso. Marchavam como máquinas, alheios ao que os rodeava, a mente apenas fixa nos acontecimentos da manhã, relembrando cada episódio, os instantes dos bombardeamentos e as circunstâncias que envolveram a morte dos amigos. Caminhavam como sonâmbulos, tropeçando pelo caminho, a mente ausente, estavam já mergulhados no passado, nas memórias daquela manhã brutal, reviviam ainda cada sentimento, cada sensação, o terror e o medo, os cheiros e os sons, as explosões e os gritos.

O nevoeiro já tinha levantado, revelando uma paisagem lunar fumegante, as trincheiras revolvidas pelas bombas e pelas granadas ao ponto de se terem tornado irreconhecíveis. Os prisioneiros seguiam sozinhos, sem escolta, cruzando-se com milhares e milhares de soldados alemães que marchavam por Fauquissart rumo à frente de combate. O oficial que os revistara tirara-lhes as máscaras antigás, pelo que ambos vigiavam o terreno de uma forma inconsciente, pareciam alheados de tudo e, no entanto, algures na sua mente permaneciam vigilantes, preocupados em detectarem atempadamente qualquer nuvem suspeita. Avançaram pela Great Northern e passaram ao lado de Flank Post. Afonso lançou um olhar ausente sobre o abrigo, mas a desolação daquele sítio familiar despertou-lhe a atenção, o posto encontrava-se totalmente devastado. Viam-se alguns mortos, corpos esfacelados, deitados de bruços ou em posições estranhas. Os soldados alemães paravam aqui e ali para examinarem os cadáveres. Tiravam-lhes dinheiro, algumas peças do vestuário, botas, relógios e, sobretudo, comida.

Afonso e Matias chegaram à antiga linha da frente e constataram que, das trincheiras portuguesas, apenas restava agora um vago enfilamento. O seu interesse pelo que os rodeava aumentou consideravelmente a partir desse ponto; foi como se começassem a emergir de um sonho. Entraram na terra-de-ninguém e meteram em direcção às antigas linhas inimigas. Afonso achou estranho estar a passear assim, à luz do dia e com descontracção, por sectores onde antes apenas se circulava à noite e muito a medo.

Um soldado alemão, por sinal corpulento, aproximou-se dos dois e gritou para Matias, apontando-lhe para os pés.

"*Gib mir deine Stiefel!*"

"Ele quer as tuas botas", traduziu Afonso.

Matias ficou surpreendido, mas obedeceu. Sentou-se no chão e descalçou maquinalmente as botas, que entregou ao soldado inimigo. O alemão tirou as suas e colocou as do português, que eram aproximadamente do mesmo tamanho. Ergueu-se e assentou bem os pés no solo.

"*Mist, die sind kaputt!*", vociferou, desagradado.

Arrancou as botas de Matias e atirou-as furiosamente contra o cabo. De seguida calçou de novo as suas e foi-se embora.

"O gajo devia julgar que as nossas botas eram iguais às dos camones", comentou Matias enquanto se calçava.

"O que é que têm as tuas botas?"

"Estão descosidas à frente", explicou o cabo, exibindo a sola aberta. "Está a ver?" Esticou a perna e aproximou a bota dos olhos do capitão. "O boche ficou pior que uma barata."

Atingiram a primeira linha alemã em Nut Trench e meteram por um enfilamento de trincheiras até chegarem à curva de uma estrada. Fazendo um esforço para recordar o traçado das linhas inimigas nos mapas, Afonso concluiu que aquela era a Rue Deleval, uma estrada com tanta importância para os alemães como a Rue Tilleloy para os portugueses. Se esta era a Rue Deleval, raciocinou Afonso, ali à esquerda situava-se a Farm Delaporte e Orchard e a curva onde se encontravam correspondia a Irma's Elephant.

Um oficial aproximou-se dos dois e ordenou-lhes que se dirigissem para um ponto à direita, na Rue Deleval. Obedeceram e foram dar a um local onde se encontrava um punhado de militares portugueses.

"Ora viva", saudou Afonso.

"*Ruhe!*", berrou um guarda, mandando-o calar.

O grupo permaneceu em silêncio à espera de instruções. A noite caía e surgiu um segundo oficial que os mandou seguir dois soldados. Dirigiram-se para oeste e fizeram a curva para sul num local que Afonso identificou como sendo "Sousa", uma casa assinalada no mapa do CEP e que, por ironia, pertencera a um português radicado na Flandres. Desceram pela estrada, caminhando paralelamente às antigas primeiras linhas alemãs, viram a Rue Dante à esquerda, mas os guardas ignoraram-na, e prosseguiram pela Rue Deleval. Continuavam a ver-se aqui muitas formações de soldados a marchar com aprumo para combate, homens enquadrados por oficiais a cavalo que lançavam sobre os prisioneiros olhares cheios de curiosidade. Diversos oficiais alemães chegaram a abrandar a marcha das montadas para melhor observarem os soldados inimigos. Seguindo mecanicamente os guardas, os portugueses cruzaram Clara Trench e Butt House, mas, quando atingiram a Fauquissart Road, apanharam-na em direcção a leste, rumo a Aubers, afastando-se definitivamente da Rue Deleval e da zona da frente.

As granadas começaram a atingir o *blockhaus* com violência às seis e meia da tarde. Ouvia-se o guincho dos projécteis em voo e, com o impacto das bombas, o edifício estremecia, abanando até aos alicerces, um fragor terrível a encher o interior. A estrutura rangia, algumas partes desmoronavam-se, caíam destroços por toda a parte, uma nuvem de pó dançava no ar. Mas, no essencial, o abrigo aguentava-se, era sólido e maciço.

Mascarenhas decidiu percorrer os dois andares do *blockhaus*, preocupado em manter o moral dos homens. Nada melhor do que uma conversa para distrair a mente e fazer os homens esquecerem as granadas que choviam sobre o edifício.

"Não se preocupem, o abrigo foi construído para aguentar isto e muito mais", explicou a um grupo do 13 que guarnecia uma das seteiras.

"Ó meu major, a malta cá não corta prego", disse um soldado com um sorriso forçado. "Mas, mesmo que estivéssemos cagados de medo, não tínhamos por onde cavar, não é?"

"Quem vai cavar são os boches, vocês vão ver. Os camones vão-nos enviar reforços, corremos com esses cabrões todos e ainda vamos ser tratados como uns heróis."

Uma granada atingiu o *blockhaus,* fazendo estremecer o edifício, e todos se calaram. Caiu algum pó, mas não houve consequências de maior.

"A mim, o que me deixa mais nicado é a fome", exclamou um soldado.

Mascarenhas sorriu.

"Se pudesses encomendar um prato, o que é que escolhias?"

"Ó meu major, isso é pergunta que se faça?"

"Então, rapaz? Não temos comida, mas nada nos proíbe de sonhar com ela, não é?"

"Ah, meu major, eu alambazava-me com uma boa feijoada à transmontana, caraças, uma daquelas que a minha mãe faz..."

"Tu és donde?"

"Eu sou de Bisalhães, meu major, mesmo ali ao pé de Vila Real."

"Bem sei, bem sei", retorquiu Mascarenhas. "A terra dos barros negros." O major sabia que não havia nada de que um soldado mais gostasse do que falar de comida e sonhar com a sua terra. Eram dois temas que garantidamente despertavam o interesse de qualquer homem, para além das mulheres, claro. Dadas as circunstâncias, falar sobre esses assuntos era o melhor modo de os manter distraídos e animados. Voltou-se, por isso, para outro soldado. "E tu donde és?"

"Eu sou de Lamas de Olo, meu major."

"Onde é isso?"

"Em Trás-os-Montes, meu major."

"Ó homem, isso já eu sei, aqui toda a malta é de Trás-os--Montes. Mas onde é que fica essa terra?"

"Lamas de Olo é lá para o Alvão, meu major. Entre o Tâmega e o Corgo."

"E é bonito?"

"Se é bonito? É o paraíso, meu major, o paraíso! Vive-se lá no meio da serra, tomam-se umas banhocas nas Fisgas de Ermelo, dá-se um passeio até ao Alto das Caravelas, anda-se à caça, come-se perdiz com uvas, faisão com castanhas, eu sei lá." O homem suspirou. "Ah, meu major, isto é que são cá umas saudades..."

"Não me falem em comida, caraças, não me falem na paparoca", cortou o primeiro soldado. "Com a larica com que estou, até a merda do corno-bife me sabia a cabrito assado!"

Uma nova explosão interrompeu a conversa; era uma *Minenwerfer* que embatera no *blockhaus* com aparato. O clarão da explosão iluminou as seteiras, agora que a noite caíra e toda a luz brilhava mais forte.

O soldado alemão apontou a *Mauser* ao tenente português e berrou:

"*Die Jacke her!*"

O tenente ficou embasbacado, sem perceber o que queria o homem.

"Dê-lhe a gabardina", disse-lhe Afonso. "Ele quer a gabardina."

Aparvalhado, o tenente despiu a gabardina, o alemão ficou com ela e foi-se embora.

"Ora esta", queixou-se o tenente. "Agora gamaram-me a gabardina, vejam lá..."

Ninguém disse nada, as ordens eram para manter o silêncio. O grupo prosseguiu a marcha, os guardas ignorando os soldados que pilhavam os prisioneiros. Contornaram o Bois du Biez, a posição alemã tantas vezes bombardeada pela artilharia portuguesa, e observaram com curiosidade os sólidos *bunkers* instalados no bosque e os muitos canhões que por ali se encontravam espalhados, eram um autêntico mar. Não se viam corpos de homens, mas havia em abundância cadáveres de cavalos, vítimas inocentes dos bombardeamentos portugueses. Prosseguiram o caminho pela Fauquissart Road e chegaram a Aubers. A povoação mostrava-se aniquilada, as casas reduzidas a ruínas, parecia Neuve Chapelle.

Depois de Aubers seguiram até Illies, onde foram levados para uns barracões erguidos num perímetro protegido por arame farpado. Ao fim de uma hora serviram-lhes o jantar, pão de centeio com uma salsicha e um dedo de manteiga. Foi o seu primeiro contacto com os *Bratwürste*. Para beber, os guardas distribuíram água. Quando os prisioneiros terminaram a pequena refeição, receberam a visita de um general com ar bonacheirão.

"*Guten Abend. Willkommen in Illies*", saudou-os o oficial. "*Mein Name ist General Albert Zeitz.*" Os portugueses olharam-no com cara de quem nada percebia e o general depressa mudou para o patusco francês das trincheiras. "*Moi général Zeitz. Allemands bonnes. Portugais promenade aujourd'hui à Lille. Compris?*"

Um major português levantou o braço e o general fez-lhe sinal para falar.

"*Compris. Portugais cansés, promenade pas bonne. Dormir bonne. Compris?*"

O general assentiu. Não sabia o que raio queria dizer *cansés*, nunca tinha ouvido semelhante palavra, mas admitiu tratar-se de uma expressão requintada, rebuscada, porventura até um francês de qualidade literária. O que valia, pensou, é que as restantes palavras lhe eram familiares. Sorriu com bonomia, satisfeito por poder comunicar com tanta fluência com os prisioneiros, e não lhe custou, por isso, ceder à sua vontade.

"*Compris*", concordou, magnânimo.

Alguns homens dormitavam encostados ao cimento. O bombardeamento contra o *blockhaus* tinha parado, mas todos se sentiam fracos, sonolentos; eram os efeitos do cansaço e da fome.

"O que eu agora não dava pelo *corned-beef* e pelas compotas dos camones", desabafou o alferes Viegas, sentindo-se fraco e esfaimado.

"Estamos todos com fome, Viegas", disse Mascarenhas. "Mas temos de aguentar, pode ser que cheguem reforços."

O alferes inclinou a cara.

"O meu major acredita mesmo nisso?"

Mascarenhas suspirou.

"Acredito que é possível."

"Lá possível é, meu major", admitiu Viegas com um trejeito de boca. "Mas olhe que isto está mal. Só se vêem boches lá fora, os aeroplanos são todos deles e o som da artilharia está a afastar-se, dá a impressão de que os tipos continuam a avançar e a nossa primeira linha a recuar."

O major aproximou-se de uma seteira, vigiada por uma sentinela do 15. Para lá da pequena abertura era a escuridão total.

"Sim, vai lá fora um movimento danado", disse, chamando o alferes com a mão. "Anda cá, anda cá. Queres ouvir isto?"

Calaram-se e ficaram atentos. No exterior, à distância, escutava-se o som de motores.

"São camiões, meu major."

"Pois são. Os gajos estão a reforçar as linhas e nós não passamos de um empecilho, um espinho que lhes ficou cravado nas costas."

De súbito, eclodiu uma sequência de detonações e o *blockhaus* voltou a ser atingido sucessivamente pelas granadas. O abrigo tremeu até aos alicerces e todos os soldados acordaram, assustados com o fragor infernal do bombardeamento. O relógio de pulso de Mascarenhas, um *Longines* prateado, assinalava as quatro da manhã. Alguns homens sentiam-se de tal modo cansados que voltaram a adormecer, mesmo debaixo daquela cacofonia de explosões, mas a maior parte permaneceu de vigília.

"Gás!", gritou uma voz, dando o alerta.

As máscaras foram colocadas à pressa, os dentes a apertarem o bocal, uma pinça metálica a bloquear as narinas para obrigar a respiração a processar-se pela boca, as fitas elásticas a ajustarem a tela da máscara ao rosto. Ficaram assim vinte minutos, num grande incómodo, o ar a faltar-lhes, a respiração pesada e ruidosa. Quando tiraram as máscaras, primeiro um homem, depois os restantes, o ar regressara ao normal, as narinas apenas detectaram o eterno cheiro a pólvora a que se tinham habituado em zona de guerra.

A fome começou entretanto a apertar. Apesar de o edifício continuar a ser alvejado pela artilharia inimiga, rangendo assustadoramente a cada impacto de granada, Mascarenhas decidiu mandar sair uma patrulha para avaliar a situação e, já agora, detectar alimentos.

"Voluntários?", pediu.

Ofereceram-se cinco homens e o major determinou que o raide seria comandado pelo mais graduado, o cabo Macedo. A porta foi destrancada e a patrulha esgueirou-se pela escuridão com a missão de ir vasculhar uma casa próxima. O edifício localizava-se na linha de tiro das seteiras do *blockhaus,* pelo que os alemães não se tinham ainda atrevido a ocupá-lo ou mesmo a inspeccioná-lo. Às sete da manhã, o bombardeamento contra o reduto de Lacouture foi suspenso e a patrulha regressou, antecipando-se à alvorada. Os homens trouxeram comida e ofereceram-na aos oficiais. Era pão e queijo.

Os prisioneiros levantaram-se com a aurora e formaram no pátio dos barracões a tremelicarem de frio. Um oficial alemão dividiu os portugueses em dois grupos, de um lado os oficiais, do outro os soldados, a maior parte com aspecto miserável, pareciam vagabundos e pedintes. Afonso e Matias viram-se assim separados, irmãos de armas divididos pela hierarquia e pelo destino. Procuraram-se com os olhos, despediram-se com um aceno à distância, em silêncio desejaram-se mutuamente boa sorte e seguiram caminhos diferentes.

A coluna do capitão marchou até Fournes, as bermas da estrada pejadas de civis franceses que olhavam, calados, taciturnos, para os prisioneiros de guerra. Alguns acenavam com pães ou aproximavam-se com tigelas de caldo, mas logo os lanceiros a cavalo, que faziam a escolta da coluna, intervinham, interpondo-se entre os civis e os prisioneiros, impedindo o contacto, afugentando a multidão.

Ao final da manhã, a coluna entrou em Lille pela Porte de Béthune, a sul da grande cidade, e meteu pela Rue d'Isly, a qual, mais à frente, após a Place de Tourcoing, se transformava no Boulevard Vauban. Soldados alemães montaram cordões de segurança em toda a largura da avenida, impedindo ainda que os civis entrassem em contacto com os prisioneiros. Os populares enchiam os passeios, olhando com tristeza para os soldados capturados. Alguns atiravam pães ou chouriços para a coluna, outros choravam amargamente, a mão na boca, choravam com tal emoção que Afonso se sentiu comovido e chorou também. Em alguns pontos, o cordão dos soldados fora rompido, presumivelmente por falta de efectivos, e alguns civis arriscavam umas palavras, lançadas com carinho, atiradas como flores.

"*T'es anglais?*", perguntou uma mulher jovem, olhando Afonso com intensidade.

"*Non*", disse o capitão, abanando a cabeça e caminhando sempre. "*Je suis portugais.*"

A mulher hesitou, surpreendida. Não sabia que havia portugueses a combaterem pela França. Era jovem, mas o rosto mostrava-se prematuramente envelhecido; não era fácil a vida sob ocupação inimiga. Vendo os soldados vencidos a desfilarem diante de si, lamentando a sua derrota mas querendo confortá-los, abriu-se num sorriso triste. Quase a correr pelo passeio, num comovente esforço para acompanhar a marcha dos prisioneiros, a francesa beijou os dedos e soprou na direcção de Afonso.

"*Merci, le Portugal.*"

Quando os prisioneiros cruzaram a Rue Colbert, os civis que enchiam os passeios começaram a cantar. *La Marseillaise* estava proibida pelas autoridades ocupantes, mas os franceses tinham outras opções para animarem os prisioneiros e desafiarem os carcereiros. As vozes ergueram-se em coro, desafinadas e em desafio, os olhares fixos nos homens derrotados que marchavam miseravelmente pelo piso calcetado do Boulevard Vauban:

> *Où t'en vas-tu, soldat de France,*
> *Tout équipé, prêt au combat?*
> *Où t'en vas-tu, petit soldat?*
> *C'est comme il plaît à la Patrie,*
> *Je n'ai qu'à suivre les tambours.*
> *Gloire au drapeau,*
> *Gloire au drapeau.*
> *J'aimerais bien revoir la France,*
> *Mais bravement mourir est beau.*

Afonso achou a letra desadequada, era uma canção para militares franceses que partiam para a guerra, não para soldados portugueses que dela vinham em cativeiro. Mas o capitão percebeu a intenção, sentiu o calor humano a erguer-se daquelas vozes, o orgulho a vibrar no coro, a multidão a agradecer, a prestar homenagem aos estrangeiros que por ela combateram. O oficial português deixou de caminhar curvado, com os olhos fixos no chão, arrastando-se pela calçada, abatido e cabisbaixo; não era essa a pose que dele esperavam aqueles franceses. Ergueu a cabeça, endireitou o tronco, atravessou a verdejante Esplanade e entrou com altivez pela majestosa Porte Royale, cruzando os muros fortificados da Citadelle.

O tiroteio recomeçou às oito da manhã, mas desta feita os sitiados puderam responder ao fogo inimigo. O Sol já nascera, iluminando os campos calcinados de Lacouture e as posições donde os alemães abriam fogo sem cessar. As munições chegaram ao fim e Mascarenhas foi ao abrigo onde se refugiava o comandante do batalhão britânico e pediu mais cartuchos.

"Take it", disse o major inglês, apontando para umas caixas de munições. *"Les derniers, compris? Les derniers."*

Mascarenhas contou os cartuchos, eram dois mil. Os últimos. As munições foram distribuídas pelos homens que guarneciam as seteiras, com a recomendação de serem conservadores no gatilho e só atirarem pela certa. O major observou os terrenos circundantes e constatou que havia alemães por toda a parte, o *blockhaus* encontrava-se totalmente cercado. Às onze da manhã, as munições esgotaram-se; cada espingarda ficara reduzida à baioneta e a duas ou três balas, guardadas para derradeiras eventualidades.

Um homem aproximou-se então com uma bandeira branca na mão esquerda. Mascarenhas observou-o pelo binóculo. O indivíduo vestia uma farda *kakhi,* era um soldado britânico. As portas do *blockhaus* foram abertas, dando passagem ao homem. Tratava-se de um maqueiro inglês que tinha sido aprisionado pelos alemães e trazia uma mensagem do inimigo. A mensagem foi entregue ao major inglês, que se reuniu à porta fechada com os comandantes de Infantaria 13 e Infantaria 15. A reunião terminou meia hora mais tarde e o comandante do 13 chamou os homens e anunciou que o comando do reduto tinha decidido que iriam render-se. Já não havia munições e o inimigo, apercebendo-se de que o fogo do *blockhaus* quase parara, ameaçava atirar tudo pelos ares. O maqueiro saiu com a resposta dos sitiados e voltou mais tarde com as instruções dos alemães.

Mascarenhas desarmou os cem soldados de Infantaria 13, enquanto os oficiais do 15 e do batalhão inglês faziam o mesmo às suas praças. As *Lee-Enfield*, as *Lewis* e as *Vickers* foram amontoadas num canto. Os homens choravam convulsivamente ao formarem no interior do *blockhaus*. Ainda choravam quando as portas se abriram e marcharam para fora do abrigo, entregando--se ao inimigo. O major ficou na cauda do grupo e foi dos últimos a abandonarem o reduto. De repente, ouviu armas a abrirem fogo e viu os homens à sua frente a recuarem, num pânico, num tropel aflito, os braços esticados no ar em sinal de rendição, mas também de desespero.

"Os gajos estão a disparar!", gritou um soldado que tentava a todo o custo reentrar no *blockhaus*. "Os gajos estão a matar--nos."

Mascarenhas ainda viu, estupefacto e indignado, os alemães a descarregarem as armas sobre os prisioneiros, mas um oficial inimigo interveio e o fogo foi suspenso. Alguns homens rebolavam--se pelo chão, feridos. O oficial alemão, com uma fita branca no braço e uma pistola em riste, gritava com os seus soldados. Depois fez sinal aos sitiados para saírem, mas parecia mais preocupado em vigiar os seus efectivos do que os portugueses e os ingleses.

Os prisioneiros receberam ordem de marcha e seguiram pela estrada rumo ao cativeiro. Os homens de Infantaria 13, transmontanos rudes e teimosos, gente do campo habituada à vida dura em Boticas, em Alfândega, no Mogadouro, em Romeu e em Moncorvo, estes rústicos de modos bruscos e palavras toscas ergueram as vozes como crianças e começaram, de baixinho, num coro suave, a entoar o hino do batalhão:

> *Palpita um peito d'aço em cada farda,*
> *Do 13 nem um passo p'ra retaguarda.*

Um alemão mandou-os calar. Passavam poucos minutos do meio-dia de 10 de Abril.

II

O cativeiro em Lille durou apenas alguns dias. Afonso foi colocado com três mil prisioneiros portugueses por detrás das portas de ferro do quartel do antigo regimento de couraceiros franceses, instalações militares encerradas na gigantesca Citadelle. Tratava-se de uma enorme fortificação em forma de estrela pentagonal, situada a noroeste de Lille e separada da cidade pelo rio Deûle e respectivos canais.

Foram dias duros, com os homens alimentados a pão, água e sopas aguadas. Dormiam no chão e tiritavam de frio por falta de agasalhos. Os contactos com civis franceses eram proibidos, uma ordem de resto desnecessária devido ao isolamento em que se encontravam os prisioneiros. Mesmo assim, Afonso lobrigou um francês a prestar serviço na cantina e não tardou em meter conversa.

"Você é de Lille?", perguntou-lhe na primeira oportunidade, quando o homem lhe servia sopa, na fila do refeitório.

O francês olhou em redor, assustado.

"Shut, não posso falar com os prisioneiros."

Afonso fixou-lhe os olhos.

"Conhece Paul Chevallier? Tem uma loja de vinhos na Vieille Bourse."

O homem fitou-o com ar surpreendido. Para Afonso era evidente que o seu interlocutor conhecia o pai de Agnès. O francês recompôs-se e fingiu que verificava a sopa do português.

"Agora não", murmurou muito baixo, falando apressadamente. "Escreva num papel o que quer e dê-mo amanhã, quando vier buscar a sopa."

Afonso passou a tarde à volta de uma folha, tentando redigir uma carta em francês. Consultou amiúde um oficial português de origem francesa, pedindo-lhe que verificasse palavras e revisse frases. Procurava desse modo evitar erros ortográficos e incoerências gramaticais, como faltas de concordância e de género, num esforço para criar uma boa primeira impressão no destinatário, o pai de Agnès. Quando terminou de rever o texto, deu-se por satisfeito e passou a versão final para um papel limpo:

Caro senhor Paul Chevallier,

O meu nome é Afonso Brandão, capitão de infantaria do exército português em França, actualmente prisioneiro na Citadelle de Lille. Escrevo-lhe estas curtas linhas para lhe comunicar que conheci a sua filha Agnès em Armentières e ela contou-me que, com o início da guerra, deixou de ter contacto com a família. Assim sendo, informo-o de que o seu marido Serge morreu em combate logo nas primeiras batalhas e ela foi viver para casa do barão Redier em Armentières. Apaixonámo-nos e pedi-lhe a mão em casamento, tendo a felicidade de a ver aceitar a minha proposta. Ela agora é enfermeira num hospital de guerra português e encontra-se bem de saúde. Rogo-lhe que lhe comunique, se tiver oportunidade de a ver antes de eu a encontrar, que estou vivo e de saúde, tendo sido feito prisioneiro pelos alemães. Não sei qual o destino que me reserva o inimigo, mas garanta-lhe, por favor, que a procurarei logo que seja libertado.

Com os melhores cumprimentos,

Afonso Brandão.

Quando concluiu esta versão final, Afonso releu o texto, dobrou a folha e guardou-a no bolso. Ainda reconsiderou se valeria mesmo a pena omitir que Agnès se tinha casado e separado do barão Redier e que se encontrava grávida de um filho seu, mas receou que os padrões morais do seu futuro sogro fossem de tal modo estreitos que essa informação deitasse tudo a perder. Decidiu, por conseguinte, manter assim o texto. No dia seguinte, ao almoço, passou o papel discretamente para as mãos do francês das sopas, murmurando que o entregasse ao *monsieur* Chevallier.

O francês levou algum tempo a cumprir a missão. Alegou que não encontrava Paul Chevallier e que a sua loja de vinhos estava encerrada. As autoridades alemãs anunciaram entretanto que os portugueses iriam ser enviados para um campo de prisioneiros na Alemanha, e Afonso começou a temer que saísse de Lille antes de estabelecer contacto com o pai de Agnès. Mas, ao quarto dia, a resposta veio finalmente. O francês entregou-lhe um envelope por baixo da tigela da sopa e Afonso teve dificuldade em reprimir, durante a refeição, a vontade de ler imediatamente a carta que escondera dentro das calças. Engoliu apressadamente a sopa e o naco de pão e retirou-se para as camaratas, onde, encostado a uma parede, encetou o envelope:

Meu caro capitão Brandão,

Não sabe até que ponto fez de mim um homem feliz por ter recebido enfim notícias da minha pequena Agnès. Lamento a morte de Serge, parecia-me bom rapaz mas, devo dizer, não o conheci bem. O que interessa, porém, é que a minha filha se encontre de saúde e feliz, como parece ser o caso.

A vida aqui em Lille, sob ocupação inimiga, tem sido muito difícil. A minha pobre Michelle faleceu há três anos, segundo os médicos vítima de pneumonia, mas na realidade vítima dos alemães. Os ocupantes começaram em 1914 a requisitar todos os bens das casas dos franceses. Levaram-nos mobílias, bicicletas, telefones e, o mais grave de tudo, até as camas. Tivemos

*de passar a dormir no chão. Houve também uma grande fome
em 1914 e 1915. Debilitada e deitando-se todas as noites no
frio soalho de pedra de nossa casa, a minha mulher não resistiu
e desenvolveu uma pneumonia fatal. Restou-me a minha filha
Claudette, mas, em 1916, os alemães deportaram-na de Lille,
levando-a com muitas outras raparigas para trabalhos forçados
no campo. Foram vinte e cinco mil pessoas de Lille, sobretudo
mulheres e crianças, enviadas à força para a província para
cultivarem a terra, partirem pedras, construírem pontes, fazerem sacos de terra e outros trabalhos de escravo. Felizmente,
só durou cinco meses essa provação, e Claudette já se encontra
de novo comigo.*

*Perdoe-me estas divagações de velho, mas elas têm um pro-
pósito. Conto-lhe todos estes pormenores sobre a nossa vida
para o caso de ocorrer a circunstância contrária à que o senhor
teme, isto é, encontrar-se o senhor primeiro com a minha filha.
Asseguro-lhe porém, meu caro capitão, que, no caso de ser eu
o primeiro a vê-la, lhe mostrarei sem falta a missiva que teve
a amabilidade de me remeter e pode estar certo de que aben-
çoarei o matrimónio que já acordaram, ciente de que o senhor
a honrará e fará dela uma mulher feliz.*

Deus o abençoe,

Paul Chevallier.

Dias depois, os guardas alemães mandaram os prisioneiros
formar para serem transferidos para a Alemanha. Afonso e os
seus companheiros saíram da Citadelle e atravessaram uma grande avenida, com o irónico nome de Boulevard de la Liberté, até
chegarem à gare de mercadorias, no outro lado da cidade.

A viagem de comboio durou quatro dias e só terminou em
Rastatt, uma pequena povoação na orla da Floresta Negra, na
Baviera, onde os prisioneiros, esfaimados e doridos, foram encer-

rados num *Russen Lager,* ou campo russo. O campo tinha trinta hectares e estava dividido por blocos, cada um isolado por duas redes de arame farpado. O campo era inicialmente destinado a prisioneiros russos, mas, com a saída da Rússia da guerra no ano anterior, passou a albergar franceses, britânicos e portugueses.

Começou aí um calvário de vida de recluso. Afonso e outros oficiais foram submetidos a uma dura dieta de beterraba, cenoura, batata e farinha, por vezes com pedaços de carne ou farrapos de bacalhau. Os militares portugueses passavam as refeições a protestar contra a qualidade da alimentação, enquanto os oficiais britânicos se mantinham à mesa compostos e serenos.

Ao fim de poucos dias, Afonso foi transferido para a fortaleza de Friedrichfest, ainda em Rastatt, regressando mais tarde ao *Russen Lager.* Algumas semanas depois, os alemães levaram-no para Karlsruhe, fechando-o no *Kriegs offizier gefangenenlager,* um confortável campo de oficiais prisioneiros situado num acolhedor parque da cidade e onde os portugueses se entretinham a admirar as atrevidas *Fräulein* que se iam propositadamente bambolear frente aos reclusos estrangeiros. Houve mesmo um, o tenente Ribeiro, que fez amizade com uma alemã muito loira, a *bochona,* como lhe chamavam, não era esbelta mas parecia uma valente valquíria e caiu-lhe no goto, o namoro tornou-se tema de conversa entre os reclusos, era danado o Ribeiro! Não durou muito a permanência nesse cárcere paradisíaco, uma vez que o capitão recebeu nova ordem de transferência, desta feita para um miserável campo em Hannover, onde encontrou o comandante do seu batalhão, o major Montalvão, igualmente capturado na grande batalha.

Durante todo o tempo em que andou a saltar de campo em campo, Afonso procurou arranjar maneira de manter contactos com o exterior. Escreveu à família através da Cruz Vermelha, mas teve maiores dificuldades em localizar Agnès, uma vez que não tinha memorizado a morada do anexo de Béthune. Optou por endereçar as cartas ao Hospital Misto de Medicina e Cirurgia, sem nunca obter resposta. O silêncio da francesa deixou-o perturbado e era permanente tema de preocupação. O capitão variava diariamente de estados de espírito, mergulhando em quieta melancolia ou consumindo-se em agitada inquietação, humores que alternava com esgotante frequência. Os torpores melancólicos eram dominados por recordações pormenorizadas de todos os instantes que com ela passara e por emocionantes fantasias sobre o reencontro, mas os momentos de inquietação revelavam-se piores. Interrogava-se então sobre a gravidez e a sua evolução e questionava-se doentiamente quanto aos motivos por detrás do silêncio às suas insistentes cartas. Poderá a correspondência ter-se extraviado? Terá Agnès abandonado o hospital? Será que ela já o esquecera? Emergia esgotado desses instantes de maior angústia, compensando-os com outros momentos onde alimentava a certeza de que estava tudo bem, tentava consolar-se, tranquilizar-se, convencia-se de que, afinal de contas, as sucessivas transferências de campos de prisioneiros certamente dificultavam as coisas à Cruz Vermelha, impediam que os serviços fizessem chegar às suas mãos as ansiadas cartas de resposta.

Na companhia de Montalvão, Afonso mudou-se meses mais tarde para o campo de Breensen, em Mecklemburg, o último destino dos permanentes passeios pelo interior da Alemanha. Passou ali o mês de Outubro numa monótona existência, apenas animada pela divertida representação de uma peça de teatro, encenada em três actos pelo tenente-coronel Malheiro, com o título de O Amor na Base do CEP. A acção decorria nas praias de Tréport e Paris-Plage, em França, facto que o capitão achou significativo. Na verdade, a escolha dessas estâncias de veraneio para o local da acção era bem representativa da forma como alguns oficiais encaravam os seus deveres na guerra, aquela era mesmo uma história de cachapins e palmípedes, oficiais da retaguarda habituados ao ócio e à vida *au grand air* na prazenteira costa francesa. Afonso conhecia alguns que até se gabavam de ser pagos para irem gozar a praia, beneficiando de um absurdo sistema de subvenções que premiava o desleixo. Enquanto um capitão que arriscava a vida nas trincheiras se limitava a ganhar a subvenção de campanha, aqueles que iam passear pelas grandes estâncias de veraneio beneficiavam de um subsídio extra de vinte francos diários para pagarem alimentação e casa e mais uns valentes trocos para o combustível.

Embora a peça lhe tenha devolvido inadvertidamente à memória alguns dos aspectos mais caricatos e lamentáveis da organização do CEP, a verdade é que a representação teatral teve o condão de, mesmo que por apenas um breve instante, lhe permitir desligar-se das suas preocupações obsessivas. Aquele tornou-se indubitavelmente um acontecimento no campo de prisioneiros, por sinal até bem divertido, sobretudo porque as várias personagens femininas eram, como não podia deixar de ser, interpretadas por oficiais. Foi de rir até às lágrimas ver o capitão Grilo, com o seu bigode farfalhudo e os braços gordos e peludos, a personificar uma jovem actriz parisiense, supostamente esbelta e deslumbrante, e a fazer arrebatadas declarações de amor ao enfezado tenente Santos. Só faltou os dois oficiais beijarem-se nos lábios para que a excitada plateia deitasse abaixo o barracão.

A representação não passou, porém, de uma fugaz distracção para Afonso, sempre com a mente voltada para a gravidez de Agnès. Pelas contas que os médicos tinham feito, o parto deveria ocorrer por essa altura e o capitão desesperava por não poder estar presente. Havia momentos em que a ansiedade o sufocava. Apetecia-lhe fugir, passar pelo portão a correr, saltar as vedações, tinha sede de liberdade e fome de amor, faltava-lhe o ar naquela prisão, queria sair dali a todo o custo, a guerra não havia meio de terminar.

Este estado de espírito só veio a ser alterado numa manhã cinzenta de Novembro. Afonso acordou cedo, como todos os prisioneiros, vestiu-se e saiu do barracão, enfrentando o frio cortante e agreste da alvorada para se dirigir às latrinas. Quando passava perto do portão reparou que os guardas alemães do campo de Breensen estavam todos agarrados a jornais, o ar circunspecto, sombrio, trocando comentários em murmúrios secretivos. Já na véspera tinha notado que o ambiente era estranho entre os carcereiros, mas não atribuíra grande importância a esse facto. Agora, porém, o comportamento dos guardas tornara--se mais pesado e parecia ter os jornais como epicentro. Cheio de curiosidade, Afonso aproximou-se do grupo, formado por quatro soldados.

"*Hallo!*", cumprimentou. "*Wie geht's?*"

Um soldado respondeu com um grunhido maldisposto, os outros mantiveram-se calados, ignorando-o, os olhos sempre fixos no jornal, perdidos nas notícias da frente. Estranhando aquela postura, Afonso baixou a cabeça, espreitou a primeira página e sentiu um baque no coração. O jornal, datado desse dia, 12 de Novembro de 1918, anunciava que a guerra tinha acabado na véspera. Os aliados haviam vencido.

Apesar do armistício, Afonso permaneceu mais dois meses no cativeiro. Foi libertado em Janeiro, em pleno Inverno, o corpo debilitado pelo frio e pela malnutrição. Apanhou um comboio para França, planeando ir à procura de Agnès, mas não tinha dinheiro e encontrava-se febril e enfraquecido. Percebeu que não estava em condições de ir no encalço da sua francesa e deixou-se levar até Brest com outros companheiros que com ele vieram desde Breensen.

No dia 25 apanhou o paquete *Gil Eannes* no grande porto francês e rumou a Portugal, o navio repleto de ex-prisioneiros e doentes, a maior parte tuberculosos. O capitão procurou entre os tuberculosos aqueles que estiveram internados no Hospital Misto de Medicina e Cirurgia e depressa encontrou quem se lembrasse de Agnès.

"Er'uma gaja *muita* boa, *nã* era?", disse um dos tuberculosos, por entre dois ataques de tosse. Falava de modo trapalhão, como Vicente, uma espécie de Manápulas com cerrado sotaque algarvio. "Alembro-me dela, pois m'alembro. Atão *nã* havia de m'alembrar? Aquil'é qu'era uma mulher, camano, *nã* era com'uns estafermos ordinarões que p'ra lá andavam, umas gajas qu'até bigode tinham naquelas *bêças*."

575

"O que lhe aconteceu?"

"À francesa? Depois do 9 de Abril andava *muita* tristonha, 'tadinha." Tossiu. "A gaja 'tava prenha, acho qu'o homem er'um português que se finou durant'a batalha." Mais tosse. "Andava desconsolada, a pobrezita. Ao fim d'algum tempo meteu baixa e nunca mais lhe pusemos os olhos em cima." Ainda mais tosse. "Foi uma pena, aquela moça até ressuscitava um morto, caraças, er'um'alegria vê-la passar pel'enfermaria a abanar aquela *pêda* gostosa."

III

A prancha foi colocada com firmeza, estabelecendo a ligação entre o *Gil Eannes* e o cais do porto de Lisboa. O oficial que comandava a operação coçou a barba rala enquanto observava os homens a assegurarem-se de que a passagem estava transitável. Quando as verificações ficaram concluídas e a atracagem completa, voltou-se para a legião de militares miseráveis e esfarrapados que observavam terra com incontida e faminta ânsia.

"Muito bem", berrou. "Primeiro descem os oficiais, depois as praças e no fim saem os acamados. Quero um desembarque ordeiro e sem confusões." Fez um gesto para um sargento colocado junto à prancha. "Vamos lá."

Os oficiais dirigiram-se para a prancha e atravessaram-na. Afonso aguardou a sua vez na fila, paciente, os olhos perdidos no horizonte entrecortado pelos familiares telhados vermelhos de Lisboa, a baça cor de tijolo a espraiar-se sob o azul-pálido do céu invernal. A sua atenção deambulou distraidamente em redor, fixou-se nas gaivotas que grasnavam em irrequietas nuvens, melancólicas, iam e vinham como ondas a cortarem o ar, por vezes rasavam as águas cristalinas do Tejo e perdiam-se nas cintilações de luz reflectida na crista da espuma, o aroma salgado do mar, no seu encontro amoroso com o rio, a encher-lhe as narinas e a trazer-lhe aos pulmões o esquecido perfume da sua terra, a maresia fresca e revigorante que flutuava na brisa baixa.

O capitão atravessou finalmente a prancha, pisou o chão do cais e verificou, surpreendido, que a fila dos oficiais se mantinha.

"Ó meu major, que bicha é esta?", perguntou a Montalvão, três lugares mais à frente.

"É para a Comissão Protectora dos Prisioneiros de Guerra."

"Ah sim? Já temos comissão protectora? E ela protege-nos de quê?"

"Deve ser dos boches", riu-se Montalvão.

À medida que a fila avançava, Afonso apercebeu-se de que, instaladas por detrás de uma mesa, umas senhoras de meia-idade iam entregando aos oficiais uns papéis pequenos. Quando chegou a sua vez, uma das mulheres também lhe deu uma mão-cheia dos papéis.

"O que é isto, minha senhora?"

"São senhas, senhor oficial."

"Senhas? Senhas para quê?"

"Correspondem a donativos de vestuário e dinheiro. Com essas senhas, o senhor oficial pode adquirir os produtos de que necessita."

Afonso guardou as senhas no bolso e seguiu o grupo de oficiais. Aglomeravam-se todos à volta de uma outra mesa instalada no cais, discutindo animadamente. Alguns mostravam-se agastados e erguiam a voz, outros abriam os braços em desconsolo resignado. O capitão estranhou o burburinho e foi ter com Montalvão.

"Meu comandante, o que se passa?"

O major encolheu os ombros.

"Não sei bem", disse, hesitante. "Parece que há um problema qualquer e não podemos ir para Braga."

"Não podemos ir para Braga? Porquê?"

"Não sei, não sei, não percebi."

Afonso furou por entre o grupo e foi ter com um tenente que se encontrava sentado na mesa. Era um rapaz jovem, de bigode fino e com um tique na boca. O tenente tomava nota dos nomes dos recém-chegados.

"Ó tenente, o que se passa?"

O tenente nem levantou os olhos.

"Vocês vão ter de ficar aquartelados aqui em Lisboa", disse, atarefado, sem parar de escrever. "Ponha-se na bicha, se faz favor."

Afonso olhou com intensidade para aquele rapazola acabado de sair da Escola de Guerra, deu consigo a pensar que o miúdo nunca tinha escutado um tiro disparado em fúria, evidentemente nem sabia quão desesperada era a angústia que atormentava os homens diante dele, ignorava por certo aquela dolorosa e pungente ânsia de quem sofre pelo reencontro com as famílias, permanecia friamente alheio à fome de afecto e à sede de conforto que lhes assaltava o corpo e inquietava a alma. Em vez de os respeitar, o jovem tenente comportava-se até como se estivesse a fazer-lhes um favor, gastando a sua preciosa atenção com um bando de maltrapilhos malcheirosos. O capitão sentiu uma fúria cega, poderosa e libertadora, crescer-lhe no estômago, encher-lhe o peito, subir-lhe à cabeça e tomar conta de si.

"Tenente", berrou de súbito, com voz de comando. "Em sentido perante o seu superior!"

O tenente estremeceu de susto, olhou alarmado para Afonso, ergueu-se atrapalhadamente da cadeira e pôs-se muito hirto, em sentido. Fez-se silêncio em redor.

"Mas que merda vem a ser esta?", insistiu Afonso em tom ameaçador. "Então não se faz continência ao superior hierárquico?"

"Sim, meu capitão", disse finalmente o tenente, lívido, erguendo a mão em continência.

Afonso mirou-o de alto a baixo, inspeccionando-o. Apontou para os pés.

"Isto são botas que se apresentem? Hã? Isto são botas que se apresentem?"

O tenente mirou de relance as botas.

"Meu capitão... uh... as minhas desculpas", gaguejou, sem perceber o que havia de errado com as botas.

"Quando eu acabar de tratar de si, quero essas botas a brilharem como a baioneta de um boche, ouviu? Como a baioneta de um boche!"

"Sim, meu capitão."

Afonso estava rubro. Respirou fundo e acalmou-se, subitamente surpreendido com a sua própria fúria, mais ainda por ter dito um palavrão, desde os tempos do seminário que era incapaz de dizer "merda."

"Agora conte-nos lá por que razão a malta tem de ficar aquartelada aqui em Lisboa", ordenou o capitão, num tom de voz mais tranquilo.

Um clamor de aprovação ergueu-se do grupo de oficiais. O miúdo fora posto na ordem e tinha agora de responder à questão que todos queriam ver esclarecida.

"São... são ordens do general Figueiredo, meu capitão."

"E quem é esse caramelo?"

"É o meu comandante, meu capitão."

"O general Paneleiredo, ou lá como é que esse tipo se chama, não sabe que a malta das trincheiras não vê a família há mais de um ano? Hã? Não sabe?"

O tenente baixou os olhos.

"Eu... uh... eu cá não sei nada disso, meu capitão."

Afonso ficou a observá-lo, as sobrancelhas cerradas, o ar desconfiado, intimamente perplexo por ter esboçado um segundo palavrão, Paneleiredo era algo que nunca pensara ser capaz de chamar a um superior hierárquico.

"E você?", perguntou finalmente. "Sabe ao menos por que razão não podemos ir para Braga?"

"É por causa da revolta, meu capitão."

"Da revolta? Qual revolta?"

"A do Norte, meu capitão."

"A revolta do Norte? Mas você ensandeceu? Que revolta é essa, hã? Explique lá, homem! Vamos, desembuche!"

O tenente transpirava. Olhou em redor, deixando escapar um esgar aflito.

"Foram os monárquicos, meu capitão", titubeou. "Revoltaram-se há uns dez dias. A Junta Militar do Norte proclamou a monarquia no Porto e aclamou D. Manuel II como rei de Portugal. Aqui em Lisboa também se revoltaram, os monárquicos acamparam ali em Monsanto e houve porrada da grossa na semana passada, mas os republicanos acabaram por vencê-los."

O tenente calou-se e os oficiais entreolharam-se, espantados.

"Sim senhor, isto está bonito", comentou um major. "Chegámos à balbúrdia, é o que é."

"É a treta do costume", avançou outro oficial.

"Sempre a mesma merda."

"E o Sidónio, hã? Não faz nada?", inquiriu Montalvão.

O tenente mirou-o com um olhar estupidificado.

"O presidente da República morreu."

Fez-se silêncio no grupo.

"O que diz você?", perguntou uma voz. "O Sidónio morreu?"

"Foi assassinado na estação do Rossio", esclareceu o tenente. "Aí há coisa de mês e meio, antes do Natal."

Com o país em pé de guerra e o Norte em rebelião, os militares minhotos foram instalados num quartel de Lisboa, aguardando o desenlace dos acontecimentos. Mas Afonso não era minhoto e tinha a família em Rio Maior, do lado de cá da fronteira invisível que, durante os tormentosos vinte e cinco dias que durou a Monarquia do Norte, dividia o país. Sem nada a prendê-lo à capital, o capitão apresentou-se no quartel-general, preencheu os documentos que regularizavam a sua situação, solicitou uma licença, que lhe foi imediatamente concedida, e dois dias depois, já bem dormido e comido, dirigiu-se à estação do Rossio. Corriam os primeiros dias de Fevereiro de 1919 quando apanhou um comboio até às Caldas da Rainha e seguiu de caleche para Rio Maior, mal contendo a ansiedade que lhe enchia o peito.

O reencontro com a família foi emotivo e triste. Afonso soube então que o pai tinha morrido no ano anterior, na sequência de uma queda enquanto apanhava frutos numa árvore. O capitão foi nesse dia ao cemitério visitar a campa onde ele se encontrava sepultado. Depositou uma coroa de flores junto ao túmulo, rezou num murmúrio e encomendou uma missa em memória de Rafael Laureano.

À noite, a família juntou-se na Carrachana para o jantar. Vieram os irmãos, Manuel, Jesuína, João e Joaquim, mais as respectivas famílias, todos reunidos para celebrarem o regresso do mais novo. A senhora Mariana pôs na mesa uma panela de misturadas e Afonso engoliu a sua dose com um prazer que o surpreendeu, não se lembrava de ter apreciado tanto aquele prato na sua meninice.

"Isto está muito bom, mãe, está mesmo saboroso", exclamou, acompanhando a sopa com o pão.

"Então não havia de estar bom?", riu-se Manuel, o mais velho. "Para quem andava a comer aquelas porcarias todas na França e na Alemanha, isto deve ser um manjar de reis."

"Diz lá se a nossa paparoca não é melhor do que a dos estrangeiros, hã? Diz lá", desafiou-o Jesuína.

"Então não é?", concordou Afonso. "Onde é que lá os franceses têm panela de misturadas?"

"O que é que eles comem, filho?", quis saber Mariana.

"Bem, comem mais ou menos o que nós comemos, só que confeccionado de maneira diferente e com nomes finos. Por exemplo, em vez de linguado frito, eles dizem linguado *a la meunière*, fica mais *chic*."

"E tu comias isso, meu filho?"

"Às vezes, quando ia aos *estaminets* ou aos *bistrots*."

"Ai que nomes esquisitos!", comentou Jesuína. "Jesus, credo! Até me faz espécie!"

"Ó Jesuína, tem juízo", atalhou Joaquim. "Então que nomes querias que os franciús dessem às suas casas de pasto, hã? Tasca do Zé Russo, não?" Deu uma grande gargalhada. "Havia de ser bonito, os franciús a dizerem uns aos outros: olha lá, vou ali à Tasca do Zé Russo aviar umas febras!"

Riram-se todos. Manuel sabia ter graça quando se juntavam em grupo. Assumindo-se agora como o chefe da família, ou não fosse ele o homem mais velho depois da morte do pai, gostava de animar as reuniões familiares.

"Ó Manel, não é nada disso", retorquiu Jesuína, vexada por ser alvo da chacota do irmão. "Estava só admirada por o Afonso saber as palavras estrangeiras, só isso."

"Mas, ó Afonso, então tinhas de comer essas coisas dos franceses, era?", insistiu a mãe, sempre preocupada com a alimentação que o filho teve na guerra, afinal de contas, constatou, o rapaz viera magro que nem um carapau, até as costelas se lhe viam, coitadinho, decididamente a comida não devia ser lá grande coisa.

"Sim, mãe, também comia isso, mas só enquanto estava na retaguarda. Quando ia para as trincheiras, davam-nos uma carne que vinha em latas inglesas, e isso era bem pior do que a alimentação francesa, acredite. E, depois de ser preso pelos boches, a coisa ainda piorou. Os tipos quase nem tinham carne para os soldados deles, quanto mais para nós."

"Ah sim, filho? E o que é que esses comem?"

"Quem? Os bifes ou os boches?"

"Os dois."

"Como é bom de ver, os bifes comem bifes", disse. "Os boches enchem-se de salsichas, uma coisa horrorosa, cheia de gordura, mas foi a única carne que para lá vi. Tudo o resto eram vegetais, batatas e coisas do género."

"Nenhum faz as comezainas da tua rica mãezinha, pois não?"

"Oh, mãe, claro que não."

"Não há paparoca como a da nossa mãezinha", concordou Manuel, sempre bem-disposto e já ligeiramente tocado pelo vinho. Olhou para a mulher e acrescentou: "A nossa mãezinha e aqui a minha Aurinda, pois claro."

"Ah, estava a ver!", devolveu a mulher.

Afonso olhou em redor, como se procurasse alguma coisa. Desde que chegara a casa que queria saber se Agnès lhe tinha escrito, essa era uma questão absolutamente essencial, prioritária. Precisava de conhecer o seu paradeiro, de receber notícias, de entrar em contacto com ela, de arranjar maneira de ir à Flandres para a ir buscar ou para lá ficar. Além do mais, e pelas suas contas, já deveria ser pai havia uns dois ou três meses, mas necessitava da confirmação. O problema era levantar a questão, não sabia bem como fazê-lo. Engoliu em seco e encarou a senhora Mariana, esforçando-se por dar o ar mais natural possível à pergunta que tinha para lhe colocar.

"Ó mãe, já agora, não recebeu nenhum correio para mim, pois não?", perguntou, fingindo que essa ideia acabara de lhe ocorrer.

"Correio donde, filho?"

"Sei lá. De França, por exemplo."

"De França?"

A senhora Mariana mostrava-se genuinamente surpreendida e Afonso, acossado pela impaciência e vergado pela ansiedade, não resistiu e foi direito ao assunto.

"Sabe, mãe, estou à espera de uma carta de uma senhora francesa."

Foi a risada geral, para grande embaraço de Afonso, imediatamente arrependido de ter levantado a questão à frente de todos. A mãe sorriu e piscou-lhe o olho.

"Com que então o meu menino tem amiguinhas francesas, é?"

Afonso corou.

"Oh mãe, não é nada do que está para aí a pensar..."

"Ah, grande Afonso!", rugiu Manuel do outro lado da mesa. "Bem me parecia que ias honrar o nome dos machos da família, caraças! É d'homem! Aposto que as francesas te vieram todas comer à mão, hã? Rica vida deves ter tido lá na França, sim senhor!"

"Cala-te, Manel!", ordenou a mulher, a tesa Aurinda. "Já chega de brincadeiras, deixa lá o rapaz."

Mas foi Mariana quem não o largou.

"Então e a Carolina, hã? Já não queres saber dela?"

"Mas o que é que eu tenho a ver com a Carolina, mãe? Ela está casada e que seja muito feliz."

"Está casada, não. Está viúva."

"Viúva? O que é que aconteceu ao marido?"

"Apanhou o tifo. Houve para aí uma epidemia desgraçada no ano passado, em Março, e o senhor engenheiro bateu a bota."

"Coitado."

"Coitado, não! Não se tivesse metido com a Carolina, que era tua. Olha, ela se calhar até ficou melhor!" Olhou-o com matreirice. "Assim como assim, está agora sem homem."

"Vai-te a ela!", berrou Manuel, os bigodes a pingarem gotas de tinto.

"Cala-te, Manel", insistiu Aurinda.

A paciência de Afonso chegara ao limite.

"Chega, parem com disso", exclamou, a voz irritada. "Deixem-me em paz!"

"Pronto, pronto, não te enerves."

Afonso respirou fundo. Tinha levantado a questão e iria agora até ao fim.

"Ó mãe, diga lá, recebeu ou não recebeu nada para mim?"

"De França?"

"Sim."

Mariana esboçou um trejeito de boca enquanto vasculhava a memória.

"Não... não... hã, espera... lembro-me de que o Inácio apareceu aí..."

"O Inácio?"

"Sim, o carteiro. Agora, que falas nisso, lembro-me de que ele apareceu aí com uma carta para ti. Como não tínhamos notícias tuas, eu mandei o teu irmão ler a carta", disse, apontando para Joaquim.

Afonso interrogou o irmão com os olhos, mas este encolheu os ombros.

"Ó Afonso, eu abri a carta, lá isso abri, mas não percebi patavina do que estava para lá escrito, era em estrangeiro."

"Francês?"

"Sei lá. Até podia ser em chinês. Não se percebia nada, eram uns gatafunhos horrorosos."

"E o que fizeram com a carta?"

"Olha, filho", atalhou a senhora Mariana. "Como nós não entendíamos aquela algaraviada toda, fui levar a carta à dona

Isilda, que é muito culta e conhece as chinesices todas. Ela leu-a e disse-me para estar descansada, não era nada de importante."

"A dona Isilda leu a carta?"

"Sim, Afonso, ela leu e..."

Afonso ergueu-se da mesa, interrompendo-a.

"Desculpe, mãe, mas é imperativo que eu saiba o que dizia essa carta. Quando é que a recebeu?"

"Sei lá, foi... foi antes do Natal, mesmo antes."

"Em Dezembro?"

"Sim, filho."

Afonso vestiu um casaco e dirigiu-se apressadamente à porta.

"Mas, ó filho, acaba o jantar. Onde vais tu, valha-me Deus?"

"Vou ali à dona Isilda", despediu-se. "Já volto."

O capitão seguiu a pé da Carrachana até ao centro de Rio Maior. A Casa Pereira encontrava-se encerrada, já era noite, mas Afonso sabia que a proprietária vivia no andar de cima e bateu à porta. Ouviu passos e a porta abriu-se. Carolina fitava-o com ar surpreendido, estupefacto até.

"Olá, Carolina, como vai isso?"

Estava mais madura, o cabelo num desalinho, embora permanecesse atraente. Continuava a não ser uma beldade, mas não há dúvida de que era capaz de despertar as atenções dos homens.

"Afonso... que surpresa! O que estás aqui a fazer?"

"Vim falar com a tua mãe. Ela está?"

Os olhos de Carolina mostraram uma ligeira decepção, ocultando com dificuldade a desilusão por Afonso ter vindo à procura da mãe, não de si.

"Sim, sim, entra", disse ela, abrindo totalmente a porta. "Desculpa receber-te assim, nestes preparos, mas, sinceramente, não estava nada à espera."

Subiram as escadas e Carolina levou-o à presença da mãe. Dona Isilda pareceu-lhe bem mais velha, acabada, o corpo franzino enroscado numa manta junto à lareira. Os olhos brilharam-lhe quando viu o seu antigo protegido entrar na sala, garboso na farda azul de militar.

"Olha quem é ele!", exclamou. "O nosso herói."

Afonso beijou-lhe a mão.

"Como está, dona Isilda?"

"Melhor", sorriu ela. "Melhor, agora que te vejo. Estás um homem, rapaz, um homem."

"E a senhora continua rija..."

"Não digas disparates, Afonso. A idade não perdoa."

"Como vai o seu irmão?"

"Bem, ele vai bem. Foi transferido para Chaves, vê lá tu, mas anda fino. E pergunta muitas vezes por ti, oh se pergunta!"

"Mande-lhe cumprimentos meus, dona Isilda. Diga-lhe que tenho saudades dele."

"Serão entregues. Vai ficar contente por te saber de regresso da guerra. Coisa terrível, a guerra, hã? Terrível."

Afonso suspirou.

"Sim, é algo inimaginável". Fez uma pausa. "A propósito, fiz muitas amizades lá em França, e a minha mãe disse-me ter recebido uma carta para mim escrita numa língua que ela não identificou, que presumo ser francês, e que a trouxe aqui para a senhora ler. Tem aí essa carta?"

Dona Isilda agitou-se na cadeira, desconfortável. O rosto ensombrou-se-lhe e olhou de soslaio para Carolina, que assistia à conversa de pé.

"Carolina, minha filha, vai ali preparar uma tisana para a mãe e para o Afonso, vais?"

Carolina ensaiou uma vénia e retirou-se para a cozinha. Mal a filha abandonou a sala, dona Isilda fez sinal a Afonso para se sentar e pegou-lhe na mão.

"Meu filho, tens de ser forte", disse simplesmente.

Afonso olhou-a com horror, um pavoroso pressentimento a pesar-lhe na alma.

"O que foi, dona Isilda?"

"Eu queimei essa carta."

"Queimou a carta? Mas a que propósito?"

"Queimei a carta porque ela era terrível, Afonso, terrível."

O capitão sentiu um baque no coração.

"O que é que a senhora quer dizer com isso? O que é que dizia a carta?"

A velha baixou os olhos e suspirou.

"Não me lembro dos pormenores, só do essencial. A carta foi remetida de Lille e era assinada por um senhor."

"Um homem?"

"Sim, um homem."

Só podia ser Paul Chevallier, pensou Afonso.

"E o que dizia ele?"

Dona Isilda apertou-lhe a mão ainda com mais força.

"Dizia que a filha tinha morrido."

Afonso abriu a boca, horrorizado. Não queria acreditar no que estava a ouvir.

"Qual... qual filha?", balbuciou.

"Lembro-me de que se chamava Agnès", disse dona Isilda. "Ela morreu. Ela e... a criança. Entendes? A criança. Apanharam a gripe espanhola e morreram em Lille."

Afonso permaneceu um longo minuto paralisado, boquiaberto, em estado de choque. Tentou falar, mas nada conseguiu dizer. Lembrou-se da última imagem que guardava de Agnès, a francesa no portão do hospital, sorridente, os olhos enamorados, despedindo-se de si com ar feliz, alegre com a notícia de que Afonso em breve abandonaria as trincheiras. O capitão levantou-se com brusquidão e arrastou-se pela sala, sentiu-se a perder o equilíbrio, ouviu vagas vozes em torno de si, eram dona Isilda e Carolina a falar, mas não as entendeu, cambaleou pelas escadas aos encontrões ao corrimão, julgou-se mergulhado num pesadelo mau, caminhou como um sonâmbulo e, quando finalmente saiu à rua, a noite ficou turva de lágrimas e ele chorou, chorou como nunca tinha chorado desde a infância, chorou com abandono, com desespero, chorou perdidamente, a voz largando urros terríveis, em atroz sofrimento. Sentiu-se perdido, rejeitado pela sorte, acossado pelo destino. Descobriu-se horrivelmente só.

IV

Afonso estava sentado numa banqueta de Picantin Post, a fumar um cigarro, quando ouviu uma buzina *Strombo* a dar o alerta de gás tóxico. O alarme soava mesmo ao lado, ferindo-lhe os ouvidos. Sobressaltado, o capitão olhou em direcção à origem do som e descobriu, com estupefacção, que era Agnès quem accionava a *Strombo*. Deu um salto na banqueta, confuso. Receava acreditar nos seus olhos. Mas, no instante seguinte, as dúvidas desfizeram-se, era mesmo ela, sentiu um banho de felicidade a encher-lhe a alma e uma libertadora sensação de euforia a percorrer-lhe o corpo. Correu para ela, imensamente aliviado por vê-la viva, a tremenda alegria que o invadia a relegar para segundo plano a estranheza por encontrá-la ali nas trincheiras. Mas, quando se aproximava da sua francesa, preparando-se para a apertar num maravilhoso abraço de reencontro, viu o vulto cinzento de um alemão a aparecer sobre as trincheiras, mesmo por detrás de Agnès. Sacou da pistola e abateu-o. Logo um outro alemão surgiu também, e um outro ainda, e mais outro. Puxando Agnès para trás de si, foi-os abatendo um a um. Mas eles não paravam de chegar, pareciam um formigueiro, avançavam inexoravelmente e tentavam cercá-los. Afonso começou a desesperar, a sentir que não conseguiria travar aquela inesgotável onda de assalto. Protegia Agnès com o corpo e abria fogo sem descanso para a direita e para a esquerda, febrilmente, matava-os uns atrás dos outros e eles, mesmo assim, avançavam, eram tantos que o oficial português entrou em pânico, tentou abraçar Agnès e disparar ao mesmo tempo, sentiu que a queriam levar, que lha tentavam roubar, que a procuravam matar, isso não podia ser, isso não podia ele permitir, nem pensar, nem pensar, uma imensa aflição encheu-lhe a alma, um indizível terror apossou-se-lhe do coração ante a perspectiva de a voltar a perder. Pôs-se a chorar, implorando à divina Providência que a poupasse, que a deixasse ficar com ele. Agnès era agora um frágil vulto atrás de si, ambos cercados por alemães que avançavam ameaçadoramente, ela debilmente protegida por um desesperado Afonso.

"O que é, filho?"

Afonso deu consigo sentado na cama, a gritar e a chorar, um nó na garganta, a mãe à porta a olhá-lo com alarme. Sentiu gotas de suor na testa, estava ofegante e tinha lágrimas nos olhos. Olhou em redor, momentaneamente confuso, aparvalhado, mas acabou por perceber. Suspirou.

"Não é nada, mãe. Foi um pesadelo."

A senhora Mariana levou a mão ao peito.

"Ai que susto que me pregaste, Afonso. Gritavas que era uma coisa aflitiva, valha-me Deus."

"Foi só um pesadelo."

"É mais um esta semana, filho. Vê lá se sonhas com coisas mais alegres, ouviste?"

"Sim, mãe. Boa noite."

"Boa noite, filho. Descansa, vá."

Afonso fechou os olhos, recostou-se na cama e tentou acalmar-se. Desde que soubera da morte de Agnès que aquele tipo de pesadelo lhe aparecera, era sempre diferente e, no entanto, sempre o mesmo, tão repetitivo no tema que se tornara recorrente. Lembrou-se das conversas com a namorada sobre Freud e a importância dos sonhos e pôs-se a imaginar o que Agnès lhe diria sobre aquele pesadelo em particular. Talvez que ele ocultava um desejo e um sentimento de culpa, o desejo de a ver viva e os remorsos por não ter sabido protegê-la da morte, por não ter estado com ela no momento da doença, quem sabe se a sua presença não teria sido crucial para impedir o desenlace trágico. A mente de Afonso era assaltada por mundos alternativos, por hipóteses diferentes, a palavra "se" atormentava-o a todo o instante. Se ao menos eu tivesse feito algo diferente, pensava. Se não lhe tivesse arranjado aquele lugar no hospital, ou se tivesse ficado com ela no dia em que a fui ver ao hospital pela última vez, ou se tivesse fugido dos campos alemães, ou ainda se tivesse feito algo diferente, algo que alterasse o encadear dos acontecimentos, então talvez ela ainda vivesse. Eram tantos os "ses", tantos os pequenos nadas que não haviam sido alterados, tantas as minúsculas pedrinhas que provocaram aquela dolorosa avalancha. A culpa consumia-o, cruel e implacável, obsessiva e incansável.

O capitão permaneceu dois meses fechado em casa da mãe, na Carrachana. Encerrou-se no quarto com os seus demónios, atormentado pelos fantasmas que lhe assombravam a alma. Carolina foi vê-lo várias vezes nas duas primeiras semanas. A partir da terceira semana passou a visitá-lo todos os dias. De início ela falava e ele permanecia calado, em silêncio, deprimido, mergulhado nas suas memórias e nos seus planos destroçados, por vezes com ataques de ansiedade ou acessos de culpa. Tinha insónias e receava permanecer acordado, era atormentado por pesadelos e temia mergulhar no sono. Não comia, sentia-se fraco e sem energia, a boca secava-se-lhe e a cabeça doía-lhe, deixara de se lavar, de se barbear ou de mudar de roupa. Mostrava-se apático, metido consigo, calado, solitário. Não passavam cinco minutos em que não pensasse em Agnès, em que não sentisse dó da sua desgraça. Os sonhos e os pensamentos concentravam-se obcecadamente no mesmo tema, como se tentasse reorganizar o passado, como se procurasse um desenlace diferente, mais feliz. Custava-lhe aceitar a realidade, alimentava por vezes a secreta esperança de receber uma carta que tudo desmentisse, acordava de manhã com a fugaz ilusão de que tudo não passara de um pesadelo, mas era apenas por um breve instante de traiçoeira fantasia. Depressa caía em si e percebia que o guião já estava escrito, não era possível mudar o passado, o que fora feito ficara feito, aquela era uma estrada já percorrida e sem retorno, uma ópera triste que já fora cantada. Pequenas coisas, palavras, sons, melodias, aromas, minúsculos nadas, lembravam-lhe Agnès. Doía-lhe a forma abrupta como tudo acontecera, a impossibilidade de se despedir. Agonizava sobre os instantes que precederam o falecimento, interrogava-se se ela sofrera, se estaria assustada, se se apercebera da morte a acercar-se, insidiosa e inexorável como uma terrível tempestade que se abate sobre a terra. Nesses instantes tornava-se ainda mais sombrio, deprimido, sorumbático, sentia-se vazio e fechava-se em si, mergulhava nas trevas de um abismo sem fundo.

A dada altura, porém, começou a reagir. Depois do choque inicial e dos primeiros meses de depressão, dias cuja existência não passava agora de um obscuro borrão na sua memória, despertou da letargia. Lembrou-se das palavras de Agnès sobre o efeito terapêutico da compreensão dos traumas e da verbalização dos sentimentos e sentiu uma inesperada energia, ligeira mas firme, a tomar conta de si. Ajudado pela memória da francesa e por tudo o que ela lhe ensinara a respeito da mente e das suas dores, começou gradualmente a tentar resolver o sofrimento que o paralisava. O primeiro passo foi dado quando se pôs a escutar Carolina, sobretudo quando ela lhe falava no trauma da morte do marido. Compreendiam-se bem, tinham passado pelo mesmo, perderam o outro e custava-lhes encarar a realidade. Num certo sentido, eram almas gémeas, irmãos na mesma dor.

Afonso foi-se abrindo lentamente. De ouvinte passivo passou a narrador activo, de início titubeante. Era difícil transformar os sentimentos em palavras, a dor era inefável, inexprimível. Mas com o tempo o capitão tornou-se mais fluido, mais articulado, emergiu a par e passo do abismo onde tinha mergulhado. Sentado na cama ou encostado à janela, reviveu dolorosamente o passado, passou os sentimentos a palavras, falou-lhe de Agnès, da sua vida, dos seus sonhos, dos seus projectos a dois, do amor que não vivera e da dor que o dilacerava. Chorou como uma criança quando começou a tocar na profunda ferida que lhe rasgava o coração, falava aos soluços e com esforço, receando aquele sofrimento mas enfrentando-o para o resolver, enfrentou-o com tal determinação que até parecia autoflagelação, fazia pena vê-lo sofrer daquela maneira.

Uma tarde, logo depois do almoço, o padre Álvaro apareceu-lhe no quarto. Carolina saiu para os deixar a sós e o pároco sentou-se à borda da cama onde Afonso se encontrava estendido e quase se assustou com o aspecto do seu antigo discípulo, o cabelo despenteado e revolto dava-lhe um certo ar de doente, de louco. O capitão, por seu turno, olhou para o padre que o levara na adolescência para Braga e achou-o velho, a pele riscada de rugas e o corpo franzino a dobrar-se em curva, quase como se estivesse a desenvolver uma corcunda, os cabelos grisalhos a revirarem-se com rebeldia na cabeça e na barba.

"Então, filho?", perguntou o padre Álvaro com voz meiga. "Então?"

Afonso permaneceu calado. Avaliou-o com os olhos e depois fixou-se no infinito, num ponto perdido para além da janela. Só falou ao fim de três minutos.

"Porquê?", perguntou enfim o capitão.

O padre observou-o, surpreendido.

"Como?"

"Porquê?"

"Porquê o quê?"

"Porquê? Por que é que isto me aconteceu?" Afonso mirou-o. "Passei a guerra a pensar que morria, que talvez não escapasse. E, quando vejo que escapei, quando penso que tudo acabou, que a guerra terminou e que poderei afinal viver, é justamente nessa altura que ela morreu. Qual o sentido de isso ter acontecido? Que propósito essa morte serviu? Porque é que isto aconteceu? Porquê?"

"Foi a vontade de Deus, meu filho."

Afonso endureceu o olhar e voltou a fixar-se no infinito para além da janela.

"Deus não existe", sentenciou finalmente.

O padre Álvaro endireitou-se, desconfortável com a blasfémia, olhou em redor, como se estivesse a assegurar-se de que o Senhor não estava no quarto e não ouvira tal heresia, e fixou-se no seu protegido.

"Então, filho? O que é isso? Vamos lá, vamos lá, é preciso acreditar n'Ele, na Sua bondade." Estendeu o dedo, indicando que aquele era um aviso, e levantou a voz para um nível que considerava suficientemente alto para que o Senhor o escutasse. "E é preciso também temer a Deus."

"Disparate!", cortou Afonso, cravando os olhos no padre, canalizando ali a sua revolta interior. "Deus é bondoso ou Deus é temível? Hã? Em que ficamos? Que contradição é essa? Ou bem que é bondoso, ou bem que é temível. Não pode é ser as duas coisas ao mesmo tempo."

O padre Álvaro contemplou-o com serenidade.

"Deus é bondoso, temos de ter fé, mas temos também de O temer."

Afonso suspirou, impaciente.

"Sabe, senhor padre, eu vi muita coisa nestes últimos dois anos. Coisas de que não quero falar, coisas de que não consigo sequer falar. Até já me esqueci de algumas delas, veja lá. E, ao ver tudo isso, e após reflectir no assunto, só posso concluir que nos enganamos quando falamos de Deus."

"Então, filho? Que coisas dizes, minha Nossa Senhora?"

"É tudo uma mão-cheia de disparates", exclamou. Ergueu a mão esquerda, a palma voltada para cima. "Olhe, diz a Igreja que é preciso acreditar em Deus, é preciso ter fé, é preciso rezar. E eu pergunto, para quê? Então, os que não acreditam n'Ele vão para o inferno só porque não acreditam n'Ele? Então, se eu for um patife e rezar todos os dias como um beato, e se outro for um homem de bem, íntegro e honesto, mas não tiver fé nem rezar, eu vou para o céu e ele vai para o inferno? Eu que sou um patife e ele que é íntegro? Mas isto faz algum sentido? Que Deus é este que é de tal modo egoísta que exige que O idolatrem, que põe a idolatria acima da bondade?"

O padre revirou os olhos, fazendo uma prece silenciosa para que o Senhor estivesse distraído e não tivesse escutado aquele chorrilho de palavras pecaminosas.

"Deus é o Criador, temos de O respeitar, de O amar, de O temer."

"Olhe, se quiser, até estou pronto para aceitar a Sua existência", assentiu Afonso. "Mas garanto-lhe que, se Deus existe, não é certamente este Deus de que fala a Igreja. Deus não é bom nem mau, Deus é inexprimível, está para além das palavras, dos conceitos, da moral. Ele é simplesmente o Criador, a fonte das coisas, a origem da morte e a inspiração da vida. Deus está-se bem ralando para que morram dez, cem ou mil soldados, Ele quer lá saber de mim, de si, de Agnès ou de quem quer que seja. Para Deus, uma pedra vale tanto como uma andorinha, como uma pessoa, como eu ou o senhor e tudo o que existe são Suas criações, tudo tem o mesmo valor." Afonso pigarreou, pensativo. "Olhe, sabe qual é a grande questão, a questão que a tudo responde?"

"O quê?"

"A grande questão é a velha dúvida de saber por que razão Ele nos criou, por que razão Ele nos impinge tanto sofrimento, que propósito tudo isto serve? Essa é a grande questão, o grande mistério." Mordeu os lábios. "Acho que a chave desse mistério radica no problema de determinar se o futuro está aberto ou está fechado. Ou seja, se as coisas estão ou não previamente determinadas, se somos realmente livres e donos do nosso futuro ou se apenas temos a ilusão da liberdade e não passamos de escravos do destino, meras personagens no teatro divino." Afonso estudou as unhas, contemplou-as sem as ver verdadeiramente, os olhos embrenhavam-se no mistério que o apoquentava. "Estaria a morte de Agnès previamente determinada? Acho que a resposta a este problema nos permite perceber qual o desígnio da criação." O olhar perdeu-se de novo na janela. "A dificuldade, naturalmente, é que não tenho modo de responder a essa pergunta que tanto me atormenta. Será que a morte de Agnès estava antecipadamente determinada?" Suspirou mais uma vez. "Bem, se a morte dela estava escrita desde o início dos tempos, isso significa que Deus é tudo, Ele tudo controla e tudo decide, nós somos uma ínfima parte do Seu ser. Tal como uma célula desconhece que faz parte do corpo, nós desconhecemos que fazemos parte de Deus. O corpo é constituído por milhões de células, cada uma é uma entidade viva que tem uma individualidade e que não sabe que faz parte de um todo muito complexo, o corpo. Pois nós, a exemplo do que acontece com as células, vivemos na ilusão de que temos uma individualidade e que uma coisa somos nós e outra é o mundo, o universo, Deus, quando afinal é tudo a mesma coisa, tudo é uma ínfima parte do todo, de Deus."

"E se o futuro não está previamente determinado?"

"Nesse caso, senhor padre, receio mesmo que Deus não exista. Ou, se existir, tem muito pouco poder."

"Ó filho, não será isso antes o indício de que Deus decidiu conceber o homem como um ser livre?"

"Não creio. Sabe, não acredito nessa ideia de que o Todo-Poderoso tenha alienado o seu poder de tudo decidir. Se assim fosse, Ele não seria todo-poderoso. Se existe de facto um Criador omnipotente, pode estar certo de que Ele não criou o universo para deixar as coisas entregues ao acaso. Se Ele é todo-poderoso, Ele tudo decidiu. Consequentemente, se o futuro não está já determinado, é porque Ele tem poderes limitados. Um deus com poderes limitados não é Deus. Nesta hipótese, Deus talvez mesmo nem exista."

"Ai, Jesus, como é que podes dizer isso?", exclamou o padre Álvaro, revirando outra vez os olhos para cima, quase pedindo desculpa ao divino pela blasfémia do seu antigo pupilo, como se sentisse que aquele insulto a Deus também fosse da sua respon-sabilidade. "Virgem Santíssima!"

"Olhe, digo isto por uma razão muito simples. Se o futuro não está previamente determinado, isso significa que eu tenho livre arbí-trio e que Deus não me controla nem a mim nem ao futuro. Ora, se eu controlo o meu destino, então é porque Deus não é todo-pode-roso. As coisas não acontecem porque têm de acontecer, mas apenas como fruto do acaso e das várias vontades individuais, sem pro-pósito último nem razão transcendente. Nesse caso, provavel-mente, Deus não passa de um desejo, de uma criação humana destinada a procurar um inexistente sentido para a existência."

"E tu, filho? O que achas?"

Afonso recostou-se na cama e fixou os olhos no tecto. Havia duas aranhas coladas às teias num canto das paredes caiadas e escurecidas pela humidade, e o capitão ficou a observá-las a deambularem por entre os insectos inertes presos às suas redes. Estariam aqueles movimentos das aranhas determinados desde que o tempo começou? A questão apoquentava-o deveras.

"Eu quero acreditar que o futuro está previamente determi-nado", disse finalmente. "Só isso dá sentido a tudo o que passei e estou a passar."

"Acreditando nisso, temes a Deus?"

"Isso é um disparate, já lhe disse. De que serve a Deus o medo dos homens? Na verdade, o medo a Deus é um conceito ridículo, uma vez que sugere que o Criador é inseguro, talvez até prepo-tente, mimado, mesquinho e egoísta. Mas, se o futuro está previa-mente determinado, presumivelmente por Ele, de que Lhe serve que os homens O amem ou O receiem se foi Ele quem tudo determinou ao escrever a ópera cósmica que interpretamos a todo o momento?" Afonso abanou a cabeça e fez um trejeito de boca. "Não, Deus não é para ser amado nem temido. Deus é, Ele simplesmente é. Move-se com um propósito misterioso e acredito que todos nós, homens, animais, plantas, coisas, todos fazemos parte desse pro-pósito, desse projecto. Nada ocorre por acaso, tudo tem uma causa e um efeito. Agnès morreu e esse é um acontecimento aparentemente insignificante à escala do universo. Porém, acredito que essa morte faz parte do universo, acredito que o universo ficou diferente com o desaparecimento de Agnès e de cada um dos meus camaradas de armas. O seu falecimento é mais um acto da grandiosa peça de teatro previamente composta pelo dramaturgo divino, mesmo que o propósito da morte nos pareça gratuito. O seu verdadeiro sentido permanece-nos desconhecido."

"Os desígnios do Senhor são insondáveis", sentenciou o padre Álvaro.

Afonso mirou-o meditativamente.

"Essa é possivelmente a única grande verdade que a Igreja ensina, senhor padre. Tudo tem um propósito, acho eu, mas esse propósito escapa-nos." Baixou a cabeça. "A alternativa seria simplesmente insuportável. A de que as coisas acontecem por acontecerem, sem sentido nem razão. Isso seria insuportável."

Afonso sentiu falta do padre Nunes, pensou que talvez só o seu antigo mestre seria capaz de o compreender realmente e calou-se. A tarde prolongou-se, silenciosa e lânguida. O padre Álvaro despediu-se ao cair da noite, partiu inquieto, mas Carolina permaneceu. Nesse dia e nos seguintes. Foi para ela que Afonso se voltou em busca do equilíbrio, da salvação. Não tinha capacidade para acompanhar os seus raciocínios, mas oferecia-lhe conforto emocional. Carolina dava-lhe a mão nos momentos mais difíceis, chegava mesmo a abraçá-lo quando o sentia desesperado, perdido, esvaziado. Deu-lhe forças e calor humano, ajudou-o a enfrentar os fantasmas do passado, as memórias de Agnès, a dor pela perda, os remorsos e o sentimento de culpa, a fúria e a revolta pela partida que o destino lhe pregara, o desespero por aquele ser um caminho sem retorno. Fragilizado, Afonso agarrou-se àquela bóia, prendeu-se àquele porto seguro, soltou as emoções e abriu a alma. Abriu-se-lhe tanto que, quase sem dar por isso, de mansinho, foi-lhe também abrindo o coração.

Carolina e Afonso casaram no Verão de 1920, numa boda simples realizada na pequena igreja de Rio Maior. A missa foi celebrada pelo idoso padre Álvaro, tio de Carolina e protector de Afonso em Braga, um entusiástico mestre de cerimónias muito compenetrado no seu papel. O pároco fazia questão de conferir àquele casamento uma solenidade e grandiosidade que o tornariam inesquecível.

Mas um dos nubentes mal o ouvia. De pé no altar, diante do padre a celebrar a missa em latim, o capitão passou grande parte do tempo abstraído do que se passava em redor, a mente a vaguear pelo passado como um vagabundo perdido, a procurar Agnès, a imaginá-la ao seu lado, a fingir que aquela não era a pequena igreja de Rio Maior mas a grande catedral de Amiens, a efabulação tornou-se tão perfeita que até detectou um sotaque francês no latim do eclesiástico. Durante alguns instantes, todavia, regressava à realidade e intuía vagamente a monstruosidade da sua traição, percebia que entregava o seu corpo incompleto àquela mulher; faltava-lhe a alma e o coração, ambos reféns no amor de outra. ˙Compreendia a falsidade desse momento, a duplicidade daquela situação; os seus sentimentos encontravam-se longe dali, casava com uma e dificilmente passava uma hora em que não pensasse na outra. Arrependia-se e apetecia-lhe fugir, sair da igreja e correr, abandonar o altar e procurar o refúgio no aconchego uterino do quarto da Carrachana. Num supremo esforço para se distrair, a mente depressa mergulhava no seu sonho, na sua fantasia, na estrada imaginária por onde caminhava em delírio febril, um trilho feito de memórias e sensações, de recordações de tempos felizes e de desejos por satisfazer.

No momento da verdade, quando o padre Álvaro lhe formulou a pergunta sacramental, Afonso disse que sim, ao seu lado estava Carolina e ouviu-o dizer sim, supôs ela que ele lhe dizia sim a si, não sabia que dizia sim a outra que lá não podia estar, o fantasma que para sempre seria a sua sombra.

Montaram casa junto à Praça do Comércio, em Rio Maior, atrás da velha Casa Comercial de José Ferreira Lopes. Dona Isilda iniciou Afonso na gestão da Casa Pereira. Levou-o às fábricas onde ia buscar a mercadoria, apresentou-o aos fornecedores, explicou-lhe as contas e revelou-lhe as técnicas de venda. Ensinou-lhe como expor os produtos, como receber os clientes, como avaliar os empregados, como decidir quando se deve ou não conceder crédito a um cliente, quanto crédito e durante quanto tempo.

"Um comerciante não tem coração", repetiu-lhe ela. "A prioridade é defender o negócio, só isso conta. As decisões não podem ser ditadas pela piedade, mas pela racionalidade."

Afonso afagou o bigode, meditando nestas palavras, duvidando se teria estômago para pôr na prática o que, com aquela facilidade, era dito.

"Mas, dona Isilda, às vezes encontramos situações humanas..."

"A Igreja que as resolva", cortou a sogra. "Se fores piedoso e estiveres a conceder crédito a toda a gente que não pode pagar e mantiveres na loja empregados incompetentes, tudo porque tens pena de toda essa gente, irás rapidamente à falência. Quando isso acontecer, rapaz, acabaste por prejudicar toda a gente. Prejudicaste-te a ti, à tua família, aos teus bons empregados e aos teus bons clientes." Fez uma pausa e olhou-o bem nos olhos. "E sabes qual é a grande ironia, hã? Sabes? É que, feitas as contas, os maus empregados e os maus clientes ficaram como ficariam se tu os tivesses enfrentado mais cedo, uns ficam na mesma sem emprego e outros sem crédito, porque a casa faliu. A piedade nem a eles serviu. Nem a eles."

"Mas cortar o crédito a quem precisa dos bens e despedir quem necessita de trabalho para viver é uma crueldade", disse o capitão. "Não sei se sou capaz de o fazer."

Isilda suspirou.

"Imagina, Afonso, imagina que estás na guerra e és atingido na perna por uma bala. Vais para o hospital e os médicos verificam que a perna está a gangrenar. Constatando essa situação, os médicos só têm duas opções. Ou cortam a perna e salvam-te a vida, ou deixam ficar tudo como está, porque têm pena da perna, e tu morres no fim. Morres tu e, grande ironia, morre a própria perna. Agora imagina que o teu corpo é a Casa Pereira, o médico és tu e a perna gangrenada é um mau empregado ou um mau cliente. Se cortares a perna, salvas o corpo. Se não cortares, o corpo morre e a perna também. O que fazes, hã? O que fazes?"

"Bem..."

"O que fazes?"

"Uh... suponho que tenho de salvar o corpo, não é?"

"Lindo menino." Ergueu o dedo. "Não te esqueças, rapaz. Um comerciante não tem coração e a prioridade é defender o negócio."

Não foi fácil a adaptação, mas Afonso gradualmente se habituou às exigências da função, à impossibilidade de agradar a todos, à necessidade de avançar para rupturas, à prioridade de defender o colectivo sobre o individual. Afinal de contas, não fora isso o que fizera durante a guerra? Apercebeu-se de uma curiosa ironia, a de que, nos momentos críticos, apesar de o colectivo beneficiar das suas decisões, era o individual que atraía a simpatia geral. Se despedia um empregado fraco, por exemplo, todos o lamentavam, acusavam-no de não ter coração e de ser desumano, ninguém percebia que isso era para o bem da maioria. O colectivo era abstracto, o individual concreto, as pessoas reviam-se no indivíduo, não no grupo. Vendo bem, pensou, a morte da sua ordenança em Picantin tinha sido uma tragédia, mas a morte de quatrocentos homens em toda a batalha não passava de uma mera estatística. O colectivo era mais importante, reflectiu, embora fosse com o indivíduo que as pessoas realmente se identificavam.

O capitão começou por dividir a sua vida entre o negócio da família e a carreira militar. Passava muito tempo a viajar entre Braga e Rio Maior, até chegar à conclusão de que não podia continuar assim. Ainda considerou a hipótese de pedir transferência para o quartel de Santarém, mas, ao fim de dois anos de persistentes conversas, dona Isilda convenceu-o de que havia uma melhor opção.

"Tens de abandonar a vida militar, Afonso", disse-lhe ela. "Há quanto tempo te digo isto, hã? Um negócio é como um casamento. Requer exclusividade."

V

Farrapos brancos e esponjosos, como tiras de algodão rasgado, pairavam imóveis por entre o azul profundo do céu; eram cirros matinais, nuvens altas e majestosas que assinalavam a suave chegada da Primavera de 1922. Afonso atravessou o Campo do Conde Agrolongo com os sentidos bem despertos, registando cada instante, inebriado por todas as sensações daquela manhã, queria guardar dentro de si o momento da despedida. Escutava com atenção o musical gorjear das recém-chegadas andorinhas, sentia o aroma perfumado dos pinheiros a flutuar na brisa fresca da manhã, um ventinho macio e puro que lhe acariciava o rosto com gentileza e soprava com brandura sobre as árvores, os ramos agitados num farfalhar delicado, marulhante, sussurrado. Lançou um longo e nostálgico olhar sobre a larga fachada alva do quartel do Pópulo, sabia que aquela era provavelmente a última vez que visitava o edifício onde se fizera oficial.

O capitão dirigiu-se ao quartel para apresentar os papéis e despedir-se dos camaradas que com ele viveram a guerra. À conversa nas escadarias ou na messe, os veteranos deitavam ainda contas aos acontecimentos do 9 de Abril, contavam histórias, reconstituíam episódios, recordavam companheiros caídos, faziam balanços. O curioso é que, da guerra, as memórias pareciam apenas concentrar-se no pitoresco, relegando para um conveniente esquecimento justamente tudo aquilo que fizera daquela experiência uma coisa terrível. Não havia no Pópulo quem não tivesse orgulho na cruz de guerra de primeira classe que distinguira Infantaria 8 pelo seu comportamento na grande batalha, ou não considerasse justa a Ordem Militar da Torre e Espada que dois anos antes fora concedida à cidade de Lille pelo apoio que os seus habitantes prestaram aos reclusos portugueses, alimentando-os e ajudando-os à revelia dos ocupantes.

Afonso por todos passou, acenando aqui e cumprimentando acolá, subiu as largas escadarias cruzadas do pátio central e encostou-se languidamente à janela da secretaria.

"Então muito bom dia", saudou, espreitando para o interior.

Um alferes curvava-se sobre a mesa a dactilografar documentos. O homem ergueu a cabeça e levantou-se quando viu o superior hierárquico.

"Bom dia, meu capitão", disse, fazendo continência. Deu dois passos e chegou-se à janela. "Posso ajudá-lo?"

Afonso olhou em redor e mirou o alferes.

"O que tenho de fazer para sair do Exército?"

"Como?"

"Eu quero sair do Exército. O que tenho de fazer?"

O alferes hesitou.

"Bem... uh... tem de preencher uns documentos e fazer um requerimento ao senhor comandante."

"E quais são os termos do requerimento?"

"Tenho ali uma minuta, quer ver?"

"Ora passe-me lá isso."

O alferes foi a uma gaveta, tirou uma folha e entregou-lha.

"Aqui está. Mas, por favor, meu capitão, devolva-ma depois, é a minha única cópia."

"Fique descansado."

O alferes afinou a voz com um *hum hum* arranhado.

"Sabe, o senhor comandante pode recusar o seu pedido..."

"Fique descansado", sorriu Afonso. "Eu falo com o comandante e ele não recusará nada. Depois do que passei na Flandres, era o que mais faltava."

O capitão demissionário preenchia os documentos no corredor do primeiro andar do quartel, sentado num banco junto à janela da secretaria, quando sentiu um vulto a prostrar-se diante de si.

"Então, capitão? A escrever uma carta a uma *demoiselle,* é?"

Ergueu a cabeça e reconheceu o agora coronel Eugénio Mardel, o homem que comandara a Brigada do Minho durante a grande batalha. Levantou-se num salto, um enorme sorriso no rosto.

"Meu comandante", exclamou, fazendo continência. "Bons olhos o vejam."

Mardel estendeu a mão, informal.

"Como está, capitão? Então como foi a sua passagem pela Alemanha, hã? Os boches trataram-no bem?"

Apertaram as mãos com vigor.

"Cinco estrelas, meu comandante. Cinco estrelas. Até distribuíam caviar de aperitivo e *champagne* para matar a sede."

Mardel riu-se.

"Imagino."

"O que está o senhor comandante a fazer aqui no Pópulo?"

"Olhe, vim visitar os regimentos da brigada, uma espécie de passeio da saudade, percebe?"

"Ah, muito bem, muito bem."

"Você já almoçou?"

"Não, ainda não. Mas confesso que já estou cá com uma traça..."

"Então venha daí comigo. Há por aqui alguma tasca de jeito?"

"Temos o restaurante do hotel, do outro lado do largo."

"Come-se bem?"

"Melhor do que nas trincheiras, meu comandante."

Abandonaram as instalações do Pópulo e foram almoçar juntos ao restaurante do Grande Hotel Maia, mesmo em frente ao quartel, no outro lado do Campo do Conde Agrolongo. Pediram umas iscas de fígado à moda de Braga e mergulharam nas memórias do passado. A pedido de Mardel, Afonso relatou tudo o que lhe acontecera desde o dia da batalha. Quando concluiu o relato, o coronel manteve-se silencioso, o olhar ausente.

"Em que pensa, meu comandante?"

Mardel pigarreou.

"Questiono-me se tudo isto valeu a pena", desabafou. "Cumprimos o dever, é certo, mas será que serviu para alguma coisa?"

Afonso fitou-o nos olhos.

"A guerra é feita por jovens, que se matam para glória de velhos. Para os jovens, claro que não valeu a pena. Para os velhos..."

A frase ficou em suspenso e foi Mardel quem a concluiu.

"Para os velhos ficam glórias que não merecem", disse. "Eu sei." Fez uma careta. "Sabe, capitão Brandão, apenas seis batalhões foram condecorados por bravura em combate durante o 9 de Abril. Nesse número contavam-se os nossos quatro batalhões da Brigada do Minho, mais os dois batalhões transmontanos, Infantaria 10, de Bragança, que combateu à direita de Ferme du Bois, e Infantaria 13, de Vila Real, que resistiu em Lacouture."

"O segundo comandante do 13, o major Mascarenhas, é meu amigo dos tempos da Escola do Exército."

"Ah sim? Pois olhe, o seu amigo foi um bravo."

"Eu sei."

"Bem, isto para dizer que só os minhotos e os transmontanos combateram. Os restantes batalhões, incluindo todos os da Brigada de Lisboa, mais os algarvios do 4 e os alentejanos do 11 e do 17, cavaram perante o inimigo ou renderam-se quase sem oferecerem resistência e não foram distinguidos."

Afonso franziu o sobrolho.

"Isso é curioso", comentou com lentidão. "Será que o pessoal do Norte é mais valente do que o do Sul?"

"Não tenho a certeza de que essa seja a pergunta certeira. Penso que a verdadeira questão é saber se o pessoal do campo é mais bravo do que o das cidades." Mardel passou a mão pelo cabelo. "Sabe, capitão Brandão, não há guerreiro mais temível do que o agricultor. A malta do campo está habituada à dureza da vida, ao trabalho na terra, às contrariedades impostas pela natureza, e não se impressiona facilmente com as dificuldades da guerra. São tesos p'ra caraças! Já os galrichos das cidades são o que se sabe, querem é regabofe e fadinho, gajas e boa vida, bola e paparoca na mesa. Quando a coisa aquece e dá para o torto, cavam todos."

"Isso pode explicar o comportamento dos lisboetas, não digo que não. Mas e os alentejanos e os algarvios?"

"Confesso que não encontro explicação para esses. Dizem-me que eles têm uma natureza mais indolente, mas tenho dúvidas de que tenha sido a indolência que os pôs no cavanço. Até porque o Wellington tinha unidades algarvias e fartava-se de as gabar."

"Bem, não interessa", exclamou Afonso, fazendo um gesto impaciente com a mão. "O que é facto é que fomos a única brigada que resistiu em bloco. Mas de que serviu isso?"

"De nada, acho eu", suspirou Mardel. Encolheu os ombros. "De nada. Morreram quatrocentos portugueses nessa batalha e mais de seis mil foram feitos prisioneiros. Se formos a ver bem, os mais espertos até foram os lisboetas, que cavaram e andam agora a passear com as mulheres pelo Rossio e pela Rotunda, vivinhos da silva. Nós e os transmontanos, que demos luta, nós é que nos tramámos. Em vez de estarmos a saborear a vida, andamos a lamentar os mortos e a consolar as viúvas. E o trágico, meu caro capitão, o trágico é que o sacrifício dos que combateram foi em vão. Os boches entraram pelas nossas linhas como um furacão, foram por ali fora, os bifes viram-se aflitos para os travar e a situação tornou-se de tal modo crítica para os aliados que os camones chegaram a emitir uma ordem a dizer às tropas que morressem onde estavam. Você imagina o que isso é, capitão Brandão, receber uma ordem para morrermos onde estamos?"

O capitão abanou a cabeça.

"Ainda bem que nunca recebemos uma ordem dessas..."

Mardel fez um silêncio pensativo.

"Aí é que você se engana", disse finalmente. "Essa ordem também nos foi dada."

"A nós, portugueses?"

"Afirmativo."

"Para morrermos onde estávamos?"

"Afirmativo."

"Essa ordem foi dada pelos bifes?"

"Afirmativo."

"Durante a batalha?"

"Antes da batalha."

"Antes da batalha? Como assim?"

"Seis dias antes do ataque dos boches, o general Haking, que comandava o XI Corpo, emitiu uma ordem à 2.ª Divisão do CEP para morrer na linha B caso o inimigo avançasse. A ordem mencionava explicitamente essa instrução, morrer na linha B."

"E o que é que vocês fizeram?"

"O que é que havíamos de fazer, diga lá? Ouvimos, calámos e não dissemos nada a ninguém, não queríamos espalhar o pânico. Foi por isso que você não soube."

"Ah bom", exclamou Afonso. "Muito me conta, sim senhor." Fez uma pausa, observando o empregado do restaurante do hotel a servir as iscas de fígado, acompanhadas de arroz branco e cebola frita. Quando o empregado se retirou, os dois oficiais começaram a comer em silêncio. Afonso trincou a primeira fatia da sua isca e retomou a conversa enquanto mastigava. "Mas então, meu coronel, estava a dizer-me que os boches avançaram por ali fora e os camones começaram a ver as coisas pretas."

"Pois, foi isso, mas tudo se compôs e veio a verificar-se que aquela foi verdadeiramente a última grande ofensiva dos boches. Os aliados estancaram a hemorragia aberta no nosso sector e passaram depois ao ataque, acabando por ganhar a guerra."

"Vá lá, vá lá, a nossa reputação conseguiu escapar ilesa..."

Mardel parou momentaneamente de mastigar e fez um trejeito de boca.

"Negativo, capitão Brandão, negativo. A bem dizer, a nossa reputação ficou foi na lama. Os bifes passaram a olhar-nos com desconfiança, diziam que não tínhamos capacidade de combate, que tínhamos fugido, que éramos uns desorganizados, que só servíamos para dar umas pinadelas às *demoiselles,* que isto e que aquilo, e mandaram as nossas tropas fazer trabalhos de estrada, como se a malta não passasse de uns operários de terceira, de uns chinocas. Foi uma vergonha."

"Ora essa! Mas eles não sabiam o que aconteceu?"

O coronel inclinou-se na mesa e fitou-o fixamente.

"E o que aconteceu, diga-me lá?"

Afonso devolveu-lhe o olhar, atrapalhado.

"Bem... uh... enfim, tudo", gaguejou.

"Mas o quê? Explique-me lá o que poderíamos nós dizer aos bifes?"

"Sei lá... talvez, não sei, talvez que houve seis batalhões nossos que resistiram, por exemplo, ou que a nossa única divisão, que se encontrava já bem cansada e desgastada, apanhou com quatro divisões boches pela frente, todas elas fresquinhas como alfaces. Ou ainda que a nossa única divisão defendia uma linha que devia ser defendida por duas divisões, portanto com menos soldados por quilómetro de trincheira." O capitão fez um ar inquisitivo. "Não é? Que eu saiba, não foi pouco, não acha? Naquelas condições, o que é que eles queriam que acontecesse, hã?"

Mardel voltou ao seu prato, trinchando mais uma fatia.

"Alguns camones sabiam o que aconteceu realmente, é verdade, mas a maior parte só ligou ao facto de que os boches entraram pelo nosso sector. Ou seja, se nós cedemos, é porque éramos fracos. Ponto final. Tudo o resto não passava de conversa."

Afonso suspirou.

"Bem, meu coronel, temos de reconhecer que isso tem efectivamente algum fundamento. É um facto que as nossas tropas estavam muito desgastadas, mas disso não tinham os bifes culpa nenhuma. Se as tropas se sentiam cansadas, que descansassem, caraças! Portugal devia era substituí-las. Se não substituiu é porque mostrou incapacidade para andar ali. E, se não era capaz de sustentar o esforço de guerra, que não se metesse naquelas cavalgadas. O governo devia era ter juízo e mandar a gente de volta."

"É verdade, é verdade", concordou Mardel, mastigando a comida. "Os bifes não têm nada a ver com o facto de que a malta foi abandonada por Lisboa. Tudo o que eles sabiam é que já não nos encontrávamos em condições de combater, e isso, bem vistas as coisas, era realmente verdade."

Afonso engoliu a derradeira fatia de iscas.

"Portanto, se bem compreendi, nunca mais nos mandaram para a frente de combate."

"Bem, isso é inexacto", indicou Mardel. "A malta de artilharia voltou a combater, integrada em unidades inglesas, e nós chegámos também a meter dois batalhões de infantaria em acção, mesmo no final da guerra. Andaram para lá a perseguir os boches nas margens do Aisne."

"Ah sim? Lisboa sempre mandou os reforços?"

Mardel riu-se com gosto.

"Lisboa? Lisboa estava-se a cagar para a malta!" Ergueu o indicador. "Não nos mandaram nem um homem, nem sequer um maricas para amostra, eles não queriam saber do pessoal para nada!"

"Mas então que infantaria foi essa?"

"A mesma de sempre, homem, a malta que já lá andava."

"Ah é? E como é que o pessoal reagiu?"

"Mal, como você calcula. Houve revoltas sucessivas, incluindo da Brigada do Minho, e ocorreu mesmo um incidente do qual nem quero falar."

Afonso ficou curioso.

"Incidente? Que incidente?"

"Já lhe disse que não quero falar nisso."

"Vá lá, diga. Já que mencionou o assunto, conclua, que diabo! Não me deixe assim pendurado, isso não se faz."

Mardel hesitou. Respirou fundo, inclinou-se sobre a mesa e baixou a voz.

"Isto que lhe vou contar não se pode saber, percebeu? Não se pode saber."

"Muito bem, vou ficar de bico calado, esteja descansado. Mas conte lá."

"Então é assim", começou Mardel, inclinando-se para a frente, o tom muito secretivo. "Tudo aconteceu em meados de Outubro, mais exactamente na noite do dia 16. Portanto, a menos de um mês do fim da guerra. Estava-se na altura a tentar reunir unidades com o objectivo de as preparar para serem enviadas para a frente de combate, era um esforço destinado a reorganizar o CEP. Ora bem, os magalas do reconstituído batalhão 11/17 souberam destas intenções e pegaram em armas durante o bivaque. Que não iam, que nem pensar em marchar para o açougue, que mandassem outros, que já tinham feito mais do que o suficiente, que queriam era voltar para Portugal, que fossem todos para o raio que os partisse e que fossem também para outras partes, enfim, você imagina. Vai daí, o comando não esteve de modas. No dia seguinte, 17 de Outubro de 1918, nunca mais me esquece essa data, nesse dia decidiram actuar à séria. Chamaram Infantaria 23, os revoltosos foram cercados e, pimba!, metralharam-nos."

Fez-se uma pausa.

"O quê?", murmurou Afonso, incrédulo. "O quê?"

"Mataram-nos a tiros de metralhadora."

A derradeira visita de Afonso a Braga serviu para acertar as últimas contas do passado. O capitão demissionário nunca mais falou com o tenente Pinto. Quando por acaso com ele se cruzava nos corredores do quartel, virava a cara para o lado, não lhe perdoava a fuga no momento mais difícil da companhia no 9 de Abril, quando do cerco ao Picantin Post.

A verdade, porém, é que só havia mesmo uma pessoa que Afonso fazia absoluta questão de reencontrar. O problema é que

desconhecia o seu paradeiro. Fez vários inquéritos e a oportunidade acabou por surgir a dois dias de regressar a Rio Maior,
quando o alferes que trabalhava na secretaria do quartel descobriu um documento a referenciar a residência do homem que
procurava num sítio chamado Palmeira, um lugar remoto a norte
de Braga. Sem perder tempo, o capitão requisitou um cavalo e
trotou até ao local. Meteu pelos caminhos de terra e foi dar com
a morada que rabiscara num papel.

"É aqui que mora o Matias Silva?", perguntou Afonso, inclinando-se da montada.

Uma velha minhota, curvada na bengala, a pele enrugada em
torno dos olhos azuis, um lenço negro a cobrir-lhe a cabeça,
apontou tremulamente para a casa ao lado.

"O Matias é ali, senhor."

Afonso olhou para a casa de pedra que lhe foi indicada. Parecia-lhe uma versão minhota dos pardieiros da Carrachana, claramente partilhava com o antigo cabo a mesma origem humilde.
Desmontou, amarrou o cavalo a uma árvore e deu uns passos
pelo caminho de cabras até chegar diante da casa. A porta de
madeira tosca estava entreaberta e o capitão entrou, hesitante.

"Está aqui alguém?", chamou.

Ouviu o som de um talher a bater na porcelana e uma tosse
cavada. Olhou na direcção do ruído. Um enorme vulto encontrava-se na penumbra, sentado à mesa e debruçado sobre uma tigela.
Não se lhe via o rosto, mas Afonso reconheceu-o. O vulto ficou
momentaneamente paralisado e, ao fim de um longo e silencioso
segundo, ergueu-se com lentidão.

"Meu capitão."

Os dois homens aproximaram-se e estacaram um diante do
outro, meio sem jeito. Já não se viam havia quatro anos, desde
que os alemães os tinham separado em Illies. Abraçaram-se finalmente. Abraçaram-se com força, como irmãos, como velhos
amigos que as circunstâncias da vida tinham afastado, como
companheiros de estrada que se reencontravam após uma longa
e difícil jornada.

"Sente-se aqui, sente-se aqui", disse Matias, puxando Afonso para a mesa. O capitão acomodou-se e o antigo cabo foi buscar uma outra tigela de sopa. "É uma canjinha de sonho, meu capitão. Se o Baltazar aqui estivesse, chamava-lhe uma categoria." Tossiu. "Foi a minha Francisca que a fez, ora prove lá."

Afonso engoliu uma colher e piscou o olho.

"Está boa."

"Está, não está? A minha Francisca é uma grande cozinheira, lá isso é. Pena que não esteja aqui, foi ali ao rio lavar a roupa e pô-la a abelar. Mas já volta." Tossiu. "Ela era a minha namorada, sabe? Quando voltei da Alemanha, pensei cá para mim: Ó Matias, a moça é séria e honesta, não é nenhuma sansardoninha, não é nenhuma rifeira, é boa de verdade, casa-te com ela, anda."

Tossiu outra vez, desta feita prolongadamente.

"Isso está mal", notou Afonso com preocupação.

Reconhecera aquela tosse e sabia que não era de bom agoiro. Matias ficara rubro de tanto tossir, mas acabou por recuperar o fôlego.

"São a merda dos gases, meu capitão." Tossiu novamente. "Os boches ainda me estão a matar com os gases que me meteram no corpo. Até sinto o líquido a escorrer cá dentro, no peito." Respirou fundo, para demonstrar o que dizia, e, de facto, os pulmões pareciam assobiar. "Os gases estão a fazer aquilo que as costureiras e abóboras não conseguiram nas trinchas, estão-me a dar cabo do canastro." Sorriu com tristeza. "Era estranha aquela vida nas trinchas, não era? A morte perseguia-nos todos os dias, cheirava-nos, roçava-nos, mas, sabe, eu sempre tive em mim a vontade de viver."

"Você era um optimista", considerou Afonso. "Havia uns que achavam que iam morrer, passavam a vida à espera da desgraça, tudo os deitava abaixo, viviam invadidos de maus pressentimentos, eram verdadeiras aves agoirentas."

"O Manápulas era assim..."

"E depois havia os outros, os tipos como você, aqueles que tornavam grandes as mais minúsculas coisas, saboreavam uma pausa, procuravam a felicidade nos pequenos nadas, num naco de pão, num rouxinol que cantava, num raio de Sol capaz de vencer aquele sombrio manto de nuvens cinzentas."

Um novo acesso de tosse encheu a sala. Matias respirou fundo e engoliu em seco.

"Sabe, só era possível viver ali se conseguíssemos ignorar o que aquilo tinha de mau, se conseguíssemos erguer um muro que nos isolasse de toda aquela desgraça." Matias tossiu. "Lembra-se, meu capitão, da indiferença com que olhávamos para um morto ou para um corpo mutilado? Isso era o muro que nos protegia. Tanto nos esgotámos a sofrer por nós que já não conseguíamos sofrer por eles. Essa é que era a verdade, os mortos tornaram-se--nos indiferentes."

"Excepto os camaradas", atalhou Afonso.

"Excepto os maradas", confirmou o antigo cabo. Tossiu. "Os maradas eram a melhor coisa daquela merda toda. Só eles contavam." Tossiu novamente. "Qual pátria, qual porra! Era pelos maradas que eu lutava. Manducávamos juntos, dormíamos juntos, sofríamos juntos, éramos amigos, irmãos, tudo. Foi ali na guerra que eu verdadeiramente conheci os homens, conheci-os à séria, no bom e no mau, mas sobretudo no bom, na entreajuda, na amizade, nas pequenas coisas e nos grandes gestos." Baixou a cabeça. "O problema era quando morriam, isso tornava-se insuportável." Fitou Afonso. "Sabe que eu fiz uma peregrinação aqui pelo Minho para visitar as famílias dos maradas do meu pelotão, os maradas caídos em França? É verdade, fiz isso. Foi duro, foi xuega para caramba. Fui a Barcelos falar com a mãe do Vicente Manápulas, dei um salto a Gondizalves para ver os pais e os irmãos do Abel Lingrinhas e viajei até ao Gerês, até Pitões das Júnias, para conhecer a mulher e os filhos do Baltazar Velho. E aqui ao lado, em Palmeira, está a mulher e o filho do Daniel Beato, um marada que o capitão não conheceu, mas que foi decapitado por uma granada."

"Porque fizeste isso?"

Matias suspirou.

"Remorsos, acho eu", disse. "Sabe que eu sonho muitas vezes com os maradas? O que é engraçado é que eles nunca estão mortos. Sonho que fazemos as coisas do costume, andamos a matar ratos, a abrir drenos, a contar anedotas, todos armados em ribaldeiros. Quando se passam duas semanas sem sonhar com eles, sinto saudades e quero sonhar outra vez." Tossiu. "Estranho, não é?"

"Isso é a guerra que continua na nossa cabeça."

"Talvez. Mas, no meio disto tudo, meu capitão, há uma coisa que não compreendo, que não aceito." Tossiu ainda. "Sabe o que é?"

"O quê?"

"Não percebo porque sobrevivi. Não entendo, não concebo por que razão morreram eles todos e eu vivi. O que fiz eu de especial para viver? Qual o sentido de ter escapado? Porquê eu? Não percebo, não percebo." Baixou a voz. "Sinto-me culpado, agónico, anelante, é como se os tivesse traído, como se os tivesse abandonado, como se não os merecesse. Eles lutaram até à morte e eu rendi-me, não tive coragem de ir até ao fim, sobrevivi sem os salvar, amaldiçoo-me todos os dias por isso."

"Também penso nisso muitas vezes", confessou Afonso. "Mas a verdade é que naquela altura, naquelas circunstâncias, não tínhamos alternativas. O que podíamos nós fazer? Deixar-nos abater como cães?"

Matias mirou o infinito, irremediavelmente perdido na sua batalha interior.

"Sabe, meu capitão, descobri que o mais duro não é fazer a guerra", murmurou o antigo cabo. "O mais difícil é sobreviver a ela, é viver com ela depois de ter vivido nela. Percebe o que eu quero dizer?"

Afonso respirou fundo.

"Então não percebo, Matias? Todas as noites sonho com isso." Fez uma pausa. "Nem sei mesmo se sobrevivi. Olha, por exemplo, às vezes sonho que estou nas trinchas rodeado de mortos, viro um corpo para cima para lhe ver a cara e descubro que o cadáver sou eu." Estremeceu, arrepiado com o pensamento.

"Levei muito tempo a perceber este sonho, mas acho que já entendi. Ele significa que uma parte de mim morreu nas trinchas e que estou de luto pela minha própria morte."

"É isso mesmo, meu capitão. Estamos de luto por nós mesmos." Suspirou. "Sabe, quando andamos aos tiros, as coisas acontecem e nós nem damos por isso, ou não ligamos, continuamos a agir sem pensarmos, mecanicamente, amanhã é um novo dia, há que seguir em frente." Fez uma pausa e olhou para a mão, olhou-a mas não a via, estava absorto no seu raciocínio. "Agora, quando se acaba a guerra, quando ela acaba, meu capitão, a coisa começa logo cá dentro, a moer, a moer, a moer sem descanso." Bateu com o indicador na testa. "Parece que não, mas fica cá tudo, aqui na tola, para depois ser digerido, devagar, devagar." Nova pausa. "Olhe, a morte do Lingrinhas, o senhor não assistiu, mas foi uma coisa... nem sei como dizer. Nós estávamos a retirar da primeira linha, ele foi apanhado por uma costureira boche e ficou ali, no meio da Tilleloy, com um buraco na garganta, a asfixiar, a bombar. O Manápulas tentou ajudá-lo, tentou ir lá, e sabe o que fiz eu? Hã? Sabe?"

Afonso abanou a cabeça.

"Agarrei o Manápulas e não o deixei ajudar o Lingrinhas." Uma grossa lágrima correu pelo rosto rude de Matias. "Agarrei-o com toda a força, toda a força, e não o deixei ajudar o Lingrinhas, coitadinho, o Lingrinhas que morria ali no meio da Tilleloy, sozinho, sozinho, sem ninguém ao menos lhe dar a mão." Soluçou. "Sonho muitas vezes com o Lingrinhas e o Manápulas, sonho que deixo o Manápulas ajudar o Lingrinhas e que o Lingrinhas se safa e fico feliz... Mas depois, quando acordo... quando acordo vejo que não passou tudo de um sonho, que o Lingrinhas morreu porque não deixei o Manápulas ajudá-lo." Fungou e limpou o nariz. "E o Velho, que morreu estupidamente! Se o meu capitão visse os filhos, coitados, tão felizes quando lhes disse que o Baltazar os adorava, que ele só falava neles... que morte estúpida o Velho teve, meu capitão. Morrer quando se rendia..."

Afonso saiu destroçado do encontro com Matias. A conversa foi catártica, fez-lhe bem, mas não tinha a certeza de conseguir sobreviver a outra igual. Planeara antecipadamente dar um salto a Vila Real para abraçar o major Mascarenhas, o velho amigo sportinguista da Escola do Exército, o homem de Infantaria 13 que resistira mais de vinte e quatro horas em Lacouture, mas a dolorosa experiência com Matias dissuadiu-o, achou que não iria aguentar e preferiu regressar discretamente a Rio Maior. Seria Carolina quem iria suportar a guerra que ele levava na cabeça.

VI

As contas da Casa Pereira não batiam certas. Afonso endireitou os óculos e decidiu recomeçar a soma das vendas do dia. As cópias dos recibos assinalavam a data, 9 de Abril de 1928. Os olhos de Afonso retiveram-se na data. 9 de Abril? Recostou-se na cadeira do seu escritório, abalado. Dez anos. Fazia nesse dia dez anos que ocorrera a grande batalha. Parecia a Afonso que os trágicos acontecimentos da Flandres se tinham passado apenas na semana anterior. O antigo capitão contava agora trinta e oito anos e não conseguira ainda digerir tudo o que se passara na sua vida naquele fatídico ano de 1918.

Olhou para as fotografias que tinha espalhadas pela secretária. Numa estava ele, todo janota, com a sua farda de oficial e os olhos carregados de esperança e sonhos de glória, um bengalim na mão e uma pose imperial. Outra era uma foto de família, ao seu lado encontravam-se Carolina e os três pequenos filhos, Rafael, Joaquim e Inês, cada nome uma homenagem, o mais velho era um tributo ao pai, o do meio à sua ordenança na Flandres e a menina a Agnès. Se tivesse mais um menino, pensou, chamar-lhe-ia Matias, em memória do valente cabo, o irmão de armas que morrera meses depois do seu derradeiro encontro, havia mais de cinco anos. Alguém lhe disse que Matias expirou pela última vez na sua miserável casa de Palmeira, asfixiado, os pulmões liquefeitos, mais uma vítima tardia dos gases das trincheiras.

Decidiu nessa noite beber em memória dos seus camaradas e da sua francesa, gente que lhe ficou na carne, pessoas que o acompanhavam todos os dias, em pensamento, em sonhos, em pesadelos. Os pesadelos eram diários desde que regressara a Portugal. Sonhava com Joaquim, que deixara ficar no posto de Picantin para morrer. Sonhava com o sargento Rosa, abatido ao seu lado numa trincheira miserável. Sonhava com Baltazar, caído quando erguia os braços em rendição. Sonhava com Matias, o grande Matias, generoso e valente, um coração de ouro e uns pulmões de merda. E sonhava sobretudo com Agnès, via-a entrar-lhe em casa, dialogava com ela, falavam sobre Freud e sobre a vida, sobre Deus e a medicina, a arte e a ciência, conversavam tanto em tantas noites que Afonso chegava a interrogar-se sobre se os sonhos não seriam mesmo uma forma de manter o contacto com o Além, de estabelecer ligação com as pessoas que realmente contavam.

Abanou a cabeça, espantando os fantasmas como se fossem uma nuvem de fumo e regressando daquele mundo já desaparecido. Agora, raciocinou, não podia estar com fantasias, tinha mesmo era de voltar ao presente e refazer as contas. Inclinou-se sobre a secretária e mergulhou de novo nas facturas.

Ouviu um tumulto no corredor, a porta do escritório abriu-se com violência e Carolina irrompeu num pranto.

"Afonso! Afonso!"

"O que foi, filha?"

"A minha mãe... a minha mãe está-se a sentir mal."

Dona Isilda foi a enterrar no dia seguinte, uma manhã primaveril de Abril. Carolina era filha única e única herdeira, mas não se encontrava em condições de tratar dos papéis, tarefa de que Afonso ficou encarregado. Passou dois dias a remexer nos documentos da velha. Viu títulos, hipotecas e contas e no final deitou mãos à pasta da correspondência. Eram sobretudo cartas do irmão, dos primos, de amigas, de vendedores, de credores e de fornecedores. Quando se preparava para fechar a pasta, Afonso notou, no meio de todas aquelas cartas, um pequeno envelope que lhe era endereçado. Estranhou ver entre a correspondência para dona Isilda uma carta que lhe estava destinada e olhou para o selo. Era francês. Estudou o carimbo e verificou que o envelope tinha sido remetido de Lille. Abriu a boca de espanto e ali ficou a mirar o envelope, incrédulo, a interrogar-se sobre o seu conteúdo, a decidir o que fazer. Com as mãos trémulas, retirou a folha dobrada dentro do sobrescrito e leu o texto, redigido em francês:

Lille, 9 de Dezembro de 1918.

Caro capitão Alphonse Brandão,

É com o maior pesar que lhe venho comunicar a morte da minha querida filha, Agnès Chevallier, vítima da terrível gripe espanhola que tantas vidas está a ceifar por essa Europa fora.

Desconheço se o senhor já regressou do cativeiro, mas rogo a Deus que esta minha missiva o encontre de saúde. Foi a minha própria filha quem me deu a morada da senhora sua mãe, que espero lhe faça chegar a carta que esperava nunca ter de lhe escrever.

Lille foi libertada no passado dia 17 de Outubro pelas tropas britânicas e Agnès apareceu em minha casa logo no dia 20. Não pode calcular a nossa alegria nem a felicidade que ela sentiu quando lhe mostrei a carta que me remeteu da Citadelle, ela que o julgava morto nos campos de batalha. Agnès estava, como saberá, grávida e deu à luz uma bela menina no dia 27 de Outubro, a quem baptizou de Marianne, aparentemente em homenagem à senhora sua mãe.

Mas a nossa felicidade não durou muito. Na semana passada, Agnès começou a queixar-se de fortes dores de cabeça, dizendo que parecia que estavam a dar-lhe marteladas mesmo atrás dos olhos. Além disso, veio-lhe uma tosse assustadora e sangrou do nariz. Alarmados, levámo-la ao hospital de Saint-Sauveur, donde não mais saiu. Atiraram-na lá para uma enfermaria especial e não nos deixaram ficar com ela. Um amigo meu que trabalha no Instituto Pasteur pediu informações aos seus colegas do hospital e disse-nos, nessa noite, que o caso era muito grave. A tosse tornara-se muito violenta e as hemorragias tinham-se estendido para os ouvidos. Agnès apanhou a gripe espanhola e foi posta de quarentena numa enfermaria onde se encontravam internadas todas as pessoas que contraíram a epidemia. Como deve calcular, ficámos em pânico, mais ainda quando o nosso amigo nos comunicou que a pele dela estava agora azul-escura, parecia uma negra de África. Não há dúvida, foi atacada pela peste negra, só que ninguém lhe chama esse nome para não assustar as pessoas mais do que elas já estão. Garantiu-me o nosso amigo que muitas pessoas atingidas pela espanhola acabavam por recuperar, mas, infelizmente, não foi esse o caso da minha Agnès. Após três dias em delírio e sofrimento, veio a falecer.

Remeto-lhe esta carta, meu caro amigo, para lhe dar a triste notícia do desaparecimento de Agnès e para lhe comunicar que ela lhe deixou uma linda menina, agora com um mês de idade, e que está a ser cuidada por Claudette até que o senhor nos dê instruções.

Aguardo notícias suas e peço-lhe que tenha coragem nestes tempos difíceis que estamos a viver.

Deus o abençoe,

Paul Chevallier.

Afonso leu a carta duas vezes, siderado.

"O diabo da velha!", murmurou, quando concluiu a segunda leitura. "A grande puta."

Percebeu que dona Isilda não lhe contara toda a verdade, em bom rigor até lhe mentira quando disse que a criança também tinha morrido. Tornava-se agora evidente que o casamento com Carolina foi planeado pela velha senhora após a viuvez da filha e que a existência da criança era a pedra no sapato desse projecto. Para eliminar o problema escondeu a pedra por baixo do tapete. Ocultou a carta e alterou a informação crucial que a missiva transmitia, a notícia de que o capitão tinha uma filha à sua espera.

Afonso permaneceu dois dias a matutar no assunto, sem nada dizer a ninguém. Tomou gradualmente consciência de que dona Isilda tinha sido, de uma estranha forma, a pessoa mais importante da sua vida. Fora ela quem convencera os pais a permitirem que Afonso fosse para o seminário, dando-lhe uma oportunidade de educação que de outro modo não teria. Quando esse meio de o afastar da filha falhara, fora ela quem engendrara a ideia de o inscrever na Escola do Exército, conferindo-lhe um novo rumo à vida. E dez anos antes, logo que ele regressara da guerra, fora ela quem preparara tudo para viabilizar o casamento com a sua filha viúva. Pelo caminho mentira, ocultara, manobrara, seduzira, manipulara, fizera tudo o que fora necessário para alcançar os seus objectivos, sempre fiel à velha máxima de que um comerciante não tem coração, a sua prioridade é defender o negócio. Afonso percebeu que, feitas as contas, lhe devia tudo o que de bom e de mau lhe acontecera na vida e que nenhuma das decisões cruciais da sua existência havia sido tomada por ele, nunca por ele, mas por ela. Agora, porém, Afonso via-se confrontado com uma decisão de grande magnitude, uma daquelas opções determinantes para o seu futuro, e dona Isilda não se encontrava ali para, nas sombras, mais uma vez fazer a escolha por ele. Em boa verdade, poderia até desfazer o que ela decidira em segredo dez anos antes. E a decisão a tomar era muito clara. Deveria ou não Afonso assumir a paternidade da criança? Por um lado, aquela menina constituía um embaraço para a sua vida familiar, apenas lhe vinha atrapalhar a existência, mergulhar Carolina no desgosto e os filhos na vergonha de terem uma irmã bastarda. Mas, por outro lado, pensou que a pequena não era vergonha nenhuma, era um legado de Agnès, era o fruto do amor da sua vida, não tinha o direito de o renegar. Além disso, não estava no seu sangue abandonar o seu sangue.

Ao terceiro dia tomou a decisão. Iria a Lille conhecer a filha, iria lá buscá-la, doesse a quem doesse, custasse o que custasse. Se Carolina verdadeiramente o amava, não teria outro remédio senão aceitar a realidade e acolher a irmã dos seus filhos. Foi com essa convicção em mente que, depois do pequeno-almoço, convidou a mulher para um passeio até às salinas. A ideia suscitou a estranheza de Carolina.

"Mas para que queres tu ir agora até às salinas?", questionou ela. "Tens cada uma..."

"Tenho uma coisa para conversar contigo."

"Então conversa."

"Aqui não."

A mulher mirou-o, desconfiada, mas ele evitou o olhar, o que apenas serviu para a perturbar. Entregaram as crianças aos cuidados da ama e meteram-se no *Hispano-Suiza* que tinham adquirido no ano anterior, o prémio pela boa gestão da Casa Pereira. O belo carro azul, um *H6B Torpédo Scaphandrier*, era o orgulho de Afonso e uma atracção em Rio Maior, uma máquina de provocar inveja a um santo.

Meteram pela estrada de terra batida e depressa chegaram às salinas. Viam-se homens a amontoar o sal com as pás e a despejá-lo em sacos. O sol, ainda baixo na sua ascensão, desenhava os contornos dos pinheiros em sombras deitadas na terra, pedaços de neblina agarravam-se às copas das árvores como algodões doces e pegajosos, eram o bocejo lento e farto da pacatez preguiçosa que se estendia por aquela fresca manhã de Primavera.

Afonso estacionou o vistoso automóvel por baixo de um pinheiro manso e mostrou então à mulher a carta que descobrira no espólio de dona Isilda, narrando-lhe os acontecimentos do passado e traduzindo-lhe o conteúdo da missiva. No final, Carolina estava lívida.

"O que queres que te diga?", perguntou a mulher sombriamente.

"Não quero que me digas nada", retorquiu Afonso, fitando-a bem nos olhos. "Mas tomei uma decisão."

"Ah sim?"

"Vou a Lille buscar a minha filha."

"O quê?", exclamou Carolina, exaltando-se, os olhos arregalados numa expressão de horror.

Afonso já aguardava aquela reacção e não se deixou impressionar.

"É como te digo. Vou buscar a minha filha."

"Mas será que tu ensandeceste, Afonso? Mas que disparate te está a passar pela cabeça, Santo Deus?"

Carolina gesticulava agora.

"Não é disparate nenhum. Tenho uma filha a viver em França e vou lá buscá-la, é tão simples como isso."

"Não vais nada buscá-la, era o que mais faltava!"

"Ai vou, vou."

"Então e os nossos filhos?"

Afonso fez um trejeito de boca, com ar de quem não percebia onde ela queria chegar.

"O que têm os nossos filhos?"

Carolina respondeu com um gesto de impaciência.

"Ó Afonso, não te faças de sonso! O que vão pensar os nossos filhos quando virem uma miúda estrangeira entrar na nossa casa para viver connosco?"

"Vão ficar todos contentes porque ganharam uma irmã mais velha."

"E o que dirão as pessoas, valha-me Deus?"

"Quais pessoas?"

"A... a dona Maria Vicência, por exemplo." Era a mulher do professor Manoel Ferreira. "A dona Constança." Era a mulher do médico. "A dona Isabel." A mulher do advogado. "Já viste a humilhação que me vais fazer passar, trazer para a minha casa a tua filha bastarda? Já viste?"

Afonso suspirou.

"Ó filha, eu quero lá saber o que essas galinhas pensam! Tanto se me dá como se me deu. A questão está em que eu descobri que tenho uma filha e não vou fugir às minhas responsabilidades." Apontou-lhe o dedo. "Olha lá, tu eras capaz de deixar um filho abandonado?"

"Afonso, não me venhas cá com baralhações! Eu não tenho nenhum filho abandonado, graças a Deus. O que eu não quero é uma escandaleira de filhos bastardos na minha casa, desculpa, mas isso não pode ser."

O marido fitou-a nos olhos, avaliando a situação. Aquela reacção negativa era natural, considerou. A notícia que lhe tinha dado constituía sem dúvida um choque. Por um lado, dava-lhe, como nunca ela tivera, uma ideia da intimidade das suas relações com Agnès, tornava-lhe brutalmente real o facto de que a ligação que ele tivera com a francesa não era de natureza meramente platónica e isso com certeza que a fazia sentir-se desconfortável. Por outro, significava uma importante mudança na sua vida e, sobretudo, uma afronta à moral da boa sociedade riomaiorense. Mas, no final, e por muito que protestasse, Afonso não tinha dúvidas de que Carolina acabaria por se conformar com a situação. De resto, não havia remédio. A decisão já estava tomada.

Suportou com infinita paciência as recriminações, a revolta, as lágrimas, a fúria e as ameaças, e numa manhã de Maio, decidido e esperançado, apanhou o comboio até Lisboa, donde seguiu para Madrid, depois para Paris e finalmente para a Flandres. Foi uma viagem longa, feita em silêncio, a mente revolta num turbilhão de pensamentos. Preocupava-o o que iria encontrar, a forma como a filha reagiria à sua presença e ele à dela. Seriam estranhos do mesmo sangue, unidos por uma única mulher, ela órfã de mãe, ele viúvo do amor que não vivera, ambos vítimas de acontecimentos que não controlavam, meros joguetes nas mãos do destino, folhas atiradas ao vento pelo sopro de uma terrível e assombrosa tempestade.

Quando o comboio percorria velozmente a melancólica planície da Flandres, Afonso sentiu uma irresistível vontade de se reencontrar com o passado, de se confrontar com os fantasmas que diariamente assombravam o seu sono. Decidiu, por isso, num ímpeto, num arrebatamento, fazer escala em Aire-sur-la-Lys antes de prosseguir viagem até Lille. Apeou-se na estação de Aire, admirou o ar familiar que as coisas tinham, estranhou as pequenas mudanças, as paredes reconstruídas, as estradas recompostas; havia ainda muitas ruínas mas sentia-se o cheiro das coisas novas. Meteu-se num táxi e pediu ao motorista que o levasse às antigas trincheiras do sector entre Fauquissart e Ferme du Bois. O pequeno *Peugeot* seguiu até Laventie e passou ao lado do cemitério militar. Afonso mandou parar e foi visitar o local. Consultou um responsável e descobriu algumas campas que procurava. Estavam lá as de Joaquim e do Vicente Manápulas, que tinham morrido em Picantin Post, mas não havia sinais das sepulturas do sargento Rosa, do Abel Lingrinhas e do Baltazar Velho, provavelmente enterrados à pressa pelos alemães numa qualquer vala comum. As lápides de Joaquim e do Manápulas, a exemplo das restantes, apresentavam-se maltratadas e o cemitério tinha um ar abandonado. Ajoelhou-se sobre as duas campas, comovido, e rezou em memória dos homens que comandara até à morte.

Voltou depois ao táxi e prosseguiu até Fauquissart. Reconheceu a Rue Tilleloy, agora bem arranjadinha, a estrada tratada, os campos verdejantes nuns lados, dourados de trigo noutros, as árvores viçosas e as flores garridas, o orvalho a reluzir nas pétalas coloridas, eram lágrimas frescas e cristalinas. O horizonte enchia-se de robustos choupos, plátanos, tílias, olmos, viam-se preguiçosas vacas a pastar onde antes apenas se encontrava desolação, a vida renascera sobre as crateras e tudo transformara. Em vez de esventrada por granadas, a terra era agora removida pelos instrumentos agrícolas que plantavam batatas, cereais, beterraba, aveia, cenouras. As velhas trincheiras mostravam-se irreconhecíveis, tapadas pela vegetação, a natureza encarregara-se de ocultar com plantas as cicatrizes abertas no solo. Identificou por aproximação o local onde se situara o Picantin Post, palco de tantos pesadelos, voltou a lembrar-se de Joaquim e do Vicente Manápulas, tinham ambos caído ali. Sentiu uma comoção enorme ao passar pelo antigo posto, mas não havia dúvida de que tudo mudara, tornara-se diferente, mais aprazível, acolhedor mesmo.

Desceu até Neuve Chapelle e foi visitar o memorial da guerra, na Mairie, e a igreja de Saint-Christophe, já reconstruída e albergando um dos célebres Cristos das trincheiras que, durante a guerra, tanto impressionaram os soldados portugueses. Aquela estátua de Cristo na cruz sobrevivera à destruição da igreja, mantendo-se a cruz plantada no meio das ruínas, a céu aberto, a figura de Jesus praticamente intacta, numa teimosa resistência que suscitara a veneração e o respeito dos atemorizados soldados portugueses. Afonso deu ainda um salto a Béthune para rever o anexo onde viveu com Agnès. A casa permanecia igual, mas o anexo fora transformado; uma das paredes tinha sido substituída por um portão, era agora uma garagem. Ao ver aquele cubículo onde passara dias tão intensamente felizes, uma dor lancinante apertou-lhe o coração, a velha ferida dava de si. Com um nó na garganta e os olhos húmidos, afastou-se rapidamente; a saudade dolorosa era um sofrimento que não queria reviver, não com aquela intensidade.

Ao pôr do Sol, cansado e abatido, vergado pela triste melancolia de quem acabou de remoer a ferida ainda por cicatrizar, de remexer a úlcera do seu sofrimento diário, pediu ao taxista que finalmente o levasse a Lille. Não era muito longe, agora que os alemães não barravam o caminho. Quando o *Peugeot* arrancou, pregou a cara ao vidro traseiro, viu pela derradeira vez a paisagem que assombrava os seus pesadelos, despediu-se em silêncio dos companheiros caídos, disse adeus ao passado e às memórias que o afligiam, viu a velha linha da frente desaparecer no lúgubre fio do horizonte, banhado pelos mesmos raios dourados do crepúsculo, e endireitou-se no assento, sentindo-se subitamente leve e aliviado, sereno e em paz consigo mesmo.

Tal como dez anos antes, entrou em Lille pela Porte de Béthune e subiu pela Rue d'Isly e pelo Boulevard Vauban até chegar à Citadelle. Uma vez aí, virou à direita, para o Boulevard de la Liberté, e meteu na primeira à esquerda, na Rue Nationale, até desembocar na Grande Place. Disse ao taxista que aguardasse e foi até à Vieille Bourse procurar o Château du Vin. Encontrou a loja dos vinhos, mas estava encerrada, o que não era surpresa, eram já quase nove da noite. Sem desanimar, bateu em todas as portas em busca de indicações sobre o paradeiro do velho Paul Chevallier. Uma senhora de meia-idade sugeriu-lhe que falasse com o guarda das lojas e indicou o sítio onde o encontrar. Afonso deu finalmente com o homem, mas teve alguma dificuldade em convencê-lo a confiar-lhe a morada da casa do dono do Château du Vin, o que só veio a conseguir após acenar com uma nota de dez francos.

Às nove da noite, o táxi imobilizou-se à frente de uma das portas da Rue do Palais Rihour, contígua à Grande Place. Afonso estudou a fachada, tratava-se de um edifício antigo em pleno centro da cidade, as varandas bem cuidadas, coloridas, *mignonnes,* como diria Agnès. A noite abatera-se gelada, como nos velhos tempos, o ar húmido, crescendo em nuvens de vapor à frente da boca, uma névoa a pairar sobre os telhados, abraçando-os com ciúme. Respirou fundo e atravessou a rua. Carregou na campainha e ouviu o toque soar no interior da casa. Aguardou um instante. Sentiu passos vagarosos a aproximarem-se. A porta abriu-se e um velho alto e magro, o rosto cravado de rugas e marcado por malares salientes, os olhos de um azul-cristalino e os cabelos tão brancos que pareciam neve, espreitou para fora.

"*Oui? S'il vous plaît?*"

"*Monsieur Paul Chevallier?*"

"*C'est moi.*"

"*Bonsoir.* Eu sou o capitão Afonso Brandão, de Portugal."

Fez-se silêncio. O velho arregalou os olhos azuis, fitou-o com intensidade, abriu a boca e fechou-a novamente, mas voltou a abri-la.

"Capitão *Alphonse?*"

Afonso sorriu com carinho, reconhecia aquele *Alphonse* de algum lado.

"*C'est moi.* Finalmente."

O velho olhou-o com desconfiança.

"Você é mesmo o capitão *Alphonse?*"

"Sim, sou eu."

"De Portugal?"

"Sim, sim, sou eu."

O velho parecia atrapalhado.

"Zut alors!", exclamou. "Mas eu recebi uma carta há dez anos, creio que da sua mãe, a dizer que o senhor tinha morrido." Hesitou. "Ela até me pediu para não voltar a escrever."

Foi a vez de Afonso se surpreender. Maldita Isilda, pensou. Não lhe escapara nada. Previra tudo, o diabo da velha. Que ardesse no Inferno.

"Monsieur", começou por dizer. "Essa carta que lhe remeteram era falsa e foi-lhe enviada para manter escondido de mim o segredo da existência da minha filha. De resto, só no mês passado tive acesso à carta que o senhor me enviou, há dez anos, a dar conta do que acontecera, razão pela qual só hoje aqui estou."

O velho mirou-o, digerindo com dificuldade o que lhe estava a ser dito, mas decidiu que o português era sincero e abriu-se num grande sorriso.

"Capitão *Alphonse,* não percebo nada dessa história, mas não faz mal, ainda bem que está vivo. Seja bem-vindo à casa de Agnès."

Afonso subiu o degrau e entrou na casa.

"A minha filha está?"

"Marianne?"

"Sim."

O pai de Agnès virou-se para o fundo do corredor, onde se via uma luz.

"Marianne!", gritou. "Marianne! *Viens ici!*"

Ouviu-se uma voz melosa lá ao fundo.

"Oui papy?"

"Viens ici, tout de suite!"

Uma figurinha frágil, de menina, apareceu no corredor e estacou quando viu um estranho ao pé do avô. Afonso olhou-a e reconheceu aqueles cabelos castanhos encaracolados, aqueles

olhos verdes adocicados, aquela figura magrinha de menina bonita. Abriu os braços na sua direcção. Ela viu-lhe lágrimas nos
olhos, o avô também se comovia atrás dele, mas foi sobretudo o
que o estranho dizia, a voz embargada e carregada de emoção, a
voz que a acariciava com as palavras que só em sonhos fantasiara
ouvir, foi sobretudo aquela simples e poderosa frase que lhe tocou
na alma e lhe arrebatou o coração.

"Ma fille, ma petite fille."

Marianne ficou a estudá-lo, hesitante, receando acreditar. Deu
um passo em frente, a medo, depois outro e outro ainda, começou
a andar e o andar transformou-se em corrida, correu para ele como
se sempre o tivesse conhecido, ninguém lhe disse que era ele mas
ela soube-o, talvez fosse desejo, talvez fantasia, talvez aquela recusa
infantil em acreditar que o papá tinha ido para o céu, o certo é
que ela o reconheceu, reconheceu-o e correu até ele, até o envolver num longo e inesquecível abraço. Intenso. Como um braseiro
que queima, como uma paixão que asfixia, como o sol que nos
encandeia, era intenso aquele abraço entre o pai e a filha. E, enquanto apertava a sua menina, os olhos turvos e um nó na garganta, sentindo aquele pequeno corpo a anichar-se no seu, Afonso
lembrou-se inesperadamente do padre Nunes, não sabia porquê
mas lembrou-se do velho mestre do seminário, interrogou-se se
aquele instante não estaria previsto desde o amanhecer dos tempos, se a sua vida e se aquele encontro não obedeceriam a um
estranho e misterioso desígnio, se tudo aquilo não estava afinal
predestinado. Mas duvidou. Talvez não. Talvez estivesse apenas a
tentar fazer sentido do caos, a procurar dar significado à vida, a
esforçar-se por atribuir uma razão a tudo o que lhe sucedera,
quando, feitas as contas, não há verdadeiramente um sentido nem
um significado, as coisas são o que são e acontecem como acontecem, acontecem com simplicidade, com a naturalidade daquele
abraço do capitão à sua filha perdida, daquele murmúrio de voz
embargada que lhe brotava dos lábios e era repetidamente
soprado aos ouvidos da menina que o enlaçava pelo pescoço.

"Ma petite fille."

Nota final

Tratando-se, é certo, de uma obra de ficção, este romance procura reproduzir factos históricos ocorridos na Flandres em 1917 e 1918. As personagens centrais são criações do autor, embora as situações por elas vividas sejam inspiradas em acontecimentos e episódios que efectivamente se produziram. Em alguns casos, e para benefício da narrativa, esses acontecimentos foram comprimidos no tempo ou adaptados ficcionalmente. A reunião de Mons, a 11 de Novembro de 1917, ocorreu realmente, embora o palco não tenha sido a Mairie. Foi aí que começou a ser delineada a Operação Georgette, o plano de ataque às forças portuguesas, e os diálogos reproduzem os raciocínios efectivamente desenvolvidos pelo Alto Comando alemão nessa e em reuniões subsequentes. Os raides descritos no livro foram de facto executados, designadamente os de 22 de Novembro de 1917 e 9 de Março de 1918, para já não falar nos acontecimentos do Natal de 1917 e, evidentemente, na grande batalha de 9 de Abril de 1918, quando quatro divisões alemãs atacaram a única divisão portuguesa que defendia a linha naquele sector.

Para benefício da narrativa, contudo, foram alterados alguns pormenores. Os nomes das ruas e trincheiras de Fauquissart,

Neuve Chapelle e Ferme du Bois estão correctamente reproduzidos. Várias personagens são reais, desde os altos comandos portugueses, britânicos e alemães até figuras como o então tenente-coronel Eugénio Mardel, o major Montalvão e a maior parte das personagens que resistiram em Lacouture e ainda o farmacêutico Francisco Barbosa, o professor Manoel Ferreira ou o empregado da farmácia Franco que jogava na equipa do Grupo Sport Lisboa. O texto da tabuleta de Saint-Venant com o "Avisa" sobre o uso de latrinas é verdadeiro, tal como o da carta em francês de um soldado ao irmão e todas as citações de jornais e relatórios, mais o jargão e o calão das trincheiras.

Para que este romance fosse possível tornou-se necessário efectuar um profundo trabalho de pesquisa histórica. Consultei milhares de documentos do Arquivo Histórico-Militar e da Biblioteca Nacional e centenas de livros sobre os mais variados temas, desde a guerra até matérias de mera referência da época, como obras sobre moda, fardas militares, mobiliário, electricidade, utensílios de uso corrente, produtos de consumo, comboios, automóveis, artes, filosofia, medicina, e ainda postais ilustrados e anuários comerciais com as mais variadas informações úteis, incluindo horários de diligências e comboios, preços de bilhetes de caleches, percursos ferroviários, estradas existentes na altura, feiras, restaurantes, hotéis, pastelarias, padarias, jornais, ruas, etc.

Na verdade, deitei a mão a tudo o que pudesse ajudar-me a situar a época e a reproduzir o espírito do tempo, ao mesmo tempo que procurava evitar os sempre enervantes anacronismos. Seria fastidioso enumerar todas as obras consultadas, pelo que me limitarei ao estritamente essencial. Entre as fontes bibliográficas mais importantes sobre o conflito de 1914-1918, destaque para os relatos feitos por militares que participaram na guerra e publicados nos livros *A Batalha do Lys,* do general Gomes da Costa; *Livro da Guerra de Portugal na Flandres,* do capitão David Magno; *O Soldado-Saudade* e *Ao Parapeito,* do tenente Pina de Morais; *A Malta das Trincheiras,* do capitão, dramaturgo, jornalista e humorista André Brun; *Os Portugueses na Flandres*, do tenente-coronel Fernando Freiria; *A Brigada do Minho na Flandres*, do coronel Eugénio Mardel; *João Ninguém, Soldado da Grande Guerra*, do capitão Menezes Ferreira; *O Bom Humor no C.E.P.*, do major Mário Affonso de Carvalho; *Good-bye to All That*, do capitão e poeta Robert Graves; e *War Letters of Fallen Englishmen*, de Laurence Housman. Também foram consultados estudos sobre os acontecimentos na Flandres envolvendo o CEP, designadamente *La Lys*, de Castro Henriques e Rosas Leitão; *Guerra e Marginalidade*, de Alves de Fraga; *Portugal e a Guerra*, de Nuno Severiano Teixeira; e *Portugal na Grande Guerra*, de Aniceto Afonso e Matos Gomes. Finalmente, as fontes de informação sobre o conflito e as circunstâncias em que ele foi combatido incluem obras como *The Trench*, de Richard van Emden; *To the Last Man*, de Lyn McDonald; *Over the Top* e *1918*, de Martin Marix Evans; *A Foreign Field*, de Ben MacIntyre; *The Swordbearers*, de Correlli Barnett; *Christmas Truce*, de Malcolm Brown e Shirley Seaton; *History of the First World War*, de Sir Liddell Hart; *The First World War*, de Stephen Pope e Elizabeth-Anne Wheal; *The World War I Source Book*, de Philip Haythornthwaite; *True World War I Stories*, de Jon Lewis; *The Western Front*, de Malcolm Brown; *The Battle of Neuve Chapelle*, de Geoff Bridger; *Les soldats de la Grande Guerre*, de Jacques Meyer; *La Grande Guerre*, de Marc Ferro; e *Première Guerre Mondiale*, de Pierre Chavot e Jean-Denis Morenne.

Todos os erros históricos que o romance eventualmente contenha são da minha inteira e exclusiva responsabilidade. Mas devo sublinhar que, o que ele porventura tenha de bom, fico-o a dever à inestimável ajuda prestada por um conjunto de pessoas que me deu preciosas indicações para o trabalho de investigação. Agradeço penhoradamente o auxílio de Luís Cunha, do ACP Clássicos; de Augusto Lopes, da Câmara Municipal de Rio Maior; do Valdemar Abreu, da CP; do tenente-coronel Vieira Borges, da Academia Militar; de José Paulo, director do Seminário Conciliar de São Pedro e São Paulo; do José Manuel Mendes e do Luís Costa, entusiásticos guias pelo passado de Braga; da Ziza e da

Nicole, pela ajuda no alemão; e do Guilherme Valente, o editor que lutou pelo livro. Alguns destes amigos ajudaram-me igualmente nas revisões do manuscrito, pelo que esta obra também lhes pertence.

O agradecimento final vai para a Florbela, a primeira leitora e a grande musa, a origem e o destino deste romance.